C0-AYL-452

HANS-JOCHEN JASCHKE

Der Heilige Geist im Bekenntnis der Kirche

Eine Studie zur Pneumatologie
des Irenäus von Lyon
im Ausgang vom altchristlichen
Glaubensbekenntnis

VERLAG ASCHENDORFF
MÜNSTER

Münsterische Beiträge zur Theologie

Begründet von Franz Diekamp und Richard Stapper
fortgeführt von Hermann Volk
herausgegeben von Bernhard Kötting und Joseph Ratzinger

Heft 40

D 355

Mit kirchlicher Druckerlaubnis
Nr. 305-6-27/76
Münster, den 17. August 1976
Dr. Hellbernd, stellv. Generalvikar

Aschendorffsche Buchdruckerei, Münster Westfalen, 1976

ISBN 3-402-03575-8

PARENTIBUS ET AMICIS

Vorwort

Die vorliegende Arbeit wurde im Wintersemester 1974/75 von der Katholisch-Theologischen Fakultät der Universität Regensburg als Dissertation angenommen. Für den Druck wurden nur einige kleinere Veränderungen angebracht. Mein Dank gilt besonders meinem Lehrer, Herrn Professor Dr. J. Ratzinger, der mir bei der Themenfindung zur Seite gestanden und meine Arbeit bis zum Abschluß mit seinem Rat begleitet hat. Ich danke auch dem Korreferenten, Herrn Professor Dr. N. Brox, und nicht zuletzt Herrn Professor Dr. B. Kötting, der sich tatkräftig für die Aufnahme der Studie in die Reihe der »Münsterischen Beiträge« eingesetzt hat.
Großen Dank schulde ich dem Bischof von Osnabrück, Dr. H. H. Wittler. Er hat mir durch die Freistellung zum Studium die Anfertigung meiner Untersuchung ermöglicht und einen großzügigen Zuschuß für die Drucklegung beigesteuert. Ich habe von dem inzwischen verstorbenen Generalvikar des Bistums Osnabrück, W. Ellermann, Hilfe erfahren; und auch Herrn Propst A. Sandtel aus Bremen, meinen väterlichen Freund, darf ich in diesem Zusammenhang dankbar erwähnen. Schließlich haben mir einige Herren aus dem Niels-Stensen-Kolleg zu Münster beim Lesen der Korrekturen beigestanden.
Parallel zu der vorliegenden Studie ist ebenfalls in Regensburg bei Herrn Prof. Dr. J. Ratzinger die Untersuchung meines Freundes P. Réal Tremblay: La manifestation et la vision de Dieu selon saint Irénée de Lyon, entstanden. Sie wird demnächst in den Münsterischen Beiträgen erscheinen. Ich habe die Arbeit von R. Tremblay nicht ausdrücklich berücksichtigen können. Gleichwohl verdanke ich den Gesprächen mit R. Tremblay viel für das Verständnis der Theologie des heiligen Irenäus. Auch ihm sei darum ein ganz herzlicher Dank gesagt.

Münster, den 18. September 1976

Inhalt

II. Teil:
Die Auslegung des pneumatologischen Bekenntnisses durch die Theologie des Irenäus von Lyon

Einführung

Wer sich in den Worten des Apostolischen oder des Nicaeno-Konstantinopolitanischen Symbols zum Heiligen Geist bekennt, steht in einer langen Glaubenstradition. Sie beginnt mit der Geschichte der Entstehung des Bekenntnisses, die seit dem zweiten Jahrhundert quellenmäßig greifbar wird, bis die Texte im vierten Jahrhundert im wesentlichen ihre heute noch gültige Ausgestaltung erhalten haben. Die vorliegende Untersuchung will zum Verständnis dieser grundlegenden Epoche einen Beitrag leisten, indem sie die Anfänge des pneumatologischen Bekenntnisses bei dem großen Theologen der Kirche, dem Bischof Irenäus von Lyon hervorhebt, sie mit dem altkirchlichen Glaubensbekenntnis verbindet und durch eine Darstellung der Lehre vom Heiligen Geist bei Irenäus erläutert. Sie will von einem herausragenden Zeugen aus einen Einblick in das geschichtliche Werden des dritten Glaubensartikels vermitteln und die weitgehend anonyme Bekenntnistradition an ihrem ersten bedeutenden Vertreter theologisch ausweisen.
Der Einsatz bei Irenäus und seine Wahl zum theologischen Hauptzeugen empfehlen sich, weil bei ihm zum Ende des zweiten Jahrhunderts hin der Glaube an den Heiligen Geist erstmals in reich ausgeprägten Formulierungen begegnet. Dazu bietet er als erster kirchlicher Schriftsteller eine Fülle von Erklärungen, die ihre Mitte im Bekenntnis haben und so für das Verständnis des dritten Symbolartikels von hervorragendem Wert sind.
Da die Angaben des Bischofs von Lyon in die kirchliche Bekenntnistradition hineinführen und sich erst vor diesem Hintergrund in ihrer Bedeutung erschließen, eröffnet sich von ihnen aus die weitere Symbolgeschichte; und man erhält zugleich eine gute Orientierungshilfe zu ihrem Verständnis. Die vorliegende Studie verzichtet darauf, die mühselige Diskussion um die Frühgeschichte der Symbola eigens aufzunehmen. Sie setzt die gesicherten Ergebnisse der Symbolforschung voraus und unternimmt den Versuch, das Bekenntnis zum Heiligen Geist bei Irenäus in die Tradition der alten Kirche zu stellen. Einige Bemerkungen sollen dieses Verfahren erläutern.
Das Hauptdatum für die Forschung bildete einst die Entdeckung des altrömischen Stadtsymbols (R) als Vorstufe des zur Rezeption gelangten Textes des Apostolischen Glaubensbekenntnisses[1]. Ganz

[1] Dies geschah durch den anglikanischen Erzbischof James Ussher (Jac. Usserius) mit seiner Schrift: De romanae ecclesiae symbolo apostolico vetere aliis-

von dieser Fragestellung geprägt, hat um die Jahrhundertwende im Anschluß an die Forschungsarbeit von Carl Paul Caspari[2] an herausragender Stelle Ferdinand Kattenbusch den großangelegten Versuch unternommen, vom altrömischen Symbol aus das gesamte Material zu sichten und den Text als eine Kunstform zu erweisen, die bis ins zweite Jahrhundert zurückreicht und nicht nur für die westlichen, sondern auch für die östlichen Symbola die Mutterformel gewesen ist[3]. Trotz der immensen Materialfülle, trotz der mit peinlicher Akribie vorgenommenen Einzelanalysen hat sich Kattenbuschs Hypothese in der weiteren Forschung nicht bewährt. Nach ihm hat man sich mit der Theorie von der doppelten Formel, einer kurzen trinitarischen und einem ursprünglich selbständigen christologischen Kerygma, mit Erfolg den Vorläufern des alten Romanum zugewandt und hier die große Vielfalt der frühen Tra-

que fidei formulis tum ab occidentalibus tum ab orientalibus in prima catechesi et baptismo solitis diatriba, London 1647. — In den Fragen zur Geschichte, insonderheit zur Diskussion über den apostolischen Ursprung geben Auskunft: Kattenbusch I 1—37 (s. u. A 3), der Artikel »Symbolforschung« von J. Quasten, LThK² 9,1210ff, und nicht zuletzt die große Studie von J. de Ghellinck, Les recherches sur les origines du Symbole des Apôtres (Pastristique et Moyen-Age T. II), Gembloux, Brüssel, Paris ²1949, die eine vollständige Erfassung der Literatur zum Apostolicum unternimmt und sie im Einzelnen vorstellt.

[2] S. seine Werke: Ungedruckte, unbeachtete und wenig beachtete Quellen zur Geschichte des Taufsymbols und der Glaubensregel, Bd. I Christiania 1866, Bd. II ebd. 1869, Bd. III ebd. 1875; sowie: Alte und neue Quellen zur Geschichte des Taufsymbols und der Glaubensregel, Christiania 1879. Im Folgenden: Caspari I—IV. Casparis Forschungen sind zu einem guten Teil eingegangen in die: Bibliothek der Symbole und Glaubensregeln der alten Kirche. Herausgegeben von August Hahn, dritte vielfach vermehrte und veränderte Auflage von G. Ludwig Hahn. Mit einem Anhang von Dr. Adolf Harnack, Breslau 1897 (Nachdruck Hildesheim 1962), und sämtlich von F. Kattenbusch aufgenommen worden.

[3] Das Apostolische Symbol. Seine Entstehung, sein geschichtlicher Sinn, seine ursprüngliche Stellung im Kultus und in der Theologie der Kirche. Bd. I, Die Grundgestalt des Taufsymbols, Leipzig 1894; Bd. II, Verbreitung und Bedeutung des Taufsymbols, Leipzig 1900 (Nachdruck Darmstadt 1962). Im Folgenden: Kattenbusch I II. Kattenbuschs Arbeit ist von keiner der weiteren Untersuchungen an Gründlichkeit und, abgesehen von der Grundthese, an zuverlässiger Information eingeholt worden. Seine kritische Sichtung der Texte wird hier durchgängig vorausgesetzt. — Man vgl. zu Kattenbusch die Rezensionen von G. Voisin, Rev. d'Hist. eccl. 2 (1901) 88—97; J. Kunze, Theol. Lit. Blatt 23 (1902) 217—223.233—237.241—245, und von P. de Puniet, Rev. d'Hist. eccl. 5 (1904) 762—770; ebenso seine eigene Stellungnahme zu Haußleiter, Lietzmann, Nußbaumer (s. A 4) in ThLZ 47 (1922) 73—78 und den Bericht von Ghellinck, aaO 64—73. — Neben Kattenbusch seien erwähnt: die kleine Abhandlung von Th. v. Zahn, Das Apostolische Symbol. Eine Skizze seiner Geschichte und eine Prüfung seines Inhalts, Erlangen-Leipzig ²1893, und der Artikel »Apostolicum« von A. v. Harnack in RE I 741—755.

dition erkannt, die nicht auf einen einfachen Nenner zu bringen ist[4]. In der Erkenntnis, daß eine rein historische Fragestellung der patristischen Auffassung von Einheit und Apostolizität nicht gerecht wird, hat man es vorgezogen, die ersten Zeugnisse unverkürzt stehenzulassen, ohne sie in eine historisch exakte Entwicklungslinie zu pressen oder eine bestimmte einheitliche Formel aus ihnen herauszudestillieren. So ist innerhalb der mannigfaltigen, bis ins Neue Testament zurückreichenden Ansätze zur Bekenntnisbildung die Taufe als der vorzügliche Ort für die Entstehung des Symbols hervorgetreten, wobei der Taufspendung das Bekenntnis in der Form von Fragen und Antworten oder ein deklaratorischer Bekenntnisakt zugeordnet werden, der Taufvorbereitung vom Taufbekenntnis geprägte Glaubenssummarien, welche die Glaubenslehre zusammenfassen, sich zu umschriebenen Symbolformeln entwickeln und in einem besonderen Verhältnis zur Glaubensregel stehen[5].

Auf den Lyoner Bischof sind Symbolforscher seit der Mitte des vergangenen Jahrhunderts aufmerksam geworden. W. Wigan Harvey sah in seinem Credo das alte kirchliche Bekenntnis bezeugt, das jeweils nach den Bedürfnissen der Ortskirchen variiert worden sei und bei Irenäus verwandte Züge mit dem östlichen Typus aufweise[6]. Carl Paul Caspari sprach in seiner gelehrten Anmerkung

[4] M. Peitz, Das Glaubensbekenntnis der Apostel, St. d. Z. 94 (1918) 553—566; J. Haußleiter, Trinitarischer Glaube und Christusbekenntnis in der alten Kirche (Beiträge z. Förderung christl. Theol. 25,4), Gütersloh 1920; A. Nußbaumer, Das Ursymbolum nach der Epideixis des hl. Irenäus und dem Dialog Justins des Märtyrers mit Trypho (Forschungen z. christl. Lit. u. Dogmengesch. 14,2), Paderborn 1921; J. Lebreton, Les origines du symbole baptismal, RSR 20 (1930) 97—124, und bes. H. Lietzmann mit seinem Aufsatz, Die Anfänge des Glaubensbekenntnisses, aus dem Jahre 1921, und den vierzehn Symbolstudien aus den Jahren 1922—1927 (jetzt in: Kleine Schriften III, Studien zur Liturgie- und Symbolgeschichte. Zur Wissenschaftsgeschichte. Hrsg. von der Kommission für spätantike Religionsgeschichte, Berlin 1962, S. 163—181.189—281). Ich zitiere Lietzmann nach der letztgenannten Ausgabe.

[5] Es ist das Verdienst von J. N. D. Kelly, die Bedeutung der Tauffragen herausgestellt und den katechetischen Zweck der deklaratorischen Texte hervorgehoben zu haben. Sein Lehrbuch: Early Christian Creeds, erstmals erschienen im Jahre 1950 zu London, liegt jetzt in einer dritten überarbeiteten Auflage vor, London 1972. Deutsche Übersetzung: Altchristliche Glaubensbekenntnisse. Geschichte und Theologie, Göttingen 1972. Die Referenzen sind nach dieser Ausgabe korrigiert. — Zu Kelly vgl. man die Berichte von J. Daniélou in RSR 38 (1951) 289—293 und P. Th. Camelot in RSR 39 (1952) 323—327. — Die mit großer Ausführlichkeit und Sorgfalt verfaßte Studie von C. Eichenseer, Das Symbolum Apostolicum beim Heiligen Augustinus (Kirchengesch. Quellen u. Studien 4), St. Ottilien 1960, nimmt in ihrem ersten Teil weithin zu den allgemeinen Fragen der Symbolgeschichte Stellung, gelangt aber kaum über die Ergebnisse von Kelly hinaus.

[6] Sancti Irenaei Episcopi Lugdunensis Libros quinque adversus Haereses, Cam-

über die Fassungen der Glaubensregel bei Irenäus, Tertullian und Origenes von wörtlichen Anspielungen auf das Symbol und einer Anlehnung an die Taufformel, ohne sich jedoch ausdrücklich zur Einordnung in die Bekenntnistradition zu äußern[7]. Damit blieb es Ferdinand Kattenbusch vorbehalten, Irenäus innerhalb des großen Unternehmens seines vom altrömischen Symbol her geführten Beweises zu befragen und als Ergebnis die These aufzustellen, er habe das Romanum bereits gekannt und als für ihn bedeutsame Formel — obschon um Zusätze aus seiner eigenen Theologie erweitert — weitergegeben[8]. Johannes Kunze legte gegenüber der verengten Fragestellung Kattenbuschs größeres Gewicht auf die Vielfalt der Formen des Taufbekenntnisses in der frühen Kirche. Für Irenäus gelangte er zu dem Urteil, bei ihm habe ein Bekenntnis in der Art des römischen vorgelegen; es sei nicht völlig identisch mit ihm gewesen, sondern habe noch Elemente der orientalischen Kirche bewahrt[9]. Nachdem sich gut zwanzig Jahre später Arnold Nußbaumer an den Versuch gewagt hatte, über die Epideixis des Irenäus und Justins Dialog zu einem »monarchisch-christologischen« Ursymbolum vorzustoßen, das aber bei dem Lyoner Bischof bereits von dem trinitarischen Schema überlagert worden sei und in dieser Verbindung schon dem textus receptus des Apostolicum entsprochen hätte[10], wurden dann von Hans Lietzmann im Blick auf Irenäus die große Variationsbreite und das durch ihn bekundete hohe Alter der orientalischen Formeln herausgestellt[11]. Henry Holstein wandte sich in seiner Zusammenstellung der irenäischen Symboltexte gegen die überzogene Folgerung Lietzmanns, Irenäus habe neben dem dreigliedrigen auch ein zwei- oder gar viergliedriges Bekenntnis bewahrt, und hob demgegenüber die relative Einheitlichkeit in der Modifizierung eines dreigliedrigen Grundschemas hervor[12]. John Norman Davidson Kelly gibt die Texte bei Irenäus an, betont ihre Mannigfaltigkeit, hält aber daran fest, daß der Lyoner Bischof ein dreigliedriges Bekenntnis in Frageform

bridge 1857 2 Bde., I 87f A 6; 90 A 1; II 262 A 2; 378 A 6. Harvey beruft sich auf seine zweibändige History and Theology of the Three Creeds, Cambridge 1856.

7 Caspari II 127—138 A 222; bes. 129.133.

8 Kattenbusch II 51f. Über die Kombination von Symbol und Regula s. II 33.43. 353.726.962ff.

9 Glaubensregel, Heilige Schrift und Taufbekenntnis. Untersuchungen über die dogmatische Autorität, ihr Werden und ihre Geschichte, vornehmlich in der alten Kirche, Leipzig 1899, S. 31—35; bes. 33.

10 Nußbaumer, aaO 114. Vgl. die in A 4 genannte Literatur.

11 Symbolstudien 218ff.239.

12 Les formules du symbole dans l'oeuvre de saint Irénée, RSR 34 (1947) 454—461.

gekannt hat[13]. Endlich will David Larrimore Holland in seinem Bemühen, die Kirchenordnung Hippolyts als einzigen Vorläufer des alten Romanum zu behaupten, in den Büchern adversus haereses keinen Hinweis auf ein römisches Symbol entdecken[14].

Im Spiegel der Forschungsgeschichte, die hier mit einigen Stimmen zu Wort gekommen ist, wird die Bedeutung des Lyoner Bischofs für das Bekenntnis der alten Kirche sichtbar, und man erkennt, wie sehr sein Zeugnis in der kirchlichen Tradition steht, die in ihm zum Ausdruck gelangt. Zugleich erhellt zur Genüge die Aussichtslosigkeit des Versuchs, den frühen Befund im Rahmen einer Entwicklungshypothese zu deuten. Statt dessen wird man dazu eingeladen, die Texte in ihrer jeweiligen Eigenart reden zu lassen, um so einen gemeinsamen Bekenntnis- und Glaubenshorizont zu gewinnen, der die ersten Zeugnisse mit den später hervorgetretenen Formeln verbindet.

Ein Problem besonderer Art bildet das Verhältnis von Symbol und Glaubensregel. Die Frage stellt sich angesichts der Texte bei Irenäus und den Theologen seiner Zeit, die einen formelartigen Abriß des Glaubens liefern und nach Form und Inhalt den späteren Symbola ähneln. Welche Beziehung besteht hier zum Taufbekenntnis? Theodor von Zahn hat die neuere Debatte mit der These angestoßen, die Glaubensregel sei mit dem Taufsymbol identisch[15]. Ihm sind in der Grundtendenz Adolf von Harnack, Ferdinand Kattenbusch und Johannes Kunze gefolgt[16]. Die Glaubensregel liefe nach ihnen auf das katholische Dogma zu, sie würde der Schrift gegenübertreten und sie im Extremfall überformen können. Dagegen haben Reinhold Seeberg, Damien van den Eynde, Bengt Hägglund und zuletzt Philip Hefner mit der weiteren Fassung des Begriffs, derzufolge die Regula das Lehrganze der apostolischen Überlieferung beinhaltet und, was das Taufbekenntnis anbetrifft, nicht mit ihm identisch ist, wohl aber ihren Ausdruck in ihm finden kann, ein umfassenderes Verständnis möglich gemacht[17]. Mit ihm kann man

[13] Kelly 80—85.

[14] The Earliest Text of the Old Roman Symbol. A Debate with H. Lietzmann and J. N. D. Kelly, Church Hist. 34 (1965) 262—281; 269.

[15] Glaubensregel und Taufsymbol in der alten Kirche, Zeitschr. f. kirchl. Wiss. u. kirchl. Leben 2 (1881) 303—324; vgl. auch RE 6,682—688.

[16] Kattenbusch II 81ff.962ff, glaubt, daß im Westen das Symbol die Glaubensregel bildet, während man im Orient zuerst die Schriften damit gemeint habe. Kunze, aaO 185, betrachtet die Regula als das »antihäretisch gewendete aus der heiligen Schrift ergänzte und ausgelegte Taufbekenntnis, diese, die Schrift selbst miteingeschlossen.« — A. v. Harnack, Lehrbuch der Dogmengeschichte Bd. I, Tübingen [4]1909, S. 354—372, hält die Regula für ein »bestimmt interpretiertes Bekenntnis« (360).

[17] R. Seeberg, Lehrbuch der Dogmengeschichte Bd. I, Leipzig [3]1922, erklärt: »Es ist die kirchliche Tauflehre, wie sie von jeher als apostolische Wahrheit

die Beziehung beider festhalten, ohne eine voreilige Gleichsetzung mit allen sich daraus ergebenden Konsequenzen vornehmen zu müssen. Das Zueinander von Glaubensregel und Taufbekenntnis bestimmt sich dann so, daß jene in diesem auftreten oder nach ihm ausgesagt werden, aber auch unabhängig von ihm als christologisches Kerygma oder zweigliedrige Formel vorkommen kann. Gibt die Regula den Taufglauben wieder, so erscheint sie als eine lehrmäßige Zusammenfassung der Katechumenenunterweisung und kann von hier aus zu einer Art Summe des christlichen Bekenntnisses werden. Dies ermöglicht schließlich die Entwicklung, daß die Glaubensregel sich auf das Taufbekenntnis konzentriert, wobei eine wechselseitige Beeinflussung stattfindet, daß also das Taufbekenntnis als Glaubensregel dient[18].

Für die Entwicklung des Themas bietet sich demnach der folgende Weg an. Man wird bei Irenäus nicht gleich nach direkten Spuren oder Vorformen später bezeugter Symbola Ausschau halten, sondern zur Kenntnis nehmen, was er hinsichtlich der Taufe und des Taufbekenntnisses mitteilt. »Bekenntnis« meint dabei noch nicht notwendig eine im Einzelnen greifbare ausgebaute Formel. Es kann als Taufglaube, in der Form von mit dem Ritus verbundenen Fragen und Antworten oder als sonst nicht weiter bestimmbare Äußerung im Zusammenhang mit der Taufe auftreten. Entscheidend ist die an die Taufe gebundene Glaubensüberzeugung und ihre — wie sich zeigen wird — trinitarische Struktur. Sie ist unabhängig

betrachtet worden war, und zwar diese Tauflehre in der späteren triadischen Fassung. Sofern diese Lehre im Symbol zusammengefaßt ist, können Symbol und Regel identisch genommen werden; sofern aber die Regel die ganze Lehre enthält, sind beide Begriffe nicht identisch« (375f). D. van den Eynde, Les normes de l'enseignement chrétien dans la littérature patristique de trois premiers siècles (Univ. cath. de Louvain Diss. Théol. Sér. 2,25), Gembloux 1933, S. 281—313, schreibt: »La règle de la vérité est donc l'ensemble des doctrines, considérées comme immuables, qui distinguent les églises d'avec les hérésies« (312).

B. Hägglund, Die Bedeutung der regula fidei als Grundlage theologischer Aussagen, Stud. theol. Lund. 12 (1958) 1—44, bezeichnet die regula als die »ganze Lehre der Kirche, die Lehre, die von den Aposteln und Propheten verkündigt worden und in der Schrift niedergelegt ist« (4).

Ph. Hefner, Theological Methodology and St. Irenaeus, The Journ. of Rel. 44 (1964) 294—309, macht die »Hypothesis« zum Oberbegriff: »on the one hand the hypothesis is known only in and through the mediate authorities of magisterium, Scripture, tradition and symbol. But on the other hand they posses their meaning and significance only by virtue of their relationship to the ›hypothesis‹ or system of the Faith ...« (296). Man vgl. die Seiten 108—124 bei Eichenseer, aaO.

[18] Augustin sagt im sermo 213,1 in traditione symboli (PL 38,1060): »Symbolum est breviter complexa regula fidei, ut mentem instruat, nec oneret memoriam; paucis verbis dicitur, unde multum acquiratur«.

von einer dogmatischen Wertung als die von frühester Zeit an gültige Weise der Glaubensaussage über den Heiligen Geist herauszustellen. Dazu kommen dann in einem weiteren Schritt die Fassungen der Glaubensregel oder die Glaubensformeln, insofern sich in ihnen der trinitarische Taufglaube ausdrückt. Sie sind von diesem zu unterscheiden, da er am Anfang steht und gerade in der Unterscheidung zu einem Deuteprinzip für sie wird. Gleichwohl können sie nicht von ihm getrennt werden, da sie erläutern und inhaltlich näher ausführen, was der Taufglaube bedeutet, so daß beides zusammen den Ausdruck des Bekenntnisses bei Irenäus bildet. Um das Beziehungsverhältnis von Taufbekenntnis und Regula klar in den Blick zu bekommen, empfiehlt sich eine gesonderte Darstellung. Sie wird den trinitarischen Taufglauben als die Quelle des kirchlichen Bekenntnisses aufzudecken haben, um mit ihm eine sichere Orientierung für die Auffindung wie für die Interpretation der entsprechenden Formeln zu gewinnen. Das soll geschehen, indem einmal das durch den Lyoner Bischof bekundete Taufbekenntnis in der Zeit vor ihm und bei den nachfolgenden Theologen verfolgt wird. Dann werden seine Glaubensformeln, soweit sie den dritten Artikel betreffen, in die Reihe der analogen Zeugnisse zu stellen sein. Schließlich soll in einem weiteren Kapitel auf die Symbola und die Texte hingewiesen werden, mit denen in den jeweiligen Kirchen der Glaube an den Heiligen Geist ausgesagt worden ist. Sich hierbei der Mühe der Einzelinterpretation zu unterziehen und auch die je anstehenden Detailfragen aufzunehmen, erscheint angesichts der Forschungslage unumgänglich, es sei denn, man wollte doch wieder bei einer nicht näher bewiesenen Hypothese seine Zuflucht suchen oder darauf verzichten, die Texte in ihrem spezifischen Sinn ernstzunehmen. Am Ende des von Irenäus aus beschrittenen Weges wird dann die Frage zu beantworten sein, welche Bedeutung seinen Formeln zukommt und inwieweit sich in ihnen im Verein mit den übrigen Traditionszeugnissen der eine Glaube der Kirche zu erkennen gibt.

So führen die Angaben bei Irenäus in die Geschichte hinein. Sie erschließen sich vor ihrem Hintergrund, sind aber auch umgekehrt ein geeigneter Schlüssel für ein sachentsprechendes Verständnis der Anfänge des pneumatologischen Bekenntnisses, da man, schon im Innenraum stehend, eine zuverlässige Spur für die Interpretation des weiteren Befundes findet.

Der zweite Hauptteil wird sich dann im wesentlichen auf die Theologie des Lyoner Bischofs konzentrieren. In ihm soll die Pneumatologie nachgezeichnet werden, die das kirchliche Bekenntnis des Irenäus auslegt. Da er keine Symbolerklärung hat verfassen wollen, kann dies nicht in der Weise geschehen, daß man seine Aussagen unvermittelt auf das Bekenntnis bezieht. Vielmehr wird man behutsam und geduldig die Rolle der Pneumatologie in seiner Glaubenserfahrung wie in seinem theologischen Denken zu bestimmen und den reichen Mitteilungen über das Wirken und das Wesen des Heiligen Geistes innerhalb des Entwurfs einer trinitarischen Theologie im Gegenüber zur Gnosis nachzugehen haben, wobei man freilich immer wieder auf das Bekenntnis als den inneren Bezugspunkt der Theologie des Lyoner Bischofs stößt. Auf eine Deutung im Sinne einer Zerlegung in einzelne Traditionsschichten soll weitgehend verzichtet werden. Statt dessen wird der Versuch unternommen, die Angaben über den Geist und sein Werk zusammenzusehen, um aus den verschiedenen Momenten das eine Bild entstehen zu lassen, das Irenäus vor Augen schwebt. Dieses in einem abschließenden Rückblick ausdrücklich auf den dritten Glaubensartikel zu beziehen, wird die letzte Aufgabe sein. Der Bischof von Lyon wird als der große Theologe der Kirche hervortreten, der ihrem Bekenntnis zum Heiligen Geist eine inhaltsreiche Auslegung gibt, die auch für die spätere Tradition von bleibendem Wert ist.

Erster Teil

Der dritte Glaubensartikel im Werk des Irenäus von Lyon vor dem Hintergrund der kirchlichen Tradition

1. Kapitel: Das trinitarische Taufbekenntnis

§ 1 Das Zeugnis des Irenäus

Die Frage nach dem Glaubensbekenntnis bei Irenäus richtet sich an die beiden von ihm erhaltenen Werke, die fünf Bücher der »Entlarvung und Widerlegung der vermeintlichen Gnosis«[1] und den

[1] Für die Bücher adversus haereses liegt die Gesamtausgabe von W. Wigan Harvey vor (aaO). Eine neue, kritische Edition wird in der Reihe Sources Chrétiennes vorbereitet. Bereits erschienen sind: Buch IV von A. Rousseau, B. Hemmerdinger, L. Doutreleau, Ch. Mercier, 2 Bde. (SC 100), Paris 1965, Buch V von A. Rousseau, L. Doutreleau, Ch. Mercier, 2 Bde. (SC 152.153), Paris 1969 und jüngst Buch III von A. Rousseau, L. Doutreleau, 2 Bde. (SC 210. 211), Paris 1974. Man hat hier einen vorzüglichen Text zur Hand, nicht zuletzt wegen der vollständigen Berücksichtigung sämtlicher Textzeugen und Fragmente, der von A. Rousseau vorgenommenen Rückübersetzung ins Griechische und der gleichfalls von ihm verfaßten französischen Übersetzung. Dazu kommen die Anmerkungen von A. Rousseau, die eigentlich nur der Textbegründung dienen wollen, dabei aber schon wesentliche Momente der irenäischen Theologie berühren und deshalb eine große Hilfe für das Verständnis sind. — Von Buch III gibt es die als editio critica minor gedachte Ausgabe von F. M. Sagnard (SC 43), Paris 1952; s. dazu jetzt L. Doutreleau in SC 210,26—46! Zu Buch IV können die Ausstellungen von B. Hemmerdinger erwähnt werden: Observations critiques sur Irénée, IV (SC 100) ou les mésaventures d'un philologue, JTS 17 (1966) 308—326; die Auseinandersetzung mit ihnen gehört jedoch nicht in den Rahmen dieser Arbeit, zumal sie für das inhaltliche Verständnis des Irenäus kaum etwas beitragen. — Im Folgenden werden die Bücher adversus haereses nach der geläufigen Einteilung von Massuet zitiert. Für die Bücher I und II ist die Paginierung von Harvey beigegeben (H 1), für die Bücher III—V die der Edition in den Sources Chrétiennes (SC 210.211: Buch III; SC 100: Buch IV; SC 152.153: Buch V). Buch III von Sagnard (S) ist durchweg herangezogen worden. — Eine unverzichtbare Hilfe für die Erforschung von adversus haereses ist das Register von B. Reynders, Lexique comparé du texte grec et des versions latine, arménienne et

»Erweis der apostolischen Verkündigung«[2]. Seine große Auseinandersetzung mit den gnostischen Lehrmeinungen hat der Lyoner Bischof in den siebziger und achtziger Jahren des zweiten Jahrhunderts verfaßt[3]. Ganz dem Ziel der Zurückweisung der Gegner des kirchlichen Glaubens gewidmet, stellt sie in ihrem ersten Buch die gnostischen Lehren, besonders das System des Ptolemäus, und ihre Praktiken vor, schließt daran in Buch zwei einen Aufweis der Widersprüchlichkeit der häretischen Auffassungen und führt dann vom dritten bis zum fünften Buch in mehr positiver Weise den Nachweis ihrer Unvereinbarkeit mit Schrift und Tradition. Auch auf dem zuletzt beschrittenen Weg bleibt das Denken des Irenäus immer auf seine Gegner gerichtet und ist von dem Kampf gegen sie ebenso bestimmt wie von dem Willen, die Einheit und Harmonie des christlichen Glaubens angesichts der häretischen Bestreitung sichtbar werden zu lassen[4].

Der »Erweis der apostolischen Verkündigung«, die Epideixis, ist später abgefaßt. Die kleine Schrift hat nicht unmittelbar die Widerlegung der Häresie zum Gegenstand. Sie gibt sich als eine Erinnerung an die Grundlehren des Glaubens, die in einem ersten Teil dargestellt und dann durch die Übereinstimmung mit den Prophe-

syriaque de l'Adversus Haereses de saint Irénée, II, Index des mots latins (Corp. Script. Christ. Orient. 142), Louvain 1963. Für die deutsche Übersetzung schließlich leistet der Text von E. Klebba (BKV² 3.4), 2 Bde. Kempten u. München 1912, gute Dienste. Er konnte zwar kaum unverändert übernommen werden, hat aber oft als erste Orientierung und Ausgangsbasis gedient. — Für den vollständigen Titel s. adv. haer. 4 praef. 1 (SC 100,382); 5 praef. (SC 153,12); Epid. 99 (SC 62,169). Vgl. auch 2 praef. 1f (H 1,249f); ebenso bei Eusebius h. e. 5,7,1.

[2] S. den Titel bei Eusebius h. e. 5,26. Die neueste Ausgabe für die nur armenisch erhaltene Epideixis ist die französische Übersetzung von L. M. Froidevaux, Démonstration de la Prédication Apostolique (SC 62), Paris 1959 (Nachdruck 1971). Brauchbar ist noch die deutsche Übersetzung von S. Weber (BKV² 4), Kempten-München 1912, welche die Erstveröffentlichung: Des hl. Irenäus Schrift zum Erweise der apostolischen Verkündigung ... in armenischer Version entdeckt, herausgegeben und ins Deutsche übersetzt von K. Ter-Mekerttschian und E. Ter-Minassiantz; mit einem Nachwort und Anmerkungen von A. Harnack (TU 31,1), Leipzig 1907, 2. verb. Aufl. separat Leipzig 1908, schon an einigen Stellen korrigieren will (s. das Vorwort und die Einleitung von S. Weber, aaO!). — Im Folgenden werden die Referenzen nach dem französischen Text (SC 62) geboten. Dabei wird die deutsche Übersetzung von Weber zugrunde gelegt und jeweils nach dem Französischen korrigiert.

[3] Ansatzpunkt für die Datierung ist die Erwähnung von Papst Eleutherus in adv. haer. 3,3,3 (SC 211,38). Dieser war römischer Bischof von ca. 174—189; s. J. P. Kirsch, LThK² 3,802.

[4] Zum Ziel von Buch I: 1 praef. (H 1,1—7); 2 praef. 1—2 (H 1,249f); 3 praef. (SC 211,16ff). Zu Buch II: 2 praef 1 (H 1,249); 3 praef. (SC 211,16ff). Zu Buch III—V: 2,35,4 (H 1,387f); 3 praef. (SC 211,16ff); 4 praef. 1 (SC 100,382); 4,41,4 (992ff); 5 praef. (SC 153,12).

tien des Alten Testaments bekräftigt werden[5]. Ihre besondere Eigenart erhält sie durch den Stil der katechetischen Unterweisung. Die Taufe bildet den Ausgangspunkt der Darlegung; und nachdrücklich wird die Glaubensbewährung in einem christlichen Leben gefordert. Bezugnehmend auf das Schema der Zwei-Wege-Lehre, stellt die Epideixis dem »Weg der Verblendeten« den »Weg zum himmlischen Reich« gegenüber, auf welchem der Adressat Markianos zusammen mit den ihm anvertrauten Gläubigen bestärkt werden soll[6]. Mit einer bisher nicht bekannten Eindeutigkeit wird dieses Ziel mit dem kirchlichen Taufbekenntnis verbunden. Es steht am Eingang und am Ende und hält als Klammer die ganze Gedankenführung zusammen[7]. Es bildet den Maßstab für ein Leben auf dem Weg der Wahrheit und wird so auch zur Grenzlinie gegenüber der häretischen Abweichung[8].
Beide Werke des Bischofs von Lyon sind vollständig nur in Übersetzungen erhalten, einer lateinischen und, so die Epideixis, einer armenischen Fassung. Von den Büchern adversus haereses existiert eine Reihe von griechischen Fragmenten; weiterhin gibt es syrische Bruchstücke sowie eine armenische Übersetzung von Buch vier und fünf[9].

a) Die Bücher adversus haereses

Den ersten sicheren Ausgangspunkt für das Taufbekenntnis bietet die Bemerkung des Lyoner Bischofs über den Empfang der Wahrheitsregel in der Taufe. Zum Ende seines eingangs von adversus haereses gegebenen Berichts über die ptolemäische Gnosis geißelt er ihren Umgang mit der Schrift als ein Verfahren, welches die »Glieder der Wahrheit auflöst«, mit dem Ergebnis, daß aus dem kunstvoll gestalteten Bild eines Königs die jämmerliche Figur eines Hundes oder Fuchses wird. Nachdem er seine Argumentation mit der Bemerkung weitergeführt hat, nach dieser Methode könne man ebensogut aus willkürlich zusammengesuchten Einzelversen bei Homer ein neues Thema komponieren, das aber sofort in sich

[5] Bis zur Entdeckung der armenischen Übersetzung durch den Archimandriten Karapet Ter-Mekerttschian (1904) war die Schrift nur durch die Titelangabe bei Eusebius (s. A 2) bekannt. — Gliederung: 1. Teil: 1—42 (SC 62,27—99); 2. Teil: 43—100 (99—170).
[6] Epid. 1 (SC 62,28).
[7] Epid. 3 (SC 62,32); 6 (39f); 99f (168ff).
[8] S. Epid. 2 (SC 62,31); 99 (168f); 100 (170).
[9] Zum Alter der lat. Übers. s. die Angaben bei Altaner-Stuiber 111. Über den armen. Text der Epideixis s. die Einleitung vom Froidevaux (SC 62,8—25). — Fragmente von verloren gegangenen Schriften des Irenäus sind bei Harvey 2,470—511 zusammengestellt.

zusammenfalle, wenn man die Verse an ihren richtigen Ort stelle, formuliert er die bedeutsame Aussage[10]:
»So wird auch, wer die Wahrheitsregel unverändert bewahrt, die er durch die Taufe empfangen hat ... nicht den Fuchs anstelle des Bildes des Königs hinnehmen. Er wird jedes Wort an den ihm eigenen Platz zurückstellen, es in den Leib der Wahrheit einfügen und so ihre (der Ptolemäer) Erfindung bloßlegen und als nichtig erweisen.« In der Taufe also wird das den Christen befähigende Kriterium vermittelt, gegenüber der gnostischen Zerspaltung die strahlende Einheitsgestalt des Glaubens zu erblicken. Obgleich mit der »Wahrheitsregel« oder dem »Leib der Wahrheit« nicht schon unmittelbar das Symbol bezeichnet wird, sagt Irenäus doch an hervorgehobener Stelle unzweideutig, daß die Taufe den Eintritt in die christliche Wahrheit wie das Verbleiben in ihr bedeutet[11]. Mit ihr ist ein Glaubensempfang verbunden, sei es, daß er in der vorbereitenden Taufkatechese oder, was das erstere nicht auszuschließen braucht, beim Akt der Spendung stattfindet. Ein gewichtiges Argument für die letztere Möglichkeit bildet die wenige Zeilen später folgende Glaubensformel. Zwar stellt sie in der vorliegenden Fassung mit Sicherheit kein Taufbekenntnis vor; sie gibt aber doch das dreigliedrige Schema so eindringlich wieder, daß ihr Geprägtsein durch die Taufe unbestreitbar ist[12]. Irenäus setzt demnach für den Glaubensempfang bei der Taufe eine Form voraus, bei der das Bekenntnis zu Vater, Sohn und Geist die entscheidende Rolle eingenommen hat.
Weitere Hinweise bieten die Erklärungen hinsichtlich der Glaubensspendung durch die Kirche. Der Bischof von Lyon legt großen Wert auf die ununterbrochene Überlieferungsfolge von den

[10] Zitat: 1,9,4 (H 1,88f). Der Textzusammenhang beginnt in 1,8,1 (H 1,66ff) und reicht bis 1,9,4 (85ff).
[11] Kattenbusch (II 30.31f A 7) wehrt sich gegen Th. v. Zahn dagegen, die Ausdrücke κανὼν τῆς ἀληθείας und τὸ τῆς ἀληθείας σωμάτιον unmittelbar auf das Symbol zu beziehen. Ist dem zuzustimmen, so aber nicht der an anderer Stelle (II 982) gegen Kunze, aaO 75, nochmals zugespitzten Meinung, σωμάτιον bedeute einfach die von den Gnostikern zerstörte wahre Figur des Bildes. Denn damit nimmt man der Sprache des Irenäus ihre Tiefe und übersieht aller profunden Gelehrsamkeit (s. bes. II 30 A 7) zum Trotz, daß der Sprachgebrauch »membra veritatis« (1,8,1), »a veritate corpus integrum« (2,27,1; H 1,347f), »integrum corpus operis Filii Dei« (4,33,15; SC 100,844), »Glieder des Leibes der Wahrheit« (Epid. 1; SC 62,28) nach einer umfassenderen Interpretation ruft. — Vgl. auch Kattenbuschs Äußerung des gleichen Inhalts in ZNW 10 (1909) 331, Das σωμάτιον τῆς ἀληθείας bei Irenäus. — Hägglunds Erklärung (aaO 6ff), σωμάτιον bedeute »Realität«, »Substanz« im Gegensatz zu den mythologischen Spekulationen der Gnosis, wird dem christologischen Bezug der Wahrheit nicht genügend gerecht. Vgl. auch u. § 21 b. aa und § 24.
[12] S. die Analyse von 1,10,1 u. § 4a.

Aposteln Christi bis hin zur Kirche und den einzelnen Christen[13]. Deshalb ist nur die von der Kirche empfangene Wahrheit zuverlässig; sie ist der Eingang zum Leben, während die Häretiker den im Evangelium erwähnten Dieben und Räubern entsprechen (vgl. Joh. 10, 7 ff)[14]. Weil sie versuchen, die Gläubigen von dem abzubringen, was ihnen durch die Kirche übermittelt worden ist[15], sind die Christen aufgerufen, am Glauben festzuhalten[16], und besteht die dringende Notwendigkeit, die Neugetauften in dem eben empfangenen Glauben zu bestärken[17].

Gibt Irenäus zur Genüge zu verstehen, daß die Taufe ein Akt des Glaubensempfangs ist, ja, daß dieser Glaube als Bekenntnis gegenüber den Verlockungen der Irrlehre festgehalten werden muß, so vermitteln dann die Bemerkungen zum Bekenntnis der Gnostiker weitere Aufschlüsse. Die besondere Bedrohung des Christentums durch die Gnosis wird daran deutlich, daß ihre Anhänger vielfach mit dem Anspruch auf Kirchenzugehörigkeit auftreten, rein äußerlich deshalb das kirchliche Bekenntnis übernehmen, es aber unter der Hand verändern, indem sie die Worte einer allegorischen Deutung unterziehen. Bereits in der Vorrede zum ersten Buch warnt Irenäus seinen Adressaten vor den Wölfen im Schafspelz, »die zwar ähnlich wie wir sprechen, es aber in ganz anderer Weise verstehen«[18]. Er sieht seine vordringliche Aufgabe darin, ihre wirkliche Meinung aufzudecken, damit die Gläubigen sich nicht auf das verführerisch Bekannte ihrer Redeweise einlassen und den Häretikern zugleich der Anspruch auf die kirchliche Ausdrucksweise entzogen wird.

Die vorgetäuschte Kirchlichkeit zeigt sich in der öffentlichen Predigt, mit der man vor die Gläubigen tritt, um sie dann in einem zweiten Schritt für die gnostischen Geheimlehren gewinnen zu können[19], allem Anschein nach aber auch in einem gleichlautenden

[13] S. nur 3 praef. (SC 211,18).

[14] 3,4,1 (SC 211,44).

[15] 1,13,4 (H 1,120).

[16] Ebd. sowie 3 praef. (SC 211,18) und 3,24,1 (SC 211,472).

[17] 5 praef. (SC 153,12).

[18] 1 praef. (H 1,4). Im Folgenden bin ich Kunze, aaO 331—335, verpflichtet, der das erreichbare Material gut zusammengestellt hat. Gegen Harnacks These (I 359.363.792 A 2), die Aufstellung der Glaubensregel sei nach dem Vorbild und dann im Gegensatz zu Markion und der Gnosis erfolgt, führt Kunze, aaO 320—389.389—414, mit scharfer Klinge den Nachweis, daß das Taufbekenntnis vorgnostisch ist, von den Gnostikern übernommen, aber nicht als Lehrautorität betrachtet worden ist, während es die Kirche dann zusammen mit dem Kanon des NT als Norm aufgestellt hat.

[19] 3,15,2 (SC 211,280): »... simulantes nostrum tractatum, ut saepius audiant ... Et cum deiecerint aliquos a fide per quaestiones, quae fiunt ab eis, et non contradicentes auditores suos fecerint, his separatim inenarrabile ›Plenitudinis‹ suae enarrant mysterium«.

Taufbekenntnis. Sie versichern nach Irenäus, »daß es einen Gott gibt«, geben vor, an »Gott zu glauben«, »bekennen einen Jesus Christus«, »bekennen den Gekreuzigten«, »bekennen einen Gott Vater ... und einen Herrn Jesus Christus, den Sohn Gottes«[20]. In den Wendungen »bekennen«, »glauben an« steckt mit großer Sicherheit der Hinweis auf ein Bekenntnis im eigentlichen Sinn, welches nur als das liturgische Taufbekenntnis in der Identität mit dem kirchlichen verstanden werden kann[21].
Über seine Gestalt läßt sich nur wenig sagen. Die Zitate fügen sich in ein deklaratorisches Symbol wie in eines in Frageform. Da sie mit einer Taufformel nicht hinreichend zu erklären sind, wird sich bei Irenäus der Glaubensempfang während der Taufe in einem positiven Akt des Bekennens vollzogen haben.
Nun scheint sich aber gerade in der Frage nach dem dritten Artikel eine Schwierigkeit zu ergeben, insofern in den eben genannten Zusammenhängen nur vom Glauben an den Vater und den Sohn die Rede ist. Soll man an ein zweigliedriges Taufbekenntnis denken? Ein solcher Schluß darf nicht voreilig gezogen werden. Denn der Lyoner Bischof beruft sich sonst ausdrücklich auf den dreigliedrigen Taufbefehl vom Mt 28,19 und gibt in der Formulierung des kirchlichen Glaubens wiederholt sein Grundschema unverkennbar wieder[22]. Wenn er im Streit mit der Gnosis den Geist unerwähnt läßt, dann deshalb, weil er nur die Punkte aufführt, die von den Gegnern allem verbalen Gleichklang zum Trotz radikal verändert werden: das Bekenntnis zum einen Gott und zum einen Christus. Da der Heilige Geist nicht derart offenkundig in Frage gestellt wird, kann er in der vorliegenden Perspektive unerwähnt bleiben[23].
Im Spiegel der Informationen über die Gnosis zeichnet sich eine weitere Kontur des christlichen Taufbekenntnisses ab. Der Lyoner Bischof stellt innerhalb des ersten Buches Riten und Formeln der gnostischen Apolytrosis vor, welche er selber als »eine Verleugnung

[20] 1,22,1 (H 1,189): »Deum quidem unum dicunt, sed per sententiam malam immutant«. 2,28,4 (H 1,353): »Graviter quidem et honest videmini dicere vos in Deum credere ...«. 3,16,1 (SC 211,288): »Lingua quidem unum Christum Jesum confitentes ...«; ebenso 3,16,6 (310); 3,16,8 (318); 3,17,4 (340); 5,31,1 (SC 153,388ff). 5,18,1 (SC 153,236): »Et ipsi autem haeretici crucifixum confitentur ...« 4,33,3 (SC 100,808): »Lingua quidem confitentur unum Deum Patrem et ex hoc omnia ... et unum Dominum Jesum Christum Filium Dei similiter lingua confitentes ...« ;vgl. 5,8,3 (SC 153,104).

[21] Zum Nachweis, daß die genannten Texte nicht auf die Glaubensregel (Harnack), sondern auf das Taufbekenntnis gehen, s. Kunze, aaO 320—327.

[22] S. 3,17,1 (SC 211,328) und die Texte über die Taufe in Epid. 3 (SC 62,32); 6 (39f); 7 (41); 99 (168f); 100 (170).

[23] S. dazu den Nachweis u. § 3.

der Taufe, die zur Wiedergeburt in Gott führt« charakterisiert[24]. Der solchermaßen gebrandmarkte Ritus wird nicht einfachhin anstelle der kirchlichen Taufe geübt; vielmehr handelt es sich um eine Art zweiter Taufe; sie soll Erlösung durch den Geist bewirken, der — wie er einst auf Jesus herabgestiegen ist — jetzt dem Gnostiker den Eintritt ins Pleroma eröffnen soll[25].
Einer der Riten nun gibt sich deutlich als eine Kopie des kirchlichen zu erkennen. Nachdem man die Kandidaten ans Wasser geführt hat, spricht man über sie die Formel: »Im Namen des unbekannten Vaters aller Dinge; in der Wahrheit, der Mutter von allem; in dem, der auf Jesus herabgestiegen ist zur Einigung und zur Erlösung und zur Gemeinschaft der Mächte[26]«. Vater, Sohn und Geist erscheinen in gnostischer Umdeutung. Der Vater ist das vollkommene, jedem Zugang entzogene Urwesen; die Wahrheit bildet mit dem eingeborenen Sohn die zweite Syzygie des Pleromas; und in dem, der auf Jesus herabgestiegen ist, findet man den Geist (= oberer Christus) wieder. Einheit, Erlösung und Gemeinschaft entsprechen wiederum je dem Vater, dem Sohn und dem Geist[27]. Die gnostische Praxis macht es damit wahrscheinlich, daß die Taufe in der Kirche auf die drei »Personen« erfolgt ist. Ob man auf eine Spendeformel zur Taufe auf die drei göttlichen Namen schließen kann oder nur auf das dreigliedrige Taufschema, das beim Akt der Spendung schon in einer bekenntnisartigen Form in Erscheinung getreten ist, kann nach diesen Mitteilungen noch nicht mit der nötigen Sicherheit entschieden werden[28].

b) Die Epideixis

Die indirekte Bezeugung des trinitarischen Taufbekenntnisses in den Büchern adversus haereses wird durch Aussagen der Epideixis verdeutlicht. Inhaltlich schließt sich die »Erinnerung an die Grundlehren«, mit deren Hilfe der Adressat Markianos fähig werden soll, »in wenigem alle Glieder des Leibes der Wahrheit zu

[24] 1,21,1 (H 1,181).
[25] 1,21,1—5 (H 1,180—188). Daß hier nicht von den Markosiern speziell, sondern von den Valentinianern gehandelt wird, hat Kunze, aaO 350f A 2, richtig gesehen. Anders A. Hilgenfeld, Die Ketzergeschichte des Urchristentums, Leipzig 1884 (Nachdr. 1966), S. 379. — Von den Markosiern spricht 1,13,6 (H 1,123).
[26] 1,21,3 (H 1,183).
[27] Mit F. M. M. Sagnard, La gnose valentinienne et le témoignage de S. Irénée (Etud. de Phil. Médiévale 36), Paris 1947, S. 422 A 2.
[28] Kunze, aaO 356, möchte auf eine Spendeformel schließen, hat aber die Schwierigkeit gegen sich, daß für die frühe Zeit eine positive Bezeugung fehlt. Vgl. u. § 2 A 6.

begreifen[29]«, an die bisher geprüften Texte über die Wahrheitsregel. Indem sie jetzt zum ausdrücklichen Leitfaden für die Unterweisung gemacht wird, tritt zugleich der Bekenntnischarakter der Taufe klar hervor. So bedeutet für Irenäus die »Regel des Glaubens unverändert festhalten« zuerst »eine Erinnerung daran, daß wir die Taufe zur Vergebung der Sünden im Namen Gottes des Vaters, im Namen Jesu Christi, des Sohnes Gottes, der Fleisch angenommen hat, gestorben und von den Toten erstanden ist, und im Heiligen Geist Gottes empfangen haben ...«[30]. Der Glaube besteht aus den drei »Hauptstücken«, durch welche die Taufe vollzogen wird, dem Bekenntnis zu Vater, Sohn und Geist[31]. Und Irenäus faßt am Ende nochmals das Ganze in dem Gedanken zusammen, daß der Predigt der Wahrheit gegenüber sündigt, wer Gott als Schöpfer mißachtet, die Menschwerdung des Sohnes abwertet und die Gabe des Geistes nicht anerkennt[32]. Die enge Bindung des trinitarischen Glaubens an das christliche Eingangssakrament ist damit in aller wünschenswerten Eindeutigkeit ausgesprochen.
In der Frage nach der Form des Taufbekenntnisses richtet sich das Interesse auf die Bemerkung, die Taufe werde im Namen des trinitarischen Gottes empfangen. Irenäus könnte dabei an eine deklaratorische Formel denken. Andrerseits würde die Ausführlichkeit im zweiten Artikel mit der Erwähnung von Inkarnation, Tod und Auferstehung nicht gut zu einer kurzen Spendeformel passen. Dazu kommt als das entscheidende Argument die Beobachtung, daß hier zuerst eine theologische Feststellung getroffen wird. Das Bekenntnis zu den göttlichen Namen ist notwendig an die Taufe gebunden, weil diese ihrem inneren Gehalt nach durch sie erfolgt. Sie vermittelt, wie es weiter heißt, »die Gnade der Wiedergeburt auf Gott den Vater hin durch seinen Sohn im Heiligen Geist«[33]. Sie ist eine Bewegung, durch die der Gläubige im Geist zum Sohn gelangt, um von diesem zur Unvergänglichkeit des Vaters geführt zu werden. Deswegen ist sie die Taufe im Namen des trinitarischen Gottes. Gegenüber dieser inneren Begründung wird die Frage nach ihrer formalen Eigenart für die Aussageabsicht des Lyoner Bischofs zweitrangig. Die Formulierung »im Namen« braucht demnach nicht den Rückgriff auf eine Spendeformel zu beinhalten, sondern erklärt sich eher aus der Anlehnung an den Taufbefehl von Mt 28, 19, der für Irenäus den Wesensgehalt der Taufe verbindlich aussagt.

[29] Epid. 1 (SC 62,28).
[30] Epid. 3 (SC 62,31f).
[31] Epid. 6.7 (SC 62,39ff).
[32] Epid. 99.100 (SC 62,168ff).
[33] Epid. 7 (SC 62,41).

Die Zurückhaltung in der Festlegung auf eine präzise Form des Taufbekenntnisses soll nicht besagen, daß Irenäus nicht an die Praxis der Taufe gedacht hätte. Im Gegenteil, seine Bemerkungen geben allen Anlaß zur Annahme eines trinitarischen Bekenntnisses. Es erscheint jedoch notwendig, sie nicht voreilig auf eine bestimmte Form zu beziehen, die am Text selber keinen sicheren Anhaltspunkt hat und nicht im Einklang mit der später bezeugten kirchlichen Übung steht.

Im gleichen Zusammenhang werden dann die drei »Hauptstücke« des Taufglaubens in einer bedeutsamen Formel ausgeführt. Als »Regel unseres Glaubens« beschreibt sie die Artikel, durch welche die Taufe geschieht[34]:

»Gott Vater, ungeschaffen, unumgrenzt, unsichtbar, ein Gott, der Schöpfer des Alls ... Das Wort Gottes, der Sohn Gottes, Christus Jesus, unser Herr, der den Propheten der Art ihrer Weissagung entsprechend erschienen ist und nach dem Stand der Heilsanordnungen (Ökonomien) des Vaters, durch den alles gemacht worden ist, der am Ende der Zeiten, um alles zu rekapitulieren, Mensch unter den Menschen geworden ist, sichtbar und greifbar, um den Tod zu zerstören, das Leben zu zeigen und eine Gemeinschaft zwischen Gott und den Menschen zu wirken.

Und das dritte Hauptstück ist der Heilige Geist, durch den die Propheten geweissagt haben, die Väter gelernt haben, was Gottes ist, die Gerechten auf dem Weg der Gerechtigkeit geführt worden sind, der am Ende der Zeiten in neuer Weise auf unsere Menschheit ausgegossen worden ist, um den Menschen auf der ganzen Erde für Gott zu erneuern.«

Eindrucksvoll gelangt hier der Glaube in seiner trinitarischen Gestalt zur Formulierung. Die Taufe ist der Ursprungsort für das verbindliche Bekenntnis, das allein als Richtschnur der Wahrheit gelten kann. Der in ihr empfangene und bekannte Glaube gilt Vater, Sohn und Geist. Freilich darf die besondere Eigenart der Formel nicht übersehen werden. Sie stellt keinen zum Sprechen oder Nachsprechen geeigneten Text dar, sondern ist eine Art Kommentar zum Taufbekenntnis, bei dem Elemente der irenäischen Theologie und der kirchlichen Tradition miteinander verbunden sind[35]. Daß sich in ihr Züge der der Taufe voraufgehenden Katechese erhalten haben, ist angesichts der katechetischen Tendenz der Epideixis gut denkbar. Wichtiger aber ist die in ihr erkennbare Bedeutung des trinitarischen Taufbekenntnisses; es entspringt der

[34] Epid. 6 (SC 62,39f). Übersetzung nach Froidevaux z. St.

[35] Zu den inhaltlichen Aussagen s. u. § 4d. Hier genügt es, das unmittelbare Einmünden des trinitarischen Taufglaubens in bekenntnisartige Texte festzustellen.

Taufe und fügt sich von hier aus in Formulierungen, in denen der kirchliche Glaube seinen Ausdruck findet[36].
Die Texte der Epideixis ermöglichen ein abschließendes Urteil über das irenäische Taufbekenntnis und seinen dritten Artikel. Wenn auch nicht mehr zu erkennen ist, in welcher genauen Form sich Glaubensempfang und Bekundung vollzogen haben — gab es ein deklaratorisches Bekenntnis oder nur eines in der Gestalt von Fragen und Antworten? gab es eine eigene Taufspendeformel? —, so steht doch fest, daß der Taufe das dreigliedrige Schema von Mt 28, 19 zugrundegelegen, sie als Bekenntnisakt bestimmt und im Ausgang von ihr den Kern der christlichen Glaubensaussage gebildet hat.
Der Glaube an den Heiligen Geist gehört somit fest in das Taufbekenntnis hinein. Als sein drittes »Hauptstück« zählt er zu seinem Grundbestand. Über die Gestalt des dritten Artikels und die in ihm zur Sprache kommenden Elemente verraten die Hinweise auf das Taufbekenntnis wenig. Inhaltliche Aussagen werden erst dann reicher hervortreten, wenn die vom Taufglauben geprägten Glaubenssummarien sowie die Relationen der Glaubensregel in den Blick kommen.

§ 2 Der neutestamentliche Ausgangspunkt und seine Weiterführung in der kirchlichen Theologie

Die Bezeugung des trinitarischen Taufbekenntnisses durch Irenäus von Lyon erhält ihr Gewicht vor dem Hintergrund der voraufgehenden und nachfolgenden kirchlichen Tradition. Sie von den neutestamentlichen Anfängen bis zu den Theologen vorzuführen, deren Fassungen der Glaubensregel für die Ausprägung des dritten Artikels von Belang sind, wird deshalb die Aufgabe der folgenden Seiten sein[1].

a) Neues Testament

Engt man das Taufbekenntnis noch nicht auf eine bestimmte Formel ein und verzichtet man, ohne schon die späteren Unter-

[36] Kelly 82 denkt an eine Art Kommentar: »Er gibt den Kern der vor der Taufe erteilten katechetischen Unterweisung und verdeutlicht, wie diese nach dem Muster der Tauffragen geformt war«.

[1] Nach dem Rückblick auf die Anfänge im NT sollen nur die Autoren untersucht werden, bei denen sich auch Glaubenssummarien mit dem pneumatologischen Bekenntnis finden. Die Bezeugung eines trinitarischen Taufbekenntnisses durch sie stellt eine entscheidende Vorbedingung für das Auftreten wie für das Verständnis dieser Summarien dar. Die für das Taufbekenntnis so

scheidungen vorzunehmen, auf die Festlegung eines in seiner Abgrenzung oder Verbindung mit der Taufspendung genau umschreibbaren Aktes, dann gehört es bereits zum Bestand des Neuen Testaments. Die Taufe ist seit Beginn auch schon immer das Bekenntnis des Christen zum Auferstandenen, mit dem der Gläubige in die Verpflichtung eintritt, sein ganzes Leben hindurch Zeugnis für ihn abzulegen[2]. Der Sachverhalt kompliziert sich

bedeutsame traditio apostolica des Hippolyt, die Hinweise Cyprians sowie die späteren Zeugnisse bleiben deshalb vorerst außer Betracht.

[2] S. Hebr 10,22f; Rö 10,9f; Apg 8,37 (westl. Text) und wohl auch 1 Tim 6,12ff (vgl. dazu TWNT 5,209—213 (Michel), R. Bultmann, Theologie des Neuen Testaments, Tübingen [4]1961, S. 128.136f, H. Schlier, Die Anfänge des christologischen Credo (Zur Frühgeschichte der Christologie, Quaest. Disp. 51 Hrsg. v. B. Welte), Freiburg 1970, S. 52). — Die weitergehenden Versuche von A. Seeberg, einen »Katechismus der Urchristenheit« (Leipzig 1903; 2. Aufl. mit einer Einführung v. F. Hahn, München 1966) zu erschließen, oder von P. Feine, »die Gestalt des apostolischen Glaubensbekenntnisses in der Zeit des NT« (Leipzig 1925) zu erheben, haben in der Forschung im Ganzen keine Anerkennung gefunden. — Aus der reichen Literatur über die ntl. Bekenntnisformeln vgl. man: J. Haußleiter, Trinitarischer Glaube und Christusbekenntnis, aaO; H. Lietzmann, Symbolstudien 229—240; O. Cullmann, Die ersten christlichen Glaubensbekenntnisse (Th. St. B 15), Zürich [2]1949; P. Benoit, Der ntl. Ursprung des apostolischen Glaubensbekenntnisses (Exegese und Theologie. Ges. Aufsätze S. 280—293), Düsseldorf 1965; V. H. Neufeld, The Earliest Christian Confessions (New Testament Tools and Studies 5), Leiden 1963; K. Lehmann, Auferweckt am dritten Tage nach der Schrift (Quaest. Disp. 38), Freiburg 1968, S. 36—67; H. Schlier, Die Anfänge aaO; sowie Bultmann, Theologie 126—135.318—321; H. Conzelmann, Grundriß der Theologie des Neuen Testaments, München 1968, S. 81—83.106f; TWNT 5,199—220 (Michel) und schließlich Kelly 14—35; Eichenseer, aaO 53—60. — Die zuletzt erschienene, gewichtige Abhandlung von H. Frhr. v. Campenhausen, Das Bekenntnis im Urchristentum, ZNW 63 (1972) 210—253, geht auf der Suche nach den Anfängen den christologischen Bekenntnissätzen nach. Von Campenhausen warnt vor dem Hineintragen späterer Formen ins NT (aaO 210.230f). Er gibt sich nicht mit dem von uns verwendeten allgemeinen Begriff von »Taufbekenntnis« zufrieden, sondern fragt nach einem *förmlichen* Bekenntnis bei der Taufe, welches er dann m. E. zu Recht im NT für nicht nachweisbar hält (aaO 226—231). Er kommt zu dem Ergebnis, daß die christologischen » ›Bekenntnissätze‹ ... weder aus der Akklamation noch aus einem vermeintlichen Taufbekenntnis erwachsen sind« (aaO 231), sondern an keinen festen Ort gebunden waren, zuerst das gläubige Ja zu Jesus vor den Nichtchristen bedeutet haben (aaO 211.232ff), dann gegen christliche Irrlehren gerichtet (aaO 211.235—241) und schließlich geschichtlich ausgebaut (Ignatius) worden sind (aaO 241—253), um dann in zwei- bzw. dreigliedrigen Texten zu erscheinen (aaO 253). — Andrerseits zitiert er zustimmend (aaO 230) G. Kretschmars Urteil (Zur Geschichte des Taufgottesdienstes in der alten Kirche, Leiturgia 5, Kassel 1970, S. 50), die »Taufe als Ganzes« sei ein »Bekenntnis des Glaubens« (freilich sieht er in Rö 10,9 und Hebr 10,22f keinen Bezug zur Taufe, aaO 224.234). Er geht dann aber, da nur an einem förmlichen Bekenntnis interessiert, der dreigliedrigen Spur von Mt 28,19 nicht nach (das von ihm gebrauchte Wort »Taufformel«, aaO 228, ist m. E. nicht zutreffend; s. dazu u.

jedoch, sobald man angesichts der zahlreichen neutestamentlichen Bekenntnistexte, die den verschiedensten Anlässen zuzuordnen sind, das Taufbekenntnis in seiner allgemeinen Struktur — immer noch unter dem Verzicht auf eine Formel oder den genauen liturgischen Platz — bestimmen will[3].

Die Beobachtung, daß das christologische Bekenntnis im Neuen Testament nicht nur den weitaus größten Raum einnimmt, sondern wohl auch den ältesten Bestand bildet — es führt bis in die frühe Patristik hinein noch eine selbständige Existenz, bis es sich dann mit dem Taufsymbol verbindet —, kann das Urteil nahelegen, das Taufbekenntnis in dreigliedriger Form sei das Ergebnis einer längeren Entwicklung, im Laufe derer das christologische Urbekenntnis zuerst um den Glauben an den Vater und dann um das Bekenntnis zum Heiligen Geist erweitert worden wäre[4]. Eine von Beginn an in der Kirche übliche Taufe auf den Namen Jesu würde sich ganz in die angedeutete Linie einfügen. Dem steht auf der anderen Seite der trinitarische Taufbefehl von Mt 28, 19 gegenüber, ein von der Gemeindepraxis geprägtes Wort des erhöhten Herrn[5]. Da in einer Anweisung des Auferstandenen keine Detailangaben über den Ritus der Taufe zu erwarten sind, wird man aus Mt 28, 19 nicht schon auf eine bestimmte Form oder gar die Existenz einer indikativischen Taufformel schließen dürfen[6]. Das

A 6) und läßt somit, so sehr seine Erklärung der alten christologischen Bekenntnissätze überzeugen mag, die ntl. Ansätze für das dreigliedrige *Tauf*bekenntnis (im weitgefaßten Sinn) außer acht.

[3] Benoît, aaO 281, nennt im Anschluß an Cullmann die Taufe, den Exorzismus, die Ordination, die Situation der Verfolgung, die Polemik, den Gottesdienst, die Doxologie, Segenswünsche und Hymnen.

[4] Vgl. etwa die Belege bei Lietzmann, Symbolstud. 230—239. Lietzmann will denn auch »die Entstehung der dreigliedrigen Formen zumeist als Weiterentwicklung älterer zweigliedriger Typen begreifen« (aaO 240). R. Seeberg I 217ff weist das christologische Bekenntnis den Judenchristen zu; die Heidenmission habe dann die Erweiterung um den Schöpfergott notwendig gemacht, bis sich schließlich der triadische Taufbefehl durchgesetzt habe und es so zur »Herstellung der neuen Formel« gekommen sei. Vgl. auch Haußleiter, Trinitarischer Glaube, aaO 41, und ders. in seiner früheren Schrift, Zur Vorgeschichte des apostolischen Glaubensbekenntnisses. Ein Beitrag zur Symbolforschung, München 1893 (dazu die Replik bei Kattenbusch II 340f mit weiterer Literatur). O. Cullmann, aaO 39, spricht ebenfalls von einer Erweiterung der zwei- zu den dreigliedrigen Formeln, und zwar aufgrund der Taufe; ähnlich F. Hahn, aaO XVIII.

[5] Vgl. hierzu die vorsichtigen Erwägungen von J. Schmid, Das Evangelium nach Matthäus (RNT 1), Regensburg [5]1965, S. 392ff. Daß die drei Namen genau dem auch sonst im NT bezeugten Gehalt der Taufe entsprechen, hat J. Schniewind überzeugend dargelegt (Das Evangelium nach Matthäus, NTD 1, S. 278). — Die Idee, es handle sich um eine allerdings alte Interpolation, ist nach Anderen von E. Lohmeyer (Das Evangelium nach Matthäus. Hrsg. v. W. Schmauch, Göttingen 1956, S. 412f) unter Berufung auf Eusebius, der im

Gewicht des Textes für die Bezeugung des Taufvollzugs kann trotzdem schwerlich überschätzt werden. In ihm schlägt sich der Gemeindeglaube nieder, daß der Christ in der Taufe dem Vater, dem Sohn und dem Geist überantwortet wird[7]. Er macht zugleich den Schluß auf ein dreigliedriges Taufbekenntnis, dessen Form freilich offen bleiben muß, unausweichlich und zeigt, daß die trinitarische Struktur als Auftrag des erhöhten Herrn mit verpflichtender Gültigkeit angesehen worden ist.

Hält man das positive Zeugnis von Mt 28, 19 gegen die möglichen Hinweise auf ein christologisches Taufbekenntnis, dann wird man zumindest ein Nebeneinander beider Formen in Erwägung ziehen müssen. Über diese Unentschiedenheit mit neuen Argumenten hinauszugelangen, ist nicht Aufgabe der vorliegenden Untersuchung. Sie glaubt aber doch der Tatsache Rechnung tragen zu müssen, daß eine Taufe auf den Namen Jesu und ein ihr entsprechendes Bekenntnis für die frühe Zeit nur hypothetisch erschlossen werden können, so daß die Möglichkeit bleibt, die entsprechenden Texte als abgekürzte Redeweise oder als Hinweise auf einen Ausnahmefall zu erklären[8]. Läßt sich das bei Irenäus und in der Patristik zu er-

vornizänischen Schrifttum nur von der Taufe »in meinem Namen« spricht, vertreten worden. Dagegen aber steht der handschriftl. Befund für Mt 28,19 sowie auch Did. 7,1 und nicht zuletzt die Wahrscheinlichkeit, daß bei Eusebius eine Abbreviatur vorliegt (So G. Kretschmar, Studien zur frühchristlichen Trinitätslehre, Tübingen 1956 (BHTh 21), S. 5f ;vgl. auch die Angaben bei W. Grundmann, Das Evangelium nach Matthäus (Theol. Handkomm. z. NT 1), Berlin 1968, S. 575). — Gegen Lohmeyers Meinung (aaO 419), das μαθητεύσατε erfordere inhaltlich ein ἐν τῷ ὀνόματί μου, wie Eusebius es bietet, hat G. Delling, Die Zueignung des Heils in der Taufe, Berlin 1961, S. 94 A 339 S. 95 A 341, m. E. überzeugend festgestellt, daß μαθητεύειν schon immer zu Jesu Jüngern machen bedeutet, daß also ein »absoluter Gebrauch des Verbs« vorliegt.

6 So mit B. Neunheuser, Taufe und Firmung (Handb. d. Dogmengesch. 4,2), Freiburg 1956, und A. Stenzel, Die Taufe. Eine genetische Erklärung der Taufliturgie, Innsbruck 1958, S. 111—124, gegen J. Brinktrine, Die trinitarischen Bekenntnisformeln und Taufsymbole, Th. Q. Schr. 102 (1921) 156—190; 171. Ein sicherer Beleg für eine indikativische Formel ist in der ganzen frühen Patristik nicht zu finden.

7 εἰς τὸ ὄνομα hat nach H. Bietenhard, TWNT 5,274f, einen finalen Sinn: »Die Taufe auf den Namen bedeutet, daß der Täufling durch die Gemeinschaft mit dem mit Gott geeinten Sohn die Vergebung empfängt und unter die Wirksamkeit des Hl. Geistes tritt«. Zum Ganzen s. bes. G. Delling, aaO 94ff.

8 Daß die communis opinio, die ursprüngliche Taufe sei nach Apg 2,38; 8,12; 8,16; 8,37 D; 10,48; 16,15.30ff; 19,5; 22,16 und 1 Kor 1,13.15; 10,2; Rö 6,3; Gal 3,27 nur auf den Namen Jesu erfolgt, fragwürdig ist, hat zuletzt H. v. Campenhausen, Taufen auf den Namen Jesu, Vig. Chr. 25 (1971) 1—16, aufgewiesen. Er zeigt, daß die Texte nicht im Sinn einer technischen Taufspendung ausgewertet werden können und daß in der kurzen Spanne bis zu der klar bezeugten trinitarischen Taufe das feste Institut einer Taufe auf den

hebende trinitarische Bekenntnis als von früher Zeit an in Übung stehend erweisen, dann müssen Entwicklungshypothesen fraglich erscheinen, die auf dem Satz gründen, es könne nicht anders denn als Ergebnis eines Prozesses hervortreten. Bei der Vielfalt des frühen Bekenntnisgutes mit einem je eigenen Gebrauchsort läßt sich mit gleichem Recht eine Entwicklung im Sinne eines Konvergierens auf ein seit jeher gebrauchtes Schema hin denken, wobei die beiden Faktoren der Konzentration des Glaubens im Taufbekenntnis und der Fixierung der Grundartikel einen maßgeblichen Einfluß ausgeübt hätten[9].

b) Didache und Justin

Die Struktur des Bekenntnisses wird in der nachapostolischen Zeit schon sehr früh durch die Didache bestätigt. In einer Anweisung zur Taufe erscheint das nahezu wörtliche Zitat von Mt 28, 19[10]. Über den Ritus kann man wiederum nichts Genaues erfahren. Gibt der Taufbefehl keine liturgische Spendeformel wieder, dann ist auch der Didache nicht mehr als die trinitarische Struktur zu entnehmen, aus der auf ein wie auch immer zu fassendes Taufbekenntnis zu Vater, Sohn und Geist zu schließen ist[11].

Namen Jesu als unwahrscheinlich gelten muß. A. Stenzel, Die Taufe 83—93, läßt für die Zeit des Ketzertaufstreits die Möglichkeit einer Jesustaufe bestehen, die auch schon weiter zurückgereicht haben könnte, in jedem Fall aber nur eine »liturgische Randmöglichkeit« (93) neben der in der Großkirche allgemein üblichen trinitarischen Taufe gebildet habe. Vgl. Neunheuser, Taufe 6 A 12; R. Schnackenburg, LThK ²9,1312 und H. de Lubac, La Foi chrétienne, essai sur la structure du Symbole des Apôtres, Paris ²1970, S. 72ff. — An der Existenz einer Jesustaufe halten, ohne neue Argumente hinzuzufügen, fest: G. Kretschmar, Zur Geschichte des Taufgottesdienstes in der alten Kirche (Leiturgia 5), Kassel 1970, S. 32ff, Bultmann, Theologie 136, Conzelmann, Grundriß 66, W. G. Kümmel, Jesus, Paulus, Johannes, Die Theologie des NT nach seinen Hauptzeugen (NTD Erg. Reihe 3), Göttingen ²1972, S. 117. Aus der älteren Literatur seien genannt: Harnack I 88f A 3, Seeberg I 217, Kattenbusch II 477 A 5.

[9] Wie die zahlreichen Texte innerhalb des NT zeigen, steht Mt 28,19 durchaus nicht allein da. S. nur 1 Kor 6,11; 12,4ff; 2 Kor 13,13; Eph 4,4. Weitere Stellen bei Kelly 29 A 10. — Daß für das Taufbekenntnis tatsächlich der trinitarische Grundplan maßgeblich geworden ist, wird im weiteren Verfolg an den erhaltenen Texten zu erhärten sein. Immerhin kann jetzt schon gesagt werden, daß das Urteil, das trinitarische Schema sei nicht der ursprüngliche Boden für das Taufbekenntnis gewesen (so Kretschmar, aaO 35), am Befund des NT schwerlich eine tragende Stütze findet. Vgl. zum Ganzen die umsichtigen Ausführungen von Kelly 30—35; P. Benoît, aaO 292ff, und de Lubac, La Foi 69—76.

[10] Did. 7,1.2 (ed. Bihlmeyer 5).

[11] Kattenbusch II 346f will nur auf ein christologisches Taufbekenntnis erkennen. Wichtiger aber als die präzise Bestimmung einer Formel erscheint die Fest-

Das Werk Justins des Märtyrers hat in der Symbolforschung beträchtliche Aufmerksamkeit gefunden[12]. Justin ist vor Irenäus der gewichtigste Zeuge für das Taufbekenntnis, welches bei ihm schon zur Bildung von zwei Glaubensformeln geführt hat. Da Irenäus ihm seine Reverenz erweist und auch sonst nicht unbeeinflußt von ihm geblieben ist, verdient er besonderes Interesse[13].

Um sich nicht dem Vorwurf aussetzen zu müssen, er würde in seiner Apologie des Christentums gewisse Dinge übergehen, kommt er gegen Ende seiner Schrift auch auf die Taufe zu sprechen. Justin legt Wert auf die Unterrichtung und Bewährung des Kandidaten als Bedingung für die Zulassung zum Bad der Wiedergeburt, welches unter Anteilnahme der Gemeinde erfolgt, und bemerkt dann:

»Denn im Namen Gottes, des Allvaters und Herrschers, und unseres Erlösers Jesus Christus und des Heiligen Geistes nehmen sie dann das Bad im Wasser[14]«.

Daran schließt er die dreigestufte Erläuterung, daß Christus selber die Notwendigkeit der Wiedergeburt ausgesprochen, daß einst schon Jesaia zur Umkehr aufgerufen und die Sündenvergebung verheißen hat und daß die Apostel die neue Geburt zur Befreiung von Unwissenheit und Zwang gelehrt haben. Zu diesem Ziel »ruft man im Wasser über dem, der wiedergeboren werden will und seine Sünden bereut, den Namen Gottes, des Allvaters und Herrschers an; nur diesen Namen spricht über den zu Waschenden aus,

stellung der trinitarischen Struktur, auf der dann die späteren Aussagen aufgebaut sind. Did. 9,5, wo nur von der Taufe »auf den Namen des Herrn« gesprochen wird, zeigt, wie wenig eine trinitarische Taufe und eine »Jesustaufe« gegeneinander ausgespielt werden können.

[12] W. Bornemann, Das Taufsymbol Justins des Märtyrers, ZKG 3 (1879) 1—27, hat die Rekonstruktion einer Formel versucht. Ebenfalls Harnack bei Hahn, S. 389f. Kattenbusch II 279—289 hält die Kenntnis von R bei Justin für möglich, aber nicht für strikt beweisbar; Justin sei mehr von den Gebeten bei der Eucharistie abhängig als von dem von Rom aus bekannten Symbol (II 536). Nach Kunze, aaO 417f, kennt Justin ein trinitarisches Taufbekenntnis. Lietzmann, Symbolstudien 220—223, sieht ein Bekenntnis bezeugt, das vor R und der Grundform der orientalischen Symbola liegt. Kelly 74—80 hält es aufgrund der Diskrepanzen zwischen R und Justin für fraglich, ob Rom bereits ein einheitliches Credo besessen hat.

[13] S. Irenäus adv. haer. 1,28,1 (H 1,220); 4,6,2 (SC 100,440); 5,26,2 (SC 153,334).

[14] 1,61,3 (ed. Goodspeed 70). Der Textzusammenhang beginnt bei 1,61,1. — Daß zur Zeit Justins bereits ein institutionalisiertes Katechumenat mit einer Art traditio symboli bestanden hat, läßt sich aus der kurzen Andeutung über die Unterrichtung nicht erschließen. S. Kattenbusch II 281; A. Benoît, Le baptême chrétien au second siècle. La Théologie des Pères (Etud. d'hist. et de phil. rel. 43), Paris 1953, S. 145 ;Stenzel, Die Taufe 46—51. Das von Justin erwähnte Versprechen wird gleichfalls noch nicht eine redditio symboli gewesen sein, sondern hatte wohl eher einen sittlichen Gehalt.

der ihn zum Bad führt . . .; und im Namen Jesu Christi, der unter Pontius Pilatus gekreuzigt wurde, und im Namen des Heiligen Geistes, der durch die Propheten alles über Jesus verkündet hat, wird der Erleuchtete abgewaschen«[15].

Eine Interpretation hat den doppelten Sachverhalt zu bedenken, daß Justin sich einerseits an der Praxis der christlichen Gemeinde orientiert, zum anderen aber seinen heidnischen Adressaten nur den Grundinhalt der Taufe vorstellen will, ohne sie mit allen Einzelheiten des Ritus vertraut zu machen[16].

Man braucht darum nicht den Versuch zu machen, die zweifache Erwähnung der Taufe auf Vater, Sohn und Geist in einen geschlossenen Ritus einzupassen. Justin gibt das Taufschema zuerst in ziemlich bündiger Form wieder, während er es dann, nachdem er die Notwendigkeit der Wiedergeburt begründet hat, ausführlicher kommentiert[17]. Er betont die Transzendenz Gottes als ein ihm wichtiges Anliegen, fügt im zweiten Artikel das historische Datum der Kreuzigung Christi ein und bestimmt den Heiligen Geist durch den Hinweis auf die alttestamentliche Prophetie.

Die ausdrückliche Versicherung, über dem Täufling werde vom Offizianten der »Name Gottes usw.« genannt, setzt ein Gegenüber von Täufling und Spender voraus. Für einen Hinweis auf eine indikativische Spendeformel reichen die Indizien jedoch nicht aus. Eher erklärt sich die Redeweise damit, daß Justin im Taufbefehl von Mat 28,19 das Taufgeschehen in verdichteter theologischer Rede zusammenfaßt, wobei er besonderen Wert auf die mit ihm erfolgende Übereignung (»im Namen«) legt[18]. Eine verbale Entsprechung zum Taufritus wird kaum vorliegen.

Auch ohne genauere Angaben über die Form steht für Justin die trinitarische Struktur des Taufbekenntnisses fest. Er gibt bereits vor Irenäus die Entwicklung zu erkennen, daß die Artikel an Umfang zunehmen, indem ihnen theologische und heilsgeschichtliche Daten zugeordnet werden, die durch den Einschluß in den trinitarischen Taufglauben an die Mitte des Bekenntnisses rückgebunden bleiben.

Beim dritten Artikel ist die Beobachtung zu vermerken, daß der Ausdruck »Heiliger Geist« (πνεῦμα ἅγιον) in dieser Wortstellung sonst bei Justin nicht mehr vorkommt. Er läßt sich aber über

[15] 1,61,10—13 (ed. Goodspeed 70f).

[16] Vgl. sein Zögern in dem einleitenden Satz (1,61,1): »damit wir mit dem Übergehen dieser Dinge in unserem Bericht nicht etwas Schlechtes zu machen scheinen«, sowie die Betonung der sittlichen Lebensführung.

[17] Lietzmann, Symbolstudien 220, glaubt, der zweite Text gebe den Wortlaut genauer wieder.

[18] ἐπ' ὀνόματος wird εἰς τὸ ὄνομα entsprechen. Im Exorzismus von Dial. 85,2 (ed. Goodspeed 197) schreibt Justin: κατὰ γὰρ τοῦ ὀνόματος. Vgl. o. A 7.

Irenäus und Tertullian bis hin zum altrömischen Symbol verfolgen und findet sich gleichfalls in einer Reihe von orientalischen Formeln[19]. Das könnte auf eine schon dem Justin vorliegende Gemeindeformulierung hindeuten.
Da das Fehlen des bestimmten Artikels vor »Heiliger Geist« bei Irenäus, im alten Romanum und in den genannten orientalischen Texten seine Parallelen hat, besagt es für sich genommen nichts hinsichtlich einer unpersönlichen Auffassung, sondern kann ebensogut zeigen, daß »Heiliger Geist« als Eigenname verstanden wird[20].
Justin ist der früheste Zeuge für eine Erweiterung des dritten Glaubensartikels. Dadurch, daß er das prophetische Geistwirken mit dem Taufglauben verbindet, öffnet er vom Taufbekenntnis aus den Weg zu einer Theologie, die im Geist die Einheit der Testamente und das Wirken Gottes in der Heilsgeschichte begründen kann.

c) Tertullian

Ist bisher der trinitarische Taufglaube sichtbar geworden, der als Bekenntnis verstanden wird und in dem das Christsein seinen zentralen Ausdruck findet, so treten erstmals in der Zeit nach Irenäus, und zwar bei Tertullian, deutlichere Konturen für seine Form hervor. Auch hier sollen vorerst die Fassungen der Glaubensregel unberücksichtigt bleiben, damit das Taufbekenntnis klar erkannt werden kann[21].

[19] S. etwa Irenäus adv. haer. 1,10,1 (H 1,90); Tertullian de praescr. 13 (ed. Refoulé 197f CCL 1); adv. Praex. 2 (ed. Kroyman-Evans 1160 CCL 2); R (Hahn 18, Lietzmann 10, DS 11); Cäsarea (Hahn 123, Lietzm. 18); Jerusalem (Hahn 124, Lietzm. 19, DS 41); Nestor. (Hahn 132, Lietzm. 24); Nice (Hahn 164, Lietzm. 33); Konstantinopel, 360 (Hahn 167. Lietzm. 34). — Vgl. die Zusammenstellung bei Kattenbusch II 287 A 17.296.

[20] Kattenbusch II 475 konzediert dies beim Geist freilich nur als eine Möglichkeit.

[21] Über das Bekenntnis bei Tertullian hat bereits Caspari III 127—138 A 222 gehandelt. Kattenbusch II 53—101 nimmt die Debatte umfassend auf und gelangt zu dem Ergebnis, Tertullian habe das Symbol von Rom übernommen und mit allem Nachdruck hervorgehoben; er habe es als sacramentum fidei verstanden und so auch die Taufe als Ganze bezeichnet; als durchweg kultische Größe habe ihm das Symbol dann auch als regula fidei zur Abgrenzung der Kirche nach außen und zum Kampf gegen die Häresie gedient. Kunze, aaO 28—30.80—82.169—178, sieht in Tertullian einen wichtigen Zeugen für das Taufbekenntnis und dann für die Bestimmung der Glaubensregel. Lietzmann, Symbolstudien 213—218, gelangt beim Vergleich der Regula des Tertullian mit anderen Symbolformulierungen zu dem Ergebnis, daß dieser auf dem orientalischen Typus aufruht und neben R weitere Texte gekannt hat, ohne daß es zu einer Fixierung des Wortlauts gekommen ist.

Zu wiederholten Malen spricht Tertullian im Blick auf die Taufe von einem Bekenntnis. Die Märtyrer erinnert er an ihre Glaubensbesiegelung mit den Worten: »Wir sind schon damals zum Waffendienst des lebendigen Gottes gerufen worden, als wir auf die Worte des Sakraments antworteten«[22]. Oder er schreibt in seiner Argumentation gegen die Teilnahme an den Schauspielen: »Wenn wir nach dem Hineinsteigen in das Wasser den christlichen Glauben nach den vorgeschriebenen Worten bekennen, dann schwören wir mit eigenem Mund, dem Teufel mit seiner Pracht und seinen Engeln widersagt zu haben«[23]. Tertullian spricht davon, daß bei der Taufe der Glaube »im Vater, im Sohn und im Heiligen Geist besiegelt« wird; »unter den dreien (den göttlichen Zeugen) werden die Glaubensbezeugung und die Bürgschaft für das Heil verbindlich gemacht«[24]. Die Taufe kommt für ihn der Unterzeichnung eines Glaubensbündnisses gleich[25]. Und er hält schließlich dem Christen im Kriegsdienst vor, er dürfe »ein menschliches Sakrament (den Fahneneid) nicht dem göttlichen vorziehen und nach Christus einem anderen Herrn seine Antwort geben«[26]. In all

Die Frage nach der Zuordnung von Symbol und Regula formuliert präzis D. van den Eynde, aaO 291—297. Er erweist die Regel als das Umfassendere der apostolischen Lehre, deren vorzüglichen Ausdruck das Symbol darstellt. J. M. Restrepo-Jaramillo, La doble fórmula simbólica en Tertulliano, Greg. 15 (1934) 3—58, führt das Material vor, beschränkt sich aber auf die Zuordnung von Tertullian zu R mit dem Ergebnis, er habe noch eine zweifache, eine trinitarische und eine davon zu unterscheidende christologische Formel gebraucht. Kelly 86—92 ist zurückhaltend hinsichtlich eines offiziellen Credos bei Tertullian und will nur von einer beginnenden Ausbildung fester Formeln sprechen. J. Moingt, La théologie trinitaire de Tertullien, 3 Bde., Paris 1966ff, S. 66—86, hebt die trinitarische Struktur der Bekenntnistexte bei Tertullian hervor.

[22] ad mart. 3 (ed. Dekkers 5 CCL 1).

[23] de spect. 4 (ed. Dekkers 231 CCL 1).

[24] de bapt. 6 (ed. Borleffs 282 CCL 1).

[25] de pudic. 9 (ed. Dekkers 1298 CCL 2): »Anulum quoque accipit ... quo fidei pactionem interrogatus obsignat«.

[26] de corona 11 (ed. Kroymann 1056 CCL 2). — Zum Begriff »sacramentum« s. Kattenbusch II 64—72 und R. Braun, Deus Christianorum. Recherches sur le vocabulaire doctrinal de Tertullien, Paris 1962, S. 435—443. Das Wort kann nicht auf die Taufe oder das Taufbekenntnis eingeengt werden, sondern hat zuerst einen umfassenderen Sinn. Der Bedeutungsgehalt des griechischen μυστήριον wird aufgenommen, wobei der besondere Akzent auf dem heiligen Charakter der Geheimnisse liegt (Kattenbusch 65f; Braun 439). Sacramentum kann bei Tertullian das Ganze des Glaubens bezeichnen, er kann es auf einzelne Dogmen beziehen und so auch dem Begriffsinhalt der Regula annähern (Braun 440ff). Manchmal hat »sacramentum« den Sinn eines Bandes zwischen Gott und den Menschen, eine Bedeutung, die bei allen Texten anklingt, wo »sacramentum« sich auf die geoffenbarte Lehre bezieht (Braun 442f). In Verbindung mit der Taufe erhält es den klassischen Sinn von Fahneneid oder Treueschwur, mit denen sich der Christ in den Dienst der militia Christi stellt

diesen Äußerungen ist das Taufbekenntnis in der negativen Weise der Absage und der positiven Zusage und Übereignung an den Herrn ein Glaubensvertrag, durch den der Christ in die Bundesgenossenschaft Gottes gestellt wird.

Was aber Tertullians Zeugnis besonders hervorhebt, sind seine Bemerkungen über den Vorgang wie die Gestalt der Bekenntnisverpflichtung. Sie sind über die ganze Zeit seines literarischen Schaffens hin verstreut und erhalten durch ihre Übereinstimmung untereinander zusätzliches Gewicht.

So vermerkt er etwa in der Abhandlung über den Siegeskranz des Soldaten: »Bevor wir zum Wasser hinzutreten, schwören wir, ebenfalls in der Kirche, aber ein wenig früher, unter der Hand des Vorstehers, dem Satan, seiner Pracht und seinen Engeln abzusagen. Dann werden wir dreimal getaucht, wobei wir etwas mehr antworten, als der Herr es im Evangelium vorgeschrieben hat. Dann kosten wir mit dem Empfang von Milch und Honig die Einträchtigkeit voraus; und von diesem Tag an enthalten wir uns für die ganze Woche des täglichen Bades«[27].

Oder es heißt zum Gleichnis vom verlorenen Sohn, daß der zurückgekehrte Heide bei der Taufe »den einstmaligen (früheren) Siegelring empfangen hat, mit dem er auf die Fragen hin das Glaubensbündnis besiegelt«[28].

Mit den Sätzen ist unzweideutig ausgesprochen, daß das der Absage folgende positive Taufbekenntnis in der Weise von Fragen und Antworten, die mit einem Ritus einer dreimaligen Tauchung verbunden sind, stattfindet. Es geschieht im Dialog mit dem Vorsteher der Kirche und bedeutet so die Glaubensbesiegelung.

Man kann jetzt fragen, ob das Schwergewicht in der Befragung gelegen, oder ob es schon eine ausführlichere Antwort im Sinne eines deklaratorischen Aktes gegeben hat. Für das Letztere könnte die Bemerkung »wir antworten etwas mehr« sprechen. Dagegen aber scheinen Wendungen wie »wir antworten auf die Worte des Sakraments hin«[29], »dreimal werden wir zu den einzelnen Namen auf die einzelnen Personen hin untergetaucht«[30] den Fragen doch ein größeres Gewicht zuzumessen. Die Erweiterung des Taufbefehls wird also nicht speziell auf die Antworten des Täuflings, sondern auf den ganzen Akt zu deuten sein, mit dem Ergebnis, daß der

(Kattenbusch 65; vgl. de Lubac, La Foi 399). Zur Diskussion über die Frage, ob von hier aus die Christianisierung des Begriffs begonnen hat, s. Braun 437 A 2.

[27] de corona 3 (ed. Kroymann 1042f CCL 2).

[28] de pudic. 9 (ed. Dekkers 1298 CCL 2).

[29] ad mart. 3 (ed. Dekkers 5 CCL 1).

[30] adv. Prax. 26,9 (ed. Kroymann-Evans 1198 CCL 2).

Täufling nur eine kurze Antwort auf längere Fragen gegeben und noch kein deklaratorisches Symbol gesprochen hat[31].

Für das Taufbekenntnis ergibt sich damit eine bedeutsame Präzisierung: Es ist das Ineinander von Fragen, Antworten und Tauchungen. Der Versicherung Tertullians, die Christen würden nach dem Taufbefehl dreimal untergetaucht und würden so ihren Glauben bekennen[32], entspricht eine trinitarische Struktur des Bekenntnisaktes.

Wie ist dann aber die folgende Bemerkung zu deuten? »Da unter den drei (göttlichen Zeugen) die Glaubensbezeugung und das Heilsversprechen verbindlich gemacht werden, wird mit Notwendigkeit die Erwähnung der Kirche hinzugefügt. Denn wo die drei sind, das ist der Vater, der Sohn und der Heilige Geist, dort ist die Kirche, die den Leib der drei bildet[33].« Hat man hieraus auf eine vierte, die Kirche betreffende Tauffrage zu schließen? Für sich genommen könnte der Text eine solche Hypothese begünstigen. Stellt man ihn jedoch mit den übrigen Aussagen zusammen, dann erhält die Bezeugung der dreimaligen Tauchung unter Berufung auf den trinitarischen Taufbefehl und des mit ihr verbundenen Bekenntnisses ein derart starkes Gewicht, daß eine diesen Rahmen sprengende Erwähnung der Kirche schwer möglich erscheint. Die Kirche wird also mit der dritten Tauffrage verbunden gewesen sein[34].

Besteht die Interpretation zu Recht, dann wird Tertullian zu einem

[31] So auch Kattenbusch II 61f, der den Taufenden das Symbol im ganzen Umfang zitieren und den Täufling mit einem »credo« antworten läßt. Auch F. J. Dölger, Die Eingliederung des Taufsymbols in den Taufvollzug nach den Schriften Tertullians, Antike u. Christentum 4 (1934) 138—146; 144f, vermutet eine kurze Antwort. — Von einem deklaratorischen Symbol ist demnach nicht die Rede. Auch erscheint die Meinung, die Tauffragen setzten ein solches voraus, unbegründet, da sie auf der Hypothese beruht, R oder eine ähnliche Formel müßten schon existiert haben; gegen Kattenbusch II 53—101 passim, der immer von einem deklaratorischen Text ausgeht. Lietzmann, Symbolstud. 217, denkt vom Ansatz her ähnlich. Mehr Wahrscheinlichkeit hat die These Kellys (91f), es stehe nur das Fragebekenntnis fest, welches dann zu mehr oder weniger festen Formulierungen geführt habe.

[32] Vgl. noch de bapt. 2 (ed. Borleffs 277 CCL 1): »homo in aqua demissus et inter pauca verba tinctus«; de bapt. 13 (ed.Borleffs 289 CCL 1): »lex enim tinguendi imposita est et forma praescripta. Ite inquit docete nationes tinguentes eas in nomine Patris et Filii et Spiritus sancti«.

[33] de bapt. 6 (ed. Borleffs 282 CCL 1).

[34] Man vgl. die Parallelen zur traditio apostolica (s. u. § 6, a), zur forma africana (s. u. § 8) und zur ägyptischen Kirche (s. u. § 9, c); ebenso Apost. Konst. VII (s. u. § 9 Exkurs).
Kunze, aaO 29, kommt von Cyprian aus bei Tertullian zur Annahme einer vierten Tauffrage. Daß sich bei Cyprian kein Argument für Tertullian gewinnen läßt wird später zu zeigen sein (s. u. § 8 Exkurs).

weiteren Zeugen für die Ausweitung des dreigliedrigen Bekenntnisses. Mit einiger Wahrscheinlichkeit weist er bereits auf den für die spätere afrikanische Tradition bezeichnenden Wortlaut »durch die heilige Kirche« hin[35]. In jedem Fall aber bringt er mit der Einfügung der Kirche in das Taufbekenntnis das wachsende Kirchenbewußtsein seiner Zeit zum Ausdruck. In der Auseinandersetzung mit häretischen Gruppen, die auch das Problem der Gültigkeit der bei ihnen erfolgenden Taufen mit sich brachte[36], mußte die Reflexion auf die Wirklichkeit der Kirche auch im Bekenntnis ihren Niederschlag finden.

[35] S. u. § 8. — Moingt, aaO 62 A 2, wendet sich gegen eine Interpretation, die von de bapt. 6 aus die instrumentale Funktion der Kirche herausstreicht; gegen F. Refoulé, Tertullien, Traité du baptême (SC 35), Paris 1952, S. 75 A 3: »L'Eglise est l'instrument de la divinité ... par elle nous entrons en communion avec la Trinité«. Statt dessen versteht er die Kirche als den Leib der drei göttlichen Personen, der dadurch zustande kommt, daß nicht nur zwei oder drei in Christi Namen versammelt sind (Mt 18,20) und so den Leib Christi bilden, sondern mehr noch, daß sich die drei Personen in ihr zu erfahren geben. Zum Beweis bieten sich einleuchtende Texte an: de poen. 10 (ed. Borleffs 337 CCL 1): »in uno et altero (sc. in fratribus) ecclesia est, ecclesia vero Christus«; ad uxor. 2,8 (ed. Kroymann 393f CCL 1); de fuga 14 (ed. Thierry 1155 CCL 2); de exhort. cast. 7 (ed. Kroymann 1025 CCL 2) und de pudic. 21 (ed. Dekkers 1328 CCL 2): »nam et ipsa ecclesia proprie et principaliter est spiritus, in quo trinitas unius divinitatis Pater et Filius et Spiritus sanctus; illam ecclesiam congregat, quam Dominus in tribus posuit«. Letzterer Text gibt sicher die montanistische Kirchenerfahrung wieder, insofern Kirche des Geistes und Kirche der Disziplin geschieden werden und das Wirken Gottes ohne amtliche Bindung durch das pneumatische Zusammensein der Christen betont wird (vgl. J. Ratzinger, Volk und Haus Gottes in Augustins Lehre von der Kirche (MThSt 2,7), München 1954, S. 73). Aber er steht doch in einer Linie mit de bapt. 6, insofern im Glauben an Vater, Sohn und Geist das Verbindende der Christen und das eigentliche Wesen der Kirche gesehen wird (vgl. Moingt aaO 64f). — Dazu kommen Texte, die die Kirche als Haus oder Tempel Gottes bezeichnen: ad uxor. 2,3 (ed. Kroymann 387 CCL 1); 2,8 (392); adv. Marc. 3,23 (ed. Kroymann 540 CCL 1); de idol. 7 (ed. Reifferscheid-Wissowa 1106 CCL 2). Freilich betont Tertullian auch das himmlische Wesen der Kirche (de orat. 2; ed. Diercks 258 CCL 1; de spect. 25; ed. Dekkers 249 CCL 1) und ihre heilsvermittelnde Funktion (de ieiun. 12; ed. Reifferscheid-Wissowa 1271 CCL 2; de cor. 13; ed. Kroymann 1060 CCL 2; Scorp. 10; ed. Reifferscheid-Wissowa 1088 CCL 2). Vgl. auch Texte über die Mutter Kirche: de bapt. 20 (ed. Borleffs 295 CCL 1); de orat. 2 (ed. Diercks 258 CCL 1); de monog. 7 (ed. Dekkers 1239 CCL 2); de praescr. 42 (ed. Refoulé 222 CCL 1); de anima 43 (ed. Waszink 847 CCL 2); ad mart. 1 (ed. Dekkers 3 CCL 1). — All dies läßt ein »per sanctam ecclesiam« für Tertullian als sehr gut möglich erscheinen. Ohne den instrumentalen Charakter zu überziehen, erhält es dann den Sinn, daß der Gläubige im Raum der Kirche, mit ihr und durch ihre Vermittlung das Bekenntnis spricht und im Heiligen Geiste an den Verheißungen teilnimmt.

[36] de bapt. 15 (ed. Borleffs 290 CCL 1) erwähnt eine Schrift über die Ungültigkeit der Ketzertaufe. Cyprian wird auch in diesem Punkt an Tertullian anknüpfen.

Die große Bedeutung, welche Tertullian dem Taufbekenntnis beimißt, wird sich wie bei Irenäus darin zeigen, daß er es in eine enge Verbindung mit der Glaubensregel bringt. Als ihr vorzüglicher Ausdruck ist das trinitarische Bekenntnis die Mitte des christlichen Glaubens. Von jedem Einzelnen abgelegt, steht es als bleibende Verpflichtung über seinem Leben. Es bewahrt die Einheit der Einzelkirchen im Glauben und kann diesen dann in seinen Wesenselementen der Häresie gegenüber zur Aussage bringen.

d) Novatian

Nach Tertullian zeigt Novatian als nächster Theologe die Wertschätzung des trinitarischen Taufbekenntnisses[37]. In der Schrift »de trinitate« verfolgt er das Ziel, der Wahrheitsregel entsprechend den Glauben an »Gott, den Vater und allmächtigen Herrn, das heißt, den vollkommensten Schöpfer von allem«, und an »den Sohn Gottes, Christus Jesus, unsern Herrn und Gott, aber Gottes Sohn« darzustellen[38]. In durchweg antihäretischer Frontstellung nimmt dies den weitaus größten Raum seiner Ausführungen ein. Möchte man hiernach nur einen entfernten Einfluß des Taufbekenntnisses vermuten, so verlangt doch die auffällige Durchbrechung des Schemas, mit der ein Abschnitt über den Heiligen Geist eingefügt wird, eine andere Deutung[39].
Während die Kapitel über den Vater und den Sohn mit dem Hinweis auf die Wahrheitsregel eingeleitet werden, beginnt der Artikel über den Geist mit den Worten: »Die richtige Gedankenführung und die Glaubensautorität aber erinnern uns jetzt, da wir die Worte und Schriften über den Herrn erläutert haben, daran, auch an den Heiligen Geist zu glauben«[40]. Der Grund, nunmehr auf den

[37] Zum Bekenntnis bei Novatian s. Caspari III 462—465, der sämtliche Elemente des altrömischen Symbols bezeugt sieht. Kattenbusch II 361—365 glaubt, die Kenntnis von R annehmen zu können, am deutlichsten in Bezug auf den 3. Artikel, gesteht jedoch zu: »Es ist aber klar, wie übel beraten wir bei freiem Suchen nach dem Symbol bei ihm wären« (362). Kunze, aaO 82—84.178—181, erkennt bei Novatian das römische Taufbekenntnis und reklamiert ihn als Zeugen für die ursprüngliche (bei Tertullian bereits abgeschwächte) Einheit von Glaubensregel und Schrift.

[38] de trin. I (ed. Weyer S. 34); IX (S. 74); vgl. XVI (S. 112) und XXVI (S. 168), wo als credendi regula bzw. definitio regulae Joh 17,3 angegeben wird: »Das aber ist das ewige Leben, daß sie dich, den einen und wahren Gott, erkennen und den, den du gesandt hast, Jesus Christus«.

[39] Obwohl Novatian von der regula über den Vater und den Sohn handeln will, fügt er den Geist ein. Vgl. den Aufbau: I—VIII: der Vater; IX—XXVIII: der Sohn; XXIX: der Geist; XXX—XXXI: die Einheit von Vater und Sohn.

[40] XXIX (ed. Weyer S. 182): »Sed enim ordo rationis et fidei auctoritas digestis vocibus et litteris Domini admonet nos post haec credere etiam in Spiritum

Geist zu sprechen zu kommen, liegt für Novation nicht in der häretischen Bestreitung, der gegenüber die Wahrheitsregel herausgestellt werden müßte — dem Kapitel über den Heiligen Geist fehlt denn auch jede antihäretische Färbung —, sondern in den vorgegebenen Aussagen der Schrift und der Glaubensautorität. Letztere kann dann nur als das Taufbekenntnis angesehen werden, dessen Grundplan Novatian dazu bewegt, nach Vater und Sohn auch vom Geist zu sprechen[41].

So erhält man das aufschlußreiche Ergebnis, daß das trinitarische Glaubensbekenntnis im Hintergrund von Novatians Darlegungen steht und als verbindlicher Glaubensausdruck auch dann vollständig, das heißt, mit seinem dritten Artikel, in Erscheinung tritt, wenn das unmittelbare theologische Interesse nur den ersten beiden Artikeln gilt. Wie bei Irenäus und den anderen Theologen erweist es sich als der unverzichtbare Maßstab für die Darstellung des Glaubens.

Eine Rekonstruktion des Wortlauts muß aber beim Charakter von »de trinitate« der Gefahr erliegen, daß man eine spätere Formel an den Text heranträgt und dann an ihm zu verifizieren sucht. Die für den dritten Artikel bei Novatian zu vermutenden Strukturelemente werden im Kapitel über die Glaubensformeln zu prüfen sein.

e) Clemens von Alexandrien und Origenes

Clemens braucht von der vorliegenden Fragestellung aus gesehen nur im Vorübergehen gestreift zu werden[42]. Er liefert zahlreiche Hinweise auf die Glaubensregel, wobei er besonderen Wert auf ihre Verankerung in den Schriften des Alten und Neuen Bundes

sanctum«. Kattenbusch II 364f versteht die fidei auctoritas als die »Autorität des Symbols«, den ordo rationis als die » ›innere Konsequenz‹ des Gedankens ... von Gott und Christus«. Die Paraphrase von Kunze, aaO 179A 2: »gemäß der Ordnung in den Worten und Schriften des Herrn«, ist falsch. Sie erklärt sich aus seinem Bemühen, die Schrift als die oberste Autorität der Glaubensregel zu erweisen. Weyers Übersetzung (S. 183): »In der ordnungsgemäßen Darstellung unserer Lehre und entsprechend der Anweisung unseres hl. Glaubens kommen wir nun ... auch zu dem Glauben an den Hl. Geist«, verwischt die Konturen und läßt das Bekenntnishafte außer acht.

[41] So auch Kunze, aaO 179, Kattenbusch II 364f. Weyer S. 34 A 1 denkt auch an das Taufbekenntnis, wehrt sich aber m. E. zu Recht gegen eine vorschnelle Verechnung der als regula aufgestellten Aussagen über die ersten beiden Artikel mit einem Symbol.

[42] Zu Clemens s. C. P. Caspari, Hat die alexandrinische Kirche zur Zeit des Clemens ein Taufsymbol besessen oder nicht? Zeitschr. f. kirchl. Wiss. u. kirchl. Leben 7 (1886) 352—375, der die Frage positiv beantwortet und ein Bekenntnis nach der Art von R bei Clemens findet. Kattenbusch II 102—134 kann keine Hinweise auf R entdecken, konzediert aber einen Text nach der Art der »ägyptischen Kirchenordnung«, deren Textgeschichte er noch nicht im Detail gekannt hat (s. u. § 6 a). Kunze 60—66.132—158 votiert mit Nachdruck für ein Taufbekenntnis in trinitarischer Fassung und hebt für Clemens die

legt. Fest steht für ihn, daß die kirchliche Regel ihren Ausdruck im Bekenntnis findet. So bemerkt er in den »Stromata«, Juden und Heiden würfen den Christen der Häresien im eigenen Lager halber Unglaubwürdigkeit vor: besagt auch die Übertretung der Satzungen und des geltenden Bekenntnisses an sich noch nichts über Wahrheit und Unwahrheit, »so dürfen wir doch in keiner Weise die kirchliche Regel übertreten, und besonders bewahren wir das Bekenntnis hinsichtlich der Hauptstücke, welches sie (die Häretiker) übertreten«[43]. Daß Clemens hierbei an das Taufbekenntnis zu Vater, Sohn und Geist denkt, kann im Blick auf seine sonstigen Hinweise auf die trinitarische Taufe nicht bestritten werden[44]. Das dreigliedrige Bekenntnis, dessen Gestalt freilich nicht im Einzelnen hervortritt, stellt auch für ihn die Grundform des kirchlichen Glaubens dar.

Der letzte Theologe auf dem von Irenäus aus beschrittenen Weg auf der Suche nach dem trinitarischen Taufbekenntnis ist Origenes[45].

Wie bei Tertullian so ist auch bei ihm die Taufe der Bekenntnisakt der negativen Absage und positiven Hinwendung zum dreifaltigen Gott: »Wenn wir also«, erklärt er, »zur Gnade der Taufe kommen, dann widersagen wir allen anderen Göttern und Herrschern und

Bindung der regula an die Schrift hervor. Van den Eynde, aaO 299—304, bestimmt die Glaubensregel als umfassenden Ausdruck der Offenbarung, der Schrift und der kirchlichen Lehre; sie ist nicht mit dem Symbol identisch, steht aber in Verbindung mit ihm.

43 Strom. 7,15,88 (ed. Stählin 63 GCS 17). Die weiteren Texte sind am besten bei Kunze, aaO, und van den Eynde, aaO, zusammengestellt. Zur Analyse von Strom. 7,15 vgl. Caspari, aaO, Kunze, aaO 62, und Kattenbusch II 118f A 24.

44 Kunze 63f verweist auf Strom. 5,11,73 (ed. Stählin 375), wo Clemens die drei Tage, die Abraham hinter sich bringen muß, ehe er den ihm von Gott gezeigten Berg erblickt (Gen 22,3f), auf das »Geheimnis der Besiegelung« deutet und so die trinitarische Taufe zu erkennen gibt. Vgl. mit Kunze die trinitarischen Stellen: Paedag. 1,6,42 (ed. Stählin 115 GCS 12,2); 3,12,101 (291); Strom. 5,14,103 (ed. Stählin 395 GCS 15,2); Quis div. 34 (ed. Stählin GCS 17); 42 (191).

45 Über das Bekenntnis bei Origenes handeln: Caspari IV 138f A 118; III 129—133 A 222; er hebt die Haupttexte an und weist auf die Orientierung an einem Taufbekenntnis hin. Kattenbusch II 134—179.963.983 betont, Origenes habe die Schrift als Glaubensregel betrachtet, er habe R in Rom kennengelernt, ohne ihm jedoch große Bedeutung beigemessen zu haben; für die einfachen Kirchenchristen habe er zusammenfassende Formulierungen der Schriftlehre verfaßt, die dann in seiner Schule die Rolle eines Kanons übernommen hätten. Kunze 41—66.84—87.158—167 weist das Taufbekenntnis nach, stellt die Abhängigkeit der regula von diesem fest und hebt hervor, daß die Schrift mit zur regula gehört. G. Bardy, La règle de foi d'Origène, RSR 9 (1919) 162—196, spricht von einer am Taufbekenntnis orientierten Glaubensregel, die die fundamentalen Wahrheiten der kirchlichen Tradition enthält. Van den Eynde 304—311 stellt auch für Origenes die Beziehung der Glaubensregel

bekennen allein Gott Vater, den Sohn und den Heiligen Geist«[46]. Dieser Glaube ist der Beginn und die Grundlage des Weges eines jeden Christen; er ist mit den Worten des Origenes das »dreifache Seil . . ., an dem die ganze Kirche hängt und von dem sie getragen wird«[47]. Eine Taufe, die nicht im Namen der Trinität erfolgt, kann nur als ungültig angesehen werden[48]. Wenn Origenes von kirchlichen Bräuchen spricht, an die man sich zu halten habe, auch wenn man nicht gleich ihren Sinn einsehe, und zur Erläuterung schreibt: »wer wird leicht den Grund der Worte, Handlungen, Verordnungen, Fragen und Antworten bei der Taufe erklären?«[49], dann weist er auf das mit den Tauchungen verbundene Bekenntnis in Frageform hin, das seit Tertullian bezeugt ist.

Über die Fassung der Einzelartikel macht er keine sicheren Angaben; er scheint aber anzudeuten, daß der zweite Artikel bereits die Menschwerdung und die Kreuzigung erwähnt hat[50].

Die Frage, ob er ein deklaratorisches Symbol gekannt hat, das dem späteren römischen Brauch nach den Täuflingen zu Beginn der

Taufbekenntnis fest, ohne aber beides zu identifizieren. Für Kelly 96f gibt es keinen Zweifel an einem Symbol in Alexandrien, wenn auch die Entscheidung: Frageformel oder deklaratorischer Text, offen bleiben muß. R. C. Baud, Les ›Règles‹ de la théologie d'Origène, RSR 55 (1967) 161—208, geht, ohne auf Glaubensregel und Taufbekenntnis einzuengen, der Bedeutung der verschiedenen regulae bei Origenes nach und erkennt sie im ganzen als das Band, das die Schriften des Origenes mit der kirchlichen Tradition und ihrer Schrifterkenntnis verbindet.

46 in exod. hom. 8,4 (ed. Baehrens 223 GCS 29); zur Abrenuntiation vgl. in num. hom. 12,4 (ed. Baehrens 106 GCS 30) ,weitere Texte bei Kunze, aaO 44f.

47 in exod. hom 9,3 (ed. Baehrens 239 GCS 29); vgl. in lev. hom. 5,3 (ed. Baehrens 340 GCS 29): der erste Zugang für den Laien zu den Glaubenswahrheiten heißt: »credo fidem Patris et Filii et Spiritus sancti, in quam credit omnis, qui sociatur ecclesiae Dei«.

48 Comm. in ep. ad Rom. 5,8 (PG 14,1039 C): »cum utique non habeatur legitimum baptisma nisi sub nomine Trinitatis«.

49 in num. hom. 5,1 (ed. Baehrens 26 GCS 30); vgl. Kattenbusch II 176f, dem der Text nicht entgangen ist, wie Kunze 43 A 4 gemeint hat; das gilt aber wohl für die von Kunze ebd. angeführte Stelle, die das Fragebekenntnis bezeugt: »ita ut interdum etiam ex responsione sola fide probata indubitatam quis ceperit salutem« (de princ. 3,5,8; ed. Koetschau 279 GCS 22).

50 In exod. hom. 5,3 (ed. Baehrens 187f GCS 29): der Weg Israels durch die Wüste ist voller Zeichen für die Taufe; Ex 14,2 verbunden mit Mt 7,14 zeigt, daß der mühselige Weg zum Leben führt, weshalb für den Christen gilt: »Denique cum confitearis unum Deum eadem confessione Patrem et Filium et Spiritum sanctum asseras unum Deum, quam tortuosum, quam difficile, quam inextricabile videtur hoc esse fidelibus; cum deinde cum dicis Dominum maiestatis crucifixum et filium hominis esse, qui descendit de caelo, quam tortuose haec videntur et quam difficilia!«

Comm. in ep, ad Rom. 5,8 (PG 14,1041 BC) enthält wörtliche Bezugnahmen auf den zweiten Artikel des römischen Symbols. Allerdings kann Rufin hier seine Hand im Spiel haben; s. Bardy, aaO 172.

Katechumenatszeit übergeben und von diesen in Verbindung mit der Taufe zurückgegeben worden ist, kann nicht befriedigend gelöst werden[51]. Dagegen macht Origenes deutlich, daß in der Katechumenenunterweisung die Grundlehren in einer Form mitgeteilt worden sind, die strukturell und wohl auch inhaltlich auf das Taufbekenntnis hinweist. In den Homilien zum Propheten Jeremia heißt es, die Seelen der Hörer müßten erst vorbereitet werden, damit die christlichen Wahrheiten bei ihnen nicht unter Dornen fallen; und das sind: »die Belehrung über den Vater, die über den Sohn, die über den Heiligen Geist, die Belehrung über die Auferstehung, die Belehrung über die Bestrafung, die Belehrung über die Ruhe, die über das Gesetz, die über die Propheten und zugleich über jede der Schriften«[52].

Ähnlich wie in der katechetischen Formel aus der Epideixis des Irenäus liegt in diesen Worten kein Taufbekenntnis vor. Sie zeigen aber, daß es in der Taufe nicht unvermittelt auftritt, sondern schon den vorangehenden Unterricht prägt und dort mit anderen Punkten der Unterweisung verbunden wird.

Der Text steht nicht allein in den Schriften des Origenes. In einer Reihe von weiteren Formulierungen, in Glaubenssummarien und in Fassungen der Glaubensregel zeigt Origenes, wie der Taufglaube das Maß für jede Bekenntnisaussage bildet. Sie sind nicht schlichte Zusammenfassungen des Christenglaubens, über welche der christliche Gnostiker erhaben ist, sondern bilden die verbindliche Grundlage, der sich Origenes als Mann der Kirche verpflichtet weiß und von der aus er seine theologische Arbeit legitimiert[53].

Die Mitteilungen des Irenäus von Lyon stehen nach dieser Übersicht in hellerem Licht da. Irenäus bildet keinen Ausnahmefall. In der Bindung an den Taufglauben steht er im Kreis der kirchlichen Theologen vor und nach ihm. Ihr Zeugnis bestätigt den einen Glauben der Kirche.

Die vorgestellten Texte sind sich sämtlich einig in der Bekundung des Glaubens an den dreifaltigen Gott. Das Bekenntnis hat in der Taufe seinen Ursprung. Zwar bleibt seine genau umschriebene Form weitgehend im Dunkel. Nur Tertullian und auch Origenes lassen erkennen, daß es im dreigestuften Dialog von Frage und

[51] Die Stelle comm. in ep. ad Rom. 7,19 (PG 14,1154 A): »potest et verbum breviatum dici fides symboli, quae credentibus traditur, in qua totius mysterii summa paucis connexa sermonibus continetur«, geht nach der scharfsinnigen Kritik Kattenbuschs (II 148 A 20) auf das Konto Rufins. So auch Bardy, aaO 171. Kunze 46 A 1 dagegen hält die vorgebrachten Argumente für nicht überzeugend. Sollte die Bemerkung einen Anhalt an Origenes haben, dann werden die Tauffragen gemeint sein; so auch de Lubac, La Foi 35.

[52] in Jer. hom. 5,13 (ed. Klostermann 42 GCS 6).

[53] Zur Beurteilung der Glaubensformeln s. u. § 5 d.

Antwort stattgefunden hat. Wichtiger aber als präzise liturgische Angaben ist die Einigkeit der Zeugen hinsichtlich der unverzichtbaren Grundstruktur und der Wertschätzung des Bekenntnisses. Ob die Frageform auch für die gilt, die genauere Angaben vermissen lassen, ob es im Einzelfall eine Taufformel oder eine kurze Formel für die Glaubensbekundung gegeben hat, entscheidend ist der auch unter verschiedenen denkbaren Formen eine Taufglaube an den trinitarischen Gott. Irenäus von Lyon gehört somit einem beachtenswerten Traditionsstrang an, der sich bis ins Neue Testament zurückverfolgen läßt und mit immer größerem Nachdruck zur Geltung gelangt. Der trinitarische Taufglaube zeigt sich als die normierende Mitte des christlichen Bekenntnisses. Er kehrt in der Katechumenenunterweisung wieder und erweist sich als der Kristallisationspunkt für weitere ihn erläuternde Aussagen. Er fügt sich in Glaubensformulierungen, welche mit wachsender Fixierung zu normativer Geltung gelangen.

Für den dritten Glaubensartikel ist so eine sichere Ausgangsbasis erreicht. Von Beginn an ist er mit dem Bekenntnis zum Vater und zum Sohn verbunden. In der trinitarischen Struktur verankert, kann er dann gleichfalls erweitert und bei zunehmender Bewußtwerdung des hier ausgedrückten Glaubens erläutert werden.

Das Bekenntnis zum Heiligen Geist führt keine selbständige Existenz, sondern ist unlösbar mit den ersten beiden Artikeln verknüpft. Nur in dieser Strukturierung ist es gegeben, nur so kann es sinnvoll gesprochen werden.

Schließlich bleibt für den pneumatologischen Artikel der Rückbezug zum Taufglauben und damit zum Taufgeschehen von größter Wichtigkeit. Hat es beim christologischen Kerygma noch andere Ursachen und Wege der Bekenntnisbildung gegeben, so ist für das Bekenntnis zum Geist die Taufe als Ursprungsort hervorgetreten. Von hier aus tritt es in das Bewußtsein der Kirche und gelangt es zur Formulierung in ihren Glaubensaussagen.

Zweites Kapitel:

Der dritte Artikel in Glaubensformeln und Relationen der Glaubensregel

§ 3 Zum Verhältnis von Glaubensregel und Taufglaube

Der in der Linie des trinitarischen Taufbekenntnisses erhobene Befund hat zwar nicht hinsichtlich seiner Existenz, wohl aber, was seine Bedeutung anbelangt, die Bewährungsprobe vor dem übrigen Bekenntnisgut zu bestehen.
Irenäus und nach ihm Tertullian führen Texte an, in denen die trinitarische Struktur nicht zur Geltung gelangt, ein dritter Glaubensartikel also ausfällt. Damit brechen die schon bei der Auseinandersetzung des Lyoner Bischofs mit den Taufriten der Gnosis angeklungenen Fragen erneut in verschärfter Form auf.
Ist das Bekenntnis zum Heiligen Geist demnach noch nicht ohne Einschränkung anerkannt worden? Deutet sich damit nicht in der Symbolgeschichte neben der des Taufglaubens eine andere Entwicklungslinie an? Hat man mit einem binitarischen Bekenntnisschema zu rechnen, zu dem der Glaube an den Geist erst nachträglich hinzugetreten wäre? Wären die Fragen positiv zu beantworten, dann würde die trinitarische Struktur des Glaubensbekenntnisses erheblich abgeschwächt und für den pneumatischen Artikel ein Verständnis begünstigt, bei dem der Heilige Geist lediglich als Taufgabe oder eines der Heilsgüter der Christenheit gelten könnte.
Die Prüfung hat bei Irenäus zu beginnen. Im ersten Buch von adversus haereses hält er nach seinem Bericht über die valentinianischen Lehren von der Schöpfung, vom Demiurgen, vom unsichtbaren Vorvater sowie über ihre Praktiken der Apolytrosis seinen Gegnern den Satz vor: »Wir dagegen halten an der Wahrheitsregel fest, das heißt, daß es einen allmächtigen Gott gibt, der alles durch sein Wort begründet, passend gemacht und aus dem Nichts zum Sein geschaffen hat ...; er ist der Vater unseres Herrn Jesus Christus«[1].
Und im dritten Buch heißt es innerhalb des Nachweises der apostolischen Tradition für die Kirche in Bezug auf die vielen Christen der Heidenwelt, die auch ohne schriftliches Zeugnis der Apostel

[1] 1,22,1 (H 1,188f); der voraufgehende Bericht umfaßt die Kapitel 17—21 (H 1,164—168).

durch den Geist in der alten Tradition bewahrt worden sind: »Sie glauben an den einen Gott, den Schöpfer des Himmels und der Erde und von allem, was in ihnen ist, durch Christus Jesus, den Sohn Gottes, der seiner einzigartigen Liebe zu seinem Geschöpf wegen die Geburt aus der Jungfrau auf sich nahm, der durch sich den Menschen mit Gott vereinte, unter Pontius Pilatus gelitten hat, auferstanden ist und in Herrlichkeit aufgenommen wurde, um in Majestät wiederzukommen als Erlöser für die, die erlöst werden, als Richter derer, die gerichtet werden ...«[2].

Beide Texte sind markante Beispiele für eine Reihe von Stellen, die das Bekenntnis zu Gott wie zum ewigen und menschgewordenen Wort zum Inhalt haben[3]. Bei näherer Betrachtung erweist sich der erste als eine Abwandlung des ersten Mandatum aus dem Hirten des Hermas. Irenäus hat es in einer für ihn charakteristischen Weise umgeändert, insofern er das Schöpfungswirken des einen Gottes auf das Wort bezieht und Gott als den Vater des fleischgewordenen Wortes bekennt[4]. Der zweite fügt an das Bekenntnis zum einen Gott und zu Christus ein reich entwickeltes christologisches Kerygma, das zahlreiche Parallelen in der Bekenntnistradition hat und in späteren Symbolen rezipiert worden ist[5].

Dies begünstigt das Urteil, daß man es hier mit einer eigenständigen Überlieferung zu tun hat. Ihr ursprünglicher Ort ist nur schwer zu bestimmen, kann aber mit großer Wahrscheinlichkeit nicht mit der Taufe in Verbindung gesetzt werden[6]. Für die These jedoch, die christologische Überlieferung bilde eine Art Vorstadium zu der Mehrzahl der späteren dreigliedrigen Formeln, muß die doppelte Voraussetzung als erfüllt gelten können, daß die ein- oder zweigliedrigen Texte wirklich ein umfassendes Bekenntnis sein wollen und daß die trinitarischen tatsächlich nur als eine Weiterbildung zu

[2] 3,4,2 (SC 211,46ff); A. Rousseau (SC 210,241f) liest: ... »an Christus Jesus«.

[3] S. 1,3,6 (H 1,31); 1,9,2 (H 1,82); 3,1,2 (SC 211,24); 3,5,3 (62); 3,12,2 (184); 3,16,3 (296); 4,1,1 (SC 100,392) u.ö. — Nur der erste Artikel wird genannt in: 1,16,3 (H 1,163); 2,1,1 (H 1,251); 2,25,2 (343); 2,28,1 (349); 2,35,2 (387) u.ö. — Beispiele für christologische Texte sind: 2,22,3 (H 1,374); 3,12,7 (SC 211,210); 3,12, 9(216); 4,23,2 (SC 100,696) ;5,12,5 (SC 153,158).

[4] Hermas Mand. 1,1: »Zuerst von allem glaube, daß Gott einer ist, der alles begründet hat und befestigt hat und aus dem Nichts zum Sein geschaffen hat, er umgreift alles, bleibt selber aber unumgreifbar«. Das Hermaswort wird bei Origenes wiederkehren (s. u. § 5 d). M. Dibelius, Der Hirt des Hermas (Handbuch z. NT Ergänzungsband 4), Tübingen 1923, S. 497, hebt die Verankerung des Wortes im jüdischen Monotheismus hervor.

[5] Lietzmann, Symbolstudien 230—239, hat eine Reihe von Belegen angeführt.

[6] Vgl. dazu o. § 2 a. Lietzmann, Symbolstudien 239, gesteht zu, daß sich der Nachweis für ein Taufbekenntnis nicht erbringen läßt, hält es aber doch für möglich, daß die zweigliedrige Formel von 1Tim 6,13 auf ein Taufsymbol hindeutet.

betrachten sind. Das letzte kann an Hand rein formaler Kriterien nicht mit der genügenden Sicherheit entschieden werden. Spuren eines binitarischen innerhalb des trinitarischen Bekenntnisses bleiben bei Irenäus sehr vage; und es erscheint als durchaus möglich, daß umgekehrt das trinitarische Schema die entsprechenden Stücke an sich gezogen hat oder daß bei einem Theologen wie dem Lyoner Bischof das Gedächtnisschema des Taufglaubens mit anderen Worten verbunden worden ist[7].

Festerer Boden läßt sich durch die Überprüfung der anderen Bedingung gewinnen. Im Kampf mit seinen Gegnern stehen für Irenäus die Fragen um Gott und Christus, die ersten beiden Artikel, im Mittelpunkt des Interesses. Der häretischen Bestreitung gegenüber gilt es, an der Einheit Gottes und an der Einheit des Sohnes in seinem geschichtlichen Wirken zum Heil der Menschen festzuhalten. Es ist dann nur konsequent, wenn er die umstrittenen Fragen hervorhebt, ohne bei jeder Gelegenheit das Ganze sagen zu müssen. Daß er sich dabei auch der Ausdrucksmittel vor ihm liegender Tradition bedient, macht keine Schwierigkeiten.

Auf die Textbeispiele angewandt bestätigt sich die vorgeschlagene Erklärung in vollem Umfang. Das erste ist eine unmittelbar der Gnosis entgegengestellte Formulierung. An den Platz des unbekannten Urvaters und der ihm entströmenden Emanationen des gnostischen Äonenpleromas tritt der christliche Gott, der durch sich selber, und das heißt, durch sein Wort, nicht aber mittels von ihm abgesonderter Mächte, die Schöpfung ins Werk gesetzt hat[8]. Irenäus verwendet die zweigliedrige Glaubensregel, da sie vollends den Gegensatz markiert, indem sie der offenkundigen Bestreitung des durch das Wort schaffenden Gottes widerspricht. Wie wenig exklusiv dies gedacht ist, zeigt die wenige Zeilen weiter zu lesende Bemerkung, daß »Gott durch das Wort und seinen Geist alles macht, anordnet, leitet und allem das Dasein gewährt«[9]. Die Argumentation mit dem binitarischen Text steht für das theologische Empfinden des Lyoner Bischofs nicht im Widerspruch zur trinita-

[7] Gegen Lietzmann, Symbolstudien 240. Der positive Nachweis für die Glaubensformeln wird in den nächsten Abschnitten zu erbringen sein (s. u. § 4 und § 5). Hier sei schon festgestellt, daß Lietzmanns Urteil, die Urform der orientalischen Bekenntnisse sei auf dem zweigliedrigen Schema von 1 Kor 8,6 aufgebaut (Symbolstud. 240; vgl. 210f), nicht überzeugen kann, da die Urform rein hypothetisch bleiben muß und Lietzmann mit der Erklärung, mehrere Texte hätten »den vergeblichen Versuch gemacht, den Aufbau einheitlich zu gestalten« (ebd.), indem sie auch den einen Geist bekannt hätten, eine vorgefaßte Meinung an sie heranträgt.

[8] S. 1,19f (H 1,175—180) und die Akzentuierung in 1,22,1 (H 1,188f): »omnia per ipsum (sc. Verbum) fecit Pater ... non per angelos, neque per virtutes aliquas abscissas ab eius sententia«.

[9] 1,22,1 (H 1,189).

rischen Aussage, daß Gott sich durch das Wort und den Geist offenbart.

Auch die zweite Stelle erhält im Kontext des dritten Buches von adversus haereses die Funktion, den beiden Grundirrtümern der Gnosis gegenüber die sichere Lehre der Kirche zu formulieren. Mit ihm kommt der Nachweis der Wahrheit der Schriften in der authentischen Tradition der Kirche zu seinem Ende; und Irenäus beginnt dann die großangelegte Beweisführung über den einen Gott und den einen Christus[10]. Das Bekenntnis erscheint deshalb nicht in seiner Vollgestalt, weil es die von den Gegnern bestrittenen Punkte hervorhebt.

Zusätzliches Gewicht erhalten diese Beobachtungen durch eine kurze Reflexion auf die Funktion und Form der Glaubensregel überhaupt. Denn im Verständnis des Irenäus bildet sie nicht eine feste Formel, die jeweils im Wortlaut anzuführen wäre, sondern ein Lehrganzes. Sie umfaßt den einen wahren Glauben, der seit der Zeit der Apostel in der Kirche lebendig ist und an allen Orten bewahrt bleibt. Sie ist die Wahrheit selber, das Ganze der in der Schrift klar ausgedrückten Grundlehren. Sie ist nur in der Kirche zu finden, während die Häretiker keinen Anteil an ihr haben[11].

Findet die Glaubensregel ihren vorzüglichen Ausdruck im Taufbekenntnis, so braucht dieses jedoch weder in seiner Struktur, noch in seinem Wortlaut vollständig in Erscheinung zu treten, was obendrein schon deshalb schwer möglich ist, weil nach allem, was wir wissen, für unsere Zeit das Bekenntnis noch keine abschließende Formulierung gefunden hat.

Bei Tertullian verschärft sich das Problem um die Gestalt der Glaubensregel, da diese schon eine gewisse Fixierung auf eine umschriebene Form hin zeigt, den Glauben an den Heiligen Geist aber nicht bietet oder ihn in vom Taufbekenntnis abweichender Weise ausführt[12].

[10] Disposition von Buch III: Kap. 1—5: die Wahrheit der Schriften; Kap. 6—15: der eine Gott; Kap. 16—23: der eine Christus; Kap. 24—25: Schluß. Vgl. dazu jetzt A. Rousseau, SC 210,173—205.

[11] Zur Glaubensregel s. o. das in der Einführung Gesagte. Zu Irenäus vgl. bes. van den Eynde, aaO 282—289; Hägglund, aaO 4—19; Hefner, aaO bes. 304f; N. Brox, Offenbarung, Gnosis und gnostischer Mythos bei Irenäus von Lyon. Zur Charakteristik der Systeme (Salzburger Patrist. Stud. 1), Salzburg 1966, S. 106—113. — Aus der älteren Literatur s. Kunze 120—126; Kattenbusch II 26—44; Harnack I 362f; Seeberg I 375ff.

[12] Auch bei Tertullian sei nur auf die wichtigste Literatur hingewiesen. Ausgewogene Beurteilungen bei van den Eynde, aaO 291—297; Hägglund, aaO 19—30, und Moingt, aaO 75—96. Restrepo-Jaramillo, aaO 20—58, nimmt eine scharfe Trennung von Symbol und regula vor; ähnlich F. J. Badcock, Le Credo primitif d'Afrique, Rev. Bén. 45 (1933) 3—9. — Aus der früheren Forschung vgl. Kunze 80—82.169—178; Kattenbusch II 75—87; K. Adam, Der

Bevor jedoch die Texte für die Frage nach dem trinitarischen Symbol, sei es zu einem negativen oder positiven Ergebnis herangezogen werden, muß wie bei Irenäus ihre Funktion geklärt werden. Hier ist festzustellen, daß Tertullian über den Lyoner Bischof hinausgeht, insofern die Glaubensregel für ihn einen strengeren, juristischen Sinn hat, daß ihr lehrmäßiger Gehalt stärker betont wird, daß Tertullian sich aber in der Grundauffassung nicht wesentlich von Irenäus entfernt. Auch für ihn ist die Regula ein Lehrganzes. Die Kirche steht mit ihr in der Nachfolge der Apostel, welche die Wahrheit von Christus empfangen haben, der seinerseits auf Gott als den Quell aller Wahrheit zurückgeht. So ist die Regula gleichfalls nicht eine abgeschlossene Formel oder ein Gefüge von Sätzen, die sklavisch an ein unveränderliches Schema gekettet wären[13].

Prüft man nun die vier Hauptstellen über den Inhalt der Glaubensregel, dann lassen sich zwei davon für eine binitarische Fassung reklamieren. Die anderen sprechen nach dem Glauben an Gott und den Sohn auch vom Heiligen Geist. Obwohl sie sich nicht streng an das Schema des Taufbekenntnisses binden, sondern eine ausgeprägt heilsökonomische Auffassung ausdrücken, ist eine Bezugnahme auf den Taufglauben nicht zu bezweifeln, zumal Tertullian seine Bedeutung anerkennt und auch im näheren Umkreis der Texte auf ihn zu sprechen kommt[14]. Die verbleibenden zweigliedrigen Formeln, im Anschluß an die in beiden Fällen gleichfalls der Geist erwähnt wird, sind dann um so leichter als Kurzfassungen der Glaubensregel ohne Anspruch auf Vollständigkeit zu erklären[15].

Kirchenbegriff Tertullians. Eine dogmengeschichtliche Studie (Forschungen z. christl. Lit. u. Dogmengeschichte), Paderborn 1907, S. 28—50; A. d'Alès, La Théologie de Tertullien, Paris 1905, S. 256ff; Harnack I 363—367; Seeberg I 377ff.

[13] So mit Hägglund und van den Eynde.

[14] de praescr. 13 (ed. Refoulé 197f CCL 1); adv. Prax. 2 (ed. Kroymann-Evans 1160 CCL 2). Die u. § 5b zu gebende Analyse wird dieses Urteil rechtfertigen. Restrepo-Jaramillos und Badcocks Auffassung leidet daran, daß sie auf einem formalen Vergleich der regulae mit dem Text des Symbols beruht und nicht das spezifische Genus der Glaubensregel und die sich daraus ergebenden Eigenheiten berücksichtigt.

[15] de praescr. 36 (ed. Refoulé 217 CCL 1) beschreibt den Glauben der Kirche von Rom in Übereinstimmung mit der afrikanischen Kirche: »Unum Deum dominum novit, creatorem universitatis, et Christum Jesum ex virgine Maria, filium Dei creatoris, et carnis resurrectionem; legem et prophetas cum evangelicis et apostolicis litteris miscet; inde potat fidem, eam aqua signat, sancto Spiritu vestit, eucharistia pascit, martyrium exhortatur et ita adversus hanc institutionem neminem recipit«. de virg. vel. 1 (ed. Dekkers 1209 CCL 2) führt als »regula ... fidei una omnino ... sola immobilis et irreformabilis« den Glauben an den einen Gott und an Christus bis hin zur Wiederkunft zum Gericht mit der Fleischesauferstehung aus und sagt dann, der Herr habe, da

Auf der Suche nach positiven Gründen für binitarische Texte mag man zuerst an Tertullians Wende zum Montanismus denken, dergestalt, daß zweigliedrige Formeln die ursprünglichen wären, während die Erwähnung des Geistes montanistischen Erfahrungen zu verdanken wäre. Man scheitert dann jedoch unweigerlich an der Tatsache, daß in einer Fassung aus der montanistischen Periode wie in »über den Schleier der Jungfrauen« der pneumatologische Artikel ausfällt, andrerseits aber in dem frühen Text aus dem »Rechtseinspruch gegen die Häretiker« enthalten ist[16]. Die umgekehrte Hypothese, Tertullian habe als Montanist den Glauben an den Geist als eine Frage der Disziplin betrachtet und ihn deshalb aus der Regula gestrichen, scheidet aufgrund der Nennung des Geistes in der Schrift gegen Praxeas aus[17].

Nun deutet aber Tertullian selber eine Erklärung an, die die bisherigen Beobachtungen aufnimmt und auch das Bild für Irenäus abrunden helfen kann. In der Schrift »über den Rechtseinspruch« bemerkt er, man dürfe sich nicht auf Geheimlehren der Apostel berufen, da sie öffentlich und privat das gleiche gelehrt, da sie zu Juden und Heiden wie zu den gläubigen Gemeinden ohne Heimlichkeit gesprochen hätten; und er fährt fort: »Obwohl sie einiges sozusagen unter ihren Hausgenossen erörterten, darf man doch nicht meinen, damit wäre eine andere Glaubensregel eingeführt worden, unterschieden und entgegengesetzt zu der, die sie (die Apostel) als die katholische vorgetragen hätten; als hätten sie zu Haus von einem anderen Gott gesprochen als in der Kirche; das Wesen Christi im Geheimen anders bezeichnet als in der Öffent-

die menschliche Mittelmäßigkeit nicht alles auf einmal aufnehmen konnte, den Parakleten gesandt, »ut ... paulatim dirigeretur et ordinaretur et ad perfectum perduceretur disciplina ab illo vicario Domini Spiritu sancto«. — Nach Moingt, aaO 68, wird im letzteren Text der Geist sogar besonders hervorgehoben, da das Bekenntnis abgebrochen wird, damit die Bedeutung der Geistsendung eigens ausgesagt werden kann.

[16] Auf den dogmatischen Einfluß des Montanismus legt Wert G. Kretschmar, Studien 23ff; vgl. auch seinen Aufsatz, Le développement de la doctrine du Saint-Esprit du Nouveau Testament à Nicée, Verbum Caro 88 (1968) 5—55; 36f. Moingt, aaO 72—75, dagegen betont die Identität des Bekenntnisses, das eine begriffliche Entfaltung erlebt habe, in der Substanz des trinitarischen Glaubens aber unverändert geblieben sei. Vgl. auch die Nachweise bei W. Bender, Die Lehre über den Hl. Geist bei Tertullian, München 1961, S. 10ff. 150ff. — Schon Seeberg I 422f stellt gegen F. Loofs, Leitfaden zum Studium der Dogmengeschichte, Halle [4]1906 S. 155ff, W. Macholz, Spuren binitarischer Denkweise im Abendland seit Tertullian, Halle 1902, und K. Adam, Die Lehre vom Hl. Geist bei Hermas und Tertullian, ThQ 88 (1906) 36—61; 54, fest, daß der Montanismus keinen entscheidenden Einfluß auf das trinitarische Denken gehabt hat.

[17] Gegen Adam, Kirchenbegriff, aaO 49f.

lichkeit; vor der Menge von einer anderen Hoffnung auf die Auferstehung gesprochen als vor der kleinen Gruppe«[18].
Ähnlich ist bei Irenäus zu lesen, die Apostelpredigt vor den Juden habe in der Verkündigung der Gottheit Christi und seines Richteramtes, die vor den Heiden in der Lehre über den einen Gott und seinen Sohn bestanden[19].
Unter Berufung auf die Apostel wird also die Glaubensregel ausdrücklich auf den Vater und den Sohn eingeschränkt. Das aber nicht, weil sie nicht auch das Bekenntnis zum Geist enthalten würde, sondern weil die Kernpunkte der anfänglichen Apostelpredigt genannt werden sollen, die Artikel der ersten Verkündigung vor Juden und Heiden; und das sind die Wahrheiten, bei denen Tertullian den Rechtseinspruch gegenüber der Häresie zugunsten der Kirche erhebt, die Irenäus der Gnosis gegenüber verteidigt.
Wenn es heißt, manches hätten die Apostel noch unter den Ihren erörtert, dann werden damit Erläuterungen zu den ersten beiden Artikeln gemeint sein; aber warum sollte dazu nicht auch die Predigt über den Heiligen Geist gehören, mit dem der Christ in der Taufe in Verbindung tritt? Daß es sich hierbei nicht um eine reine Vermutung handelt, zeigt sich, wenn Tertullian in derselben Schrift den Geist als das Geschenk der Taufe erwähnt, nachdem er zuvor die von der Häresie bestrittenen Glaubensaussagen markiert hat[20].
Wie dem aber sei, eine binitarische Glaubensregel ist jetzt in der Berufung auf das Beispiel der Apostel nicht als das Ganze ihrer

[18] de praescr. 26 (ed. Refoulé 208 CCL 1); vgl. die Zusammenfassung der essentialia in de praescr. 23 (205): kein anderer Gott als der Schöpfer, kein anderer Christus als der aus Maria Geborene, keine andere Hoffnung als die Auferstehung; und die Einheitselemente der Kirchen nach de virg. vel. 2 (ed. Dekkers 210 CCL 2): »una nobis et illis fides, unus Deus, idem Christus, eadem spes, eadem lavacri sacramenta, semel dixerim, una ecclesia sumus«. — Irenäus spricht über die öffentliche Verkündigung bes. in adv. haer. 3,2,1; 3,3,1 (SC 211,24ff.30).

[19] adv. haer. 3,12,13 (SC 211,236ff): Apostoli »cum omni fiducia Judaeis et Graecis praedicabant, Judaeis quidem Jesum eum qui ab ipsis crucifixus est esse Filium Dei, Iudicem vivorum et mortuorum, a Patre accepisse aeternum regnum in Israel . . .Graecis vero unum Deum qui omnia fecit et huius Filium Jesum Christum annuntiantes«. Zum Text s. A. Rousseau SC 210,302. Mit dem Hinweis auf diesen Text hat J. Moingt, aaO 78, eine umfassende Perspektive eröffnet, in der die Theorien über die binitarischen Formeln aufgenommen (vgl. o. § 2 a A 4) und ohne Widerspruch mit dem trinitarischen Bekenntnis vereinbart werden können. — Auch de Lubac, La Foi 79ff, schließt sich dem an.

[20] S. de praescr. 36 (Text o. A 15). Daran schließt sich unmittelbar der Satz mit dem von Tertullian formulierten Rechtsanspruch, die Wahrheit stehe uns zu, »quicumque in ea regula incedimus, quam ecclesiae ab Apostolis, Apostoli a Christo, Christus a Deo tradidit« (de praescr. 37,1 ed. Refoulé 217 CCL 1).

Verkündigung, sondern als Wiedergabe ihrer ersten Predigt erwiesen. Ihr Zweck ist es, dem Vorbild der ersten Verkünder folgend, die Lehren auszusagen, die in der nach außen gerichteten Verkündigung im Vordergrund stehen[21].

Ein Blick auf Novatian mag das so gewonnene Verhältnis des trinitarischen Taufglaubens zur Glaubensregel bestätigen[22]. Auch ihm gelten die ersten beiden Artikel als Regula. Sie bestimmen die Intention wie den Aufbau seiner Darlegungen. Sie werden in der Weise der lehrmäßigen Erklärung im Gegensatz zur häretischen Umdeutung entwickelt. Das Interessante ist nun aber die Durchbrechung des binitarischen Schemas durch Novatian unter Berufung auf die »Glaubensautorität«. Er weiß also, daß seine Regula nicht das Ganze darstellt, sondern der Ergänzung durch den Taufglauben bedarf. Er wirkt auf jene ein und erweitert sie. Die Glaubensregel ist dann nicht ein für sich bestehendes Bekenntnis, sondern eher der Bereich des Taufglaubens, der unmittelbar in den Streit um die Wahrheit hineingezogen ist.

Von diesen Daten aus kann eine abschließende Beurteilung versucht werden. Glaubensregel und Taufbekenntnis sind nicht identisch. Deshalb können unterschiedliche Fassungen in der Gesamtstruktur wie im einzelnen auftreten. Da die Regula noch nicht eine feste Formel bildet und in ihren Relationen nicht das ganze Bekenntnis wiederzugeben braucht, lassen sich aus ihr nur bedingte Folgerungen für dieses ziehen.

Auf der anderen Seite besteht doch eine enge Beziehung zwischen beiden. Das Taufbekenntnis nimmt bestimmenden Einfluß auf die Regula, sobald der Glaube umfassend ausgesagt werden soll. Umgekehrt können auch formelhafte Wendungen aus den Texten der Glaubensregel in das Bekenntnis aufgenommen werden. Ihr wechselseitiges Verhältnis steht für die frühe Zeit unter der besonderen Eigenart, daß auch das Taufbekenntnis noch keine abschließende Prägung gefunden hat und vornehmlich als trinitarisches Schema auf die Regula einwirkt.

[21] J. Moingt gibt die einleuchtende Erklärung, daß eine binitarische regula die mündliche Apostelpredigt vor Juden und Heiden aufnimmt und diese in den Dienst der antihäretischen Auseinandersetzung stellt, wo über den Hl. Geist noch nicht zu handeln war (75ff). Sie gibt die Normen der Lehre wieder, während der Geist besonders in den inneren Bereich des Glaubens gehört. Er ist eher der Garant der regula veritatis. Er wird angerufen »au titre de sujet enseignant, et non d'objet enseigné« (79). Wird er zum Gegenstand der Lehre, dann richtet sich die regula vor allem an die Glieder der Kirche, deren Glaube umfassend ausgesagt werden soll. Binitarische und trinitarische regula, die eo ipso nicht eine feste Formel darstellen, bilden also keinen Gegensatz oder Stufen einer Entwicklung, sondern erklären sich aus dem unterschiedenen Gebrauch (85f).

[22] S. o. § 2 d mit A 40.

Diese kann schließlich in binitarischer oder trinitarischer Fassung auftreten. Die zweigliedrige bildet nicht eine ältere Vorstufe der dreigliedrigen, sondern enthält zum Zweck der Lehre die Punkte, die in der ersten Verkündigung im Vordergrund stehen. Sie können auch neutestamentliches Formelgut aufgenommen haben und damit sehr alte Traditionen widerspiegeln.
Die trinitarische Glaubensregel hat eine eigene Funktion. Auf dem Taufglauben ruhend, ist sie dem Grundbekenntnis der Kirche verpflichtet; und dies gelangt nicht so sehr als Maßstab für die lehrmäßige Auseinandersetzung als vielmehr als die Summe der für den Christen verbindlichen Glaubensaussagen zur Geltung.
Für den dritten Glaubensartikel werden erneut seine Ursprünglichkeit und seine Bindung an das trinitarische Bekenntnis sichtbar. Zugleich zeigt sich, daß er dem Ursprung in der Taufe entsprechend vornehmlich im Innenraum der Kirche entfaltet wird.

§ 4 Die Glaubensformeln bei Irenäus von Lyon

Das Werk des Lyoner Bischofs ist für die frühe Geschichte des dritten Glaubensartikels deshalb von hervorragender Bedeutung, weil es nicht nur die trinitarische Struktur des Bekenntnisses und seine Bindung an den Taufglauben zeigt, sondern auch schon eine Reihe von Texten bietet, in denen es inhaltlich zum Ausdruck gelangt. Im Spiegel der irenäischen Glaubensformulierungen wird zum erstenmal sichtbar, was in den späteren Symbola als dritter Artikel in Erscheinung tritt. Es handelt sich bei Irenäus noch nicht um Symbola im strengen Sinne des Wortes, sondern um Texte, die vom Glauben oder der Glaubensüberlieferung sprechen und innerhalb des trinitarischen Schemas den Glauben an den Heiligen Geist in einer summarischen Form ausdrücken, mit einem Wort, um Formeln, die in einer unübersehbaren Nähe zu späteren Symboltexten stehen[1].

[1] Kriterien dieser Art bleiben notwendigerweise etwas unbestimmt. Denn man kann nicht davon ausgehen, daß bei Irenäus eine feste Symbolformel vorliegt, und ihn nicht von einem erst später bezeugten Text wie R aus befragen. Faktisch handelt es sich um die in der Symbolforschung angehobenen Stellen. — H. Holstein, aaO 455, ist vom Ansatz her zu radikal, wenn er aufgrund der Unterschiedenheit von regula und symbolum die Texte für die Glaubensregel ausklammert. Besonders deutlich wird dies bei A. Benoît, Saint Irénée, Introduction à l'étude de sa théologie (Etud. d'Hist. et de Phil. Rel. 52), Paris 1960, S. 209: »Dès lors, dans la recherche des formules du symbole chez Irénée, il faut éliminer les passages relatifs à la règle de la vérité«. Faktisch tut das allerdings nicht viel zur Sache, da sowohl Holstein wie auch Benoît bei den seit jeher für Irenäus erörterten Texten für das trinitarische Symbol landen.

a) adversus haereses 1, 10, 1

Die ausführlichste und berühmteste Formel findet sich im ersten Buch der Widerlegung der Gnosis:

»Obschon über die ganze Welt bis hin an die Grenzen der Erde ausgesät, hat die Kirche von den Aposteln und deren Schülern diesen Glauben empfangen:
an den einen Gott, den Vater, den Allmächtigen, der den Himmel, die Erde, die Meere und alles, was in ihnen ist, gemacht hat;
und an den einen Christus Jesus, den Sohn Gottes, der zu unserem Heil Fleisch angenommen hat;
und an den Heiligen Geist, der durch die Propheten die Heilsanordnungen (Ökonomien) und das zweifache Kommen (Christi) verkündet hat:
die Geburt aus der Jungfrau, das Leiden, die Auferstehung von den Toten, die fleischliche Aufnahme unseres geliebten Herrn Christus Jesus in den Himmel
und seine Wiederkehr von den Himmeln in der Herrlichkeit des Vaters zur Krönung des Alls (vgl. Eph 1, 10) und zur Auferweckung allen Fleisches der gesamten Menschheit,
damit vor Christus Jesus, unserem Herrn, unserem Gott, Erlöser und König, sich nach dem Wohlgefallen des unsichtbaren Vaters jedes Knie der Himmlischen, Irdischen und Unterirdischen beuge und jegliche Zunge sich zu ihm bekenne (vgl. Phil 2, 10 f),
damit er ein gerechtes Gericht über alle halte und die Geister der Schlechtigkeit und die Engel der Übertretung und des Abfalls
sowie die Frevler, die Ungerechten, die Gesetzlosen und Gotteslästerer unter den Menschen
dem ewigen Feuer zuführe,
dagegen den Gerechten, den Heiligen, denen, die seine Gebote bewahrt haben und in seiner Liebe geblieben sind (vgl. Joh 15, 10),
denen von Anfang an sowie denen aus der Bekehrung, das Leben schenke, die Unvergänglichkeit verleihe und sie mit ewiger Herrlichkeit umgebe«[2].

Irenäus hat dem Bekenntnistext eine herausragende Stellung gegeben. Nachdem er in den vorangegangenen Kapiteln die grundlegende Darstellung des ptolemäischen Systems samt der Anleihungsversuche bei der Schrift geliefert hat, hält er jetzt seinen durch Widersprüchlichkeit und Unverbindlichkeit gekennzeichneten Gegnern den einhelligen Glauben der ganzen Kirche vor[3]. Mit ihm steht sie in ungebrochener Kontinuität zu den Aposteln, findet

[2] 1,10,1 (H 1,90f; Hahn 5; Lietzmann, 5). Zur Übersetzung von εἰς ἕνα θεὸν πατέρα παντοκράτορα s. u. § 7 b A 15.

[3] Kap. 1—8 (H 1,8—80) ist der Schilderung der ptolemäischen Lehre gewidmet. Kap. 9 (H 1,80—89) weist dann den Umgang der Gnostiker mit der Schrift zurück, nachdem Irenäus schon in 1,8,1 (H 1,66f) die Willkürlichkeit ihres Verfahrens gegeißelt hatte.

sie ihre Einheit bei allen in ihr auftretenden Unterschieden. Dem Belieben der Gläubigen wie auch der Amtsträger entzogen, bildet er den Ausgangspunkt allen theologischen Fragens, nicht um mittels eigener Gnosis über ihn hinauszugelangen, sondern um in dankbarer Annahme des göttlichen Heilshandelns tiefer in die Offenbarungsgeheimnisse einzudringen[4].

In der vorliegenden Fassung stellt der Text kein Symbol dar. Da ein entsprechender Ausdruck fehlt, ist er, streng genommen, auch keine Relation der Glaubensregel. Der Struktur und dem Inhalt nach ist er jedoch in eine Reihe mit den Formeln zu stellen, die das im Symbol zum Ausdruck gelangende Grundbekenntnis der Kirche wiedergeben[5].

Die auffälligste äußere Eigenart besteht darin, daß auf ein knapp formuliertes Bekenntnis zu Vater, Sohn und Geist ein ausführlicher Schlußteil über die beiden Parusien Christi folgt. Die ersten drei Artikel lassen eine überlegte Gliederung erkennen. Dadurch, daß sie grammatikalisch parallel zueinander stehen, treten sie als je eigenes Glaubensobjekt hervor. Gemeinsam ist ihnen das Fehlen des bestimmten Artikels. Jedes Glied erhält eine erläuternde Bestimmung. Lediglich insofern wird die Parallelität gestört, als beim Geist die Bezeichnung »einer« ausfällt.

Die letztgenannte Beobachtung ist als ein Hinweis auf ein ursprünglich zweigliedriges Schema nach dem Modell von 1 Kor 8, 6 gedeutet worden, so daß der dritte Artikel dann unorganisch angeschlossen worden wäre[6]. Nun ist aber nur mit großer Mühe eine formale und inhaltlichen Entsprechung zur zweigliedrigen Formel des Korintherbriefs nachzuweisen. Könnte das charakteristische »einer« auf eine Verwandtschaft deuten, so treten durch das Fehlen des bestimmten Artikels vor »Vater«, durch den Fortfall des Kyriostitels für den Sohn, durch die auffällige, in späteren Symbolen begegnende Wortstellung »Christus Jesus«[7], durch das Fehlen eines Äquivalents für die bezeichnende Wendung von 1 Kor 8, 6 »durch den alles ist« und endlich durch die inhaltlichen Erweiterungen des irenäischen Textes derart gravierende Unterschiede hervor, daß das Schema von 1 Kor 8,6 vollständig überdeckt wird. Es kann demnach nicht die unmittelbare Ursache für die vorlie-

[4] So 1,10,2 (H 1,92ff). Das theologische Forschungsprogramm, das Irenäus dann ankündigt (1,10,3; 94—97), geht nicht über den Glauben der Kirche hinaus.

[5] Die Bezeichnung »regula veritatis« erscheint in 1,9,4 (H 1,88). Gilt sie unserem Text nicht unmittelbar, da er, so wie er ist, kein Taufbekenntnis vorstellt, so trifft sie ihn doch zweifelsohne der Sache nach.

[6] Lietzmann, Symbolstudien 242; Kelly 83.

[7] Eine westliche Eigenart. S. auch 4,33,7, dann R (s. u. § 7), die traditio apostolica und contr. Noet (s. u. § 6) und Tertullian, de praescr. 36 (s. o. § 3 A 15).

gende Fassung sein. Eine befriedigende Erklärung für die ausgeprägte Dreigliedrigkeit bietet allein die Bezugnahme auf den Taufglauben, wobei das fehlende »einer« beim Geist seine Ursache darin haben wird, daß der dritte Artikel noch nicht so deutlich wie die ersten beiden in den Lehrstreit gerückt ist, bei dem die Einheit des Geistes verteidigt werden müßte[8].

In der Frage nach dem pneumatologischen Artikel richtet sich das Hauptinteresse auf den langen Schlußteil der Formel. Irenäus verbindet ihn mit dem Geist, insofern er seine Aussagen als Inhalte der geistgewirkten Prophetie bezeichnet. Andrerseits fügen sie sich nicht ohne Schwierigkeiten in ein pneumatologisches Bekenntnis. Denn die Grundaussage betrifft nicht den Heiligen Geist, sondern die beiden Parusien Christi. Im Vergleich mit späteren Symbolen würden Menschwerdung, Leiden, Auferstehung, Himmelfahrt und Wiederkunft dem zweiten Artikel, Sündenvergebung, Fleischesauferstehung und ewiges Leben dem dritten zuzuordnen sein. Irenäus nimmt noch nicht eine solche Aufteilung vor. Während später der Gerichtsgedanke den christologischen Artikel abschließt und der pneumatologische ganz von der Heilshoffung getragen ist, ist bei Irenäus in der logischen heilsgeschichtlichen Reihenfolge beides miteinander verbunden.

Gerade in dieser Eigenart erhält aber der Schlußteil sein spezifisches Gewicht. Ohne nur ein angehängter christologischer Artikel zu sein, dient er der Beschreibung des Heilshandelns Gottes an den Menschen[9]. Indem der Geist es durch die Propheten ankündigt, macht er die eine große Heilsordnung sichtbar. Alle sind in die Bewegung hineingenommen, die in der zweifachen Ankunft Christi gipfelt. Und die Aufgabe des Geschöpfs angesichts des Selbsteinsatzes Gottes heißt Bewährung in der Übung von Heiligkeit und Gerechtigkeit, damit ihm die Unvergänglichkeit zuteil werden kann.

Umstritten ist die Frage, was Irenäus mit der Bekehrung gemeint hat. Dürfte es sicher sein, daß er mit »denen von Anfang an und denen aus der Bekehrung« Menschen bezeichnen will, so ist doch nicht leicht zu entscheiden, ob er nur an die Taufe oder schon an die Möglichkeit einer postbaptismalen Buße denkt. Für beide Lösungen lassen sich gewichtige Gründe anführen; in jedem Fall

[8] Die Abhängigkeit vom Taufbekenntnis betont Kunze, aaO 76—79. Kattenbusch II 47f denkt an R.

[9] Lietzmann, Symbolstudien 219 (vgl. Anfänge 168f), übergeht mit dem Urteil, Irenäus weise auf »einen alten Typ der regula fidei« hin, »in dem die Christologie hinter das trinitarische Bekenntnis gestellt und durch einen nicht ungeschickten Übergang an den dritten Artikel angeschlossen ist«, zu schnell die durchdachte Gestaltung des irenäischen Textes und den aufgewiesenen Befund über die Mischung von Elementen des 2. und 3. Artikels.

aber bleibt die Tatsache bestehen, daß der Bekenntnistext auf die Sündenvergebung hinweist, sei es daß damit der Weg des Heils beginnt oder wieder neu eröffnet wird[10].

Dadurch daß der Mensch mit dem in der Geistprophetie angezeigten Heilswirken Gottes konfrontiert wird, erhält der Schlußteil ein einheitliches Gepräge. Im Leben des Christen fällt die Entscheidung über Heil oder Verdammnis in der Zukunft. Dennoch herrscht nicht der Gerichtsgedanke vor. Denn das All soll ja in Christus zur Vollendung kommen, das Geschöpf soll in seiner Ganzheit von der Herrlichkeit des Vaters umgriffen werden, damit die Gnadenordnung des trinitarischen Gottes zu ihrem Ziel gelangt[11].

Die Aussage, daß der Heilige Geist über die prophetische Ankündigung hinaus auch im Christenleben seinen Einfluß ausübt, findet sich im ersten und wichtigsten Bekenntnistext des Irenäus noch

[10] Kattenbusch II 47 weist auf die Sündenvergebung in R hin und sieht in den Heiligen und Gerechten »eine Umschreibung des Begriffs der Kirche«. Ein formeller Beweis für die Existenz von R bei Irenäus ist dies jedoch schwerlich. — Über die Sündenvergebung handelt K. Rahner, Die Sündenvergebung nach der Taufe in der regula fidei des Irenäus, ZkTh 70 (1948) 450—455. Er weist m.E. überzeugend nach, daß mit den Wesen »von Anfang an« nicht die guten Engel, sondern Menschen gemeint sind (gegen B. Poschmann, Paenitentia secunda, Bonn 1940, S. 455 A 2). Rahners weitere Deutung, den Menschen, die ihre Taufe bewahrt hätten, stünden die gegenüber, die aus der zweiten Buße kommen, ist von F. van de Paverd, The meaning of ek metanoias in the Regula fidei of St. Irenaeus, Or. Chr. Per. 38 (1972) 454—466, bestritten worden. Er weist auf den johanneischen Duktus der Schlußsätze hin und glaubt, in denen »von Anfang an« die Augenzeugen des Herrn, in denen »aus der Bekehrung« die auf das Wort der ersten Verkünder hin gläubig Gewordenen sehen zu sollen. — Die Frage ist m.E. kaum zu entscheiden. Einerseits ist Paverd recht zu geben, daß die Erwähnung einer zweiten Buße für einen frühen Symboltext ungewöhnlich ist. Paverd berücksichtigt jedoch zu wenig, daß Irenäus nicht einfach eine katechetische Formel vorstellt (456f), sondern einen Text, der schon seine eigenen theologischen Interessen widerspiegelt. Da der Lyoner Bischof seine Gegner wiederholt zur poenitentia aufruft (s. 1,31,2; H 1,243; 2,32,1; H 1,372; 3,14,4; SC 211,274; 3,23,3; SC 211, 454; 4,41,3; SC 100, 990ff; 4,41,4; SC 100,992; 5,26,2; SC 153,336), und auch von der ἐξομολόγησις spricht (s. 1,13,5; H 1,122; 1,13,7; H 1,126), kann Rahners Interpretation nicht ausgeschlossen werden. Da andrerseits die johanneische Prägung nicht von der Hand zu weisen ist, erscheint im Blick auf Joh 15,27; 17,20 (vgl. Lk 1,2; 24,47) auch Paverds Lösung als akzeptabel.

[11] Kattenbusch II 478f gibt mit der Meinung, Irenäus lege Wert auf die »›praktische‹ Bedeutung dieser (sc. des Taufbefehls) Gedanken«, diesen Eindruck wieder; aber auch er teilt den Text in zwei Teile und folgert, Irenäus habe »aller Wahrscheinlichkeit nach nicht am Symbol den Glauben ›erlernt‹. So schaltet er frei mit der Formel und kann nur in entfernterer Weise als Repräsentant einer Tradition über seine ›Anlage‹ und die Bedeutung seiner Artikel an ihrem Ort gelten«. Ist dem letzten ohne Einschränkung zuzustimmen, so kann doch die psychologisierende Erklärung nicht übernommen werden, da der Text eine wohlüberlegte, das trinitarische Schema nicht abschwächende Gestaltung aufweist.

nicht. Er beschränkt sich auf die Grundinhalte des Christenglaubens und legt gegenüber der Gnosis besonderen Wert auf die Einheit des Schöpfergottes und des durch den Geist bekundeten Heilswerkes des Sohnes, das alle Menschen ohne Unterschied vor die Entscheidung in der Zukunft stellt und die Zusage des Heils von der Lebensführung abhängig macht, nicht aber als unverlierbaren Besitz garantiert[12].

b) adversus haereses 4, 33, 7 und 4, 33, 15

Da die beiden nächsten Texte in einem gedanklichen Zusammenhang vorkommen, können sie gemeinsam vorgestellt werden.
Irenäus hat das ausführliche Zitat einer alten Presbyterrede abgeschlossen. Mit ihr wollte er anschaulich machen, daß die wahrhaftige Verkündigung des einen, im Alten wie im Neuen Bund wirkenden Gottes nur bei den Presbytern der Kirche zu finden ist. Ein Apostelschüler wie der kleinasiatische Presbyter ist mit den Worten des Lyoner Bischofs »ein wahrhaft geistlicher Schüler«, der über alle häretischen Abweichungen richten kann, ohne selber gerichtet zu werden (vgl. 1 Kor 2, 15)[13]. Nachdem Irenäus in einer langen Liste Gegner des kirchlichen Glaubens aufgezählt hat, fährt er fort[14]:

»Alles steht für ihn unerschütterlich fest;
an den einen Gott, den Allmächtigen, aus dem alles ist: ein vollständiger Glaube;
und an den Sohn Gottes, Jesus Christus, unsern Herrn, durch den alles ist,
und hinsichtlich seiner Heilsanordnungen, durch die der Sohn Gottes Mensch wurde:
ein festes Vertrauen;
und den Geist Gottes betreffend, der die Erkenntnis der Wahrheit verleiht und die Heilsanordnungen des Vaters und des Sohnes nach dem Willen des Vaters jeder Generation entsprechend unter den Menschen kundtut:
eine wahrhaftige Erkenntnis;

[12] Rahner, aaO 453ff, meint, die regula richte sich gegen den Anspruch auf naturhaften Geistbesitz seitens der Gnosis, sie betone den Ernst der Glaubensentscheidung und lade die Gnostiker zur Umkehr ein.

[13] 4,33,1 (SC 100,802); Presbyterpredigt: 4,27,1—32,1 (728—798).

[14] 4,33,1—4,33,7 (SC 100,802—816): Liste der Irrlehrer und Schismatiker. Das Bekenntnis folgt in 4,33,7f (819), der zweite Text in 4,33,15 (844). Zur Quellenfrage s. u. § 15 a A 1 und A 11. Der erste Text wird von der Quellenscheidung nicht betroffen, und der zweite fällt in einen Abschnitt, in dem nach F. Loofs, Theophilus von Antiochien Adversus Marcionem und die anderen theologischen Quellen bei Irenäus (TU 46), Leipzig 1930, S. 419, »offenbar Irenäus selbst« am Werk ist.

das ist die Lehre der Apostel und die alte Einrichtung der Kirche über die ganze Welt hin ...«[15]

In den daran anschließenden Ausführungen hebt Irenäus die Glaubwürdigkeit durch das allein in der Kirche sichtbare Zeugnis der Liebe hervor, die sich bis hin zum Ernstfall des Martyriums bewährt. Daß bereits die Propheten hier vorangegangen sind, ist für den Lyoner Bischof der Grund, dann wieder auf die prophetische Voraussage zurückzukommen, bis er nach vielen Einzelbeispielen einen markanten Schlußpunkt mit der Erklärung setzt, daß der wahrhaft Geistliche alle Prophetenworte recht versteht, da er ihnen den gebührenden Platz in der Heilsordnung des Herrn zuweist und den »unversehrten Leib des Wirkens des Sohnes Gottes« (das heißt, sein den Alten und Neuen Bund umspannendes Wirken) aufzeigt[16]:

»In jeder Zeit weiß er um denselben Gott,
immer erkennt er dasselbe Wort Gottes, wenn es sich uns auch erst jetzt sichtbar gemacht hat,
immer erkennt er denselben Geist Gottes, wenn er auch in den letzten Zeiten neu über uns ausgegossen wurde;
und von Beginn der Welt an bis zu ihrem Ende dasselbe Menschengeschlecht,
von dem, wer Gott glaubt und seinem Wort folgt, das von ihm stammende Heil erlangt;
wer sich dagegen von Gott entfernt, seine Gebote verachtet, durch seine Werke seinen Schöpfer verunehrt
und in seinem Denken seinen Ernährer schmäht, fällt sich selber das nur zu gerechte Urteil.

Das Genus beider Formeln erklärt sich aus dem Textzusammenhang. Sie wollen die in der Kirche bewahrte Wahrheit aussagen,

[15] Die Textrestitution macht Schwierigkeiten, insofern die lateinische Übersetzung das trinitarische Schema nicht wiedergibt und ein griechisches Fragment aus den Sacra Parallela in der Gliederung umstritten ist. Die vorstehende Übersetzung folgt dem von A. Rousseau hervorgehobenen und m.E. einzig sinnvollen Gliederungsvorschlag, nimmt die Ergänzungen aus dem dem lateinischen Text auf und übernimmt das von Rousseau konjizierte καί vor den einzelnen Artikeln (s. A. Rousseau in SC 100, 270—272.519; vgl. D. Doutreleau ebd. 71; gegen K. Holl, Fragmenta vornicänischer Kirchenväter aus den Sacra Parallela (TU 20), Leipzig 1899, S. 86).

[16] S. 4,33,8—14 (SC 100,820—842); Bekenntnistext: 4,33,15 (844). — Die von Harvey II 269 mit dem Arundelianus, Vaticanus lat. 187, Salmaticensis lat. 202 und der editio princeps des Erasmus wiedergegebene Lesart, daß der Geist »neu über uns ausgegossen wurde und von Beginn der Welt an bis zu ihrem Ende *auf dasselbe* Menschengeschlecht« (»in ipsum humanum genus« statt »idipsum hum. gen.«), ergibt keinen rechten Sinn, da nach der Neuausgießung, die doch der Höhepunkt ist, ein Rückgriff auf das frühere Wirken nicht gut verständlich wäre. Ebenso würde die Parallelität zum zweiten Glied zerstört und auch die von Irenäus akzentuierte Einheit des Menschengeschlechts (vgl. 3,12,9; SC 211,220) käme nicht mehr in vollem Umfang zur Geltung.

eine Wahrheit, die aus den Schriften resultiert, wie sie umgekehrt zu einem rechten Verstehen der Schrift führt. Obwohl beidemal keine wörtliche Symbolzitation vorliegt, ist es doch aufschlußreich, daß Irenäus in kurzen, geprägten Formulierungen zu symbolähnlichen Texten gelangt.

Eine Analyse der ersten Formel zeigt einen Text aus drei Satzgliedern. Sie werden jeweils mit »an« eingeführt und haben ein je eigenes nachgestelltes Bezugssubjekt: Glaube, Vertrauen, Erkenntnis. In den ersten Artikeln wird die Formel von 1 Kor 8, 6 mit den Wendungen »von dem alles ist«, »durch den alles ist« aufgenommen. Da ein weitergehender Einfluß nicht festzustellen ist, wird das Zitat einem vorgegebenen Schema eingefügt worden sein[17].

Der dritte Artikel betrifft den »Geist Gottes«. Das für das Taufbekenntnis und die Symbola charakteristische Attribut »heilig« fehlt im einen wie im anderen Text. Einen ersichtlichen Grund hierfür anzugeben, ist kaum möglich. Denn die Glaubensformel von adversus haereses 1, 10, 1, die ebenfalls das Offenbarungswirken des Geistes herausstellt, nennt ihn nichtsdestoweniger den Heiligen Geist. Beides sind demnach für Irenäus austauschbare Bezeichnungen.

Die Geistwirksamkeit wird durch beigefügte Bestimmungen erläutert: er führt zur Erkenntnis und tut die Heilsanordnungen kund, wie er dann auch das Objekt einer wahrhaften Gnosis ist. Die erste Erläuterung, »der die Erkenntnis der Wahrheit verleiht«, kann als Überschrift für den ganzen Artikel dienen. In Anspielung auf ein Wort an Timotheus (1 Tim 2, 4) trifft Irenäus die umfassende Feststellung, daß die von den Gegnern beanspruchte, jedoch total verfehlte Erkenntnis ein Werk des in der Kirche bekannten Geistes ist. Nur in ihm kann es zur Einsicht in das Handeln Gottes kommen.

Zu diesem Zweck begleitet der Geist die Heilsveranstaltungen Gottes die Geschichte hindurch. Zur Charakterisierung bedient sich Irenäus eines Ausdrucks aus der Theatersprache, der mit dem deutschen »kundtun« nur annähernd wiedergegeben wird. Der Geist ist gleichsam ein Regisseur. Er bringt das göttliche Heilsdrama auf die Bühne der Geschichte, damit die Menschen es erkennen und sich von ihm ergreifen lassen[18]. Er handelt nicht auf eigene Faust, son-

[17] πατήρ fehlt (nach Doutrelau SC 100,70 ist es von den Zeugen C und H nachträglich eingefügt worden), dafür ist παντοκράτωρ hinzugefügt. Beim 2. Artikel ist gegenüber 1 Kor 8,6 die Wortfolge verändert, εἷς fehlt, dagegen wird υἱὸς θεοῦ eingefügt. Der Befund spricht gegen Lietzmanns These (Symbolstudien 240), 1 Kor 8,6 sei ein konkurrenzierendes Modell zu Mt 28,19 gewesen. Auch Kelly 82 urteilt m.E. nicht ausgewogen genug.

[18] Die Übersetzung: »der die Heilsanordnungen ... kundtut« für τὰς οἰκονομίας ... σκηνοβατοῦν in Anlehnung an das lateinische »exposuit« ist ein wenig farblos.

dern in der Vollmacht der Autoren, deren Wille sich in ihm verwirklicht, wobei dem Vater die höchste Beschlußkraft zukommt. In seiner Wirksamkeit von Beginn an paßt er Gottes Pläne dem Begreifungsvermögen des Geschöpfes an, so daß in der Verschiedenheit des heilsgeschichtlichen In-Erscheinung-Tretens das eine Heilswerk des einen Gottes erkannt werden kann.

Die Tatsache, daß der Geist die Erkenntnis der Einheit Gottes zum Heil des Menschen vermittelt, wird von dem Lyoner Bischof so ernst genommen, daß er ihm gegenüber nicht einen Akt der Glaubensanerkennung gelten lassen kann, der aus dem geistgewirkten Tun entlassen wäre, sondern nur die vom Geist selber geschenkte »wahrhaftige Erkenntnis«. Er bewegt sich in einem Zirkel: Bekenntnis zum Geist ist nur möglich, weil es von ihm selber lebt, weil es bereits Bekenntnis im Geist ist.

Wenn dies schließlich mit der apostolischen Lehre und der »Einrichtung« der Kirche[19] zusammengeschlossen wird, dann wird die kirchliche Dimension der Geist-Wahrheit eindringlich hervorgehoben. Nur in der Kirche hat sie ihre Heimat, weshalb, wer keinen Anteil an ihr hat, mit Notwendigkeit zugleich auch außerhalb der Kirche steht.

Der Gegensatz zu den Gnostikern ist hier nicht weiter zu entwikkeln. Es sei nur angemerkt, daß auch in der vorliegenden Formel der Geist nicht das eigentliche Objekt des Streites mit der Häresie bildet. Er ist eher das Medium, kraft dessen die Einheit Gottes theologisch erwiesen wird; und in diesem Sinne wird er dann gleichfalls von der gegnerischen Bestreitung getroffen.

Die im bisherigen Verfolg nach dem griechischen Text der ersten Formel gegebene Deutung steht mit der im einzelnen differierenden lateinischen Übersetzung nicht im Widerspruch[20]. Zwar ist hier die dreigliedrige Struktur insofern verdeckt, als das Bekenntnis zum Geist nicht in einem eigenen Glaubensartikel ausgeführt, sondern mit dem Sohn verbunden wird — im Geist Gottes nur kann die

[19] σύστημα; Klebba 2,101 bietet die Übersetzung »Lehrgebäude«. Der Lateiner schreibt: »antiquus ecclesiae status«. Die von Zahn ausgesprochene und durch Kattenbusch II 44 A 13 übernommene Deutung im Sinne von »Verfassung« erscheint zu einseitig. A. Rousseau, SC 100,819, übersetzt mit dem Wort »organisme«. Da aber unmittelbar zuvor von der Lehre der Apostel die Rede ist, wird der Sinngehalt des »geordneten Gefüges« auf den Aspekt der Lehre hin auszuleben sein.

[20] 4,33,7f (SC 100,818): »Et in unum Deum omnipotentem, ex quo omnia, fides integra; et in Filium Dei Christum Jesum Dominum nostrum, per quem omnia, et dispositiones eius, per quas homo factus est Filius Dei, assensio firma, quae est in Spiritu Dei, qui praestat agnitionem veritatis, qui dispositiones Patris et Filii exposuit, secundum quas aderat generi humano, quemadmodum vult Pater. Agnitio vera est apostolorum doctrina et antiquus ecclesiae status in universo mundo ...«

unerschütterliche Zustimmung zum Sohn erfolgen —; aber er kommt gleichfalls an dritter Stelle zur Sprache, und sein in der Kirche erfahrbares Handeln wird nicht minder hervorgehoben. Auch hinsichtlich des doppelten Bezuges der wahren Gnosis zum Geist wie zur Lehre der Apostel gibt die lateinische Übersetzung Auskunft, indem sie die vom Geist vermittelte Erkenntnis mit der Lehre der Apostel gleichsetzt[21].

Im zweiten Text hebt Irenäus mit drei parallelen Partizipialsätzen das Wissen um die Selbigkeit Gottes, des Wortes und des Geistes hervor, wobei er jedem ein eigenes Verbalsubjekt zuweist. So sind die ersten drei Glieder von dem vierten abgehoben, welches die Selbigkeit der Menschen zu allen Zeiten und ihr Leben unter dem Gericht Gottes zum Inhalt hat. Insofern es aber gedanklich an das dritte Glied angeschlossen ist, steht es in einer gewissen Verbindung mit ihm.

In den inhaltlichen Angaben unterscheidet sich die Formel wenig von der vorangegangenen. Die drei Artikel des trinitarischen Taufbekenntnisses treten in den Dienst der Aussage der Einheit Gottes. Bei jedem von ihnen wird die Identität die Zeiten hindurch bekräftigt. Der zweite und dritte Artikel werden auf das geschichtliche Wirken von Wort und Geist bezogen. Ohne Einzeldaten zu nennen, legt Irenäus Wert auf die generelle Feststellung, daß der von der Kirche des Neuen Bundes bekannte Sohn und der Geist nicht als fremde Wirklichkeiten in die Geschichte eingetreten, sondern schon immer am Werk gewesen sind und so die Einheit Gottes erweisen.

Beim Geist betont der Lyoner Bischof wieder sein Wirken in der alttestamentlichen Vorbereitung. Mit ihm und dem überragenden Neueinsatz im Neuen Bund zeigt sich der eine Geist, der zu allen Zeiten die Erkenntnis des Willens Gottes mit den Menschen vermittelt.

Interesse verdient noch der Hinweis auf Heil und Verurteilung in den Schlußsätzen. Irenäus folgt hier einem ähnlichen Schema wie in der Formel von 1, 10, 1. Hier steht es allerdings noch stärker im Dienst seiner Absicht, einer gnostischen Aufteilung der Menschheit in Klassen gegenüber die Einheit des Menschengeschlechts und die alle betreffende Verpflichtung zum Gehorsam herauszustellen. Da Heil und Gericht an den dritten Artikel angefügt sind, erscheint es nicht unmöglich, an eine innere Verbindung zu denken, dergestalt daß sich am Leben im Geist Gottes und in seiner Wahrheit die Zukunft des Menschen entscheidet.

[21] Interessant ist die für die westliche Tradition typische Wortstellung »Christus Jesus«.

c) adversus haereses 5, 20, 1

Im fünften Buch bietet Irenäus erneut einen symbolartigen Text, der die beständige Predigt der Kirche zum Inhalt hat. In ihr erscheint das überzeugende Gegenbild zur Willkür und Unbeständigkeit der häretischen Lehrer, die zu immer neuen Wegen der Erklärung ihre Zuflucht nehmen müssen, da ihnen das feste Fundament der apostolischen Tradition fehlt[22]:

»Der Weg derer, die zur Kirche gehören, führt um die ganze Welt herum; denn er besitzt die beständige apostolische Tradition und läßt uns erkennen, daß aller Glaube ein- und derselbe ist;
alle bekennen ein und denselben Gott Vater,
sie glauben an dieselbe Heilsordnung (Ökonomie) der Menschwerdung des Sohnes Gottes,
sie wissen um dieselbe Gabe des Geistes,
sie halten sich an dieselben Gebote,
sie bewahren dieselbe Form der kirchlichen Verfassung,
sie erwarten dieselbe Ankunft des Herrn,
sie erhoffen dasselbe Heil für den ganzen Menschen, das heißt, für Leib und Seele«.

Das Genus der Aussage bestimmt sich durch die Absicht, die Wesenselemente der gleichbleibenden Verkündigung anzuführen. In den als Gliederungsprinzipien hervortretenden Partizipien gibt sich eine freilich ermüdende literarische Gestaltung zu erkennen. Sie deutet auf eine vom Verfasser vorgenommene Formulierung und spricht gegen die wörtliche Zitation eines Symbols[23].
Von den sieben kurzen Satzgliedern sind die ersten drei dadurch abgehoben, daß in ihnen eine glaubensmäßige Zustimmung ausgedrückt wird. Die vier weiteren handeln von Haltungen in der eschatologischen Heilszeit.
Der Geist ist im vorliegenden Text ganz auf die Erfahrung in der Kirche bezogen. Irenäus spricht nicht mehr von der prophetischen Vorhersage oder der Einsicht in den Heilsplan, sondern von dem lebendigen Kontakt mit seinem Wirken in der Kirche. Hier an die Taufe zu denken, legt sich nicht nur vom Schema des Taufglaubens aus nahe, innerhalb dessen die Geistesgabe erwähnt wird, sondern auch im Blick auf die von Irenäus gesehene Verbindung zwischen Taufe und Geist[24]. Selbstredend meint »dieselbe Gabe des Geistes«

[22] 5,20,1 (SC 153,252ff).
[23] Kattenbusch II 41 ist sich auf der Suche nach R nicht sicher, ob es sich hier ankündigt, hält aber eine »Anlehnung an Art. 10—12 von R« (II 49) für möglich.
[24] S. dazu u. § 14.

jetzt die Einheit und Selbigkeit des Glaubens in aller Welt, nicht aber das Geistwirken im Verlauf der Heilsgeschichte.
Die Gemeinsamkeit in der Kirche betrifft dann im weiteren zuerst die Gebote. Nach dem Lyoner Bischof gelten sie ohne Unterschied für alle Menschen. Er kann nicht zulassen, daß einige besondere Freiheiten für sich in Anspruch nehmen, wie es in Kreisen der Gnosis geschieht, sondern stellt alle unter die gleichermaßen verbindlichen Forderungen Gottes. Wie so das Leben der Gläubigen eine umschriebene Form erhält, ist auch die Kirche eine gefügte Wirklichkeit, die von den Aposteln begründete, in der Nachfolge der Bischöfe und Presbyter erhaltene geschichtlich-leibhaftige Gemeinschaft der Gläubigen, die, wie die weiteren Sätze der Glaubensformel ausführen, die Wiederkunft erwarten, mit der nach der Auferstehung der Toten das Heil des ganzen Menschen in seiner leibseelischen Verfaßtheit erlangt wird.
Die kurze Paraphrase mag genügen, um zu zeigen, wie sehr beinahe jedes Wort gegen die von dem Lyoner Bischof bekämpften Lehrmeinungen gerichtet ist. Er liefert keine wertfreie Vorstellung der kirchlichen Verkündigung, sondern ist in der Akzentuierung wesentlich durch die Auseinandersetzung mit seinen Gegnern bestimmt.
Sehr aufschlußreich ist schließlich eine Beobachtung, die sich aus dem Vergleich mit den übrigen Glaubensformeln ergibt. Irenäus erwähnt zwar nach der heilsgeschichtlichen Ordnung die Wiederkunft Christi, läßt aber den Gerichtsgedanken und folglich die Möglichkeit der Verwerfung fort. Das ist nicht ohne Absicht geschehen. Denn wenn er von den gemeinsamen Elementen des kirchlichen Lebens spricht, dann ist nicht von der Furcht vor dem Gericht, sondern der frohen Zuversicht auf die Erfüllung der in der Kirche erfahrenen Zusage Gottes zu reden. Zugleich wird damit die Möglichkeit eröffnet, die im Anschluß an den Geist gemachten Aussagen als Ausfaltung des Bekenntnisses zu ihm zu verstehen. In der Taufe empfangen, wird er durch ein Leben auf dem Weg der Gebote bewährt. Die Geistgabe ist das Geschenk, kraft dessen sich das Leben in der Kirche entwickelt, und sie ist schließlich das Angeld der kommenden Erlösung. So legt bereits die Symbolformulierung den Schluß nahe, daß die Erfahrung des Heiligen Geistes den Oberbegriff für die nachfolgenden Stücke bildet. Ein dritter Glaubensartikel kündigt sich an, der dem Geist, seinem Wirken in der Kirche und der von ihm geschenkten Hoffnung gewidmet ist.

d) Epideixis 6

Über die letzte Glaubensformulierung des Lyoner Bischofs war schon bei dem trinitarischen Taufbekenntnis zu handeln[25]. Sie hat sich als ein Text in direkter Abhängigkeit vom Taufglauben erwiesen. Damit sich das Bild über die Gestalt des pneumatologischen Bekenntnisses bei Irenäus rundet, werden jetzt ihre Einzelaussagen anzuheben sein.
Als drittes »Hauptstück« hatte Irenäus den Heiligen Geist angeführt[26],

»durch den die Propheten prophezeit haben, die Väter über Gott belehrt worden sind und die Gerechten auf dem Weg der Gerechtigkeit geführt worden sind,
der am Ende der Zeiten in neuer Weise über unsere Menschheit ausgegossen worden ist, um den Menschen auf der ganzen Erde für Gott zu erneuern«.

Wie in den ersten drei Glaubensformeln greift Irenäus auf den Alten Bund zurück und weist auf die Kontinuität des Geistwirkens in der Unterschiedenheit der Testamente wie auch auf die verschiedenartige Qualität seines Einsatzes hin. Was am Ende der Zeiten in der Taufe erfahren wird, ist schon immer bei den Menschen gewesen, um die neue und überragende Begegnung im Neuen Bund vorzubereiten.
Als die Weise der früheren Gegenwart erscheint wieder die Prophetie. Der Geist läßt in ihr die Propheten oder aus der Rückschau den Gläubigen der Kirche die Erfüllung des göttlichen Heilsweges im menschgewordenen Wort sehen. Aber Irenäus geht noch einen Schritt weiter. Der Geist schenkt nicht nur intellektuelle Erkenntnis; er belehrt und leitet die Erwählten des Alten Bundes analog zu seiner Tätigkeit in der Kirche, so daß das Werk der Erneuerung sich auch an ihnen auswirken wird[27].
Indem der Geist jetzt der Kirche gegeben ist, fallen alle früheren Grenzen und Beschränkungen fort. Durch die Kirche erfährt die ganze Erde seine machtvolle Gegenwart, mit der das Werk der Erneuerung endgültig einsetzt und zu seinem Ziel gelangt.
Auch in seiner letzten Glaubensformel zeigt Irenäus die eschatologische Ausrichtung des Bekenntnisses zum Heiligen Geist. Was anfangshaft im Alten Bund begonnen hat, was in der christlichen Taufe der ganzen Menschheit zuteil wird, ist eine Bewegung auf die Zukunft hin, die schließlich mit der vollkommenen Neuwerdung des Geschöpfes für Gott ihren Abschluß findet.

[25] S. o. § 1, b.
[26] Epid. 6 (SC 62,40).
[27] Näheres dazu s. u. § 21, c.

Mit der Formel der Epideixis kann die Reihe der irenäischen Bekenntnistexte zum dritten Glaubensartikel abgeschlossen werden. Das Referat über sie hatte nicht die Absicht, den Lyoner Bischof auf ein bestimmtes Symbol festzulegen oder spätere Formeln schon an ihm zu verifizieren. Indem Irenäus selber zu Wort gekommen ist, hat er ein reiches pneumatologisches Kerygma zu erkennen gegeben, das in die trinitarischen Formulierungen eingebunden ist und den Ursprung aus dem Taufglauben nicht verleugnet. Mit den durch Irenäus bezeugten Inhalten verbindet sich eine eigene Theologie. Im Blick auf die Gnosis entwickelt sie eine christliche Pneumatologie, bei der nachdrücklich die kirchliche Dimension des Geistes und seine Bewährung durch den Gläubigen betont werden. Sie nicht mehr nur in kurzen thesenartigen Andeutungen vorzustellen, sondern systematisch zu entfalten, wird die Aufgabe des zweiten Hauptteils sein. Vorher jedoch soll von den angehobenen Texten aus die weitere Tradition verfolgt werden, mit der zusammen Irenäus das kirchliche Glaubensbekenntnis bezeugt.

§ 5 Die Glaubensformeln des Justin, Tertullian, Novatian und Origenes

Wie beim Taufbekenntnis so steht der Bischof von Lyon auch mit seinen Glaubensformeln in einem gemeinsamen Bekenntnishorizont mit den Theologen des zweiten und dritten Jahrhunderts, der die einzelnen Texte verbindet und zugleich auch ihre jeweilige Eigenart sichtbar werden läßt.

a) Justin

Zusammenfassungen des christlichen Grundbekenntnisses bietet Justin an zwei Stellen seiner ersten Apologie. Mit ihnen will er der Anschuldigung seiner Adressaten begegnen, bei den Christen sei die Verehrung Gottes abgeschafft, sie seien gottlose Menschen.
Der heidnische Vorwurf, so führt er aus, gilt wohl hinsichtlich der vermeintlichen Götter der Heidenwelt. Keinesfalls aber können die Christen als gottlos bezeichnet werden, sobald von der Verehrung des wahren, über alle Schlechtigkeit erhabenen Gottes die Rede ist[1]:

»Jenen vielmehr und den Sohn, der von ihm gekommen ist und uns dies gelehrt hat, und das Heer der anderen guten Engel, die ihm folgen und ihm ähnlich sind,
und den prophetischen Geist verehren wir und beten wir an ...«

[1] 1,6,1—2 (ed. Goodspeed 29).

Ähnlich fragt Justin einige Kapitel später, wie man den der Gottlosigkeit bezichtigen könne, der den Schöpfer des Alls anbete; und er fährt fort[2]:

»Und wir wollen aufzeigen, daß wir Christus Jesus, der unser Lehrer in diesen Dingen geworden ist und zu diesem Zweck geboren wurde, der unter Pontius Pilatus, dem Statthalter in Judäa, zur Zeit des Kaisers Tiberius gekreuzigt wurde, den wir als Sohn des wahrhaftigen Gottes kennengelernt haben,
an zweiter Stelle festhalten
und den prophetischen Geist in der dritten Reihenfolge und sie mit Grund verehren«.

Der Einfluß des Taufglaubens auf die Formulierung der Grundlehren ist im zweiten Text trotz der umständlichen Konstruktion augenfällig. Aber auch beim ersten liegt nur äußerlich eine Viergliedrigkeit vor. Da die Wendung »das Heer der anderen guten Engel« dem zweiten Glied zu- und untergeordnet werden muß, bleibt sowohl die theologische Dreiheit gewahrt, wie auch die Möglichkeit ausgeschlossen ist, daß der Geist unter den Engeln steht[3]. Nach Justin verdient der Heilige Geist Verehrung und Anbetung[4], und das, wie die bemerkenswerte Äußerung sagt, »in der dritten Reihenfolge«[5]. Obwohl der Apologet die Auseinandersetzung mit dem Problem, wie der Menschgewordene mit dem einen Gott vereinbart werden kann — mit dem Problem der »zweiten Stelle« also —, nicht weiterführt, so daß er auch den Heiligen Geist in sie miteinbeziehen würde, zeigt sich doch, daß die Frage schon im Horizont seines Denkens liegt. Im theologischen Wissen um die Dreiheit Gottes, um die Zugehörigkeit des Geistes zum Vater und

[2] 1,13,3 (ed. Goodspeed 34).

[3] Eine gute Zusammenstellung der damit verbundenen Fragen bietet J. Martin, El Espiritu Santo en los origenes del Cristianismo (Biblioteca di Science Religiose 2), Zürich 1971, S. 244—247. — Justin setzt den Sohn und die Engel in eine besondere Beziehung. »Engel« kann bei ihm ein Name für Christus sein (Dial. 34,2; ed. Goodspeed 128; 61,1; 166; 127,4; 249). Christus wird aber auch als Oberhaupt der Engel bezeichnet (Dial. 56,22; ed. Goodspeed 160). Weitere Texte bei Martin, aaO 248, und J. Barbel, Christos Angelos (Theophaneia 3), Bonn 1964 (Nachdruck mit Anhang), S. 52—60. — Daß den Engeln bei Justin keine Anbetung (προσκύνησις) zukommt, betont Martin, aaO 249, unter Berufung auf Fr. Andres, Die Engellehre der griechischen Apologeten (Forschungen zur christl. Lit. u. Dogmengeschichte 13,3), Paderborn 1914, S. 13ff. Die formale Viergliedrigkeit erklärt sich dann am ungezwungensten aus der Absicht Justins, der heidnischen Anklage gegenüber die Objekte christlicher Verehrung zu nennen und den Göttern und Dämonen die guten Engel entgegenzusetzen. Mit Martin, aaO 249, gegen A. Benoît, Baptême 171: »Ce texte ... nous montre, pour le moins, le peu de place que prend l'Esprit dans la pensée de Justin: il occupe un rang inférieur à celui des anges«.

[4] σεβόμεθα καὶ προσκυνοῦμεν (1,6,2); τιμῶμεν (1,13,3).

[5] ἐν τρίτῃ τάξει

zum Sohn kündigt sich eine trinitarische Auffassung des dreigliedrigen Taufbekenntnisses an[6].
Für die Verbindung des Geistes mit der Prophetie ist Justin der erste Zeuge in der Symbolgeschichte. Welches Gewicht er der geistgewirkten Prophetie beimißt, zeigt sich daran, daß sie sogar schon im Taufbekenntnis anklingt. Das Wirken des prophetischen Geistes im Schriftzeugnis des Alten Bundes macht es zum Hinweis auf Christus, in dem sich die Wahrheit aller früheren Pophetie bestätigt[7]. Da er alle Einzelheiten der Geschichte Jesu, Geburt, Leben unter den Menschen, Leiden, Auferstehung, Himmelfahrt und Wiederkunft zum Gericht, angekündigt hat, ermöglicht er den Schriftbeweis, daß Christus der Sohn Gottes ist[8].
Der Geist der Prophetie ist für Justin zugleich die messianische Gabe der Endzeit. Zu einem Teil haben sie die Propheten verkostet. In ihrer Fülle aber ruht sie erst auf Christus, dem Gesalbten, um dann auf alle Gläubigen überzuströmen. So hat der Heilige Geist das Christusgeschehen umfassend vorbereitet und ergreift von ihm aus die Menschen auf der ganzen Welt[9].
Justin bekundet mit diesen Vorstellungen ein Verständnis des pneumatologischen Glaubensartikels, bei dem die Schriftprophetie im Vordergrund steht, das aber den Geist auch als die für die Endzeit verheißene Gabe betrachtet. Der prophetische Geist der Glaubensformeln ist zugleich der Heilige Geist, der auf Christus hin gewirkt hat und sich von ihm aus den Gläubigen zu erfahren gibt[10].

b) Tertullian

Tertullians Relationen der Glaubensregel geben zweimal das Bekenntnis zum Geist wieder. Die Fassung innerhalb der Schrift

[6] Man vgl. die Bemerkungen in 1,13,4 (ed. Goodspeed 34) und Dial. 50,1f (ed. Goodspeed 149). Dazu Martin, aaO 253, und Kretschmar, Le développement 20—23.

[7] z. B. 1,30 (ed. Goodspeed 45f); Dial. 32 (126f). Weitere Texte bei G. Friedrich, TWNT 6,859.

[8] z.B. 1,31,7f (ed. Goodspeed 46f).

[9] Die Propheten sind Instrumente des Geistes; so Moses (1,44,1; ed. Goodspeed 56); Jesaia (1,35,5; 50); Jeremia (Dial. 78,8; ed. Goodspeed 189); der Täufer (Dial. 49,3; 147). Zum Ruhen des Geistes auf dem Messias s. Dial. 39 (ed. Goodspeed 135f); 49 (147f); 87 (200f) und bes. 88 (201f). Zur Gewährung des Geistes durch Christus s. Dial. 87,5.6 (ed. Goodspeed 201). — Gut herausgearbeitet ist die von Justin vorgenommene Verbindung von Geist und Taufe bei J. Martin, aaO 256—263.

[10] Am Rande sei auf die beiden trinitarischen Texte verwiesen, in denen der Geist mit dem Sohn als Mittler des Gebets an den Vater erscheint. Justin beschreibt die eucharistische Darbringung von Brot und Wein mit den Worten: »Er (der Vorsteher) sendet Lobpreis und Verherrlichung an den

über den »Rechtseinspruch« will die klare, von Christus eingesetzte und durch die Apostel überlieferte Lehre vorstellen, um dadurch den Häretikern jeden Anspruch auf die Wahrheit, insbesondere auf die rechtmäßige Deutung der Schrift, aus den Händen zu nehmen. Tertullian betrachtet sie als die unbestrittene Grundlage des kirchlichen Glaubens. Sie bekennt[11],

»daß es in jeder Hinsicht nur einen Gott gibt und nicht einen anderen außer dem Schöpfer der Welt, der alles aus dem Nichts geschaffen hat durch sein Wort, das am Beginn von allem hervorgegangen ist;
dieses Wort, sein Sohn genannt, wurde von den Patriarchen im Namen Gottes auf verschiedene Weisen gesehen, es wurde immer bei den Propheten gehört;
schließlich ist es aus dem Geist und der Macht Gottes des Vaters in die Jungfrau Maria hinabgekommen, hat in ihrem Mutterleib Fleisch angenommen, hat als Mensch gelebt und ist Jesus Christus;
dann hat er das neue Gesetz und die neue Verheißung des Himmelreichs verkündet, er hat Machttaten vollbracht, ist nach seiner Kreuzigung am dritten Tage auferstanden und hat sich nach der Aufnahme in die Himmel zur Rechten des Vaters gesetzt;
er hat die stellvertretende Macht des Heiligen Geistes gesandt, der die Gläubigen führen soll;
er wird wiederkommen in Herrlichkeit, um die Heiligen in den Genuß des ewigen Lebens und der himmlischen Verheißungen aufzunehmen und die Gottlosen mit dem ewigen Feuer zu richten,
nachdem die einen wie die anderen auferweckt worden sind und ihr Fleisch wiederhergestellt worden ist«.

In freier Formulierung gibt Tertullian die Glaubensüberzeugung der Kirche wieder. Er setzt eindeutige Akzente gegenüber den

Vater des Alls durch den Namen des Sohnes und durch den Heiligen Geist und verrichtet ein langes Dankgebet für diese von ihm gewährten Gaben« (1,65,5; ed. Goodspeed 74). Und in der Einleitung zur Darstellung der sonntäglichen Eucharistie heißt es über das allgemeine Gebet der Christen: »Bei allem preisen wir den Schöpfer des Alls durch seinen Sohn Jesus Christus und durch den Heiligen Geist« (1,67,2; ed. Goodspeed 75). — Im Unterschied zu den Tauftexten und Glaubensformeln stehen Sohn und Geist nicht mehr auf einer Ebene mit dem Vater. Ohne die Frage entscheiden zu müssen, ob man im Sinne G. Kretschmars (Studien 217ff ;Le développement 12f) von zwei unterschiedenen Konzeptionen, einer hellenistischen und einer palästinensischen von den beiden obersten Parakleten, sprechen kann, oder ob die eine trinitarische Tradition nur in verschiedener Begrifflichkeit ausgedrückt wird, so wie es die Liturgie erforderte (Martin, aaO 267), sei die dem Geist zugeschriebene Mittlerfunktion festgehalten, die auch in den Doxologien des Hippolyt begegnen wird (s.u. § 6 a A 20). Die eucharistische Liturgie ist damit ein weiterer Beweis für den trinitarischen Glauben der Gemeinde, mit dem sich der Verstehenshorizont für die der Taufe und Lehre zugeordneten Texte weitet.

[11] de praescr. 13 (ed. Refoulé 197f CCL 1); zum Taufbekenntnis und zur regula bei Tertullian vgl. o. § 2 c und § 3.

Grundpositionen Markions und der Gnosis, indem er die Identität Gottes mit dem Schöpfer der Welt, das schon im Alten Bund erfahrene Wirken des Sohnes, die wirkliche Fleischwerdung und die Wiederherstellung des menschlichen Leibes hervorhebt[12].

Die Struktur des Textes ist durch einen heilsgeschichtlichen Aufriß bestimmt, demzufolge der Glaube an Gott, den Sohn und den Geist der Reihenfolge der göttlichen Offenbarung entsprechend entfaltet wird. Der Geist erscheint darum als die Gabe des erhöhten Herrn für die Gemeinschaft der Gläubigen. Im Anschluß an seine Sendung wird die Wiederkunft mit der Fleischesauferweckung und dem Gericht genannt. Eine formale Verwandtschaft mit dem Bekenntnistext von adversus haereses 1,10,1 ist hier unübersehbar. Wie bei Irenäus enthält der Schlußteil Elemente, welche in späteren Symbolen auf den christologischen und pneumatologischen Artikel verteilt werden.

Die Frage, inwieweit die Glaubensregel den Einfluß des Taufglaubens zu erkennen gibt, kann nach den oben entwickelten Kriterien in der Weise beantwortet werden, daß sie die Kenntnis des Taufbekenntnisses zu Vater, Sohn und Geist voraussetzt und dessen normative Bedeutung für den kirchlichen Glauben anerkennt, es aber nicht unmittelbar wiedergibt[13].

Bevor die inhaltlichen Aussagen über den Heiligen Geist näher

[12] S. de praesc. 30 (ed. Refoulé 211): »hos, Marcion nempe et Valentinianum, ut insigniores et frequentiores adulteros veritatis nominamus«. Vgl. Restrepe-Jaramillo, aaO 22—25. J. Moingt, aaO 69, erkennt in dem Hinweis auf den Schöpfergott und den Sohn die apologetische Beweisführung den Heiden gegenüber, in den Aussagen über die Präexistenz, die Sichtbarkeit im AT, die geistgewirkte Geburt und die neuen Verheißungen die Verkündigung vor den Juden, in den übrigen Punkten die Gegnerschaft zu Markion. Kattenbusch II 88 schreibt: »... durch und durch antimarcionitisch«. K. Adam, Kirchenbegriff, aaO 28, spricht von »antignostischen Zügen«.

[13] S. o. § 3. — Eine Überprüfung der Argumente, mit denen Restrepo-Jaramillo die eben getroffene Feststellung bestreitet, soll ihrer Erhärtung dienen. Er vergleicht de praescr. 13 mit R und erhält das Ergebnis, im Unterschied zu R falle im ersten Artikel »Vater aus und sei der gesamte 3. Artikel unterschlagen (aaO 26f.33—35.40—46; zum 2. Artikel s. 46—51). Seine Schlußfolgerung: Die regula Tertullians und R sind nicht identisch; das in der binitarischen Regel enthaltene christologische Kerygma hat sich bei Tertullian noch nicht mit dem trinitarischen Symbol verbunden (aaO, bes. 56ff). Der erste Einwand betrifft die Fragestellung Restrepos. Denn der Vergleich mit R trägt nur dann etwas aus, wenn R schon zur Zeit Tertullians in Gebrauch gewesen ist. Sonst verengt man die Perspektive und kann nicht mehr zu einem vorurteilsfreien Verständnis der Formeln Tertullians gelangen. Zweitens berücksichtigt Restrepo nicht eigens das Genus der regula, sondern gibt sich mit einem formalen Vergleich zufrieden, bei dem dann die per se zu erwartenden Unterschiede noch stärker zu Buch schlagen müssen. Drittens ist das Fehlen von πατῆρ nicht so gravierend wie Restrepo meint. Es mag wohl gegen den Gebrauch von R durch Tertullian sprechen, schwerlich aber dagegen, daß Ter-

ausgedeutet werden können, muß die zweite Relation der Glaubensregel aus der Schrift Tertullians gegen Praxeas vorgeführt werden. Dem Monarchianer Praxeas, der nach Tertullians Worten vom Teufel dazu gebracht worden ist, unter dem Vorwand, die Einzigkeit Gottes zu verteidigen, Gott Vater mit Jesus Christus zu identifizieren und so ihn selber aus der Jungfrau geboren sein zu lassen, hält er die Sätze entgegen[14]:

»Wir glauben immer und jetzt noch mehr, da wir durch den Parakleten, den Führer zu jeglicher Wahrheit, gründlicher belehrt worden sind,
daß Gott einzig ist, jedoch unter der Aufteilung, die wir ›Ökonomie‹ nennen, so daß der einzige Gott auch einen Sohn hat, sein eigenes Wort, das aus ihm hervorgegangen ist, durch das alles geschaffen worden ist und ohne das es nichts gibt, was geschaffen worden ist;
daß dieser vom Vater in die Jungfrau geschickt und aus ihr geboren wurde, als Mensch und Gott, als Sohn des Menschen und Sohn Gottes, und Jesus Christus genannt wurde;
daß dieser gelitten hat, daß dieser gestorben ist und begraben wurde gemäß der Schrift, vom Vater auferweckt wurde und nach seiner Aufnahme in den Himmel zur Rechten des Vaters sitzt, um zum Gericht über Lebende und Tote wiederzukommen;
er hat alsdann gemäß seinem Versprechen vom Vater den Heiligen Geist gesandt, den Parakleten, den Heiliger des Glaubens derer, die an den Vater, den Sohn und an den Heiligen Geist glauben«.

Dieses Bekenntnis ist für Tertullian eine unverbrüchliche Glaubensregel. Da sie ihren Ursprung vom Beginn des Evangeliums her hat, verdient sie den Neuerfindungen eines Praxeas gegenüber den

tullian seiner Formulierung der regula ein trinitarisches Taufbekenntnis zugrunde gelegt hat. Vgl Kattenbusch II 89—91 mit der Erklärung, Tertullian wolle »die Einzigkeit Gottes betonen und als Sinn des Symbols ausdrücklich konzedieren« (wobei Kattenbusch freilich für R votiert), und Moingts Hinweis (aaO 76), daß »unus Deus« und »Pater omnipotens« gleichermaßen den Schöpfer als den Vater Christi bezeichnen (vgl. aus Irenäus nur 1,10,1; 5,20,1 und Epid. 6 mit den Formeln 4,33,7 und 4,33,15, in denen »Pater« ausfällt). Zuletzt hat Restrepo den Befund gegen sich, daß de praesc. 13 zwar nicht die Dreigliedrigkeit eines Taufbekenntnisses aufweist, aber doch den Geist als eigene und unterschiedene Realität bestimmt und Elemente des dritten Artikels enthält und daß in de praescr. 8 (ed. Refoulé 194) ausdrücklich vom Taufbefehl die Rede ist, kraft dessen die von Christus empfangene regula der Welt zukommt (vgl. Moingt, aaO 76.82). — Mit der Zurückweisung von Restrepo-Jaramillos Deutung ist auch zu Harnacks und Haußleiters Erklärung der binitarischen Formeln, der Restrepo sich im wesentlichen anschließt (aaO 52ff), das Entscheidende gesagt. A. d'Alès, Théologie, aaO 257, ist recht zu geben, wenn er einen katechetischen Gebrauch von de praescr. 13 ablehnt; das heißt aber nicht, daß der trinitarische Glaube nicht hinter dem Text steht und auch im dritten Artikel in entscheidenden Stücken zum Ausdruck gelangt. Auch Kelly 89 stellt den trinitarischen Charakter fest.

14 adv. Prax. 1 (ed. Kroymann-Evans 1159f CCL 2); Text des Bekenntnisses: adv. Prax. 2 (1160).

Vorzug[15]. Durch die montanistischen Erlebnisse hat sie keine Änderung erfahren, ja sie ist durch den Parakleten bestätigt und in ihrer Bedeutung für das Christenleben noch nachdrücklicher ins Bewußtsein gehoben worden. So kann Tertullian sie, der aktuellen Forderung der Stunde entsprechend, auslegen und Praxeas gegenüber die Einzigkeit Gottes in dem ökonomisch-heilsgeschichtlichen Wirken von Vater, Sohn und Geist formulieren[16].

Die Textstruktur dient dem Anliegen, die die Einheit Gottes nicht aufhebende Zweiheit von Vater und Sohn darzustellen. Damit erklärt sich die grammatikalische Zweigliedrigkeit der Aussagen über den einen Gott mit dem aus ihm hervorgegangenen Wort und über die Menschwerdung des Wortes und sein Heilswerk. Vom Geist ist in einem Relativsatz, der an das zweite Glied angeschlossen ist, die Rede.

Die Konstruktion ist jedoch insofern eigenartig, als sich die Wendung »er hat alsdann gesandt« inhaltlich nicht an die zuletzt erwähnte Wiederkunft Christi, sondern an das Sitzen zur Rechten fügt. Das Bekenntnis um Heiligen Geist steht nicht mehr in der heilsgeschichtlichen Folge innerhalb des Heilswerkes des Sohnes. Dieses wird wie in den späteren Symbolformeln in einem Zug bis zur Wiederkunft ausgeführt, und dann erst wird vom Geist gesprochen. So gibt sich in der Nichtübereinstimmung zwischen grammatikalischer Form und inhaltlicher Aussage bereits ein eigener pneumatologischer Artikel zu erkennen.

Dieser Eindruck wird noch dadurch verstärkt, daß es Tertullian dem Monarchianismus gegenüber darum zu tun war, die geleugnete Unterschiedenheit des Sohnes vom Vater hervorzuheben. Wenn er dann aber auch den Geist erwähnt, dann weiß er sich offenbar dem Taufbekenntnis verpflichtet, das ohne diesen nur unvollständig wiedergegeben wäre. Im Glauben an Vater, Sohn und Geist hat ja, wie es der Schlußsatz der Regula ausführt, das christliche Bekennt-

[15] S. adv. Prax. 1 (1159).

[16] Der Paraklettitel ist bezeichnend für die montanistischen Schriften: de anima 58 (ed. Waszink 869 CCL 2); de resurr. 63 (ed. Borleffs 1012 CCL 2); adv. Prax. 1,5 (ed. Kroymann-Evans 1159 CCL 2); 1,7 (1160); 8,5 (1167); 13,5 (1175); de fuga 14 (ed. Thierry 1155 CCL 2); de virg. vel. 1 (ed. Dekkers 1209 CCL 2); de monog. 2 (ed. Dekkers 1229 CCL 2); 3f (1230.1233); 14 (1249); de ieiun. 1 (ed. Reifferscheid-Wissowa 1257 CCL 2); 10 (1268); 12f (1271f); de pudic. 1 (ed. Dekkers 1283 CCL 2); 12 (1302f) u. ö. Die Anhebung des Montanismus (vgl. noch K. Adam, Kirchenbegriff 28; A. d'Alès, Théologie 257) darf nicht zu dem Fehlurteil führen, die Einfügung des Geistes in die regula sei dem Montanismus zu verdanken. S. dazu o. § 3 A 16. — Moingt, aaO 69; formuliert m. E. zutreffend, die jüngste Glaubensformel bilde »un réel progrès dans la réflexion trinitaire de Tertullien, un progrès de l'explication ... mais non de la foi elle-même, claire et complète depuis le début, et substantiellement invariable«.

nis seine Mitte. In der antimonarchianisch akzentuierten Glaubensregel dringt das Grundbekenntnis der Kirche durch, bei dem der Heilige Geist nicht übergangen werden darf[17].
Bei der inhaltlichen Würdigung der beiden Glaubensregeln fällt zuerst auf, daß anders als bei Irenäus und Justin der Geist nur als die nachösterliche Gabe Christi erscheint. Tertullian sagt wohl, daß der Sohn im Alten Bund gesehen und gehört wurde, bringt aber in der Glaubensregel den Geist nicht damit in Verbindung. Obschon er sonst auch über die prophetische Wirksamkeit des Geistes spricht[18], ist doch in der Regula seine Erfahrung in der Kirche das hervorstechende Merkmal. Der Geist begleitet nach der Auferstehung die Gläubigen in ihrem Leben angesichts der Wiederbegegnung mit ihrem Herrn.
Auffällig ist die Nähe zur Sprache der johanneischen Abschiedsreden. In der »stellvertretenden Macht« für die Gläubigen erkennt man den »anderen Parakleten«, der »auf ewig bei euch bleiben soll« (Joh 14,16), der »euch alles lehren und an alles erinnern wird, was ich euch gesagt habe« (Joh 14,26), der Zeugnis über Christus ablegen (Joh 15,26) und erst kommen wird, wenn dieser fortgegangen ist (Joh 16,7), der die Gläubigen in alle Wahrheit einführen und Christus verherrlichen wird, indem er ihn verkündet (Joh 16,13f). Er ist der vom Vater her gesandte Geist (Joh 14,16. 26; 15,26), der Geist der Wahrheit (Joh 14,17; 16,13), in welcher die Christen dem Gebet ihres Herrn zufolge geheiligt werden sollen (Joh 17,17. 19).
Keine der den Heiligen Geist charakterisierenden Bezeichnungen muß mithin im Sinne Tertullians als ausgesprochen montanistisch angesehen werden. Der Rede vom Stellvertreter Christi und Führer der Christenheit entspricht in der frühen Schrift »über den Rechtsanspruch« der Hinweis auf den Geist als Lehrer der Apostel und den, der die Kirchen in die Wahrheit einführt[19]. In der Epoche der Zuwendung zum Montanismus kann dies dann freilich in den Dienst der Aussage treten, daß erst der stellvertretende Geist das Christentum in seiner Tiefe aufschließt und als Führer in die gesamte Wahrheit die verschärften Forderungen der Disziplin kundmacht[20]. Gleichermaßen steht Tertullian ganz innerhalb der

[17] Dies wiederum gegen Restrepo-Jaramillo, aaO 32.41, dessen Ausführungen über die Struktur zu eng gefaßt sind und dem Einwirken des trinitarischen Taufglaubens keine Rechnung tragen. — Die Absonderung eines dritten Artikels ist auch von Moingt, aaO 83, bemerkt worden.

[18] S. nur einige Beispiele aus den Büchern adv. Marc.: 4,11 (ed. Kroymann 567 CCL 1); 4,22 (601ff); 4,28 (622f); 4,40 (657); 5,8 (688); und der Sache nach die Formel de praescr. 36 (s. o. § 3 A 15).

[19] de praescr. 8 (ed. Refoulé 194 CCL 1); 28 (209).

[20] de virg. vel. 1 (ed. Dekkers 1209 CCL 2): »ut ... paulatim dirigeretur et ordi-

kirchlichen Tradition, wenn er die Heiligung durch den Geist ausspricht[21], trennt sich aber von ihr, wenn er die Gegner der neuen Prophetie dann zu Psychikern im Unterschied zu den pneumatiführt.
Daß der dritte Artikel in seiner Auslegung auf die christliche Erfahrung auch bei Tertullian ein eschatologisches Gefälle erhält, zeigt sich im ersten Text daran, daß dem Geist die Führung der Kirche zukommt, bis bei der Wiederkunft Christi das Gericht stattfinden wird. Wenn diese nun für die »Heiligen« ewiges Leben und den Genuß der himmlischen Verheißungen bedeutet, der Geist aber als der »Heilige« und — im zweiten Fall — als der »Heiliger« der Gläubigen bezeichnet wird, dann ist es sein Wirken in der Kirche, das dem Menschen die Heilshoffnung zusichert und ihn zum Leben schen Befolgern der neuen Disziplin abstempelt[22].
Tertullian wird damit zu einem wichtigen Repräsentanten des pneumatologischen Glaubensartikels. Ganz von der Geisterfahrung in der Kirche bestimmt — man erinnere sich an den Hinweis auf die Kirche in seinem Taufbekenntnis[23] —, drückt er die christliche Heilserwartung aus. Er steht auch bei Tertullian noch nicht im Mittelpunkt, gehört aber zum verbindlichen Bekenntnis und gelangt zur Ausführung, sobald dieses dargestellt werden soll.
Da sich die dogmengeschichtlichen Fragen zur Pneumatologie von den Relationen der Glaubensregel aus nicht allseitig erörtern lassen, müssen sie hier im wesentlichen außer acht bleiben. Sicher steht für Tertullian die trinitarische Struktur des Bekenntnisses längst vor seiner montanistischen Zeit fest. Da sich weiterhin in seinen Aussagen keine Änderung, sondern vor allem eine begriffliche Klärung innerhalb des theologischen Denkprozesses abzeichnet, kann eine echt trinitarische Theologie für ihn nicht in Abrede gestellt werden[24]. Der in der Schrift gegen den Monarchianer

naretur et ad perfectum perduceretur disciplina ab illo vicario Domini Spiritu sancto«. Es folgt das Zitat von Joh 16,12. Vgl. adv. Prax. 2 (ed. Kroymann-Evans 1160 CCL 2): »deductor omnis veritatis«; und auch adv. Prax. 30 (1204); de fuga 14 (ed. Thierry 1155 CCL 2); de monog. 2 (ed. Dekkers 1230 CCL 2).

[21] S. nur de praescr. 36 (ed. Refoulé 217 CCL 1): die Kirche besiegelt den Glauben mit Wasser und bekleidet ihn mit dem Hl. Geist; de bapt. 6 (ed. Borleffs 282 CCL 1): Angelus baptismi arbiter super venturo Spiritu sancto vias dirigit ablutione delictorum, quam fides impetrat obsignata in Patre et Filio et Spiritu sancto«; apol. 39 (ed. Dekkers 151 CCL 1): »qui unum Spiritum biberunt sanctitatis«; de paen. 10 (ed. Borleffs 337 CCL 1).

[22] So de monog. 1 (ed. Dekkers 1229 CCL 2); 2 (1230); de ieiun. 1 (ed. Reifferscheid-Wissowa 1257 CCL 2); 11 (1269f); 13 (1271f); de pudic. 1 (ed. Dekkers 1281ff CCL 2); 21 (1327f).

[23] S. o. § 2 c mit A 35.

[24] S. die Analysen der Glaubensformeln und zum Ganzen die überzeugenden Ausführungen von J. Moingt, aaO 66—75.

Praxeas gefundene Ausdruck, daß Vater, Sohn und Geist die Einheit in der Trinität bilden, eins durch die Einheit der Substanz, unterschieden durch das Geheimnis der Ökonomie, ist nicht etwas Fremdes, das der ursprünglichen Vorstellung unorganisch aufgesetzt wäre, sondern eine Verdeutlichung des bei Tertullian seit jeher vorhandenen Glaubensbewußtseins. Die Einbeziehung des Heiligen Geistes in das trinitarische Gottesbild ist dann ein echtes theologisches Anliegen, das sich schon in den frühen Texten ankündigt[25]. Wenn auch das Hauptinteresse der Zweiheit und Ein-

[25] Die trinitätstheologischen Überlegungen aus adv. Prax. sollen nur in einigen Stichworten vorgeführt werden. Grundlegend ist der Einwurf gegen Praxeas (2; ed. Kroymann-Evans 1161 CCL 2), er könne sich die Einzigkeit Gottes nicht anders vorstellen, als daß Vater, Sohn und Geist derselbe seien, »quasi non sic quoque unus sit omnia, dum ex uno omnia, per substantiae scilicet unitatem; et nihilominus custodiatur oikonomiae sacramentum, quae unitatem in trinitatem disponit, tres dirigens Patrem et Filium et Spiritum — tres autem non statu sed gradu, nec substantia sed forma, nec potestate sed specie —, unius autem substantiae et unius status et unius potestatis, quia unus Deus, ex quo et gradus isti et formae et species in nomine Patris et Filii et Spiritus sancti deputantur«. Vgl. 9 (1168): »... dico alium esse Patrem et alium Filium et alium Spiritum ... non tamen diversitate alium Filium a Patre, sed distributione, nec divisione alium, sed distinctione ...«. Vgl. 12 (1173) für den Sohn: »alium ... personae, non substantiae nomine, ad distinctionem, non ad divisionem«, 25 (1195): »qui tres unum sunt, non unus, quomodo dictum est ›Ego et Pater unum sumus‹ (Joh 10,30) ad substantiae unitatem, non ad numeri singularitatem«, und 31 (1204): »tres crediti unum Deum sistunt«. Vom Geist als persona sprechen 9 (1168): »Dominus ... in persona Paracleti non divisionem significavit sed dispositionem«, 11 (1172): »animadverte etiam Spiritum loquentem ex tertia persona de Patre et Filio« (Ps 109 (110) 1) und 12 (1173). Die Unterschiedenheit der göttlichen personae und ihre Einheit bestimmt sich durch das Verhältnis zum Vater: 2 (1161): »ex quo omnia«. Vom Wort heißt es, daß es von Ewigkeit her im Vater ist; sein Heraustreten aus dem Vater bei der Schöpfung ist die »nativitas perfecta« (7; 1165ff: »ex Deo procedit ... generatus ... ante omnia genitus et unigenitus ... ex ipsius substantia emissum«; vgl. 8; 1168: »ex origine profertur, progenies est«, dort auch die Diskussion über die »probolai«). Über den Geist sagt Tertullian: »Spiritum non aliunde puto quam a Patre per Filium« (4; 1162). Analog zum Wort ist der Geist vor seiner eigentlichen Wirksamkeit, der Ausgießung durch den Sohn (30; 1204), im Wort, wird aber bereits als persona von ihm unterschieden: »quia iam adhaerebat illi (sc. Patri) Filius, secunda persona, sermo ipsius, et tertia, Spiritus in sermone« (12 ;1173). Obwohl Tertullian von der Einheit der Trinität in der Substanz und ihrer Ungetrenntheit spricht und auch den Geist als Gott bezeichnet (13; 1175: »et Pater Deus et Filius Deus et Spiritus Deus et Dominus unusquisque«), bringt er in die heilsökonomische Trinität doch eine gewisse Subordination hinein mit den Worten: »Pater enim tota substantia est, Filius vero derivatio totius et portio«; und zum Geist heißt es, der Herr habe ihn von sich unterschieden, »ut tertium gradum ostenderet in Paracleto, sicut nos secundum in Filio propter oikonomiae observationem« (9; 1168). — Zum Abschluß seien die Bildaussagen notiert: »Tertius est Spiritus a Deo et Filio, sicut tertius a radice fructus ex frutice et tertius a fonte rivus ex

heit von Vater und Sohn gilt[26], so kann doch der Heilige Geist auf keinen Fall aus dem Glaubens- und Denkhorizont des Christen und Theologen Tertullian gestrichen werden.

c) Novatian

Novatians Werk »de trinitate«, das schon in der Frage nach dem Taufbekenntnis und seiner Beziehung zur Glaubensregel Auskunft geben konnte[27], wird in seinen inhaltlichen Angaben über den Heiligen Geist zu einem gewichtigen Zeugnis, insofern es, ohne den pneumatologischen Artikel im Wortlaut auszuführen, eine Art Kommentar zu ihm liefert. Indem Novatian wie beim Vater und beim Sohn auch beim Geist von dem Akt der Glaubenshingabe spricht (»glauben an«), stellt er das Bekenntnis zu ihm mit dem zu den anderen Personen auf eine Stufe[28]. Größte Bedeutung mißt er dann der mit der Kirche verbundenen Wirksamkeit des Geistes zu. Sein Kommentar beginnt mit der Geistverheißung und Geistspendung für die Kirche und schließt mit dem Hinweis auf die durch ihn bewahrte Jungfräulichkeit und Heiligkeit der christlichen Gemeinde[29]. Wie er ihr als ganzer geschenkt ist, so gibt er sich in ihr zu erfahren. Er schließt den Jüngern nach der Himmelfahrt das Geheimnis des Evangeliums auf, bestärkt sie in der Verkündigung und erfüllt dann die Braut Christi mit seinen Gaben, da er ihr Dienste und Ämter in der rechten Zuordnung schenkt, sie zur Vollkommenheit führt und in allem vollendet sein läßt[30].
Auf verschiedene Weise hat doch der eine Geist zuerst an den Propheten und dann an den Aposteln gehandelt. Mußte er im Alten Bund das Volk seiner Treulosigkeit wegen anklagen und hatten die früheren Verkünder nur in beschränktem Maße und nur für eine begrenzte Zeit an ihm teil, so schenkt er dem neuen Volk seine Hilfe und bleibt in reicher Fülle beständig bei ihm[31].
Seine gesamte Wirksamkeit läuft in Christus als der Mitte und dem

flumine, et tertius a sole apex ex radio, nihil tamen a matrice alienatur a qua proprietates suas ducit« (8; 1168). — Schon dieser kurze Überblick mag das Votum Harnacks (I 582 A) als arg überspitzt erscheinen lassen: »Das Moment der Persönlichkeit des Geistes ist bei Tertullian lediglich eine aus logischer Konsequenzmacherei stammende Errungenschaft«. Auch K. Adams Behauptung (Die Lehre, aaO 53), erst seit Pfingsten sei der Geist für Tertullian eine persona, hat sich nicht bestätigt.

[26] S. nur die ersten drei Sätze der Glaubensregel adv. Prax. 2 und die o. § 3 wiedergegebenen Texte.

[27] S. o. § 2 d und § 3.

[28] »credere in«: de trin. I (ed. Weyer S. 34); IX (S. 74); XXIX (S. 182).

[29] de trin. XXIX (ed. Weyer S. 182.190).

[30] Ebd. (S. 184.186).

[31] Ebd. (S. 184).

Höhepunkt zusammen. Auf ihn konzentriert sich bei der Taufe am Jordan seine ganze Fülle; von ihm aus strömt sie auf die Gläubigen über, da der Geist die Wiedergeburt in der Taufe wirkt. Durch sein Bleiben im Menschen wird dieser zu einer Wohnung für Gott und kann er leibhaftig an der Auferstehung teilnehmen. Bis dahin bestärkt der Geist die Christen in jeglichem Guten; er verbindet sie untereinander und bringt vor allem den wahren Glauben an den Schöpfergott und die Gottessohnschaft Christi zur Entfaltung[32].

In warmen und begeisterten Worten nimmt Novatian die in der Tradition bereitliegenden Themen auf und stellt sie, ohne sich bei Einzelfragen aufzuhalten, in seinem Kapitel über den Geist zusammen. Deutlich ist die Struktur des Bekenntnisses zu erkennen, daß der Glaube an den Heiligen Geist innerhalb des trinitarischen Schemas ausgesagt wird und daß des weiteren der dritte Artikel eine Einheit bildet, ein Ganzes von dem Geist zugeordneten Glaubensinhalten, nicht aber eine Sammlung verschiedener gleichrangiger Stücke[33].

Kommt dabei vor allen der Bereich des Lebens in der Kirche in den Blick, so weiß Novatian wie Justin und Irenäus doch auch um sein vorgängiges Wirken, das die Einheit des Geistes in der Spannung des Alten und Neuen Bundes zeigt. Allerdings ist nicht vom prophetischen Geist die Rede, und das, obwohl Novatian durchaus mit der Schrift argumentiert. Statt dessen heißt es, Gott habe durch den Geist die Propheten »unterwiesen«, oder, der Geist habe durch sie »das Volk verklagt«[34]. Der Ton liegt mehr auf dem Handeln des Geistes am Menschen und der durch ihn erfolgten Mahnung zu einem Leben im Blick auf die kommende Heilszeit, wie er dann auch im Neuen Bund die Gläubigen zur Heiligkeit führt.

Sehr wertvoll ist Novatians Kommentar hinsichtlich der Zusammenschau von kirchlicher Geisterfahrung und Taufe, da er ausdrücklich formuliert, was in den kurzen Symboltexten nur angedeutet wird. In dem Geschehen am Jordan vorgebildet, ist die christliche Taufe der Ort, an dem der Gläubige der Macht des Geistes begegnet: seiner reinigenden, sündenvergebenden Kraft, welche zur neuen Geburt aus den Wassern führt[35], den Menschen

[32] Ebd. (S. 186.188).

[33] So de trin. XXIX (S. 82): »admonet post haec credere etiam in Spiritum sanctum«, und in der abschließenden Bemerkung: »et haec quidem de Patre et de Filio et de Spiritu sancto breviter sint nobis dicta ...« (S. 190).

[34] »Prophetas Spiritus instruxit« (de trin VIII; ed. Weyer S. 70); »ipse in prophetis populum accusavit« (XXIX S. 184). Bezeichnend ist die Zitation von Justin Apol. 1,42,1: Manchmal kündigt der prophetische Geist das Künftige als schon geschehen an, »saepe enim *scriptura divina,* quae nondum facta sunt, pro factis annuntiat« (XXVIII S. 176).

[35] de trin. XXIX (ed. Weyer S. 186): »hic est, qui operatur ex aquis secundam

zu einem Tempel Gottes macht, ihn innerlich umwandelt und zur vollen Teilhabe an der Ewigkeit Gottes vorbereitet, wenn er seinerseits bereit ist, dem Geist im Glauben und in der Lebensführung die Treue zu halten[36].

Nicht zuletzt bedeutet das Bekenntnis zum Heiligen Geist für Novatian, daß die Kirche in ihm in der Wahrheit bewahrt bleibt. Er formuliert die bemerkenswerte Aussage, die Wahrheitsregel gelange durch den Geist zur Entfaltung[37]. Obwohl noch nicht zum Inhalt der Regula gemacht, erscheint er als das Medium, kraft dessen der Glaube erkannt und den Abweichungen gegenüber zur Darstellung gebracht werden kann. Selber noch nicht Gegenstand der Auseinandersetzung, kommt er doch schon in diese hinein, insofern als sie nur in ihm mit Erfolg geführt werden kann[38].

Novatian hat die Frage nach der Gottheit des Geistes und seiner Verbindung mit dem Sohn und dem Vater nicht gestellt. Die Tatsache jedoch, daß er über sein unmittelbares theologisches Anliegen hinaus dem Heiligen Geist ein eigenes Kapitel nach dem Vater und dem Sohn widmet, zeigt, daß er für ihn gleichfalls in den Bereich der Gottheit gehört. Seine Berufung auf die Glaubensautorität für das Bekenntnis zum Geist kann schwerlich als reiner Formalismus betrachtet werden, sondern muß bei unvoreingenommener Betrachtung zu dem Schluß führen, daß Novatian sich eben doch nicht mit einer binitarischen Konzeption zufrieden gibt, sondern vom kirchlichen Glauben aus zum trinitarischen Gottesbild gelangt[39].

Für den pneumatologischen Glaubensartikel zeigt sich wiederum die enge Bindung an den Raum der Kirche. In ihn weist das Bekenntnis zum Heiligen Geist hinein; und von ihm aus öffnet es den Blick auf die endzeitliche Vollendung zum Heil des Menschen[40].

d) Origenes

In den Schriften des Origenes findet sich eine Reihe von zusammenfassenden symbolartigen Formulierungen des Glaubens. Sie

nativitatem, semen quoddam divini generis et consecrator caelestis nativitatis«. Am Eingang des Kapitels (S. 182) wird Joh 20,22f zitiert.

36 de trin. XXIX (ed. Weyer S. 188).

37 Ebd. (S. 188): »regulam veritatis expedit«.

38 Vgl. Irenäus adv. haer. 4,33,7 (s. o. § 4 b).

39 Gegen Harnack I 582 A und auch Weyer, aaO 182 A 102.

40 de trin. XXIX (ed. Weyer S. 188): »inhabitator corporibus nostris datus et sanctitatis effector; qui id agens in nobis ad aeternitatem et ad resurrectionem immortalitatis corpora nostra producat, dum illa in se assuefacit cum caelesti virtute misceri et cum Spiritus sancti divina aeternitate sociari«; ebd. (S. 190): »ecclesiam incorruptam et inviolatam perpetuae virginitatis et veritatis sanctitate custodit«.

geben die verbindliche Lehre der Kirche wieder, an die zu glauben jeder Christ gehalten ist, und bilden zugleich die Grenze gegenüber der Häresie. Die Unterscheidung zwischen den klar zutage liegenden Glaubenswahrheiten und anderen, deren genaue Erklärung den Erforschern der göttlichen Weisheit überlassen bleibt, eröffnet den Weg zu einer christlichen Gnosis, die in die Tiefen der Geheimnisse einzudringen versucht und — vom Geist geleitet — die verborgenen Wahrheiten der Schriften aufdeckt. Oberstes Kriterium für die Rechtgläubigkeit bleiben jedoch auch für Origenes die eindeutig offenbarten Glaubenslehren[41].
Die früheste und zugleich am stärksten hervorgehobene Zusammenstellung der als »Richtschnur« und »Regel« dienenden Lehren bietet Origenes zur Eröffnung seines Anfangswerkes »de principiis«. Weil er von der Grundlage der kirchlichen Tradition aus seine eigene theologische Arbeit entwickeln möchte, stellt er zuerst die eindeutige, »manifeste« Überlieferung vor. Diese besagt[42]:

»zuerst, daß Gott der eine ist, der alles geschaffen und zusammengefügt hat und der alles aus dem Nichts gemacht hat ...
dann, daß derselbe Jesus Christus, der gekommen ist, vor jedem Geschöpf aus dem Vater geboren wurde ...
dann schließlich überlieferten sie (die Apostel), in Ehre und Würde mit dem Vater und dem Sohn verbunden, den Heiligen Geist.
Bei ihm wird nicht schon deutlich unterschieden, ob er geboren oder ungeboren ist, ob er auch für einen Sohn Gottes zu halten ist oder nicht; das muß vielmehr nach Kräften aus der Schrift und in scharfsinniger Untersuchung erforscht werden;
freilich wird aufs Deutlichste in den Kirchen verkündet, daß dieser Heilige Geist jeden Heiligen unter den Propheten und den Aposteln inspiriert hat
und daß kein anderer Geist in den Alten und denen, die bei der Ankunft Christi inspiriert worden sind, gewirkt hat« ...

Im Weiteren folgen lange Ausführungen über andere Glaubenslehren, wobei Origenes jeweils das klar Ausgesagte von dem von der Tradition her offen Bleibenden zu unterscheiden versucht: über

[41] So in de princ. 1 praef. 2f (ed. Koetschau 8f GCS 22); in Mt comm. ser. 33 (ed. Klostermann 61 GCS 38).

[42] de princ. 1 praef. 4—10 (ed. Koetschau 9—16 GCS 22); der zitierte Text umfaßt 1 praef. 4 (ed. Koetschau 9—11). Hieronymus (s. den App. z. St.) sagt: »Tertium dignitate et honore post Patrem et Filium adserit Spiritum sanctum, de quo cum ignorare se dicat utrum factum sit an infectum«. Ob Rufin oder Hieronymus recht hat, ist schwer zu entscheiden. Wo ersterer mit »natus« übersetzt (»natus ex Patre ... natus aut innatus«), liest der letztere »factus« (s. den App. z. St. Ob im Text γένητος (Hieronymus, Koetschau, Harnack I 674) gestanden hat oder Rufin zu Recht ein γέννητος gelesen hat, wird offen bleiben müssen.

die Seele und ihren Bewährungskampf gegen die Mächte des Bösen angesichts der Auferstehung der Toten und des kommenden Gerichts; über das Geschaffen-Sein der Welt und ihr Ende; über den geistlichen Charakter der Schrift; über die guten Engel und die Gestirne[43].

Von dem Interesse bestimmt, die theologische Forschung des Origenes zu legitimieren, unterscheidet sich der Text nach Form und Inhalt von allen bekannten Symbolformeln. Dennoch zeigen sich in der Aufzählung der manifesten Wahrheiten Schwerpunkte, die sich mit dem am Taufglauben orientierten Glaubensbekenntnis der Tradition decken. Das gilt für die Reihenfolge der drei göttlichen Namen; dann wird die Wirksamkeit des Geistes angedeutet; und die langen anschließenden Erklärungen gruppieren sich im Wesentlichen um die Gedanken der Totenauferstehung und des Gerichts einerseits, wie zum anderen um die Geistgewirktheit der Schriften und ihr geistliches Verständnis.

Ein ähnliches Grundschema gibt die Relation der Glaubensregel im Fragment des Kommentars zum Titusbrief zu erkennen. Der Häretiker zeigt sich nach Origenes daran, daß er im Gegensatz zur »kirchlichen Regel« zwischen dem Gott des Alten und des Neuen Bundes unterscheidet sowie irrtümliche Anschauungen über die Person Christi vertritt. Auf den Geist bezogen erklärt Origenes[44]:

»Und wenn jemand sagt, der Heilige Geist, der in den Propheten und in den Aposteln unseres Herrn Jesus Christus gewesen ist, sei ein je anderer gewesen, dann begeht er das gleiche Vergehen der Unfrömmigkeit wie jene, die die Natur der Gottheit zertrennen und den einen Gott des Gesetzes und der Evangelien auseinanderreißen«.

Wie in »de principiis« schließen sich lange Sätze über die menschliche Seele, den freien Willen, Strafe und Lohn, die Auferstehung der Toten, den Teufel und die eigene Schuld des Menschen an seinem Verderben an.

Auch ein Fragment aus der Homilie zum ersten Korintherbrief enthält einen Hinweis auf die Hauptstücke des kirchlichen Bekenntnisses[45]:

»Wer in allem mit dem rechten Wort und dem kirchlichen Dogma über den Vater, Sohn und Heiligen Geist übereinstimmt
und auch hinsichtlich der uns betreffenden Heilsanordnung (Ökonomie), hinsichtlich der Auferstehung und des Gerichts,
und wer den kirchlichen Verordnungen folgt, der befindet sich nicht im Schisma«.

[43] de princ. 1 praef. 5—10.
[44] ex libr. Orig. in epist. ad Tit. (PG 14,1303—1306).
[45] in 1 Kor hom. 4 (ed. Jenkins, JTS 9 [1908] 34).

In die Nähe der katechetischen Unterweisung führen die Glaubensformeln des Kommentars zum Johannesevangelium und der Homilien über den Propheten Jeremia.
Die erstere formuliert die Grundlehren des Glaubens, den man nach Origenes in seiner ganzen Fülle besitzen und fest bewahren muß, wenn man als vollkommen gelten will[46]:

»Zuerst von allem glaube daran, daß Gott der eine ist, der alles geschaffen und zusammengefügt hat und der allem aus dem Nichts das Sein gegeben hat;
man muß auch glauben, daß Jesus Christus der Herr ist; sowie an jegliche Wahrheit über seine Gottheit und Menschheit;
es ist notwendig, auch an den Heiligen Geist zu glauben, und daran, daß wir, da wir frei sind, für unsere Sünden bestraft und nach dem bemessen werden, was wir an Gutem tun«.

Der zweite Text, der bereits im Zusammenhang mit dem Taufbekenntnis zu erwähnen war, sei mit seinem dritten Artikel nochmals in Erinnerung gerufen[47]:

»Die Belehrung über den Vater, die über den Sohn, die über den Heiligen Geist,
die Belehrung über die Auferstehung, die Belehrung über die Bestrafung, die Belehrung über die Ruhe, die über das Gesetz, die über die Propheten und zugleich über jede der Schriften«.

Ein letzter Hinweis auf die Grundelemente des Glaubensbekenntnisses findet sich in dem sehr späten Kommentar zum Matthäusevangelium. Den Grund für ihre Nennung bildet jetzt nicht die häretische Bestreitung, sondern gerade die Übereinstimmung mit anderen Lehrern, die es aber nicht verhindert, daß sie trotzdem neue Wege der Lehre einschlagen. Origenes setzt sich gegen Menschen zur Wehr, die sich als zur Kirche gehörend ausgeben, ihr Bekenntnis übernehmen, aber dennoch andere irrige Lehren hinzuerfinden. Der hier interessierende kirchliche Glaube betrifft die Übereinstimmung[48]:

»über den einen Gott ... oder über Christus Jesus, den Erstgeborenen der gesamten Schöpfung ...
schließlich aber über den Heiligen Geist, daß derselbe, der später den Aposteln gegeben wurde, in den Patriarchen und Propheten wirkte,
und über die Auferstehung der Toten, wie es das Evangelium lehrt«.

[46] in ev. Joh. comm. 32,16 (ed. Preuschen 451 GCS 10).
[47] in Jer. comm. 5,13 (ed. Klostermann 42 GCS 6); s. o. § 2 e.
[48] in Mt comm. ser. 33 (ed. Klostermann 61 GCS 38). Kattenbusch II 139 weist auf Eusebius h. e. 6,36,2 hin, wonach Origenes bei der Abfassung des Kommentars über 60 Jahre alt gewesen ist. Man hat demnach an die Zeit der endgültigen Übersiedlung nach Caesarea in Palästina zu denken, d. h. an die ausgehenden vierziger Jahre des 3. Jahrhunderts.

Nach dem Gesamtüberblick über den bekenntnishaften Ausdruck des Glaubens an den Heiligen Geist bei Origenes kann der Versuch einer Einordnung und Beurteilung unternommen werden.
Origenes stimmt mit den bisher genannten Autoren darin überein, daß der dritte Glaubensartikel in symbolähnlichen Texten ausgeführt wird. Für sich genommen sind sie keine Symbolformeln; gleichwohl drückt sich in ihnen das verbindliche, auf dem Taufglauben ruhende Bekenntnis der Kirche aus, das einen erstaunlich konstanten Kanon von Inhalten umfaßt, die in die späteren Symbole eingegangen sind[49].
Der Heilige Geist wird zusammen mit dem Vater und dem Sohn bekannt. Seine Zugehörigkeit zur Gottheit zeigt sich formal darin, daß er von den nachfolgenden Stücken abgesetzt wird.
Mit der nachdrücklichen Betonung der Identität des Geistes im Alten und Neuen Bund nimmt Origenes das Thema vom Prophetischen Geist auf. Er gibt ihm jedoch eine schärfere Akzentuierung: der Geist wird zum Garant der Einheit der beiden Testamente, womit Origenes einerseits den Markionismus und eine gnostische Trennung zurückweisen kann und auf der anderen Seite die entscheidende Voraussetzung für eine geistliche Interpretation der Schrift gewonnen hat. Derselbe Geist, dem die eine Schrift zu verdanken ist, schließt dem erleuchteten Forscherblick auch ihre tiefen Geheimnisse auf[50]. Dahinter steht immer der Glaube an die Einheit Gottes in seinem geschichtlichen Handeln an den Menschen[51].
Regelmäßig erhält der Geist das Prädikat »heilig«. Auch wenn es nicht näher ausgeführt wird, mißt ihm Origenes doch eine große Bedeutung zu. Der Gedanke der Heiligkeit bildet ein zentrales Thema seiner Pneumatologie und Theologie der Taufe[52].
Alle Texte öffnen sich nach dem Bekenntnis zum Geist den Ereignissen der Endzeit. In ihrer Erwartung hat der Gläubige sein Leben

[49] S. dazu die o. § 2 e A 45 angeführten Autoren. In den Formeln von de princ. 1 praef. und des Johanneskommentars erscheint im ersten Artikel wieder Hermas Mand. 1,1, diesmal in wörtlicher Zitation; vgl. auch de princ. 1,3,2 (ed. Koetschau 51 GCS 22).

[50] de princ. 1 praef. 8 (ed. Koetschau 14): »Tum demum, quod per Spiritum Dei scripturae conscriptae sint et sensum habeant non eum solum, qui in manifesto est, sed et alium quemdam latentem quamplurimos ... de quo totius ecclesiae una sententia est, esse quidem omnem legem spiritualem, non tamen ea, quae spirat lex, esse omnibus nota, nisi his solis, quibus gratia Spiritus sancti in verbo sapientiae ac scientiae condonatur«.

[51] Besonders deutlich im Text aus dem Tituskommentar.

[52] S. nur de princ. 1,3,8 (ed. Koetschau 61 GCS 22): »Cum ergo (omnia) primo ut sint habeant ex Deo Patre, secundo ut rationabiliter sint habeant ex Verbo, tertio ut sancta sint habeant ex Spiritu sancto«. — Zur Heiligung s. die Seiten bei W.-D. Hauschild, Gottes Geist und der Mensch. Studien zur frühchristlichen Pneumatologie (Beitr. z. ev. Theol. 63), München 1972, S. 114—120.

zu führen. In freier Willensentscheidung muß er sich bewähren, um an der ewigen Erfüllung teilnehmen zu können. Das Gericht erscheint in der Doppelheit von Heil und Strafe. Es ist noch nicht mit dem christologischen Artikel verbunden, sondern wird gesondert nach dem Bekenntnis zu Vater, Sohn und Geist angefügt.

Obwohl Origenes mit seinen Formeln den kirchlichen Glauben wiedergeben will, gibt er doch die ekklesiologische Dimension des Geistwirkens eher einschlußweise zu erkennen. Eine Ausnahme bildet lediglich der Text aus der Homilie zum ersten Korintherbrief. Der Hinweis auf die kirchlichen Verordnungen ist zwar nicht direkt auf den Geist bezogen, steht aber doch im Zusammenhang mit ihm, so daß man an die Geisterfahrung in der Kirche denken kann[53].

Einen festen Bestandteil des Bekenntnisses bildet schließlich der Auferstehungsglaube. Wenn Origenes den Ausdruck von der Auferstehung des »Fleisches« vermeidet, dann wird man darin eine spiritualisierende Tendenz zu erkennen haben, nach der dem Leib eine immer höhere Vergeistigung zugedacht wird[54].

Die Frage nach dem theologischen Gewicht des dritten Glaubensartikels kann in diesem Zusammenhang nur kurz angeschnitten werden. Sicher bilden das Taufbekenntnis und die Glaubensregel auch in Bezug auf den Heiligen Geist bei Origenes keinen Fremdkörper. Wenn er auch philosophisch eine am mittleren Platonismus orientierte binitarische Konzeption vertreten mag, die neben dem Logos als dem Mittler des transzendenten Gottes spekulativ kein Drittes mehr benötigt[55], so sind doch das Offenbarungszeugnis und die Tradition für ihn der Grund gewesen, auch der Pneumatologie seine Aufmerksamkeit zu schenken; Origenes ist damit zu einem Zeugen geworden, der die östliche Kirche nachhaltig geprägt hat[56].

Mehr Beachtung als die reichen Angaben über die Wirksamkeit des

[53] Van den Eynde, aaO 305, weist darauf hin, daß κανόνες hier erstmals eine juristische Bedeutung erhalte.

[54] Kattenbusch II 137f A 4 kann überzeugender als Kunze, aaO 51 A 2, dartun, daß Origenes lieber von der Auferstehung der Leiber spricht, wenn er ohne Rücksichtnahme auf bestimmte Gegner formulieren kann. Die Rede von der Auferstehung der Toten kehrt in mehreren östlichen Symbolen wieder: so bei Epiph. I II (Hahn 125f, Lietzmann 19f.21f., DS 42.44); Hermen. (Hahn 127, DS 46); Armen. längere Formel (Hahn 137, DS 48); Makarius, cod. paris. (s. u. § 9 c) und dem Niz.-Konst. (s. u. § 9 Exkurs).

[55] Vgl. Harnack I 666—675; Seeberg I 508—515, der größere Zurückhaltung übt; Kretschmar, Le développement 37—43, und Hauschild, aaO 135—150.

[56] Es seien nur die Texte de princ. 1,3,1—8 (ed. Koetschau 48—63); in ev. Joh comm. 2,10—11 (ed. Preuschen 64—67 GCS 10); 13,21—25 (244—250) genannt und in der Symbolformulierung der Einfluß auf den Thaumaturgen, auf Cyrill von Jerusalem und die Kappadozier erwähnt.

Heiligen Geistes[57] hat in der Forschung freilich sein spekulativer Versuch gefunden, das Wesen des Geistes zu bestimmen, kann doch an ihm die später verurteilte subordinatianische Auffassung eine Stütze finden. Schon in der ersten Fassung der Regula sieht man die Möglichkeit angedeutet, beim Geist über das kirchliche Kerygma hinaus weitere offene Fragen zu erörtern[58]. Die Antwort auf die Frage, ob er geboren oder ungeboren sei und auch als Sohn Gottes zu gelten habe, ist in »de principiis« nur unscharf zu erkennen. Daß Origenes den Geist ein Geschöpf genannt hat, steht nicht mit letzter Sicherheit fest. Dafür spricht die Tatsache, daß einmal auch der Sohn unzweifelhaft als Geschöpf bezeichnet wird[59]. Deutlich ausgesagt ist weiterhin die Unterordnung des Geistes unter den Sohn, wie die des Sohnes unter den Vater[60]. Das subordinatianische Schema einer abgestuften Trinität mit dem Vater als Quelle der Gottheit wird allerdings entschärft, wenn es heißt, der Sohn sei weder ein Teil der Substanz Gottes, welche zum Sohn geworden sei, noch sei er vom Vater aus dem Nichts geschaffen[61]; vielmehr sei er aus dem unsichtbaren Gott gezeugt, wie der Wille aus dem Verstand hervorgehe, ohne daß man Zeitvorstellungen auf die Trinität übertragen dürfe: »Denn jenseits jedes Zeitbegriffs, jeder Zeiten und jeder Ewigkeit muß das verstanden werden, was über den Vater, den Sohn und den Heiligen Geist gesagt wird; denn das allein ist Trinität, was jeden Sinn nicht nur von zeitlichem, sondern auch von ewigem Verständnis überschreitet; das Übrige dagegen,

[57] Zur anthropologischen Seite der Pneumatologie s. Hauschild, aaO 99—134. Über die geistliche Schriftdeutung handelt H. de Lubac, Geist aus der Geschichte. Das Schriftverständnis des Origenes, Einsiedeln 1968.

[58] S. o. mit A 42.

[59] So in de princ. 4,4,1 (ed. Koetschau 349): οὗτος δὲ ὁ υἱος ἐκ θελήματος τοῦ πατρὸς ἐγενήθη .. πρωτοτόκος πάσης τῆς κτίσεως, κτίσμα, σοφία ...; vgl. auch den Brief Justinians an Mennas: ὅτι κτίσμα καὶ γένητος υἱός (App. z. St.). Abgeschwächt wird κτίσμα allerdings durch das gleich folgende Zitat aus den Sprüchen (8,22): ὁ θεὸς ἔκτισέ με ἀρχὴν ὁδῶν αὐτοῦ, sowie durch den im gleichen Zusammenhang gebotenen Text (s. A 62), der dem späteren Arianismus klar widerspricht. S. dazu auch G. L. Prestige, God in Patristik Thought, London ²1952, S. 133f. — Hauschild, aaO 143 A 21, glaubt, mit Koetschau aus der Bemerkung Rufins zu de princ. 1,3,3 (ed. Koetschau 52 App. z. St.), man habe dort fälschlich eine Einfügung über die Kreatürlichkeit vorgenommen, auf eine ursprünglich dort anzutreffende Aussage schließen zu sollen. Denn Hieronymus (apol. adv. Ruf. 2,15 PL 23,458) bezichtigt Rufin hier einer Korrektur; Epiphanius (Pan. 64,5) sagt, Origenes habe den Geist als Geschöpf bezeichnet; und der Brief Justinians an Mennas (Koetschau 52 App. z. St.) äußert sich in ähnlicher Weise. Die Ablehnung der Geschöpflichkeit für den Geist in de princ. 1,3,3 (ed. Koetschau 51) wäre dann Rufin zuzurechnen.

[60] de princ. 1,3,5 (ed. Koetschau 56); vgl. auch die Bemerkung des Hieronymus zu de princ. 1 praef. 4 (s. o. A 42).

[61] de princ. 4,4,1 (ed. Koetschau 349).

was außerhalb der Trinität ist, muß nach Zeitaltern und Zeitvorstellungen bemessen werden«[62].

Der Denkversuch des Origenes über den trinitarischen Gott will demnach doch nicht einfachhin die Grenzen zwischen Gott und Geschöpf aufheben. Er versucht sie zu wahren, indem er zwischen den dem Vater entspringenden Hypostasen und der Schöpfung nicht einen nur graduellen Unterschied macht, sondern ihre gänzliche Unvergleichbarkeit betont.

Klarer äußert sich Origenes im Kommentar zum Johannesevangelium über das metaphysische Wesen des Geistes. Die Frage stellt sich anläßlich des Satzes aus dem Johannesprolog, daß alles durch den Logos geworden ist (Joh 1, 3). Fällt darunter auch der Heilige Geist? Um ihn nicht zu einem »ungezeugten« (ἀγέννητον) Wesen zu erklären oder seine Identität mit dem Vater behaupten zu müssen, hält Origenes dafür, daß der vom Sohn unterschiedene Geist durch ihn geworden sei, so daß jeder der drei Hypostasen ein Besonderes zukomme: dem Vater das ursprunglose Ungezeugtsein, dem Sohn das Einziggeborensein von Anbeginn, dem Geist das Privileg des Ersten und Würdigsten, das vom Vater durch den Sohn geworden ist[63]. Vertritt Origenes damit eine eindeutige Subordination, so hebt er doch den Geist von dem übrigen Gewordenen ab und verdeutlicht dies an späterer Stelle mit der Bemerkung, Christus und der Heilige Geist seien dem Übrigen nicht vergleichbar, sondern überragten es in überwältigender Fülle[64].

In seinem Versuch, die Trinität in ihren hypostatischen Unterscheidungen auszusagen, gelangt Origenes bei allem doch zu Formulierungen, die die Gefahr in sich bergen, daß der Geist an die unterste Stelle der Trinität mit fließenden Übergängen zur Schöpfung gestellt wird. Sein Wille, die Trinität von allem Anderen abzuheben[65], hat außer den philosophischen Voraussetzungen des Neuplatonismus die noch nicht genügend ausgeprägte Terminologie gegen sich, die rein sprachlich die Unterscheidung zwischen dem aus Gott Hervorgehenden und der Schöpfung schwer macht, da sie für beides den Ausdruck »geworden« (γένητος) zur Verfügung stellt[66]. Erst die nach Origenes einsetzende Diskussion wird hier zu größerer Klarheit führen.

62 de princ. 4,4,1 (ed. Koetschau 350).
63 in ev. Joh comm. 2,10 (ed. Preuschen 64f GCS 10).
64 Ebd. 13,25 (249); freilich bleibt auch hier die Subordination bestehen; denn wie Christus und der Geist über dem Übrigen stehen, so übertrifft sie der Vater. Vgl. 13,34.36 (259.261).
65 Außer den zitierten Texten beachte man noch de princ. 1,3,7 (ed. Koetschau 60): »nihil in trinitate maius minusve dicendum est, cum unius divinitatis fons verbo ac ratione sua teneat universa, spiritu vero oris sui, quae digna sunt sanctificatione sanctificet«.

Der pneumatologische Artikel ist bei Origenes zum Gegenstand einer intensiven theologischen Bemühung geworden. Im Ausgang vom kirchlichen Kerygma betreibt der Alexandriner seine tiefere Erforschung im Kreis der theologischen Schule. Ohne es abschaffen oder verändern zu wollen — er bewahrt es in den Glaubensformeln und legt es in seinen Homilien wie in den nicht-spekulativen Schriften unverkürzt vor —, versucht er, es in einer höheren Erkenntnis aufzunehmen. Daß er dabei der mißverständlichen Auslegung nicht entgangen ist, macht seine Unternehmung, das christliche Bekenntnis als Mann der Kirche in den Vorstellungen seiner Zeit zu verstehen, nicht weniger imponierend. Als der dritte Theologe nach Irenäus, der den Glauben an den Heiligen Geist in der Regula bezeugt, weist Origenes schon in die Zeit des Streites um die metaphysische Wesenheit der Trinität und die Gottheit des Geistes, der ein gutes Jahrhundert später zum Symbol von Konstantinopel geführt hat[67].

[66] Prestige, aaO 138, zeigt, daß Origenes den Logos sowohl γένητος wie ἀγένητος genannt hat, ohne daß beides sich ausschließen muß, da ἀγένητος ihn als von den Geschöpfen unterschieden und zur Trinität gehörig, γένητος ihn als aus dem Vater entspringend bezeichnet. — Zur Konfusion von ἀγέννητος und ἀγένητος s. Prestige 37—52.

[67] Ein bemerkenswertes Zeugnis der Origenesschule liegt im Symbolum Gregors des Wundertäters vor, der von dem Nyssener in seiner vita Gregorii Thaumaturgi (PG 46,893—958; 909—913; Text nach Caspari IV 10—17 bei Hahn 185) überlieferten Formel, die als das im Jahre 238 in Neo-Caesarea eingeführte, bis in die Zeiten des Nysseners dort übliche Glaubensbekenntnis betrachtet werden kann (Caspari IV 25—64; Kattenbusch I 339—342; Harnack I 794 A; L. M. Froidevaux, Le symbole de saint Grégoire le Thaumaturge, RSR 19 [1929] 193—247): »Ein Gott, der Vater des lebendigen Logos ... ein Herr, der Einzige aus dem Einzigen ... und ein Heiliger Geist, der aus Gott die Existenz (ὕπαρξις) hat und der durch den Sohn den Menschen offenbar geworden ist; ein vollkommenes Bild des vollkommenen Sohnes, Leben, Grund aller Lebenden, heilige Quelle, Heiligkeit, Führer zur Heiligung; in ihm wird Gott, der Vater, erkannt, der über allen und in allen ist, und Gott, der Sohn, der durch alles ist (vgl. Eph 4,6). Eine vollkommene Trinität, die in Herrlichkeit, Ewigkeit und Herrschaft nicht geteilt oder gesondert wird. Weder gibt es etwas Geschaffenes oder Dienendes in der Trinität, noch etwas Hinzugefügtes, das vorher nicht existiert hätte und später hinzugekommen wäre, noch hat dem Vater jemals der Sohn gefehlt, noch dem Sohn der Geist, sondern dieselbe Trinität ist immer unveränderlich und unwandelbar.« Eine derart theologisch geprägte Formel, bei der die heilsgeschichtlichen Inhalte fast gänzlich ausfallen und keines der sonst bekannten Stücke des 3. Artikels erwähnt wird, überrascht in der kirchlichen Liturgie. So wird man Harnack I 794 A zustimmen können, es habe schon der Autorität der Legende bedurft, nach der der Thaumaturge das Symbol durch Vermittlung Mariens vom Evangelisten Johannes empfangen habe (PG 46,912 C). Innerhalb des Grundplans des Taufbekenntnisses sichert Gregor mit starken, nach allen Seiten hin gewendeten Worten die Einheit und ungeminderte Göttlichkeit der ewigen Trinität,

Drittes Kapitel:

Die Bezeugung des pneumatologischen Artikels in der weiteren Symboltradition

§ 6 Die »apostolische Überlieferung« des Hippolyt

Nachdem mit dem Bekenntnis bei Irenäus, Justin, Tertullian, Novatian und Origenes strukturelle und inhaltliche Elemente des dritten Artikels, aber noch nicht eine einheitliche, im Wortlaut festliegende Formel sichtbar geworden sind, soll nun die Symbolgeschichte im engeren Sinn das Bild weiter ausführen. Das früheste Zeugnis ist hier die »apostolische Überlieferung« des Hippolyt von Rom.

a) Der Text und sein Stellenwert

Das älteste liturgische Dokument mit einer genauen Beschreibung der Taufspendung und des Taufbekenntnisses hat eine lange, kom-

wobei der umstrittene Ausdruck »Hypostase« vermieden ist (s. Orig. in Joh comm. 2.10; ed. Preuschen 64f GCS 10). — Interessant ist, daß das Bekenntnis zum Geist zum erstenmal in einer Symbolformel eine theologische Auslegung erfährt. Der Geist wird als der Eine bekannt. Mit den ersten beiden Personen bildet er die vollkommene Trinität, die damit exklusiv beschrieben ist und die nichts Fremdes in sich begreift. Wird auch der Titel »Gott« beim Geist vermieden, so ist doch in den Schlußsätzen so nachdrücklich von der Einheit der Trinität die Rede, daß auch für den Geist die ungeminderte Göttlichkeit zutreffen muß. Er ist nicht mehr wie bei Origenes aus dem Sohn geworden, sondern wird wie dieser auf den Vater als die Quelle der Gottheit zurückgeführt. Mit dem Sohn ist er insofern verbunden, als er durch ihn an den Menschen zur Erscheinung gelangt. Gregor lehrt damit den innertrinitarischen Ausgang vom Vater und das heilsökonomische Offenbarwerden durch den Sohn (Seeberg II 135 verweist auf die griechische Lehre vom Hervorgang aus dem Vater durch den Sohn; vgl. Froidevaux, aaO 233—236).
Zur Beziehung »Bild des Sohnes« s. die eindeutigen Parallelen bei Athanasius ad Ser. 1,20.24. S. Hirsch, Die Vorstellung von einem weiblichen pneuma hagion im NT und in der ältesten christlichen Literatur. Ein Beitrag zur Lehre vom Hl. Geist, Diss. Berlin 126, S. 75 A 25, zieht die Vorstellung bei Elchasai vom Geist als weiblichem Engel mit den gleichen Maßen, wie sie der Sohn hat, heran (ed. Irmscher 530 Hennecke-Schneemelcher II). Man vgl. aber auch die Erklärung des Irenäus (Epid. 7 SC 62,41), daß man im Geist den Sohn Gottes *sehe* und daß im Sohn die *Erkenntnis* des Vaters erfolge.
Im Schlußteil werden schärfer als bei Origenes die Grenzen zur Schöpfung gezogen. Die Trinität steht außerhalb der menschlichen Vorstellungen von geteilter Machtfülle, von früher oder später, sondern ist im Hervorgehen von Sohn und Geist aus dem Vater die ewige, sich selbst besitzende Gottheit.

plizierte Geschichte hinter sich[1]. Sie spiegelt sich an den heute vorliegenden Fassungen wider, aus denen in mühseliger Detailforschung der nicht mehr erhaltene griechische Originaltext erschlossen werden muß. Da dies insonderheit für die Rekonstruktion des dritten Artikels gilt, muß in einem kurzen Überblick die Textüberlieferung vorgestellt werden.

Die erhaltenen Fassungen der »apostolischen Überlieferung« führen nicht unmittelbar zum Original, sondern erweisen sich als von einer Zwischenstufe abhängig, einer dreiteiligen Sammlung von Kirchenordnungen, in welcher der Text mit den »Kanones der Apostel« und der Didaskalie verbunden war[2].

Als zuverlässigster Zeuge ist die lateinische, in einem Palimpsest von Verona erhaltene Übersetzung anzusehen. Sie existiert zwar nur in Fragmenten, ist aber bereits gegen Ende des vierten Jahrhunderts angefertigt worden und geht unmittelbar auf einen griechischen Text zurück[3]. Der Sinodus der alexandrinischen Kirche gibt in seinem zweiten Teil die »apostolische Überlieferung« (= »ägyptische Kirchenordnung«) wieder. Das griechische Original ist nur in Übersetzungen erhalten: Eine im sahidischen Dialekt, dem klassischen Koptischen, verfaßte wird auf das Jahr 1006 datiert; eine arabische stammt aus dem dreizehnten Jahrhundert und eine im bohairischen Dialekt, der koptischen Sprache der heutigen Liturgie, geschriebene aus dem Jahre 1804; beide gehen auf den sahidischen Text zurück. Eine äthiopische Übersetzung in Codices des sechzehnten, achtzehnten und neunzehnten Jahrhunderts hat die arabische Fassung zur Grundlage[4].

[1] Für die umfangreiche Bibliographie sei verwiesen auf Altaner-Stuiber 83 und G. Kretschmar, Jahrbuch für Liturgik und Hymnologie 1 (1955) 90—95. — In den überlieferungsgeschichtlichen Fragen habe ich E. Schwartz, Über die pseudo-apostolischen Kirchenordnungen (Schriften der wiss. Gesellschaft in Straßburg 6,1910 = Gesammelte Schriften Bd. 5, Berlin 1963, S. 192—273), und B. Botte, La Tradition Apostolique de Saint Hippolyte, essai de reconstitution (Liturgiewiss. Quellen und Forschungen 39), Münster 1963, S. IX—XLIV, herangezogen.

[2] Schwartz, aaO 194.213, Botte XVIII. XXf. XXIV. XXVIIf.

[3] Der Text ist erstmals von E. Hauler, Didaskaliae Apostolorum fragmenta Veronensia Latina. Accedunt Canonum qui dicuntur Apostolorum et Aegyptiorum reliquiae, Lipsiae 1910, veröffentlicht worden. Vgl. E. Tidner, Didaskaliae Apostolorum, Canonum Ecclesiasticorum, Traditionis Apostolicae Versiones Latinae (TU 75), Berlin 1963.

[4] Mit der Herausgabe der bohairischen Übersetzung durch H. Tattam, The Apostolical Constitutions or Canons of the Apostles in Coptic with an English Translation, London 1848, hat die Wiederentdeckung begonnen. H. Achelis, Die ältesten Quellen des orientalischen Kirchenrechts, I Die canones Hippolyti (TU 6,4), Leipzig 1891, hat die Texte im zweiten Buch der von Tattam herausgegebenen Sammlung als selbständig erkannt und sie als die »ägyptische Kirchenordnung« bezeichnet. P. de Lagarde, Aegyptiaca, Göttingen 1893, hat

Weiterhin hat dem Verfasser des achten Buches der »apostolischen Konstitutionen« die »apostolische Überlieferung« in der dreiteiligen Sammlung vorgelegen. Er gibt sie aber nur in Auszügen und in sehr freier Form wieder[5].

Die griechische Epitome zu Buch acht der Konstitutionen stellt einen ersten Entwurf zu ihm oder Auszüge aus ihm vor. Dem Redaktor scheint die »apostolische Überlieferung« vorgelegen zu haben[6].

Sie tritt dann in einer sehr freien Überarbeitung in den Canones Hippolyti in Erscheinung, einer ägyptischen Kirchenordnung des vierten oder fünften Jahrhunderts. Sie geht auf die dreiteilige Zwischenstufe zurück und ist nur in arabischer Version erhalten[7].

Schließlich bietet das im fünften Jahrhundert im Raum Antiochiens entstandene Testamentum Domini nostri Jesu Christi eine Kirchenordnung, die sich zum Teil sehr eng an die apostolische Überlieferung anlehnt[8].

Die Textüberlieferung zeigt das Nachwirken der »apostolischen Überlieferung« im Bereich der orientalischen Kirche und macht die vielumstrittene Frage verständlich, ob sie wirklich als ein Zeugnis der römischen Liturgie gelten kann. Da eine erneute Einzeluntersuchung hierzu nicht geliefert werden soll, sei nur die zuletzt von Bernard Botte zusammengefaßte[9] traditionelle Meinung wiedergegeben, welche ein bejahendes Urteil fällt. Nach ihr ist die »apostolische Überlieferung« ein Werk des römischen Presbyters Hippolyt, der unter Papst Kallistus (217—222) an die Spitze einer schismatischen Gruppe getreten ist und im Jahre 235 zusammen mit Papst Pontianus in der Verbannung in Sardinien gestorben ist. Seit dem dritten Jahrhundert wird er mit Pontian als Märtyrer verehrt.

Seine Liturgie gibt den römischen Brauch wieder, der aber zu

die sahidische Übersetzung veröffentlicht. (Erneute Ausgabe von W. Till — J. Leipoldt, Der koptische Text der Kirchenordnung Hippolyts [TU 58], Berlin 1954). Die arabische und die aethiopische Übersetzung veröffentlichte G. Horner, The Statutes of the Apostles or Canones Ecclesiastici, London 1904; kritische Ausgaben für die arabische von J. und A. Périer, Les 127 Canons des Apôtres (PO VIII, 4), Paris 1912, und für die aethiopische, soweit es die traditio apost. betrifft, von H. Duensing, Der aethiopische Text der Kirchenordnung des Hippolyt nach acht Handschriften herausgegeben und übersetzt, Göttingen 1946.

[5] F. X. Funk, Didascalia et Constitutiones Apostolorum Bd. I, Paderborn 1905.

[6] Διάταξις διὰ Ἱππολύτου; Text bei Funk, aaO Bd. II Paderborn 1905, S. 72—96.

[7] Übersetzung bei Achelis aaO und W. Riedel, Die kirchenrechtlichen Quellen des Patriarchats Alexandrien, Leipzig 1900.

[8] I. E. Rahmani, Testamentum Domini nostri Jesu Christi nunc primum edidit, Latine reddidit et illustravit, Mainz 1899 (Nachdruck 1966).

[9] Botte, aaO XI—XVII.

seiner Zeit noch nicht an eine definitive Gestalt gebunden war, die Aufnahme von liturgischen Bräuchen des Orients gestattete und auch den persönlichen Anliegen Hippolyts Spielraum ließ.

Das Nachwirken der »apostolischen Überlieferung« im Bereich der Patriarchate von Alexandrien und Antiochien erklärt sich dann daraus, daß ein griechisch verfaßtes Werk sich in der Zeit der noch einheitlich griechisch sprechenden Liturgie schnell über die ganze Kirche hin verbreiten und dann später im griechischen Sprachraum lebendig bleiben konnte, während es im Westen aufgrund des Übergangs zum Lateinischen und wohl auch noch in der Erinnerung an das durch Hippolyt verursachte Schisma bald in Vergessenheit geraten ist[10].

Hinsichtlich der Gestalt des Taufbekenntnisses herrscht bei den Textzeugen keine Einheitlichkeit.

So beschreiben die lateinische Fassung, das Testamentum und die Kanones den Vorgang der Taufe in der folgenden Weise[11]:

Der Täufling steigt nackend ins Wasser, der Taufende hält die Hand über ihn und stellt die erste Frage:

» ›Glaubst du an Gott, den Vater, den Allmächtigen?‹

Und der Täufling soll sagen: ›Ich glaube‹.

Die Hand auf sein Haupt gelegt, soll er einmal taufen; und danach soll er sprechen:

[10] Für die Verfasserschaft Hippolyts hat sich mit Achelis schon Kattenbusch I 320—323 ausgesprochen (vgl. II 732ff.968ff), der nur den Text der ägyptischen Kirchenordnung und des Testamentum gekannt, aber schon auf den römischen Charakter der Tauffragen hingewiesen hat. Er erwähnt (I 322f) die Hochschätzung Hippolyts in Ägypten und seine Nennung im koptischen Heiligenkalender. — Die Abfassung durch Hippolyt vertreten u. a.: E. Schwartz, aaO; R. H. Connolly, On the Text of the Baptismal Creed of Hippolytus, JTS 25 (1924) 131—139; G. Dix, Ἀποστολικὴ Παράδοσις, The Treatise of the Apostolic Tradition of St. Hippolytus of Rome, London 1937 (zweite verbesserte und ergänzte Auflage von H. Chadwick 1968); H. Elfers, Die Kirchenordnung Hippolyts von Rom, Paderborn 1938; ders., Neue Untersuchungen über die Kirchenordnung Hippolyts (Festschr. f. K. Adam S. 169—211), Düsseldorf 1952; G. Kretschmar, Taufgottesdienst 88. Bestritten wird sie von R. Lorentz, De Egyptische Kerkordening en Hippolytus van Rome, Harlem 1929; A. Hamel, Über das kirchenrechtliche Schrifttum Hippolyts, ZNW 36 (1937) 288ff; H. Engberding, Das angebliche Dokument römischer Liturgie aus dem Beginn des 3. Jahrhunderts, Rom 1948; neuerdings von M. A. Smith, Stud. patr. 10, Oxford 1967 (TU 107, Berlin 1970, S. 426—430), der aus dem Fehlen des Sanctus in der Anaphora auf einen Ursprung aus dem griechisch sprechenden Syrien schließen möchte. — J. M. Hanssens, La liturgie d'Hippolyte (Orient. christ. anal. 155), Rom 1959 (Nachdruck mit Anhang 1965), hat die These aufgestellt, Hippolyt sei aus Alexandrien nach Rom gekommen und habe dort die liturgischen Bräuche seiner Heimat eingeführt; man vgl. dazu die Rezension von A. Orbe, El enigma de Hipolíto y su liturgia, Greg. 41 (1960) 284—292, sowie die scharfen Bemerkungen von B. Botte, aaO XVI.

[11] trad. apost. 21 (ed. Botte 48ff). Für die erste Tauffrage hat der Lateiner eine

›Glaubst du an Christus Jesus (Kan.: Jesus Christus), den Sohn Gottes (Test.: der aus dem Vater hervorgegangen ist und mit dem Vater vor allem war), der geboren ist durch den Heiligen Geist aus Maria, der Jungfrau, und gekreuzigt worden ist unter Pontius Pilatus und gestorben ist und begraben worden ist und der am dritten Tage lebendig von den Toten auferstanden ist und der in den Himmel aufgefahren ist und sich zur Rechten des Vaters gesetzt hat, der kommen wird, die Lebenden und Toten zu richten?‹

Und wenn jener gesprochen hat: ›Ich glaube‹, soll er wiederum getauft werden. Und wiederum soll er sagen:

›Glaubst du an den Heiligen Geist und die heilige Kirche (in Spiritu Sancto et sanctam Ecclesiam) und die Auferstehung des Fleisches? (Test.: auch an den Heiligen Geist in der heiligen Kirche? Kan.: an den Heiligen Geist?)‹.

Und der Täufling soll sagen: ›Ich glaube‹, und so soll er zum drittenmal getauft werden«.

Die klare Struktur von Fragen, Antworten und Tauchungen im Dreierrhythmus wird in den von der sahidischen Übersetzung angeführten Texten zerstört. Statt der ersten Frage liest man ein deklaratorisches Bekenntnis zum trinitarischen Gott, das schon die späteren dogmatischen Auseinandersetzungen voraussetzt[12].
Der mit dem Täufling im Wasser stehende Diakon spricht ihm vor:

»Ich glaube an den einen Gott, den Vater, den Allmächtigen, und an seinen einziggeborenen Sohn, Jesus Christus, unsern Herrn, und an den alles belebenden Heiligen Geist;
an die wesensgleiche Trinität, die eine Gottheit, die eine Herrschaft, das eine Reich, einen Glauben, eine Taufe in der heiligen katholischen und apostolischen Kirche, ein ewiges Leben. Amen«.

Es folgt eine dreifache Tauchung, bei der der Täufling jedesmal: »So glaube ich«, sagt, dann eine Frage nach dem Glauben an Christus, die im ganzen der zweiten Tauffrage aus der ersten Textgruppe entspricht, und schließlich die Frage nach dem dritten Glaubensartikel:

»Und glaubst du an den heiligen, guten und belebenden Geist, der das All reinigt in der heiligen Kirche? (die arab. und aeth. Übersetzung fügen hinzu: Und glaubst du an die Auferstehung des Fleisches, die allen gelten wird, und an das Reich der Himmel und an das ewige Gericht?)«.

Die Entscheidung hinsichtlich der Ursprünglichkeit fällt fraglos zugunsten der durch die lateinische Übersetzung repräsentierten Version aus. Die ägyptischen Handschriften alterieren das klare Schema des Originals, wissen sich aber doch noch ihrer Vorlage

Lücke, die durch das Testamentum ergänzt wird. Unbedeutende Varianten werden in der vorgelegten Übersetzung übergangen. Brauchbar ist die Zusammenstellung bei Lietzmann, Symbolstudien 262ff.

[12] trad. apost. 21 (ed. Botte 48ff).

verpflichtet, insofern sie — nunmehr reichlich funktionslos geworden — an der zweiten und dritten Tauffrage festhalten[13].
Die als ursprünglich erkannte Fassung gibt inhaltlich das Glaubensbekenntnis in seinen Hauptpunkten wieder, indem sie es auf die drei Fragen nach Vater, Sohn und Geist verteilt. Die Artikel erhalten dadurch ihr je eigenes Gewicht. Kann die Grundgestalt als gesichert gelten, so bleibt doch die schwierige Frage zu lösen, welche Version die ursprüngliche Form des dritten Artikels wiedergibt. Hat er nach der lateinischen Übersetzung vom Glauben an den Geist *und an* die Kirche gesprochen? Oder ist mit dem Testamentum und den ägyptischen Handschriften »*in der* heiligen Kirche« zu lesen? Gehört weiterhin die im Lateinischen und ähnlich in der arabischen und äthiopischen Fassung bezeugte Fleischesauferstehung zum Urbestand des dritten Artikels der »apostolischen Überlieferung«?
Mittels textlicher Kriterien läßt sich in den genannten Fragen keine Entscheidung herbeiführen, es sei denn, man hält sich an das Mehrheitsprinzip und stellt den Lateiner, dem sonst höchste Wertschätzung entgegengebracht wird, hinter den anderen zurück[14].
Unter der Voraussetzung, daß die Kirchenordnung ein Werk Hippolyts darstellt und die römische liturgische Praxis widerspiegelt, bietet sich ein doppelter Lösungsweg an. Man kann nach weiteren Zeugen für die römische Tradition suchen oder nach Anhaltspunkten forschen, die Hippolyt selber anbietet.
Auf der ersten Spur findet man im altrömischen Symbol wie auch in der Formel des gelasianischen Sakramentars die lateinische Lesart bestätigt, nur mit dem Unterschied, daß beide vor »heilige Kirche« das »und« auslassen und, über Hippolyt hinausgehend, gleichfalls ohne Konjunktion, die Sündenvergebung vor der Fleischesauferstehung erwähnen[15].
Um größere Sicherheit über die römische Tradition zur Zeit des Hippolyt zu gewinnen, hat in letzter Zeit David Larrimore Holland

[13] So auch Lietzmann, Symbolstud. 265 und Botte, aaO 49ff. — Lietzmanns Urteil (Anfänge 172f, Symbolstud. 265), das kurze trinitarische Symbol der alexandrinischen Textzeugen sei eine Variante eines in Ägypten verbreiteten neungliedrigen Symbols, das eine alte Form des Taufbekenntnisses wiedergebe, vermag nicht zu überzeugen, da sich der Text doch gerade als eine Änderung des Originals erweist und die dogmatischen Aussagen auf eine spätere Zeit hindeuten. — Zur Hypothese vom neungliedrigen Symbol s. u. § 7 b mit A 20—22 und § 9 c mit A 62.63.

[14] Der Versuch von P. Nautin, Je crois 18f, einen Ausgleich zu schaffen, indem er das »*et* sanctam ecclesiam« im lateinischen Text durch eine Verwechslung des griechischen ἐν mit εἰς erklärt, kann nicht befriedigen, zumal der Verweis auf das Symbol Apost. Konst. VII (s. u. § 9 Exkurs) nichts trägt, da dieses nicht mit Buch VIII verbunden werden kann.

[15] S. die Texte u. § 7 a.

eine prüfenswerte Hypothese vorgelegt[16]. Er meint, der im Jahre 255 entbrannte Streit zwischen Cyprian von Karthago und Papst Stephan über die Ketzertaufe könne Aufschlüsse über das römische Symbol liefern. Cyprian müsse seinem Widerpart Stephan gegenüber alles daran gelegen sein, die Verbindung der Kirche mit dem trinitarischen Gott zu betonen, ihre Einheit in den Sakramenten, die eine Taufe außerhalb der Kirche unmöglich mache, und besonders natürlich die Bindung des Geistes an sie. Da Cyprian für seine Position alle erreichbaren Argumente anführe, zweimal auch die Tauffragen seines eigenen Credo[17], sei es undenkbar, daß er nicht auf einem römischen »in der heiligen Kirche« insistiert hätte, da es ihm eine glänzende Waffe an die Hand gegeben hätte. Also müsse das römische Bekenntnis dem lateinischen Text der »apostolischen Überlieferung« entsprochen haben, während die anderen Versionen auf eine orientalische Eigentradition hinweisen würden.
Die Schwäche des Lösungsversuchs liegt darin, daß er letztlich nur auf einem argumentum e silentio beruht. Weiterhin bedarf er insofern einer prinzipiellen Einschränkung, als Analogien mit der römischen Symboltradition nur mit Vorbehalt als Beweis für die »apostolische Überlieferung« dienen können. Daß das altrömische Symbol oder die Formel des Gelasianum schon zur Zeit Hippolyts existiert oder ausschließliche Verwendung gefunden haben, ist nicht nachweisbar[18]. Wenn Hollands Vorschlag für die Zeit des Ketzertaufstreits überzeugen mag, so erlaubt er doch nicht ohne weiteres den Rückschluß auf ein Stadium, welches schon etwa dreißig Jahre zurückliegt, noch läßt er der persönlichen Eigenart eines Mannes wie Hippolyt Raum, sondern vereinnahmt ihn ohne weiteres für eine römische Praxis, die aber gerade für die fragliche Zeit noch nicht eine solche Einheitlichkeit besitzen wird, daß neben möglicherweise schon gebrauchten Formeln in der Art des alten Romanum nicht auch eine hippolytische Fassung mit einem später nicht mehr bekannten dritten Artikel verwendet werden konnte. Und diese kann, da Hippolyt als ein der Tradition verhafteter Theologe bekannt ist[19], auf einen sehr alten Brauch zurückgehen.

[16] D. L. Holland, The baptismal interrogation concerning the Holy Spirit in Hippolytus' »Apostolic Tradition« (Stud. patr. 10, Oxford 1967; TU 107, Berlin 1970, S. 360—365); ders. Credis in spiritum sanctum et sanctam ecclesiam et resurrectionem carnis? Ein Beitrag zur Geschichte des Apostolicums, ZNW 82 (1970) 126—144; bes. 141ff.

[17] S. die Texte u. § 8.

[18] S. u. § 7 a.

[19] Man vgl. nur den Prolog, trad. apost. 1 (ed. Botte 2ff): »... ad verticem traditionis quae catecizat (sic!) ad ecclesias perreximus, ut hi qui bene docti sunt eam quae permansit usque nunc traditionem exponentibus nobis custodiant, et agnoscentes firmiores maneant propter eum qui nuper inventus est per

So ist man bei der Suche nach einer Lösung schließlich auf Hippolyt selber angewiesen. Tatsächlich bietet er an fünf Stellen der »apostolischen Überlieferung« eine Doxologie, die mit der Erwähnung der Kirche abgeschlossen wird. Ein Beispiel dafür ist der Lobpreis am Schluß des Gebets zur Handauflegung nach der Taufe[20]: »denn dir ist die Ehre, dem Vater und dem Sohn mit dem Heiligen Geist in der heiligen Kirche jetzt und in Ewigkeit«. Wenn Hippolyt in diesen formelhaften Wendungen genau die Schlußklausel anführt, die von einer Reihe von Textzeugen für den dritten Artikel seines Taufbekenntnisses geboten wird, dann ist hierin ein weitaus stärkeres Indiz für die ursprüngliche Fassung zu sehen, als es die gegenteiligen, nicht direkt vergleichbaren Hinweise für einen anderslautenden Wortlaut bilden. Fast zur Sicherheit wird die Annahme der Schlußwendung »in der heiligen Kirche« dann vor dem Hintergrund der Aussagen Hippolyts über die Geistwirksamkeit in der Kirche[21].

In der so erschlossenen Form der dritten Tauffrage nur eine hippolytische Eigenart zu vermuten, ist nicht angezeigt. Man kann auf die Formeln der afrikanischen Kirche verweisen, auf das Symbol des Dêr Balyzeh- Papyrus und nicht zuletzt auf die ägyptischen Versionen der »apostolischen Überlieferung«, und damit die hier bekundete Fassung als eine altertümliche, vielleicht auch schon in Alexandrien beheimatete Tradition wahrscheinlich machen, die dann besonders in den Kirchen des Ostens weitergewirkt hat[22].

Hat das Bekenntnis der »apostolischen Überlieferung« mit der Wendung über die Kirche geendet, dann ist bereits über die Klausel von der Fleischesauferstehung entschieden, die jetzt keinen Sinn mehr hat. Um der Schwierigkeit entgehen zu können, mußten die arabische und äthiopische Übersetzung sie in einer eigenen Frage unterbringen. Ihre Erwähnung in der lateinischen Fassung ist wie der ganze hier beschriebene dritte Artikel ein Tribut an die spätere offizielle Tradition der römischen Kirche[23].

ignorantiam lapsus vel error ..., ut cognoscant quodmodo opportet tradi et costodiri omnia eos qui ecclesiae praesunt«.

[20] trad. apost. 21 (ed. Botte 52); vgl. 4 (10) mit der aeth. Übersetzung; 4 (16); 6 (18); 7 (22). A. Stuiber, RAC 4, 218, weist noch auf contr. Noet. 18 (ed. Nautin 265) hin: »Ihm (Christus) sei die Ehre und die Macht gleich mit dem Vater und dem Heiligen Geist in der heiligen Kirche, jetzt und immer und in Ewigkeit, Amen«.

[21] S. dazu u. § 6 b.

[22] Vgl. u. § 9 c.

[23] Mit Botte, aaO 51, gegen Holland, Credis in spiritum sanctum? 136ff, der unter dem »Gewicht handschriftlicher Evidenz« die Klausel beibehalten möchte, die Handschriften aber nicht hinreichend abwägt. — P. Nautin, Je crois 26f, möchte einen griechischen Text ἐν τῇ ἁγίᾳ ἐκκλησίᾳ εἰς σαρκὸς ἀνάστασιν, lesen, dergestalt, daß die Auferstehung als Wirkung des Geistes

Hat man nach alldem im Text der »apostolischen Überlieferung« die Urform des Glaubensbekenntnisses vor sich? Ein Urteil dieser Art ließe sich nur rechtfertigen, wenn es gelänge, die Formel in eine in den einzelnen Phasen bestimmbare Entwicklungslinie einzupassen, innerhalb derer sie dann als Ausgangspunkt oder Vorstufe definiert werden könnte. Damit wäre jedoch an die frühe Geschichte ein vom späteren Befund her gewonnenes Frageschema herangetragen. Nach allem, was über die Symbolbildung erkennbar geworden ist, gibt es wohl eine gemeinsame Struktur und auch schon einen Kanon von Glaubensaussagen, nicht aber eine feste Formel mit allgemein anerkannter Autorität. Auch der Text Hippolyts kann trotz seines römischen Ursprungs nicht ohne Schwierigkeiten als eine Vorstufe auf dem Weg zum altrömischen Symbol verstanden werden[24]. Er stellt ein altes, gewichtiges Zeugnis der Symbolgeschichte dar, ist dabei aber nur eine Ausprägung des gemeinsamen Grundtypus des Taufbekenntnisses und des in ihm zur Sprache kommenden dritten Artikels.

Andrerseits bringt die »apostolische Überlieferung« die durch Karl Holl, Adolf von Harnack und Hans Lietzmann entwickelte Hypothese ins Wanken, nach der die »Urform« des alten Romanum eine neungliedrige Formel gewesen sei, deren dritter Artikel der Ausgewogenheit halber aus drei Gliedern bestanden habe. Auch wenn das Bekenntnis Hippolyts nicht als Vorstufe zum römischen Stadtsymbol gelten kann, entzieht doch die Tatsache, daß in ihm

bezeichnet worden wäre (»l'Esprit-Saint *pour* la resurrection de la chair«). Ist dem inhaltlichen Nachweis Nautins (aaO 32—42), daß das Bekenntnis zum Geist eine eschatologische Perspektive hat, im ganzen zuzustimmen, so bleibt doch die Rekonstruktion für Hippolyt im angegebenen Sinne fraglich. Der von Nautin erschlossene griechische Text ist das Ergebnis einer Kombination von Textzeugen. Die Auferstehung erscheint in den überkommenen Symbolen in der Regel als Glaubensobjekt. Zu der einzigen vielleicht möglichen Ausnahme s. u. § 9 Exkurs (Apost. Konst. VII).

[24] Gegen P. Nautin, Je crois 11, der es als selbstverständlich vorauszusetzen scheint, daß die trad. apost. den frühesten Ausgangspunkt für das (einheitliche) Symbol bildet. Da die Entscheidung nicht am dritten Artikel fällt, braucht die Debatte nicht in der ganzen Breite aufgenommen zu werden. Die These, Hippolyt stelle eine Vorform von R dar, hat zuletzt D. L. Holland, The Earliest Text of the Old Roman Symbol. A Debate with H. Lietzmann and J. N. D. Kelly, Church Hist. 34 (1965) 262—281, vertreten, ohne daß sein Versuch eines Ausgleichs zwischen beiden differierenden Texten (aaO 272ff) über das Stadium der nicht näher beweisbaren Hypothese hinausgelangt. Das gilt verschärft, wenn — wie es scheint — Hippolyt mit einem: »in sancta ecclesia«, geschlossen hat. Die Einwände treffen auch B. Capelle, Le symbole romain au second siècle, Rev. Bén. 39 (1927) 33—45; ders., Les origines du symbole romain, RThAM 2 (1930) 5—20. Mich haben die Analysen von H. Lietzmann, Symbolstudien 260—281, und Kellys Bemerkungen (116—121) eher davon überzeugt, daß das Bekenntnis der trad. apost. und R Schwesterformeln eines gemeinsamen Typus sind.

als einem frühen römischen Zeugnis auch nicht ansatzweise ein Bedürfnis nach ausgewogener Neungliedrigkeit zu erkennen ist und daß ihr zweiter Artikel in keinem Punkt die genannte Hypothese bestätigt, ihr einen bedeutenden Zeugen, an dem sie, wenn überhaupt, verifizierbar sein müßte[25].

b) Form und Inhalt

Eine Würdigung des Textes hat mit seinem auffälligen Merkmal, der Schlußklausel über die Kirche zu beginnen. Hippolyt führt sie nicht als einen zusätzlichen Glaubensartikel an, sondern läßt sie aufgrund der Verbindung mit dem Vorangehenden als eine Ortsbestimmung erscheinen. Gilt sie nun aber den drei göttlichen Personen, die in der Kirche wirksam sind? Richtet sie sich auf den in der Kirche zu bekennenden Glauben an Vater, Sohn und Geist? Oder betrifft sie den Heiligen Geist und seine Wirksamkeit in der Kirche?

Die formalen Kriterien sprechen für die letztgenannte Möglichkeit. Geist und Kirche begegnen zusammen in einer eigenen Frage. Sie ist im Ritus des Taufgeschehens deutlich von der ersten und zweiten abgehoben. Anders als in vielen Fassungen der Glaubensregel ist der christologische Artikel in sich abgeschlossen. Er endet mit der Wiederkunft zum Gericht, die nach dem Bekenntnis zum Wirken des Geistes nicht mehr erwähnt wird. So wird auch für den dritten Artikel ein ihm eigener Aussagegehalt wahrscheinlich. Schließlich spricht die chiastische Verklammerung des Heiligen Geistes mit der heiligen Kirche für eine innere Beziehung zwischen beiden.

Gegen die zuerst von Pierre Nautin aufgestellte These, die Wendung »in der heiligen Kirche« sei mit dem Geist zu verbinden[26], ist der Einwand geltend gemacht worden, dies ließe sich nur über eine grammatikalische Inkorrektheit erreichen, da man in den zu vermutenden Wortlaut des griechischen Originals einen zusätzlichen Artikel einfügen müsse, solle der geforderte Sinn herauskommen[27].

[25] Zur Hypothese s. u. § 7 b. Lietzmanns Lösung (Symbolstud. 281), beide Symbole seien zwar miteinander verwandt, dennoch aber sei R im Unterschied zum Text der trad. apost. im Sinne seiner Hypothese entstanden, ist theoretisch freilich möglich, verlangt aber einen wirklich umstoßenden Beweis für die besondere Entstehung von R. G. Kretschmars Meinung (Taufgottesdienst 97), in der trad. apost. sei eine fünfgliedrige Formel zu erkennen, die triadisch gegliedert und dann trinitarisch verstanden worden wäre, hat die als ursprünglich erwiesene Fassung des 3. Artikels gegen sich.

[26] P. Nautin, Je crois, bes. S. 43—51.

[27] So von B. Botte, Note sur le symbole baptismal de saint Hippolyte (Mélanges J. de Ghellinck T. I), Gembloux 1951 S. 189—200, der erklärt hat, statt: εἰς τὸ πνεῦμα ἅγιον ἐν τῇ ἁγίᾳ ἐκκλησίᾳ müßte es dann heißen: εἰς τὸ πνεῦμα

Zwingend würde das Argument jedoch nur sein, wenn es durch andere Gesichtspunkte verstärkt werden könnte. Steht ihm der klare strukturelle Befund entgegen und läßt sich darüber hinaus bei Hippolyt eine enge Verbindung von Geist und Kirche nachweisen, dann kann eine leichte sprachliche Härte nicht gegen ein unzweideutig ausgedrücktes Verständnis ausgespielt werden[28].

Ein Blick auf die »apostolische Überlieferung« kann dies illustrieren. Besonders hervorgehoben erscheint die Bindung des Geistes an das kirchliche Amt. Er wird bei der Konsekration auf den Bischof herabgerufen; dieser empfängt ihn durch die Handauflegung der Mitbischöfe und steht so in der Sukzession, die bis auf Christus selber zurückführt[29]. Bei der Weihe der Presbyter gibt ihn der Bischof wiederum durch Handauflegung weiter[30]. Die Diakone erhalten nach den Worten Hippolyts nicht »den dem Presbyterium gemeinsamen Geist, an dem die Presbyter teilhaben, sondern den, der ihm (dem Diakon) unter der Vollmacht des Bischofs anvertraut wird«[31]. Schließlich wird jedem einzelnen Christen nach der Taufe die Geistgabe durch den Bischof verliehen, der darum bittet, daß »sie würdig werden, vom Heiligen Geist erfüllt zu werden und in der Gnade Gottes seinen Willen tun«[32].

In der Verknüpfung mit dem Amt bleibt der Geist dennoch der Herr über die Kirche. Er ist nicht ihr in Sicherheit zu verwaltendes Eigentum, sondern muß je neu im Gebet erfleht werden, sei es bei den einzelnen Akten der Geistmitteilung, sei es bei der eucharisti-

ἅγιον τὸ ἐν τῇ ἁγίᾳ ἐκκλησίᾳ. In seiner Ausgabe der trad. apost. urteilt er milder (aaO 51 A 1), hält Nautins Interpretation für »défendable«, entscheidet sich aber doch für eine Deutung im Sinne einer »conclusion de l'acte de foi répété à l'égard de chacune des personnes et qui n'est possible que dans l'Eglise«.

[28] Mit A. Stuiber, aaO 220, der allerdings auf eine dem Hippolyt zuzuschreibende »Sonderlehre über den Heiligen Geist« erkennt, welche nicht zur üblichen römischen Tradition gehören soll.

[29] trad. apost. 2 (ed. Botte 6): »omnes silentium habeant orantes in corde propter discensionem spiritus«; im Weihegebet (ebd. Botte 8) wird Gott gebeten: »Nunc effunde eam virtutem, quae a te est, principalis spiritus, quem dedisti dilecto filio tuo Jesu Christo, quod donavit sanctis apostolis, qui constituerunt ecclesiam per singula loca sanctificationem tuam ... Da, cordis cognitor pater, super hunc servum tuum .... spiritum primatus sacerdotii habere potestatem dimittere peccata secundum mandatum tuum ...«

[30] trad. apost. 7 (ed. Botte 20ff); im Gebet heißt es: »inpartire spiritum gratiae et consilii presbyteris, ut adiubet et gubernet plebem tuam in corde mundo, sicuti respexisti super populum electionis tuae et praecepisti Moysi, ut elegeret presbyteros quos replesti de spiritu tuo quod tu donasti famulo tuo«.

[31] trad. apost. 8 (ed. Botte 24), Text mit Botte. Vgl. das Gebet (26): »Da spiritum sanctum gratiae et sollicitudinis et industriae in hunc servum tuum ...

[32] trad. apost. 21 (ed. Botte 52); vgl. 41 (94): »Donum enim spiritus et infusio lavacri ... sanctificat eum qui credidit ... «

schen Darbringung der Gaben[33]. So nur ist er der große Heiligmacher der Kirche, durch den und in dem sie Bestand hat und ihren Lobpreis an Gott richten kann[34].

Der Schlußsatz über die Kirche im Bekenntnis erhält jetzt für Hippolyt einen genau umschriebenen Sinn. Er gibt den ursprünglichen Erfahrungsort des Heiligen Geistes und den Bereich seiner sichtbaren Wirkungen an. Da im Geist der kirchliche Lobpreis Gottes erfolgt, eröffnet sich von hier aus auch der Weg zu einem Verständnis der Kirche als Stätte des Vaters, des Sohnes und des Geistes und zugleich als Ort des Glaubens an die Trinität.

Wenn bisher nur die kirchliche Dimension des pneumatologischen Bekenntnisses aufgewiesen worden ist, so soll doch nicht übersehen werden, daß der Heilige Geist in einem eigenen Glaubensartikel bekannt wird. Indem bei ihm in der gleichen Weise wie beim Vater und beim Sohn vom Glauben die Rede ist, wird er in eine Reihe mit ihnen gestellt. Man wird die ablativische Ausdrucksweise in der lateinischen Übersetzung überinterpretieren, wenn man in ihr die Innerlichkeit des Geistes im Verhältnis zum glaubenden Menschen angezeigt finden will. Eher ist sie einem Sprachgebrauch in Rechnung zu setzen, bei dem Akkusativ und Ablativ nicht mehr scharf voneinander getrennt werden[35]. Aber unberührt davon bleibt die dem Geist zugewiesene Glaubensautorität. Auch wenn er in der hippolytischen Theologie noch nicht voll berücksichtigt worden ist[36], wird doch seine Wirkmächtigkeit im Leben der Kirche erfahren, und ist der Glaube an ihn ein wesentlicher Inhalt des Taufbekenntnisses.

[33] S. die Gebete bei den Weihen, bei der Taufe und dann die Epiklese, trad. apost. 4 (ed. Botte 16): »Et petimus, ut mittas spiritum tuum sanctum in oblationem sanctae ecclesiae: in unum congregans des omnibus qui percipiunt sanctis in repletionem spiritus sancti ad confirmationem fidei in veritate, ut te laudemus et glorificemus ...«

[34] S. die Doxologien o. A 20. Man vgl. auch die Aufforderung, an den Katechesen teilzunehmen (trad. apost. 35; ed. Botte 82): »Festinet autem et ad ecclesiam, ubi floret spiritus«; sowie trad. apost. 41 (ed. Botte 88): »Propterea unusquisque sollicitus sit ire ad ecclesiam, locum ubi spiritus sanctus floret«.

[35] Vgl. de Lubac, La Foi 151 A 2, der für den häufig zu belegenden Kasuswechsel auf die Ausführungen von Christine Mohrmann (Mél. J. de Ghellinck T. I), Gembloux 1951, S. 278, verweist. Beispiele dafür finden sich bei Hahn 36.38 mit A 69.39.46.92. — H. Urs v. Balthasar, Der Geist als Liebe (Spiritus Creator, Skizzen zur Theologie III), Einsiedeln 1967, S. 107, gibt die tiefe, der Sache nach sicher zutreffende Deutung: »Der Geist ist weniger göttlicher Glaubensgegenstand als göttliches Medium der Glaubenshingabe an den Vater im Sohn«.

[36] Am interessantesten sind zwei Stellen aus der Schrift gegen den Modalisten Noet. In contr. Noet. 8 (ed. Nautin 249) stellt Hippolyt seinem Gegner gegenüber fest, daß der Christ »Gott Vater, den Allmächtigen, und Christus Jesus, den Sohn Gottes ... und den Heiligen Geist, und daß es sich wirklich

Vor dem Ganzen der Symboltradition kommt Hippolyts Formel ihr eigener Wert zu. Sie hat die Entfaltung des Geistes in der Kirche zum Inhalt und kann, wie die verschiedenen Versionen der »apostolischen Überlieferung« zeigen, durch weitere Aussagen ergänzt werden. Wenn bei Irenäus, Tertullian, Novatian und Origenes ein reicherer dritter Glaubensartikel sichtbar geworden ist, so schließt das nicht aus, daß auch ihnen ein Taufbekenntnis in der kurzen Fassung des Hippolyt bekannt war oder daß dieser um ein umfassenderes Bekenntnis gewußt hätte. Denn im Unterschied zu den anderen Texten ist in der »apostolischen Überlieferung« die reine Form des Taufbekenntnisses erhalten. Sie braucht nicht alle Elemente des Glaubenssymbols zu enthalten, das der Taufe zugeordnet bleibt, aber doch den Bedürfnissen der katechetischen Unterweisung und der Notwendigkeit der kirchlichen Glaubensbekundung entsprechend, eine stärkere Ausweitung erfahren hat.

§ 7 *Das altrömische Stadtsymbol*

Mit dem alten Romanum ist der wichtigste Orientierungspunkt für die Symbolgeschichte der westlichen Kirche vom dritten Jahrhundert an erreicht. Indem es an die Stelle der früheren Formeln tritt, prägt es die weitere Entwicklung des Bekenntnisses. Die überwiegende Zahl der westlichen, seit dem vierten Jahrhundert quellenmäßig zu belegenden Formeln bis hin zum textus receptus, der dem heutigen Apostolischen Glaubensbekenntnis entspricht,

um drei handelt«, bekennen muß. Er gibt die weitere Erklärung, daß »der Macht (δύναμις) nach ein Gott ist ... der Heilsordnung (οἰκονομία) nach ein dreifacher Aufweis (τριχὴς ἡ ἐπίδειξις)« (der Text ist verderbt; Nautin, aaO 248, übersetzt: »l'ordre est triple«); in contr. Noet. 14 (ed. Nautin 255f) heißt es: »Ich werde nun nicht von zwei Göttern sprechen, sondern von einem, wohl aber von zwei Personen (πρόσωπα) in der Heilsordnung, von der Gnade des Heiligen Geistes als dritter. Denn der Vater ist einer, es sind aber zwei Personen, weil es den Sohn gibt, das dritte aber ist der Heilige Geist«. Der Geist gehört also wesentlich in den Gottesbegriff hinein, kommt allerdings nur in der Ökonomie zur Sprache. Den Einwand, man könne ihm drei Götter vorwerfen, stellt sich Hippolyt noch nicht. Auch vermeidet er beim Geist den Ausdruck »Person«. Dennoch steht die Zugehörigkeit des Geistes zur Gottheit fest, wie auch der trinitarische Denkansatz vorhanden ist. Vgl. Kretschmar, Le développement 34f. — Das Urteil von Dix, aaO XXI, die Theologie des Hippolyt lasse dem Geist keinen Raum, bedarf deshalb einer Einschränkung. Ähnlich Harnack I 582 A. Im Vergleich mit Tertullian (s. o. § 5 b A 25) sind die in contr Noet. 11 (ed. Nautin 253) verwendeten Bilder interessant, die noch nicht auf den Heiligen Geist ausgeweitet werden: »So stand ihm ein anderer bei; wenn ich von einem anderen spreche, dann meine ich nicht zwei Götter, sondern wie das Licht aus dem Licht, das Wasser aus der Quelle, der Strahl aus der Sonne«.

erweist sich als modifizierte Version des altrömischen Stadtsymbols[1].

a) Der Text und seine Bedeutung

Zum Wortlaut von R gelangt man einmal über den Brief des Marcellus von Ancyra an Papst Julius I. Marcellus verteidigt sich in seinem wohl anläßlich der römischen Synode vom Jahr 340 verfaßten Schreiben gegen den seitens der Eusebianer geäußerten Vorwurf des Sabellianismus, indem er seinen Glauben mit einem Symboltext bekräftigt, der als das Bekenntnis seines römischen Adressaten angesehen werden muß[2]. Bis auf wenige Einzelheiten stimmt dieser Text dann mit der Formel überein, die sich aus der Expositio Symboli des Rufin, geschrieben um 404, als das in der römischen Kirche bewahrte Symbol der Apostel erschließen läßt, dem Rufin die in Aquileia übliche, im wesentlichen übereinstimmende Fassung gegenüberstellt[3]. Der griechische Text des Marcell wird bis auf vier Varianten durch das Psalterium Aethelstani Regis aus dem neunten Jahrhundert bestätigt, der lateinische Rufins durch den für das sechste oder siebente Jahrhundert anzusetzenden Codex Laudianus[4].
Der Text nach dem Psalter des Aethelstan hat den Wortlaut[5]:

»Ich glaube an Gott, den Vater, den Allmächtigen.
Und an Christus Jesus, seinen einziggeborenen Sohn, unsern Herrn,

[1] S. die in der Einführung (o. A 2) aufgeführte sowie die in den folgenden Anmerkungen genannte Literatur.

[2] Bei Epiphanius, Pan. 72,3,1 (ed. Holl 257 GCS 37), S. dazu Kattenbusch I 71—74.352f A 8 und auch Kelly 107—113. Text auch bei Hahn 17, Lietzmann 10, DS 11. — Die These F. J. Badcocks, The old Roman Creed, JTS 23 (1922) 362—389, Marcellus habe sein eigenes Symbol zitiert, das dann unter Papst Damasus in Rom heimisch geworden sei, ist von H. Lietzmann, Symbolstudien 224—226, überzeugend zurückgewiesen worden. Vgl. dazu schon Kattenbusch I 352f A 8.

[3] Expositio symboli (ed. Simonetti 133—182 CCL 20). Textrekonstruktionen bei Hahn 19, Lietzmann 12, DS 16.

[4] Text nach dem Psalterium bei Hahn 18, Lietzm. 10, DS 11. Zu vergleichen ist Kattenbusch I 64.66ff. — Nach dem Codex Laudianus findet sich der Text bei Hahn 20, Lietzmann 10, DS 12. Dazu Kattenbusch I 64.65f. — Ein weiterer altlateinischer Codex (Codex Swainsonii) bestätigt im wesentlichen den Laudianus: Hahn 23, Lietzm. 10, DS 12. Zur Charakteristik s. wiederum Kattenbusch I 65.74ff.

[5] Die Varianten für den dritten Artikel lauten bei den griechischen Zeugen: Ps. Aeth.: καὶ εἰς πνεῦμα ἅγιον (Marc.: τὸ ἅγιον πνεῦμα), ἁγίαν ἐκκλησίαν, ἄφεσιν ἁμαρτιῶν, σαρκὸς ἀνάστασιν (add. Marc.: ζωὴν αἰώνιον), ἀμήν (om. Marc.).
Bei den lateinischen Texten schreibt der Laudianus:
Et in Spiritu sancto, sancta ecclesia, remissione peccatorum, carnis

der geboren worden ist aus dem Heiligen Geist und der Jungfrau Maria, der unter Pontius Pilatus gekreuzigt und begraben worden ist, am dritten Tage auferstanden ist von den Toten, aufgefahren ist in den Himmel und zur Rechten des Vaters sitzt, von wo er kommen wird, die Lebenden und Toten zu richten.
Und an den Heiligen Geist, die heilige Kirche, die Vergebung der Sünden, die Auferstehung des Fleisches. Amen.«

Rufin ist sich sicher, mit der Formel die alte, in Rom erhaltene Tradition wiederzugeben. Gut sechzig Jahre früher hat Marcell sich auf sie berufen. Da er eine römische liturgische Praxis voraussetzt, wird man R sicher als schon in der zweiten Hälfte des dritten Jahrhunderts in Gebrauch stehend betrachten können. Daß der Text in eine noch weit frühere Zeit zurückweist, kann nicht ausgeschlossen werden. Jedoch leiden alle Beweisversuche unter dem Mangel, daß sie das Fehlen positiver Anhaltspunkte durch die apriorische Voraussetzung ersetzen, eine Formel wie R müsse ein sehr hohes Alter haben, und von ihr aus die vieldeutigen Hinweise auf die ersten Symbola interpretieren[6].
Das Problem des Alters wird auch durch die Frage berührt, ob die griechische oder die lateinische Fassung die ursprüngliche ist. Beide Möglichkeiten sind verteidigt worden; zuletzt hat sich aber doch wieder die Überzeugung durchgesetzt, daß der lateinische Text eine freilich alte, vielleicht schon parallel zum griechischen gebrauchte Übersetzung darstellt. Das Original reicht demnach in eine Zeit zurück, in der in der römischen Liturgie das Griechische noch gebräuchlich war, führt also in die Nähe zur hippolytischen Kirchenordnung[7].

resurrectionis;
der Swainsonius:
Et in Spiritum sanctum, sanctam ecclesiam catholicam, remissionem peccatorum, carnis resurrectionem, Amen.
Der Wortlaut bei Rufin ist im einzelnen nicht sicher:
Et in Spiritum sanctum, sanctam ecclesiam, remissionem peccatorum, carnis resurrectionem.

[6] So mit Holland, The earliest text 275. Gleichwohl kann seine These, die Formel der trad. apost. sei der früheste Text eines römischen Symbols als unmittelbarer Vorläufer von R nicht überzeugen (s. o. § 6 a A 24). Es muß deshalb offen bleiben, ob R nicht auch schon zur Zeit Hippolyts existiert hat; mit Kelly 121.

[7] Eine eingehende, fast skrupulöse Diskussion aller Gesichtspunkte für einen lateinischen oder griechischen Urtext liefert Kattenbusch I 67ff II 331ff 533ff 549ff 703ff mit dem Ergebnis, daß der griechische Text das Original bildet. H. Jordans (Rhythmische Prosa in der altchristlichen lateinischen Literatur, Leipzig 1905, S. 33—38) und Maria Wanachs (Die Rhythmik im altrömischen Symbol, Theol. Stud. u. Krit. 95,1923,125—153) Argumente für ein lateinisches Original haben keine Anerkennung gefunden; s. vor allem Lietzmann, Symbolstud. 192ff, sowie Kelly 113—115 und Eichenseer 124—133. — Zur

Zur Einordnung von R und der ihm nachfolgenden Texte hilft eine weitere Eigenart. Zum erstenmal begegnet hier ein deklaratorisches Symbol, das anders als die Texte bei Irenäus und den weiteren Theologen nicht mehr eine freie paraphrasierende Umschreibung des Taufbekenntnisses bietet, sondern als Formel im eigentlichen Sinn zu verstehen ist. Ein deklaratorischer Text dieser Art aber weist in eine Zeit mit einem voll ausgebildeten Katechumenat, innerhalb dessen er seinen Platz hatte. Er wurde nicht in unmittelbarer Verbindung mit der Taufe, die im Wechsel von Tauffragen und Antworten erfolgte, gebraucht, sondern vor dem eigentlichen Taufakt und im Katechumenat, wie es der von Rufin und Augustinus bezeugte römische Ritus der »Übergabe und Rückgabe« des Symbols eindringlich zeigt. Da der Brauch nicht vor dem dritten Jahrhundert wahrscheinlich zu machen ist, wird R als deklaratorischer Text erst von dieser Zeit an Bedeutung erlangt haben[8].
Daß R auch in der Form eines Fragebekenntnisses auftreten kann, zeigen die im Gelasianischen Sakramentar erhaltenen Tauffragen. Bis auf den zweiten Artikel, der kürzer gehalten ist und nicht die Wortstellung »Christus Jesus« bietet, sind sie in genauer Entsprechung zu R formuliert[9]:

Frage nach dem Gebrauch des Griechischen in der römischen Gemeinde vgl. den grundlegenden Exkurs von Caspari III 267—466; Kattenbusch II 331.

[8] In der komplizierten Problematik hinsichtlich der traditio und redditio symboli lassen sich zwei Markierungszeichen setzen: 1. Die trad. apost. mit ihrer genauen Beschreibung des Taufvorgangs und des Katechumenats weiß nichts von einem derartigen Ritus. Statt eines deklaratorischen Symbols kennt sie nur Tauffragen — ein Bild, das im ganzen auch durch die anderen Zeugnisse bestätigt wird. Natürlich sind schon deklaratorische Texte zum katechetischen Gebrauch sichtbar geworden, sie haben aber offenbar noch nicht eine abschließende Formulierung gefunden und sind noch nicht in ein festes System des Katechumenats und der Taufliturgie eingegangen. 2. Rufin (expos. symb. 3; ed. Simonetti 136 CCL 20) weiß von Rom den Brauch zu berichten, daß »die, die die Gnade der Taufe empfangen wollen, öffentlich, d. h., vor den Ohren des Volkes der Gläubigen das Symbol zurückgeben (symbolum reddere)«, wobei das hörende Volk keine Veränderung des Wortlauts gestattet. — Die Aussage wird durch die Mitteilungen Augustinus' über die Taufe des Marius Victorinus (confess. 8,5) bekräftigt. Danach fließen die Quellen ergiebiger. — Die Folgerung liegt demnach nahe, auf einen römischen Brauch zu erkennen und den in der fraglichen Zeit bezeugten Text von R mit ihm in Verbindung zu bringen. — Für die notwendigen Modifizierungen muß auf Kattenbusch verwiesen werden (die weitgestreuten Angaben sind leicht dem äußerst exakt gearbeiteten Register, II 1044f, zu entnehmen), dessen These von R als Kunstform sehr hohen Alters natürlich nicht den eben gezogenen Schluß zuläßt. Hier mehr Klarheit geschaffen zu haben, vielleicht um den Preis einer manchmal zu starken Schematisierung, ist das Verdienst von Kelly, bes. S. 37ff.54f.66.103.166f. Im ganzen wird die vorgelegte Deutung durch Stenzel, Die Taufe 106.151.159,160.175ff, bestätigt. Vgl. auch Eichenseer, 133—145.

[9] Sacramentarium Gelasianum 44 (ed. Mohlberg 74). Derselbe Text findet sich

»Glaubst du an Gott, den Vater, den Allmächtigen?
Glaubst du an Jesus Christus, seinen einziggeborenen Sohn, der geboren wurde und gelitten hat?
Glaubst du an den Heiligen Geist, die heilige Kirche, die Vergebung der Sünden, die Auferstehung des Fleisches?«

Stellt man die Fragen mit den im Gelasianum gegebenen Hinweisen auf die Übergabe des Symbols zusammen, deren sorgfältige Analyse Ferdinand Kattenbusch zu dem Ergebnis geführt hat, daß hier nicht wie im jetzigen Textzusammenhang das Nicaeno-Konstantinopolitanum, sondern R gestanden hat, dann wird das alte Romanum in der doppelten Form eines deklaratorischen und eines Fragebekenntnisses bestätigt[10]. Die Meinung allerdings, die Übergabe des Symbols weise bis in das zweite Jahrhundert zurück, resultiert aus dem Bemühen einer sehr frühen Datierung und hat den Tatbestand gegen sich, daß der Ritus für die fragliche Zeit nicht anderweitig bezeugt ist[11].
Welche Autorität R beigemessen worden ist, geht zur Genüge aus dem Brief des Marcellus von Ancyra und Rufins Expositio hervor. Für den einen dient es als Ausweis seiner Rechtgläubigkeit[12], der andere sieht in ihm den apostolischen Glauben in seiner Reinheit bewahrt[13].

b) Form und Inhalt

Die Frage nach dem Glauben an den Heiligen Geist in R betrifft zuerst den dritten Artikel innerhalb der Gesamtstruktur der Formel. Sie zeigt eine klare dreifache Gliederung. Das Bekenntnis »ich glaube« richtet sich ebenso auf den Geist wie auf Gott Vater und Christus. Insofern die drei Glieder jeweils durch das Verhältnis-

in Sacr. Gel. 75 (ed. Mohlberg 95f). S. auch Hahn 31e, DS 36.

[10] Sacr. Gel. 35 (ed. Mohlberg 48). Dazu Kattenbusch II 21.796ff.

[11] Gegen Kattenbusch II 436. Für die Datierung der Tauffragen aus dem Gelasianum fehlt es an sicheren Anhaltspunkten. Badcock, aaO 362—389, betrachtet sie als die alte Fassung des römischen Symbols, während R über kleinasiatische Einflüsse zustande gekommen sein soll. Im Blick auf die Tauffragen bei Tertullian und Hippolyt erscheint es als durchaus möglich, daß die Formel ein sehr hohes Alter hat. Nicht auszuschließen ist aber die Möglichkeit einer Umgestaltung bzw. Anpassung an den Text von R. H. Lietzmann, Symbolstudien 281, denkt daran, das nichtrömische »Jesus Christus« ägyptischem Einfluß zuzuschreiben. Vgl. auch das Symbol des Dêr-Balyzeh- Papyrus, s. u. § 9 c.

[12] Vgl. o. A 2.

[13] expos. symb. 3 (ed. Simonetti 136 CCL 20): »... in diversis ecclesiis aliqua in his verbis inveniuntur adiecta. In ecclesia tamen urbis Romae hoc non deprehenditur factum: pro eo arbitror quod neque haeresis ulla sumpsit exordium ...«. Zur Legende s. expos. symb. 2 (134).

wort »an« mit der Satzaussage verbunden sind, stehen sie in strenger Parallelität. Sie sind gleichermaßen durch das Fehlen des bestimmten Artikels gekennzeichnet[14].

Der erste Glaubensartikel besteht aus den drei aneinandergeschlossenen Worten: Gott, Vater, Allherrscher[15]. Im zweiten Artikel wird der Titel »Christus Jesus« durch die beiden Bestimmungen »einziggeborener Sohn« und »unser Herr« erläutert. Dann folgt der Wechsel zu einer Partizipialkonstruktion, die in vier Gliedern Geburt, Kreuzigung und Begräbnis, die Auferstehung Christi und zuletzt die Himmelfahrt ausführt. Durch einen Relativsatz über die Wiederkunft wird sie abgeschlossen. Der zweite Teil erhält dadurch eine einheitliche Gestalt. Indem er das Bekenntnis zu Christus bis hin zur zweiten Ankunft aussagt, gibt er sich als ein in sich abgeschlossenes Ganzes zu erkennen[16].

Im dritten Artikel schließlich liegen vier grammatikalisch gleiche Objekte vor. Auch bei ihnen läßt sich aber eine sublime Strukturierung aufdecken: »Heiliger Geist« ist durch einen Chiasmus mit »heilige Kirche« verbunden; ebenfalls werden die Sündenvergebung und Fleischesauferstehung mittels einer chiastischen Wortstellung in Beziehung zueinander gesetzt[17].

Der Text von R läßt demnach auf eine wohlüberlegte Gliederung schließen. Sie gründet mit großer Sicherheit auf dem Schema des Taufbefehls von Mt 28, 19. Ein Interesse an der Zwölfzahl von Einzelartikeln, welches die Formel geprägt und insonderheit im dritten Teil zur Nennung von vier Glaubensobjekten geführt hätte, ist nicht nachweisbar. Dem steht der Befund entgegen, daß erst mit der Ausbildung der Legende von der Abfassung des Symbols durch

[14] Kattenbusch II 475 erklärt, Gott erhalte so »den Wert eines nomen proprium«. Daß dies auch für den Heiligen Geist gelten kann, schließt er nicht aus; die Entscheidung darüber macht er jedoch von der inhaltlichen Interpretation abhängig.

[15] Die Frage der gegenseitigen Zuordnung entscheidet sich an der Interpretation des ersten Artikels, die hier nicht gegeben werden kann. Man vgl. Kattenbusch II 515—540, dessen Meinung, »Vater« und »Allmächtiger« sei ein »zusammengehöriges Prädikat für Gott« (534; vgl. 525), von Kelly 133—140 angezweifelt wird, der den Vatertitel näher mit »Gott« verbindet und die Aussage »Gott der Vater« als grundlegend ansieht. — Th. v. Zahn, Das apostolische Symbol. Eine Skizze seiner Geschichte und eine Prüfung seines Inhalts, Erlangen-Leipzig [2]1893, S. 47ff, hält »Vater« für eine um 200 in Rom erfolgte Einfügung. Man vgl. auch Harnack I 177 A und Seeberg I 226. — Indem oben mit der neuen deutschen Übersetzung die drei Worte nebeneinander gestellt worden sind, soll über die inhaltlichen Bezüge weder in der Richtung von Kattenbusch, noch in der von Kelly eine Vorentscheidung getroffen werden.

[16] Auf eine Diskussion der Beobachtungen Kattenbuschs (II 472.490—499.654—661) muß verzichtet werden. S. auch Harnack I 178 A 17, Seeberg I 226f und Kelly 133—140.

[17] Mit Kattenbusch II 473 A 1.

die Apostel — und auch dann mit unterschiedlichen Schemata — seine Zwölfgliedrigkeit hervorgehoben worden ist[18].
Ferdinand Kattenbuschs Gedanke, das R eine in sich geschlossene Kunstform darstelle[19], ist von der durch Karl Holl, Adolf von Harnack und Hans Lietzmann entwickelten Hypothese aufgenommen und umgestaltet worden, insofern diese den besonderen Aufbau des christologischen Artikels herausgestellt, daraus die Berechtigung abgeleitet, ihn auf eine dreigliedrige Grundform zu reduzieren, und schließlich ein neungliedriges Symbol als die Urform von R erschlossen hat[20]. Abgesehen von der fragwürdigen Interpretation des zweiten Artikels[21] wird die Hypothese jedoch dadurch empfindlich getroffen, daß der dritte Artikel statt der drei gewünschten vier Glieder bietet, welche nicht durch von Harnacks Vorschlag, Sündenvergebung und Fleischesauferstehung als zwei Aspekte einer Sache aufzufassen, aus der Welt geschafft werden können; endlich spricht die Tatsache gegen sie, daß die geforderte Urform sich an keinem weiteren Text mit der nötigen Sicherheit nachweisen läßt[22]. So erscheint weder die Annahme gerechtfertigt, der dritte Artikel des ursprünglichen Romanum sei um einer formalen Neungliedrigkeit willen auf drei Glieder gebracht worden, noch das Urteil, in

[18] Kattenbusch II 473—488; vgl. I 63f A 11. 81ff A 5a u.ö. sowie de Lubac, La Foi 61—66. Textbeispiele s.u. § 8 Exkurs A 8.

[19] Kattenbusch I 81ff. 387ff II 471—501.728.

[20] K. Holl, Zur Auslegung des 2. Artikels des sog. apostolischen Glaubensbekenntnisses, SAB 1919, 2—11; A. v. Harnack, Zur Abhandlung des Herrn Holl: ›Zur Auslegung des 2. Artikels des sog. apostolischen Glaubensbekenntnisses‹, SAB 1919, 112—116; H. Lietzmann, Die Urform des apostolischen Glaubensbekenntnisses, SAB 1919, 269—274 (Kleine Schriften III 182—188).

[21] Zur Kritik der These Holls, die beiden Titel »Sohn« und »Herr« würden durch den Satz über die Geburt (nach Lk 1,35) und über die Kreuzigung und Erhöhung (nach Phil 2,6—11) erläutert, vgl. Seeberg I 225f A 1; ders. Zur Geschichte der Entstehung des apostolischen Symbols, ZKG 40 (NF 3), 1922, 1—41; B. Capelle, Le symbole romain au second siècle, Rev.Bén. 39 (1927) 33—45; J. Lebreton, Les origines du symbole baptismal, RSR 20 (1930) 97—124 sowie Kelly 121—128. — Abgesehen von der Frage, ob man Lk 1,35 im Sinne einer Gottessohnschaft durch physische Zeugung mittels des Hl. Geistes verstehen kann, sei nur an das Bekenntnis der trad. apost. erinnert, das nicht die Spur einer derartigen Christologie erkennen läßt (s.o. § 6 a mit A 25). Lietzmanns Versuch (Symbolstud. 268), in der Präfation der hippolytischen Anaphora (trad. apost. 4; ed. Botte 12ff) genau die fragliche Christologie zu entdecken, scheitert daran, daß die praefatio durchaus um die vorzeitige Sohnschaft weiß und nicht von der Sohnwerdung durch die Inkarnation spricht, sondern vom Erweis der Sohnschaft durch die wunderbare Geburt (»filius tibi ostensus est, ex Spiritu sancto et virgine natus«).

[22] Gegen Harnack, aaO 115: »... Gegenwart und Zukunft mußten berücksichtigt werden ...« und Lietzmann, aaO 270ff (Kleine Schriften III 184ff), dessen Kronzeuge, das Symbol des Dêr-Balyzeh-Papyrus, nicht die nötige Beweislast tragen kann; vgl. dazu u. § 9 c mit A 48.

seiner jetzigen Fassung sei er das Resultat einer nachträglichen Erweiterung[23].

Das hiermit erreichte Ergebnis macht es nunmehr möglich, die strukturellen Elemente des dritten Teils von R für sich zu betrachten. Seine Einheit ergibt sich aus der Parallelität zu den ersten beiden Artikeln, sowie aus seiner inneren Strukturierung. Eine weitere Bestätigung liefert das Gelasianum, das ihn in einer dritten Frage wiedergibt. Steht dies fest, dann muß eine Fragestellung von vornherein als merkwürdig erscheinen, nach der die Einheit unter einen anderen Gedanken als den an erster Stelle genannten Heiligen Geist gestellt werden soll, unter die Idee der »Güter« der Christenheit, welche — wenn vielleicht auch in einer gewissen Rangordnung untereinander — die Gabe des Geistes, die Kirche, die Sündenvergebung und die Fleischesauferstehung gleichermaßen umfassen[24]. Freilich ist zuzugestehen, daß mit der Wendung »an (den) Heiligen Geist« der matthäische Taufbefehl nicht wörtlich wiedergegeben wird[25]. Das gilt jedoch auch für die ersten beiden Artikel; und es ist nicht einzusehen, warum R beim Vater und beim Sohn den Taufbefehl eben als Bekenntnis zu ihnen interpretieren, beim Geist dann aber die Spur verlassen und statt dessen an den Besitzstand des Gläubigen denken sollte. Schon vom formalen Befund her ist der Glaube an den Heiligen Geist als Oberbegriff für den dritten Teil von R anzusehen[26].

Welches inhaltliche Verständnis sich hier Ausdruck verschafft und in welcher Zuordnung die Einzelartikel zum Geist stehen, ist am Text selber nicht abzulesen. Eine theologische Interpretation von R hätte die gesamte die Formel tragende und erhellende kirchliche

[23] Gegen Lietzmann, Symbolstud. 210f, der die Neungliedrigkeit als ein bestimmendes Motiv für die Gestaltung des 3. Artikels ansieht. Daß die Urform nicht die Sündenvergebung gekannt hat, versucht Lietzmann (aaO 184f) unter Berufung auf das Symbol des Dêr-Bal.-Pap., der traditio apost. (s.o. § 6) und Alexanders von Alexandrien (s. u. § 9 c) zu beweisen. Wenn er aber später (aaO 277f) für die frühe Erwähnung der Sündenvergebung etwa die epistula Apostolorum (s. u. § 9 a) anführt, schränkt er sein Urteil selber ein.

[24] Kattenbusch II 475ff.

[25] καὶ εἰς πνεῦμα ἅγιον; Mt 28,19 schreibt: εἰς τὸ ὄνομα τοῦ πατρὸς καὶ τοῦ υἱοῦ καὶ τοῦ ἁγίου πνεύματος.

[26] Wenn Kattenbusch II 488 sagt, der 3. Artikel führe anders als der zweite »wenigstens nicht formell« den Namen des Hl. Geistes aus, insofern als außer »heilig« keine »Prädikate« genannt seien, dann ist ihm zuzustimmen. Es ist aber nicht einzusehen, wieso der Name des Geistes nicht auch erläutert werden kann, wenn im Anschluß an ihn der Bereich zur Sprache kommt, in dem sich sein Wirken entfaltet. Das »Formelle«, für das man überdies noch die chiastische Verklammerung in Anspruch nehmen kann, ist vom Inhalt nicht zu trennen.

Theologie zu berücksichtigen[27]. Da dies aber in der vorliegenden Untersuchung nicht geschehen soll — die Frage nach einer umfassenden theologischen Deutung des Bekenntnisses wird nur an Irenäus von Lyon gerichtet werden —, bleibt nur der unmittelbar vom Text gelieferte Befund zu würdigen und mit der Symboltradition zu verbinden.

Der Geist wird in der gleichen Weise bekannt wie die ersten beiden Personen. Die Wendung »ich glaube an« ist ausdrücklich auch auf ihn bezogen, während sie bei den nachfolgenden Stücken nicht mehr wiederholt wird[28]. Auffallend ist das Fehlen der Prophetie, für das bisher vor allem Tertullian und Hippolyt ein Beispiel geliefert haben. R hält den dritten Artikel ganz für die nachösterliche Geisterfahrung frei und läßt so auch die Bindung des Geistes an die Kirche hervortreten. Es heißt nicht wie bei Hippolyt, daß er in ihr sein Wirken entfaltet. Die Kirche wird, weil die nachfolgenden Stücke eine Koordinierung verlangen, parataktisch an den Geist angeschlossen. Trotzdem ist gegenüber Hippolyt kaum etwas an der Aussage geändert. Denn der Chiasmus schafft eine formale Verknüpfung, so daß die Kirche als die dem Geist zunächst stehende Wirklichkeit erscheint. Wo er bekannt wird, muß zugleich sie genannt werden. Als der Bereich seines Handelns wird sie je neu durch es begründet[29].

Zum erstenmal findet sich bei R in einem ausdrücklichen Symbol

[27] Man vgl. die methodischen Reflexionen Kattenbuschs (II 499ff) und seine umfangreiche Symbolauslegung, die für den pneumatologischen Artikel 67 gedrängte Seiten (II 661—728) ausmacht. Seine materialreiche Kommentierung leidet jedoch m.E. an dem Mangel, daß er als einzigen festen Bezugspunkt den Text von R hat, der doch nicht in dem Maße »für sich selbst reden« (II 500) kann, daß er nicht erst durch ein an ihn gelegtes Vorverständnis zum Sprechen gebracht werden müßte, um sich dann auch in der gewünschten Richtung auszuweisen. Dies scheint mir der Fall, wenn Kattenbusch im ganzen den 3. Artikel unter die Kategorie der messianischen Heilsgüter stellt, ihn als »die kurze Summe der eigentlich alttestamentlichen Prophetie in ihren tiefsten Gedanken« (II 720) versteht, welche die Güter des messianischen Reichs beschreibt und »die ›Lehre‹ Jesu (nicht von sich, sondern) vom Gottesreich ... paulinisch stilisiert« (II 662f). — Mit größerer Zurückhaltung kommentiert Kelly 152—165, indem er die einzelnen Klauseln am Textbefund der frühen Patristik erläutert.

[28] Rufins Bemerkung (expos. symb. 34; ed. Simonetti 169f CCL 20), das Fehlen der kleinen Präposition »in« bei der Kirche und den nachfolgenden Artikeln trenne das Menschliche von dem Göttlichen, gilt für die frühe Zeit noch nicht ausschließlich. Sie ist an den östlichen Symbolen nicht streng nachweisbar, mag aber in R als einem römischen Text schon vor Rufins Deutung glaubensmäßig mit ausgesagt sein. Material findet sich bei Kattenbusch II 481ff. 507—515. Eine eindringliche Deutung bietet de Lubac, La Foi 149—199.322—337. — S. auch u. § 8 Exkurs A 8 und § 9 a A 7.

[29] Die Kirche wird seit frühester Zeit in der Bekenntnistradition erwähnt (s. die Nachweise u. § 10 A 8). Da Justin allerdings in seinen Bekenntnistexten die

der westlichen Kirche der Hinweis auf die Sündenvergebung[30]. Sie ist der Grund und das Zeichen für die Heiligkeit der Kirche. Wie die in östlichen Texten vorgenommene Verbindung es nahelegt, wird zuerst an die Taufe zu denken sein. Aber schon bei Irenäus konnte nicht gänzlich eine Deutung ausgeschlossen werden, nach der auch nach der Taufe eine Umkehr in der Hoffnung auf Vergebung möglich ist[31].
Indem dann Sündenvergebung und Fleischesauferstehung aneinander gefügt werden, steht die letztere ganz im Lichte der Heilshoffnung. Der Gerichtsgedanke ist dem christologischen Artikel vorbehalten, während im Zusammenhang mit dem Werk des Geistes die Heiligung und ihre endgültige Bestätigung zur Aussage gelangen[32].

In der so beschriebenen Abfolge erweist sich der dritte Artikel von R als formale und inhaltliche Einheit. Sein Gefälle entspricht den schon bekannten Formeln, wie sie seit Irenäus in reicheren Fassungen hervorgetreten sind. Auch ohne direkte Abhängigkeitsverhältnisse zeigen sie die große Einheit des kirchlichen Bekenntnisses. R hat darum zu Recht die Autorität erhalten, die sich in der Zueignung des apostolischen Ursprungs und in dem Einfluß auf die nachfolgende westliche Symboltradition ausdrückt[33].

Kirche übergeht, mag man mit Kelly 157 erwägen, ob vielleicht der Kampf gegen die Häresien ein Motiv für ihre Einfügung gewesen ist.

30 Eine Spur hatte sich bereits bei Irenäus angedeutet (s. o. § 4 a).

31 Zur Sündenvergebung s. o. A 23 und die Nachweise u. § 10 A 9.

32 Man vgl. die Ausführungen über die Eigenstruktur des dritten Artikels u. § 10 mit A 13—15.

33 Der apostolische Ursprung von R wird schön in der Vorrede zur traditio symboli im Gelasianum ausgesagt (Sacr. Gel. 35; ed. Mohlberg 48): »accedite suscipientes evangelicae symbuli (sic!) sacramentum a Domino inspiratum, ab apostolis institutum, cuius pauca quidem verba sunt, sed magna mysteria. Sanctus enim Spiritus qui magistris aecclesiae ita dictavit tali eloquio talique brevitate salutiferam condidit fidem, ut quod credendum vobis est semperque providendum nec intelligentiam possit latere nec memoriam fatigare«. Über ihr Alter ist freilich schwer zu entscheiden (vgl. o. A 11). Mangels weiterer Zeugnisse muß eine Datierung für das 2. Jh. ausgeschlossen werden. — Datierbar ist dann der von Ambrosius unterzeichnete Brief an die Synode von Mailand (390), Epist. 42,5 (PL 16,1125 B): »credatur symbolum Apostolorum, quod ecclesia romana semper custodit et servat«; sowie die Erklärung Rufins (expos. symb. 2; ed. Simonetti 134 CCL 20), daß die zwölf Apostel am Pfingsttag unter dem Beistand des Heiligen Geistes das Symbol formuliert haben. — Zur Legende vgl. Kattenbusch II 2—24, Kelly 9—14 und de Lubac, La Foi 23—59.

§ 8 Die afrikanische Kirche

Stößt man bei Tertullian auf das Taufbekenntnis der afrikanischen Kirche, ohne jedoch sichere Aufschlüsse über seine Fassung zu erhalten, so ändert sich die Lage bei Cyprian von Karthago. Er liefert eine eindeutige Formulierung hinsichtlich des dritten Glaubensartikels, die dann durch den Sermo 215 des Augustinus und eine Reihe weiterer Texte bestätigt und vervollständigt wird.
In seinem Brief an Magnus (Brief 69) weist Cyprian den Einwand der Novatianer zurück, ihre Taufe sei gültig, da sie mit dem gleichen »Symbolum« tauften. Ihr Anspruch ist verfehlt, weil sie keinen Anteil an der Kirche haben, in der als der Stätte des Heiligen Geistes allein die sündenvergebende Taufe gespendet werden kann[1]:

»denn wenn sie sagen: ›Glaubst du an die Vergebung der Sünden und das ewige Leben durch die heilige Kirche?‹, dann lügen sie bei der Befragung, da sie nicht die Kirche haben«.

Die gleiche Frage begegnet im siebzigsten Brief mit einer Umstellung[2]:

»glaubst du an das ewige Leben und die Vergebung der Sünden durch die heilige Kirche?«

Was Cyprian unter »Symbolum« versteht, ist nicht mit letzter Klarheit auszumachen. Meint er das deklaratorische Glaubensbekenntnis oder die Taufformel, die in der dreifachen Befragung nach Vater, Sohn und Geist besteht?[3] Wie dem auch sei, auch die afrikanische Kirche kennt hier keinen ausschließlichen Gegensatz. Denn gut hundert Jahre später legt Augustinus den Text Cyprians in

[1] Epist. 69,7 (ed. Hartel 756 CSEL 3,2), Hahn 12, Lietzmann 7.
[2] Epist. 70,2 ad Ianuarium (ed. Hartel 768), Hahn 12, Lietzmann 7.
[3] Epist. 69,7 (ed. Hartel 756) könnte etwas Doppeltes meinen, wenn es heißt: »non esse unam nobis et schismaticis symboli legem neque eandem interrogationem«. Ähnlich sagt Firmilian (Epist. 75,11; ed. Hartel 818), bei der vermeintlichen Prophetin hätten weder das symbolum trinitatis noch die rechtmäßige kirchliche Befragung gefehlt. — Vielleicht muß man doch zurückhaltender sein als Kelly (S. 52), der das symbolum trinitatis direkt auf die Tauffragen bezieht, und statt dessen die Möglichkeit erwägen, daß Cyprian mit dem symbolum das trinitarische Symbol meint, auf das dem Gehalt nach die Taufe erfolgt, während sie der Form nach eben in der Weise der rechtmäßigen Befragung geschieht. — Kelly beruft sich auf die nur sehr kurze Rezension von O. Casel (Jahrbuch für Liturgiewissenschaft 2, 1922, 133f) zu J. Brinktrine, Die trinitarischen Bekenntnisformeln und Taufsymbole (ThQ 102,1921,156—190), anläßlich derer Casel die Meinung vertritt, bei Cyprian fielen symbolum und interrogatio zusammen. — Kattenbusch II 373 A 33 erkennt im symbolum die »Glaubensformel«.

einer deklaratorischen Symbolformel vor. In dem in Hippo gehaltenen Sermo 215 nimmt er vor den Taufbewerbern auf ein zuvor von ihnen abgelegtes Bekenntnis Bezug. Es zeigt in den ersten beiden Gliedern bis auf die Erweiterung des ersten Artikels durch den Zusatz »Schöpfer des Alls, König der Zeiten, unsterblich und unsichtbar« weitgehende Übereinstimmung mit dem altrömischen Stadtsymbol. Sein dritter Artikel hat den Wortlaut[4]:

»Wir glauben auch an den Heiligen Geist, die Vergebung der Sünden, die Auferstehung des Fleisches, das ewige Leben durch die heilige katholische Kirche«.

Da Augustinus in den ebenfalls zu Hippo gehaltenen Sermones 212—214 die mailändische Form voraussetzt, bei der der pneumatologische Artikel in der Weise von R ausgeführt ist, muß der Wortlaut nach Sermo 215 als Zugeständnis an die afrikanische Form angesehen werden[5].
Neben die Texte Cyprians und Augustins treten weitere von der Symbolforschung herausgestellte Zeugen, die in ihrer Gesamtheit das bisher gewonnene Bild und insbesondere die eigene Fassung des dritten Teils bestätigen[6].
Die Bemerkung Tertullians über die Übereinstimmung Afrikas mit der römischen Glaubenstradition[7] läßt auf eine enge Beziehung schließen. Gibt es beim ersten und zweiten Artikel keine größeren Schwierigkeiten, dann ist der dritte doch nicht einfachhin mit dem römischen Symbol zu verbinden. Da sein Alter durch Cyprian, vielleicht auch schon durch Tertullian bezeugt ist, kann er schwerlich als später erfolgte Abänderung klassifiziert werden. Eher hat man auf eine Eigentradition zu erkennen, welche sich noch lange neben der römischen Form erhalten hat. Da nun eine gewisse Verwandt-

[4] Der Text muß aus sermo 215 (PL 38,1072—1076) rekonstruiert werden. Hahn 47, Lietzmann 13, DS 21. Analyse bei Kattenbusch I 136ff; vgl. Eichenseer 146—154.

[5] Rekonstruktion nach den sermones 212—214 (PL 38,1058—1072) bei Hahn 33, Lietzmann 11, DS 14. Nach Kattenbusch I 92 hat Augustin das Mailänder Symbol benutzt, weil er sich an einen weiteren Kreis wenden wollte.

[6] Nach ps.-augustinischen sermones ist bei Hahn 48 eine Formel zusammengestellt; s. dazu die Kritik von Kattenbusch I 138f. G. Morin, Pour une future édition des opuscules de s. Quodvultdeus évêque de Carthage, Rev. Bén. 31 (1914) 156—162, bietet eine einwandfreie Rekonstruktion nach den vier sermones, de symbolo sermo ad catechumenos (PL 40,637—652), de symb. ad cat. sermo alius (ebd. 651—660), de symb. ad cat. sermo alius (ebd. 659—668), contra Judaeos ... sermo de symbolo (PL 42,1117—1130). Vgl. DS 22. — Neben einem Text nach Fulgentius von Ruspe (Hahn 49, DS 22; dazu Kattenbusch I 141) vgl. noch die Formel nach einem afrikanischen sermo, den G. Morin herausgegeben hat: Deux sermons africains du Ve et VIe siècle avec un texte inédit du symbole, Rev. Bén. 35 (1923) 233—245; bes. 236—244.

[7] de praescr. 36.

schaft mit der Schlußklausel über die Kirche, wie sie in der hippolytischen Kirchenordnung ,in ihren alexandrinischen Versionen und wohl auch im Symbol des Dêr Balyzeh-Papyrus begegnet[8], auf der Hand liegt, dürfte die Erklärung zutreffen, daß in der Wendung »in der heiligen Kirche« eine alte Fassung des Symbols erhalten geblieben ist, deren afrikanische Eigenart »durch die heilige Kirche« vielleicht unter dem Einfluß Tertullians zustande gekommen ist[9].

Bei vorläufiger Ausklammerung der Frage, ob Cyprian ein eigenes viertes Bekenntnisglied bezeugt, ergibt sich das folgende Bild. Wie in den übrigen Symbola wird innerhalb des trinitarischen Schemas vom Heiligen Geist gesprochen. Formal bildet der dritte Artikel eine Einheit, insofern Geist und Kirche den Rahmen bilden, innerhalb dessen die Aussagen über die Sündenvergebung, die Fleischesauferstehung (bei Cyprian ausgefallen) und das ewige Leben angeführt werden. Die Präposition »durch« stellt eine Rückbeziehung zu den vorher genannten Stücken her; und sieht man zwischen den Prädikationen »heilig« beim Geist und bei der Kirche eine Entsprechung, dann ist in den dazwischenliegenden Worten die Entfaltung des heiligenden Wirkens des Geistes ausgesprochen. Deutlicher noch als in Hippolyts Kirchenordnung erscheint die Schlußwendung nicht auf die gesamte Trinität bezogen. Die Kirche ist nicht nur der Ort für den Geist, sondern so sehr von seiner Heiligung betroffen, daß sie dem Einzelnen gegenüber zum Instrument der Heilsvermittlung wird. Nur durch sie kann die Heiligkeit des Geistes auf die Menschheit übergreifen[10].

Cyprians Berufung auf den Inhalt des dritten Glaubensartikels im Streit um die Gültigkeit der Taufe kann zeigen, daß hier der un-

[8] S. o. § 6 a und u. § 9 c.

[9] Vgl. die Ausführungen über die Kirchenauffassung Tertullians o. § 2 c mit A 35. Auf die Rechnung Cyprians kann die Fassung kaum gehen, da er sie als überkommene Tradition darstellt. Gleichwohl entspricht sie genau seinem Standpunkt im Ketzertaufstreit und sagt so doch etwas über das theologische Klima aus, in dem sie entstehen konnte. — F. J. Badcock, Le credo primitif d'Afrique, Rev. Bén. 45 (1933) 3—9, betont den nichtrömischen Charakter der afrikanischen Texte, ohne jedoch seine eigene Rekonstruktion überzeugend begründen zu können.

[10] Cyprian insistiert nachdrücklich auf der Vermittlung durch die Kirche; vgl. Epist. 69,7 (ed. Hartel 756): »remissionem peccatorum non dari nisi per sanctam ecclesiam posse«. Ebenso Epist. 70,2 (ed. Hartel 768). — Man vgl. noch die aus dem von G. Morin, aaO 240, veröffentlichten sermo stammende Wendung: »accipiemus itaque vitam aeternam per sanctam ecclesiam« (= PL Suppl. 3,1376) und ergänzend dazu den Satz aus dem Glaubensbekenntnis der katholischen Bischöfe zu Karthago (484): »Si ille (sc. Spiritus sanctus) mihi cum Patre et Filio confert remissionem peccatorum, confert sanctificationem et vitam aeternam, ingratus sum nimis et impius, si ei cum Patre et Filio non refero gloriam« (Hahn 173 nach Mansi 7,1143ff).

mittelbare Hintergrund für sein Verständnis liegt. Das Bekenntnis gibt die Heilshoffnung wieder, an welcher der Getaufte Anteil gewinnt. Sündenvergebung, Geistempfang, Fleischesauferstehung und ewiges Leben kommen dem Christen durch das Bad der Wiedergeburt zu. Er tritt in eine vom Geist her als Heil bestimmte Zukunft ein. Die Nennung des ewigen Lebens, die schon bei Irenäus und Origenes zu finden war[11], hebt das Beglückende der christlichen Erwartung hervor und zeigt, daß das Bekenntnis zum Heiligen Geist den Eintritt in das Leben bis hin zur Unvergänglichkeit bedeutet.

Da nur in der Kirche der Geist und die gültige Taufe gespendet werden, wird sie als der einzig heilschenkende Weg bekannt. Freilich muß Cyprian die Erfahrung machen, daß seine Gegner, die Novatianer, die gleichen Worte gebrauchen. Da sie jedoch die Einheit der Kirche verletzen und sich somit außerhalb ihrer stellen, haben sie nicht das Recht, sich auf sie zu berufen. Gut würde hierzu der Gedanke der Katholizität passen, den Cyprian auch tatsächlich so betont, daß er schon zum Wechselbegriff für die Einheit der Kirche wird; in seinem Taufbekenntnis tritt er jedoch nicht in Erscheinung. Erst seit Augustinus ist er für die afrikanische Symboltradition bezeugt[12].

Mit dem Fehlen der Prophetie und der ausschließlichen Bindung des Geistes an die Kirche stehen die afrikanischen Symbola in einer Reihe mit Tertullian, mit dem Bekenntnis Hippolyts, dem römischen Symbol und den von ihm abhängigen Formeln. Die aufgewiesenen Eigenarten der afrikanischen Form heben die grundsätzliche Konvergenz mit den übrigen Texten nicht auf.

[11] Irenäus adv. haer. 1,10,1 (H 1,91); Origenes spricht von der »Ruhe« (ἀνάπαυσις): in Jer. comm. 5,13 (ed. Klostermann 42 GCS 6). — Der Zusatz »ewiges Leben« erscheint in der von Marcellus gebotenen Version von R (s. o. § 7 a A 5), dann bei Nicetas von Remesiana (Hahn 40, DS 19) und in den späteren westlichen Texten. Aus dem Osten vgl. man bes. das Symbol von Jerusalem und das Niz.-Konstantinopolitanum (s. u. § 9 Exkurs).

[12] »Catholica« ist im Codex Swainsonii für R zu lesen (s. o. § 7 a A 5). Für den Osten s. den Dêr-Bal.-Papyrus (s. u. § 9 c), das Symbol von Jer., das Niz.-Konst. (s. u. § 9 Exkurs) und die meisten weiteren Texte. Im Westen taucht »catholica« zuerst bei Nicetas von Remesiana auf (Hahn 40, DS 19), dann in der forma africana des Augustinus (nicht bei den anderen afrikanischen Zeugen) und bei der Mehrzahl der späteren Texte. — Zu Cyprian s. Epist. 25 (ed. Hartel 538 CSEL 3,2): fides catholica; Epist. 45,1 (ed. Hartel 599f): catholicae ecclesiae unitas; Epist 46 (ed. Hartel 604): contra institutionis catholicae unitatem; Epist 70,1 (ed. Hartel 767): ecclesia catholica quae una est; sowie die Schrift: de catholicae ecclesiae unitate (ed. Hartel 209—233 CSEL 3,1).

Exkurs: Das Problem einer vierten Tauffrage

Das Zitat Cyprians: »Glaubst du an die Vergebung der Sünden usw.«, macht auf den ersten Blick den Eindruck, als gebe es einen selbständigen Satz wieder, so daß dem »Symbolum Trinitatis« eine weitere Frage nach der in der Kirche erfolgenden Sündenvergebung und dem ewigen Leben gefolgt wäre[1]. Wäre ein entsprechender Brauch als ursprünglich anzunehmen, dann würde sowohl die Verbindung der Einzelglieder zum Heiligen Geist abgeschwächt wie auch die unmittelbare Einheit des dritten Artikels aufgehoben.

Bevor das Problem bei Cyprian beurteilt wird, soll es in einen größeren Zusammenhang gestellt werden, indem die anderen fraglichen Texte vorgeführt werden.
Bereits bekannt sind die arabische und äthiopische Übersetzung der hippolytischen Kirchenordnung, bei der in einer als sekundär erwiesenen Fassung die Fleischesauferstehung eigens erfragt wird[2].
Aus dem Raum der westlichen Kirche kommen die folgenden Formeln in Betracht:
Bei Hieronymus heißt es im Dialog gegen die Luziferianer[3]:

»Es herrscht der feierliche Brauch, im Taufbad im Anschluß an das Bekenntnis zur Trinität zu fragen: ›Glaubst du die heilige Kirche? Glaubst du die Vergebung der Sünden?‹ «.

Im zweiten Traktat über die Taufe des Maximus von Turin sind drei Fragen zu lesen, an die sich eine vierte angeschlossen haben muß[4]:

»Glaubst du an die heilige Kirche und die Vergebung der Sünden?«

Die bei der Taufe des Nemesius gestellten Fragen erwähnen den Geist überhaupt nicht. An dritter Stelle heißt es[5]:

»An die Vergebung aller Sünden? Ich glaube. An die Auferstehung des Fleisches? Ich glaube.«

[1] J. Kunze, der schon bei Tertullian eine eigene Frage vermutet hatte (s. o. § 2c A 34), deutet die beiden Texte wie folgt: »Als Hauptinhalt desselben (sc. des Taufbekenntnisses) wird angedeutet das Bekenntnis des deus pater, des deus filius und des deus spiritus sanctus, aber um des Gegensatzes willen wird uns gerade die (offenbar vierte) Frage aufbehalten, deren Vorhandensein nach den ersten Andeutungen nicht zu vermuten wäre« (aaO 26). Kattenbusch II 982 A 28 ist geneigt, Kunze zuzustimmen. Ähnlich auch de Lubac, La Foi 255.

[2] S. o. § 6 a mit A 23.

[3] adv. Lucif. 12 (PL 23,175 BC). Vgl. Kattenbusch I 77 A 33 und II 486 A 15.

[4] PL 57,776 BC; Hahn 34 A 52; vgl. Kattenbusch I 101 A 1.

[5] Hahn 31 b. Kattenbusch I 77 A 33 urteilt: »ganz vulgäre Legende«.

Schließlich sind noch Texte aus der fränkischen Kirche zu nennen, bei denen an die Fragen nach den drei göttlichen Personen vier weitere nach der Trinität, der Kirche, der Taufe und dem ewigen Leben angefügt sind[6].

Die vorgestellten Texte haben das gemeinsame Merkmal, daß sie sämtlich einer späteren Zeit zugehören und deshalb historisch gesehen für die ursprüngliche Gestalt des Taufbekenntnisses nur geringe Beweiskraft haben[7]. Sie weisen in eine Zeit, die infolge des Zurücktretens des Sinnes für die Dreigliedrigkeit des Bekenntnisses zu anderen Einteilungen gelangt ist. Nicht zuletzt wird man in ihnen die Auswirkungen der seit Rufin bemerkbaren Unterscheidung zwischen dem Menschlichen und Göttlichen innerhalb des dritten Artikels zu sehen haben[8].

Für die orientalischen Kirchen sind außer den Versionen der »apostolischen Überlieferung« keine Tauffragen bekannt. Was die Symbola anbetrifft, so wird im Osten, obwohl sich die Trinitätstheologie an ihnen entwickelt hat, ihre grammatikalische Struktur nicht so klar hervorgehoben, wie es in der lateinischen Kirche bis zum vierten Jahrhundert der Fall ist. Inhaltlich erscheint der dritte

[6] Hahn 118.

[7] Ihnen stehen die seit frühester Zeit bezeugten dreigliedrigen Schemata gegenüber. Außer den Texten bei den kirchlichen Theologen (s. o. § 1 und § 2) s. die trad. apost. (§ 6), die Tauffragen des Gelasianum (§ 7 a) und desweiteren Tauffragen bei Ambrosius (Hahn 32 A 40), nach einem gallischen Sakramentar (Hahn 66, zweite Formel), bei der Taufe des Palmatius (Hahn 31 a), die Tauffragen der Homilie nach Elmenhorst (Hahn 31 g), die Fragen nach dem Ordo Romanus XXVIII (DS 36) und dem Manuale Ambrosianum (DS 36, Lietzmann 11f), die nach einem tractatus symboli bei Hahn 39 A 71, die Tauffragen der spanischen Kirche (Hahn 58 A 151) und die nach einer Düsseldorfer Handschrift des 9. Jh. (Hahn 97).

[8] Vgl. o. § 7 b A 28. Symbolformeln, die die Zwölferstruktur unter Berufung auf die Apostel hervorheben, sind: der Text nach den ps.-augustinischen sermones 240—242 (Hahn 42 mit der informativen Anmerkung 87), eine damit verwandte griechische Legendenformel (Hahn 43), die Legendenformel nach Pirmin (Hahn 92) und das Symbol nach einer Reichenauer Handschr. des 10. Jh. (Hahn 99). — Eine Bemerkung des spanischen Bischofs Etherius und des Presbyters Beatus aus der im Jahre 785 verfaßten Schrift gegen den adoptianismus-verdächtigen Erzbischof Elipandus v. Toledo lautet: »Qui (sc. Apostoli) cum omnes unum essent, unum etiam composuerunt symbolum, qui singuli singula verba dixerunt, unius fidei invicem concordantia sibi, quae tantum duodecim sunt verba« (Hahn 56 A 139). — Zum Thema vgl. die Seiten 23—67 bei de Lubac, La Foi, deren Lektüre leichter ist als die der bei Kattenbusch vielfach eingestreuten Hinweise. — Weitere Beispiele für das Zurücktreten der trinitarischen Struktur im Westen sind: Cat. Rom. (Hahn 29, DS 30), Beatus v. Libana (Hahn 57), Miss. Bobb. III (Hahn 66), Theodulf v. Orléans (Hahn 69), ein niederdeutsches Symbol (Hahn 102), ein lat.-deutsches aus dem 11. Jh. (Hahn 103) und die norwegischen Formeln (Hahn 120f). Vgl. auch die Mehrzahl der mittelalterlichen deutschen Gemeindebekenntnisse (Hahn 105—117).

Artikel zwar als Einheit, formal ist er aber in der Regel so gestaltet, daß dem Heiligen Geist die weiteren Glaubensaussagen in lockerer Verbindung angefügt werden, so daß nur in der Reihenfolge ein Unterschied in der Dignität erkennbar ist. Die östlichen Zeugnisse spiegeln eine weniger strenge Symbolauffassung wider, die der später im Westen zu beobachtenden Tendenz entspricht[9].

Kommt man nun wieder auf Cyprian zurück, dann kann zwar eine vierte Frage bei ihm nicht von vornherein ausgeschlossen werden, der vorgelegte Befund erweist jedoch den Brauch durchaus nicht als selbstverständlich. Abgesehen von Hieronymus, bei dem auch noch gefragt werden kann, ob er wirklich eine detaillierte Angabe über den Taufvollzug machen will, hätte Cyprian keine zuverlässigen, in jedem Fall aber nur sehr späte Zeugen auf seiner Seite. Eine nochmalige Überprüfung seiner Angaben erscheint darum angebracht.

Im Zusammenhang des 69. und 70. Briefes will er beweisen, daß die Schismatiker kein Recht haben, im Bekenntnis von der Kirche zu sprechen, da sie sich selber von ihr getrennt haben. Er sagt, sie gebrauchten dasselbe »Symbolum« auf den Vater, den Sohn und den Geist und sie unterschieden sich in der Taufbefragung nicht von der in der Kirche üblichen[10]. Könnte damit zweierlei gemeint sein, so ist doch der enge Zusammenhang zwischen dem »Symbolum Trinitatis« und der kirchlichen Taufbefragung nicht zu bestreiten. Denn die Taufe erfolgt nach der Angabe Cyprians mit dem Symbol, das heißt, der trinitarische Glaube macht den Wesensgehalt der Taufe aus[11]. Nimmt man hierzu noch die Bemerkungen über die Notwendigkeit der trinitarischen Taufe, dann wird es fast unmöglich, daß Cyprians Tauffragen das von ihm eingeschärfte Schema überschritten haben sollten[12].

Warum fehlt dann aber in der zitierten Frage der Heilige Geist? Cyprian brauchte nicht das vollständige Bekenntnis anzuführen, da

[9] Für den Westen s. die Texte aus A 8. Für den Osten vgl. man die Analysen u. § 9.

[10] S. o. § 8 mit A 3.

[11] Auch unter der Voraussetzung, daß symbolum und interrogatio nicht identisch sind, erhält der Ausdruck: »eodem symbolo quo et nos baptizare« (Epist. 69,7), doch den Sinn, daß der im symbolum ausgedrückte Glaube an Vater, Sohn und Geist den Grundinhalt der Taufe ausmacht, die dann in der Weise der Befragung erfolgen kann.

[12] S. Epist. 73,5 (ed. Hartel 782 CSEL 3,2): »insinuat (Dominus) trinitatem cuius sacramento gentes tinguerentur«, sowie Epist. 73,14.18 (ed. Hartel 788.791f), wo Cyprian der Taufe auf den Namen Jesu den Taufbefehl gegenüberstellt, und Epist. 75,9 (ed. Hartel 815f), in der Firmilian von der Anrufung des dreifachen Namens spricht. Vgl. Epist. 27,3 (ed. Hartel 543); 28,2 (546); 63,18 (716).

seine Argumentation gegen Novatian zuerst darauf aus war, diesem mit der Zugehörigkeit zur Kirche die Rechtmäßigkeit der Taufe abzusprechen. Freilich hätte auch die vollständige Frage als Waffe im Streit mit den Novatianern dienen können, aber man hat sich, wenn die Interpretation zutrifft, mit dem Faktum zu begnügen, daß Cyprian nur anführt, was unmittelbar den Angelpunkt seiner Beweisführung betrifft.

In jedem Fall jedoch wird die trinitarische Struktur des Taufglaubens durch eine derart breite und gewichtige Schicht der Symbolgeschichte bestätigt, daß der nicht mit letzter Sicherheit klärbare Befund bei Cyprian keine echte Gegeninstanz zu ihr bildet.

§ 9 Symboltexte der östlichen Kirche

Anders als im Westen hat es im Orient eine Formel mit der Autorität des altrömischen Symbols oder gar R selber nicht gegeben. Der Versuch, ein einheitliches Entwicklungsschema zu entwerfen, verspricht darum noch weniger Erfolg als bei den westlichen Symboltexten[1]. Die bedeutendsten Zeugnisse der orientalischen Tradition, insonderheit die konziliaren Bekenntnisse von Nikaia und Konstantinopel, werden erst im vierten Jahrhundert quellenmäßig greifbar. Sie stehen damit, schon was die Zeit anbelangt, in großer Entfernung von den frühen Texten. Gleichwohl geben sie, da sie sich an bereits bestehenden Gemeindeformeln orientieren, auch sehr altes Glaubensgut wieder, das schon bei Irenäus sichtbar geworden ist und gerade für den dritten Artikel seinen Wert hat.

In der vornizänischen Zeit ist für die orientalische Kirche der Brauch eines Taufbekenntnisses durch Clemens von Alexandrien und Origenes bezeugt. Dazu kommen die bei Origenes angehobenen Glaubenssummarien[2]. Sonst gibt es freilich nur einige spärliche

[1] Auf dem Unionskonzil von Ferrara — Florenz hat noch zu Ferrara im Jahre 1438 der Erzbischof Markus Eugenikos von Ephesus erklärt: »Wir haben das Symbol der Apostel nicht, noch wissen wir etwas davon« (nach Kattenbusch I 1, der hier von D. G. Monrad, Die erste Kontroverse über den Ursprung des apostolischen Glaubensbekenntnisses. Laurentius Valla und das Konzil von Florenz, Gotha 1881, abhängig ist). Kattenbusch hat aber dennoch geglaubt, innerhalb der orientalischen Symbole einen Archetypus entdecken zu können, der dann verschiedenartig variiert worden sei, und als diesen eben R zu bestimmen, das um das Jahr 272 in der Auseinandersetzung mit Paulus von Samosata in Antiochien eingeführt worden sei und sich von dort aus langsam verbreitet habe (I 368—392; bes. 368ff.380ff; II 728—739.957f.961f.980f). A. v. Harnack meint, R habe wenigstens als »Muster« gedient (s. nur I 178 A). Dagegen hat H. Lietzmann, Symbolstudien 194—213, überzeugend die Nichtableitbarkeit der orientalischen Texte aus R nachgewiesen. Vgl. auch Kelly 201—204.

[2] S. o. § 2 e und § 5 d.

Hinweise auf frühe Bekenntnisformeln, die im folgenden, soweit sie den Heiligen Geist betreffen, zu prüfen sein werden. Über die großen Symbola und die ihnen nahestehenden Texte, in denen die Frage nach dem Geist akut wird, sich aber doch auf einer anderen Ebene stellt als bei Irenäus und in der frühen Kirche, wird dann nicht mehr eigens zu handeln sein. Aus ihrer Reihe sollen nur einige markante Beispiele vorgeführt werden, insofern sie in der Tradition des altkirchlichen Bekenntnisses zum Heiligen Geist stehen.

a) Die Epistula Apostolorum

Die als Apostelbrief deklarierte, wohl aus Kleinasien stammende Offenbarungsschrift des zweiten Jahrhunderts[3] kommt in ihrem fünften Kapitel auf die Wunder Christi zu sprechen. Sie hebt die Zeugenschaft der Apostel und den auf ihr ruhenden zuverlässigen Erweis der Gottheit Christi hervor. Im Anschluß an die Erwähnung der wunderbaren Brotvermehrung heißt es[4]:

»Wir fragten und sagten: ›Welche Bewandtnis hat es mit diesen fünf Broten?‹ (vgl. Mk 6, 38 parr; Joh 6, 9)
Sie sind ein Bild unseres Glaubens betreffs des großen Christentums, und das heißt:
an den Vater, den Herrscher der ganzen Welt, und an Jesus Christus, unsern Heiland,
und an den Heiligen Geist, den Parakleten, und an die heilige Kirche und an die Vergebung der Sünden«.

Der aus fünf Gliedern bestehende Text, die — soweit es sich aus der Übersetzung erkennen läßt — grammatikalisch koordiniert sind, will den Glauben der Kirche wiedergeben. Anders als etwa Cerinth und Simon, die »Pseudoapostel«, haben die wahrhaftigen Apostel die Offenbarung Christi erlebt. Sie bestärken die Gläubigen erneut darin, an dem rettenden Glauben an ihren Herrn festzuhalten[5]. Da die Formel am Anfang des Apostelbriefs steht und in die Auseinandersetzung mit den genannten Häretikern einbezogen erscheint, erhält sie ein besonderes Gewicht. Der mit ihr ausgedrückte Glaube geht auf Christus selber zurück. Durch die berufenen Verkünder wird er weitervermittelt. Wer sich an ihn hält, ist der Häresie gegenüber gefeit.

[3] Für den vorliegenden Zweck genügt die von H. Duensing verfaßte und kommentierte Übersetzung (bei Hennecke-Schneemelcher I 126—155). M. Hornschuh, Studien zur Epistula Apostolorum (Patrist. Texte und Studien 5), Berlin 1965, S. 116ff, datiert die Epistula auf die erste Hälfte des zweiten Jahrhunderts.

[4] epist. apost. 5 (ed. Duensing 129).

[5] Vgl. epist. apost. 1.2. (ed. Duensing 127f).

Stellt der Verfasser der Epistula den kirchlichen Glauben vor, so steht zu vermuten, daß er sich an einem Taufbekenntnis orientiert hat. Die Fünfgliedrigkeit fällt nicht erschwerend ins Gewicht. Da sie sich aus der Symbolik der fünf Brote erklärt, denen die Hauptstücke zu entsprechen haben, wird sie das Ergebnis einer nachträglichen Interpretation sein. Auch wenn dem Autor schon ein grammatikalisch fünfgliedriger Text vorgelegen haben sollte[6], würde das hinsichtlich des inhaltlichen Verständnisses dieser möglicherweise bereits existierenden Formel wenig besagen, läßt sich doch bei den orientalischen Texten wiederholt die Beobachtung machen, daß auch die dem Geist folgenden Stücke formal die gleiche Glaubensbekundung erhalten, unbeschadet des trinitarischen Lehrgehalts[7].

Ohne daß genau angegeben werden kann, ob Tauffragen oder eine andere Form des Taufbekenntnisses im Hintergrund stehen, wird man doch aus der Folge von Vater, Sohn und Geist wie auch der Erwähnung der Sündenvergebung auf den Taufglauben als den Ursprungsort für die Formel der Epistula zu schließen haben[8].

Mit der Nennung von Geist, Kirche und Sündennachlaß bestätigt die Epistula als eines der frühesten Symbolzeugnisse das hohe Alter dieser Bekenntnisstücke[9]. Die Meinung, sie gebe zu erkennen, daß beides nicht zum dritten Artikel gehöre, sondern ursprünglich vom Geist getrennt eine Eigenrolle gespielt habe, bedarf der zweifachen Korrektur, daß die vorliegende Strukturierung keinen derart weitreichenden Schluß zuläßt und daß die Epistula selber durchaus eine innere Beziehung zwischen den letzten drei Gliedern herstellt[10]. Ebensowenig ist dann an ihr die These zu verifizieren, der dritte Teil sei in Entsprechung zu den ersten beiden ausgebaut worden, läßt doch der erhaltene Text weder beim ersten, noch beim zweiten Artikel eine weitere Ausgestaltung erkennen[11]. Die Dreizahl von Geist, Kirche, Sündennachlaß schließlich für eine einheitliche

[6] O. Cullmann, Christliche Glaubensbekenntnisse 41 A 89, betrachtet die Einteilung in fünf Artikel als sekundär. So auch Kelly 86.

[7] Man vgl. den Text nach Alexander von Alexandrien, das Symbol des Dêr-Bal.-Papyrus, Arius, Makarius von Ägypten (s. sämtlich u. § 9 c), das Symbol Cyrills von Jerusalem und das Niz.-Konst. (s. u. § 9 Exkurs).

[8] Epist. apost. 27 (ed. Duensing 141) spricht von der »Taufe des Lebens und Vergebung und Erlaß aller Bosheit«; vgl. 42 (150). Kelly 86 denkt an Tauffragen.

[9] Sie ist der früheste Beleg für den Glauben an die heilige Kirche wie für die Erwähnung der Sündenvergebung.

[10] Gegen Lietzmann, Symbolstud. 210: »Die Epistula Apostolorum verrät noch eine deutliche Empfindung dafür, daß diese Dinge nicht zum dritten Artikel gehören, sondern selbständige Größen sind ...« Der nächstliegende Grund für die fünf Glieder sind doch gerade die fünf Brote!

[11] Gegen Lietzmann ebd.

Urform des dritten Artikels auswerten zu wollen, wird dadurch schwer, daß die sonst bezeugte Fleischesauferstehung in der Epistula unerwähnt bleibt[12].
Aus all dem ergibt sich die Eigenständigkeit ihrer Symbolformel. Sie fügt sich nicht in weitgespannte Hypothesen ein, beweist aber zur Genüge die Übung, mit dem Heiligen Geist weitere charakteristische Glaubensinhalte zu verbinden.
Für die Interpretation liefert die Epistula selber einige erwähnenswerte Anhaltspunkte. Vom Geist ist in ihr noch einmal die Rede bei der Aufforderung Christi an die Apostel, vor Israel und der Heidenwelt das Evangelium zu predigen: »Wie mein Vater getan hat durch mich, werde auch ich tun durch euch, indem ich bei euch bin; und ich werde euch geben meinen Frieden und meinen Geist und meine Kraft«[13]. Verbindet man hiermit den in der Formel zu findenden Paraklettitel, dann steht man in der Nähe zur johanneischen Tradition. Der Geist setzt das Werk Christi auf der Erde fort, indem er als Beistand der Jünger wirkt. Das Bekenntnis zu ihm ist von dem Wissen um seine Gegenwart getragen.
Die Kirche, die entsprechend der Fiktion der Epistula erst noch geschaffen werden muß, kommt bei der Voraussage des Auferstandenen in den Blick, Saulus werde vor seiner Bekehrung die von den Jüngern zu bauende Gemeinde in schwere Bedrängnis bringen[14]. Hier klingt bereits an, daß die Mahnungen des Apostelbriefs zur Bewährung des Glaubens den in der Kirche lebenden Christen gelten. Wenn ihnen des weiteren das Beispiel der fünf törichten Jungfrauen vor Augen geführt wird, mit der Aufforderung, die Wachsamkeit der Klugen nachzuahmen[15], wenn Christus zu den Aposteln über das durch ihr Martyrium zu vollendende Paschamysterium spricht[16], dann kommt wieder die kirchliche Erfahrung zum Vorschein. Eher als auf den Glauben an eine himmlische Kirche deutet deshalb die Prädikation »heilig« in der Glaubensformel auf ein Verständnis der Kirche als der endzeitlichen Gemeinde der Geretteten, welche den irdischen Weg im Zeugnis für ihren Herrn geht[17].

[12] Lietzmann, Anfänge 166, hat auf der Suche nach dem neungliedrigen Symbol in der Epistula einen Zeugen finden wollen; er befindet sich damit freilich im Widerspruch zu der später (Symbolstud. 210) von ihm vertretenen Meinung.

[13] epist. apost. 30 (ed. Duensing 143). Der Geist wird noch im Zusammenhang mit der Menschwerdung erwähnt, epist. apost. 3 (128): »Und Gott, der Herr, der Sohn Gottes — wir glauben, das Wort, welches aus der heiligen Jungfrau Maria Fleisch wurde, wurde in ihrem Schoß getragen vom Heiligen Geiste, und nicht durch Lust des Fleisches, sondern durch den Willen Gottes wurde es geboren«.

[14] epist. apost. 33 (ed. Duensing 145).

[15] epist. apost. 43.44.45 (ed. Duensing 150—152).

[16] epist. apost. 15 (ed. Duensing 133f).

[17] Gegen A. Adam I 194.

Große Bedeutung kommt dem Sündennachlaß zu. Den alttestamentlichen Vätern (beim Abstieg zu den Toten) ebenso wie den Aposteln und allen Gläubigen hat Christus »die rechte Hand der Taufe des Lebens« entgegengestreckt; er hat ihnen »Vergebung und Erlaß aller Bosheit« geschenkt[18]. Wer von nun an sein Gebot mißachtet, wird bei der fleischlichen Auferstehung dem unerbittlichen Gericht anheimfallen[19]. Deshalb korrespondiert der Sündenvergebung die Mahnung zu einem Leben in Wahrheit und Gerechtigkeit vor Gott und den Menschen[20].
Da die Epistula den Ernst des kommenden Gerichts hervorhebt, erhält die Sündenvergebung eine eschatologische Ausrichtung. Sie findet ihre endgültige Bestätigung in der künftigen Entscheidung, hat aber doch auch schon in der christlichen Gegenwart ihre Bedeutung, insofern sie wirklich geschenkt ist und ein gläubiges Leben ermöglicht[21].
Zusammenfassend kann gesagt werden, daß mit dem dritten Artikel das Leben der Christen in der Kirche angesprochen ist, ein Leben, in dem es um die Bewährung der Heiligkeit in der Erwartung der kommenden Erlösung geht.

b) Die syrische Didaskalie und Afrahat

Aus der Didaskalie sind in der Symbolforschung mehrere Stellen angehoben worden[22]. Eine erste, nur in syrischer Übersetzung erhaltene, gibt sich als eine Zusammenfassung der rechten katholischen Lehre; eine weitere ist die das Werk abschließende, in syrischer und lateinischer Übersetzung überlieferte Doxologie an den Vater und den Sohn, die ein reich entwickeltes christologisches Kerygma bietet, für die Frage nach dem Geist aber ausscheidet. Beide Texte haben auf das sechste Buch der Apostolischen Konstitutionen eingewirkt und dort zu Parallelformulierungen geführt[23].

[18] epist. apost 27 (ed. Duensing 141).
[19] Z. B. epist. apost. 26.27 (ed. Duensing 140f), 45 (152).
[20] So epist. apost. 38 (ed. Duensing 147), 46—49 (153f).
[21] A. Adams Interpretation (I 194), die Sündenvergebung sei »als eschatologisches Geschehen aufgefaßt, als Entscheidung im Jüngsten Gericht, und daher als Glaubensgut, nicht als gegenwärtige Gewißheit beschrieben«, stellt m. E. zu einseitig den Aspekt der Zukünftigkeit heraus und kann in der Unterscheidung von Glaube und Gewißheit kaum befriedigen. Die Grundthese B. Poschmanns, Paenitentia Secunda, Bonn 1940, S. 104—122, die Epistula kenne eine Sündenvergebung nach der Taufe, wird — abgesehen von Details — von Hornschuh, aaO 122ff, bestätigt.
[22] S. Kattenbusch II 205—208 A 34; Th. v. Zahn, Neuere Beiträge zur Geschichte des apostolischen Symbols, Neue kirchl. Zeitschr. 7 (1896) 22—27.
[23] Zitiert werden die Texte nach den Ausgaben von F. X. Funk, Didaskalia et Constitutiones Apostolicae Bd. I Paderborn 1905, und R. H. Connolly,

Das hier zu behandelnde Lehrsummarium wird den Aposteln in den Mund gelegt. Sie fordern[24]:

»daß ihr den allmächtigen Gott anbetet
und seinen Sohn, Jesus Christus,
und den Heiligen Geist,
und daß ihr die heiligen Schriften gebraucht,
die Auferstehung der Toten glaubt,
alles von Gott Geschaffene mit Dankbarkeit annehmt und die Ehe eingeht ...«

Der Text faßt die Hauptstücke zusammen, die durch die Apostel als verbindliche katholische Tradition legitimiert sind. Mit der Epistula vergleichbar, stellt er nicht direkt ein Symbol dar, steht aber doch in Beziehung zum Taufglauben, der als Richtmaß für das Bekenntnis zu einer symbolähnlichen Formulierung führt. Sie gilt als Glaubenskanon und wird zum erstenmal in der Symbolgeschichte auf die Apostel zurückgeführt[25].
Ein dritter Artikel tritt nicht sehr deutlich hervor. Immerhin werden neben dem Geist die Schriften erwähnt und fehlt auch die

Didaskalia Apostolorum, The Syriac Version translated and accompanied by the Verona Latin Fragments, Oxford 1929 (Nachdr. 1969). — Die Schlußdoxologie, Didask. 6,23,8 (ed. Funk 382f, Conn. 259) hat eine Parallelformulierung in Apost. Konst. 6,30,8—10 (ed. Funk 383.385). Die hier zu behandelnde Lehrformel, Didask. 6,12,1 (ed. Funk 326, Conn. 204) wird in Apost. Konst. 6,11,1—10 (ed. Funk 325.327; Text auch bei Hahn 9) aufgenommen und hat dann eine noch engere Parallele in Apost. Konst. 6,14,2—3 (ed. Funk 335, Hahn 10). Dazu kommt noch eine Formulierung aus Didask. 5,6,10 (ed. Funk 248, Conn. 167): »Credamus in Dominum nostrum Jesum Christum et in Deum Patrem ipsius, Dominum Deum omnipotentem, et in Spiritum eius sanctum, quibus gloria et honor in saecula saeculorum, Amen« (lat. Übersetzung aus dem Syrischen von Funk; vgl. Apost. Konst. 5,6,10; ed. Funk 249; hier fällt der Hl. Geist fort). — Aus der Schlußdoxologie sei nur die interessante Beobachtung vermerkt, daß hier erstmals in einem Bekenntnistext der descensus Christi erwähnt wird: »Qui crucifixus est sub Pontio Pilato et dormivit, ut evangelizaret Abraham et Isaac et Jacob et sanctis suis universis tam finem saeculi quam resurrectionem quae erit mortuorum, et esurrexit a mortuis ...«

[24] Didask. 6,12,1 (ed. Funk 326, Conn. 204). Die deutsche Übersetzung folgt der lat. und engl. aus dem Syrischen.

[25] Vgl. die Einleitung: »Quapropter, cum universa ecclesia periclitaretur et haeresis facta esset convenientibus nos duodecim apostoli in unum in Hierosolyma, tractavimus quid deberet fieri; et placuit nobis scribere unum sentientibus catholicam (bis hier reicht die lat. Übers. der Fragm. v. Verona, der Syrer fährt in der Übersetzung nach Funk fort) hanc didascaliam ad confirmandos vos omnes, in qua constituimus et decrevimus, ut colatis Deum ...« (ed. Funk 326, vgl. Conn. 204). — Kattenbuschs Urteil (II 207 A 34), man werde »mit nichts an das Symbol erinnert«, erklärt sich aus seinem Bemühen, R als Grundlage der orientalischen Formeln zu erweisen, das er dann nur in der Schlußdoxologie entdecken kann.

Totenerweckung nicht. In den Mahnungen zur Annahme der Schöpfung und zur Hochachtung vor der Ehe, die sich gegen eine dualistische Weltauffassung richten, ist der Bereich des christlichen Lebens angesprochen.

Einige Hinweise mögen das Bekenntnis erläutern. Die Didaskalie legt Wert auf die Bindung zwischen Geist und Kirche. Sie ist das »Gefäß des Heiligen Geistes«[26]. Nur wer zu ihr gehört, hat teil an ihm. Die Häretiker gehen seiner verlustig, da sie zugleich mit ihm den allmächtigen Gott und die Kirche verachten[27]. Sie sind auszustoßen, damit sie nicht weiterhin »die auserwählte heilige katholische Kirche Gottes beschmutzen«[28].

Der Geist wird durch die Taufe empfangen. Er trennt sich nicht von dem, der ihm in einem gerechten Wandel zu gefallen sucht[29]. Durch ihn wird das Gebet der Gläubigen aufgenommen, wird ihre Danksagung geheiligt[30]. Die Schriften sind sein Werk. Da sie selber »die Stimme des Heiligen Geistes sind, sind sie heilig«[31].

Auch ohne weitere Ausdeutung dokumentiert die Didaskalie ein Verständnis, bei dem die Stücke des dritten Artikels von der Kirche aus begriffen werden und die Wirksamkeit des Geistes in der Schrift sowie der verpflichtende Charakter seiner Gabe zum Ausdruck kommen.

Afrahat, der älteste bekannte syrische Theologe († nach 345), überliefert am Ende seiner ersten Homilie eine Glaubensformel. Da sie keinen Einfluß des Nicaenum erkennen läßt und sich auffällig von den anderen Texten des vierten Jahrhunderts unterscheidet, wird

[26] Didask. 6,14,7 (ed. Funk 342ff, Conn. 213) erklärt, schon jetzt seien vor dem künftigen Gericht verdammt, »qui catholicam ecclesiam, quae est susceptorium sancti Spiritus, in detractationibus blasphemant«. Vgl. Didask. 1 (ed. Funk 2, Conn. 3), wo die Kirche als »plantatio Dei« bezeichnet wird und es heißt: »electi sunt, qui crediderunt in eam, quae sine errore est vera religio, qui aeternum regnum fructuantur et per fidem regni eius virtutem acceperunt et participationem sancti eius Spiritus«.

[27] Vgl. Didask. 6,14,7 (ed. Funk 342ff, Conn. 213ff) und Didask. 6,21,1 (ed. Funk 368, Conn. 243): »ne orentur aut eucharistiam percipiant, quoniam a sancto Spiritu evacuati sunt«.

[28] Didask. 6,14,10 (ed. Funk 344, Conn. 215): »ut neque inquinent electam sanctam catholicam ecclesiam Dei«.

[29] Didask. 6,21,1 (ed. Funk 368, Conn. 243): »per baptismum enim sanctum Spiritum accepimus, qui cum his qui iuste conversantur semper est et observat illos ...«. Vgl. Didask. 6,21,3 (ed. Funk 370ff, Conn. 245ff).

[30] Didask. 6,21,2 (ed. Funk 370, Conn. 245): »et oratio per sanctum Spiritum suscipitur et gratiarum actio per sanctum Spiritum sanctificatur«.

[31] Ebd.: »libri, cum sancti Spiritus sonus sint, sancti sunt«. Vgl. Didask. 6,14,7 (ed. Funk 342, Conn. 213): »qui Spiritum sanctum blasphemant, qui omnipotentem Deum apertissime cum hypocrisi blasphemant, id est haeretici, quia sacras scripturas eius non suscipiunt ...«; und Didask. 6,18,4 (ed. Funk 358, Conn. 229): »Spiritus sanctus dicit ...«

er mit ihr auf eine alte Tradition zurückgreifen, die in der jüdisch-rabbinischen Gedankenwelt ihre Wurzeln hat[32]. Das Bekenntnis hat den Wortlaut[33].

»Das ist der Glaube: daß man glaubt an Gott, den Herrn über alles, der geschaffen hat Himmel und Erde und die Meere und alles, was darinnen ist,
der den Menschen erschaffen hat nach seinem Bild,
der das Gesetz dem Moses gegeben hat und von seinem Geist in die Propheten gesandt hat;
und der wiederum seinen Christus in die Welt gesandt hat;
und daß man glaubt die Auferstehung der Toten
und ferner auch an an das Geheimnis der Taufe.
Das ist der Glaube der Kirche Gottes«.

Eigenartig ist, daß der Taufglaube in der Formel keine sichtbaren Spuren hinterlassen hat. Deshalb wird das Urteil Alfred Adams zu Recht bestehen, in den ersten Gliedern kehre eine jüdische Bekenntnisformulierung wieder, wie sie in ähnlicher Form bei Philo vorkommt, die letzten drei stellten eine christliche Erweiterung dar[34]. Stimmt die Erklärung, dann muß auffallen, daß vom dritten Artikel wohl die Totenerweckung und die Taufe, nicht aber der Geist angeführt werden. Der Grund mag in der schon bei den Propheten erfolgten Erwähnung liegen wie auch darin, daß Taufe und Totenerweckung das Werk des Geistes bezeichnen. Weitere Schlußfolgerungen müssen den Text jedoch überfordern, da sich seine spezielle Eigenart und sein Stellenwert innerhalb der Symboltradition nicht näher aufhellen lassen[35]. Wertvoll bleibt sein Zeugnis für die Verbreitung und das Alter des Glaubens an den prophetischen Geist, der bereits in der jüdischen Tradition verankert erscheint, sowie für die Zugehörigkeit der Taufe und des Auferstehungsglaubens zum christlichen Bekenntnis.

[32] Auf Afrahat hat F. Kattenbusch I 249 hingewiesen; vgl. auch Kattenbusch II 207 A 34 sowie A. Adam I 192f.

[33] Text bei Hahn 16. In der Übersetzung »seinen Christus« halte ich mich an die von Adam aaO nach der Patr. syr. 1,44 wiedergegebene Fassung. Hahn schreibt nach G. Berts Übersetzung der Homilien »seinen Gesandten«.

[34] Adam I 192 gibt eine Parallele bei Philo (de opif. mundi 172) an.

[35] Dem dürfte A. Adam I 193 nicht genügend Rechnung tragen, wenn er, nachdem er m. E. zutreffend die Wirksamkeit des Geistes hervorgehoben hat, folgert: »Wir haben also eine binitarische Formel vor uns, deren Entwicklung zur trinitarischen Form im Gang ist«. — Kattenbusch II 278 A 1 konzediert im Blick auf Afrahat, daß es im Orient schon früh Formeln in der Art eines Taufbekenntnisses gegeben haben könnte, wehrt sich aber gegen die Bezeichnung »Symbol«, die er nur R oder ähnlichen Texten vorbehalten will.

c) Die ägyptische Kirche

Nach Clemens von Alexandrien und Origenes weist der Bischof Dionysius von Alexandrien († 264/265) auf ein Taufbekenntnis in seiner Kirche hin. In seinem vierten Brief über die Taufe — er ist nach dem Ausweis des Eusebius an den Presbyter Dionysius, den späteren Bischof von Rom, geschrieben — führt er Klage gegen Novatian, da dieser außer dem von ihm angerichteten Schisma und seinen falschen Lehren über Gott und die Barmherzigkeit Christi »zu allem noch das heilige Bad verachtet und den Glauben und das Bekenntnis zerstört, die ihm vorangehen«[36]. Demnach gibt es in Alexandrien ein Bekenntnis, das die Hauptstücke des Glaubens zum Inhalt hat[37].

Genauer äußert sich der Bischof Alexander von Alexandrien († 328). In seinem Brief an Alexander, den Bischof von Konstantinopel, setzt er sich mit den Arianern auseinander und führt dann den Glauben der Kirche an, mit dem er sich völlig in Übereinstimmung weiß. Dieser richtet sich[38]:

»an den einzigen ungezeugten Vater ... und an den einen Herrn, Jesus Christus ...
Außer diesem frommen Lobpreis über den Vater und den Sohn bekennen wir, wie uns die göttlichen Schriften lehren,
einen Heiligen Geist, der die heiligen Menschen des Alten und die göttlichen Lehrer des geweissagten Neuen Bundes
erneuert hat,
eine einzige katholische und apostolische Kirche, die doch für immer unzerstörbar ist, auch wenn der ganze Kosmos sie bekriegen wollte ...
danach wissen wir um die Auferstehung der Toten, deren Anfang unser Herr Jesus Christus geworden ist ...«

Alexander nimmt auf ein ihm vorliegendes Bekenntnis Bezug[39]. Das Werk des Geistes besteht in der Heiligung im Alten wie im Neuen

[36] Eusebius h. e. 7,8 (ed. Schwartz 646 GCS 9). Text auch bei Lietzmann 9.

[37] Kattenbusch I 326f meint, Glaube und Bekenntnis (πίστις καὶ ὁμολογία) würden zweierlei bedeuten, die Rezitation einer Formel und das Fragebekenntnis, und beruft sich dafür auf die alexandrinische Version der hippolytischen Kirchenordnung. Da diese jedoch in der erhaltenen Fassung sekundär ist, das gilt umso mehr für das von Kattenbusch als Glaubensformel angesehene deklaratorische Bekenntnis (s. o. § 6 a mit A 12.13), wird man vorsichtiger zu urteilen haben, d. h., sicher auf ein Fragebekenntnis schließen dürfen, ohne aber Dionysius schon auf eine fixierte deklaratorische Formel festzulegen.

[38] Der Brief wird mitgeteilt bei Theodoret h. e. 1,4,46.53.54. Text bei Hahn 15 und Lietzmann 9.

[39] Die Autorität des Bekenntnisses zeigt er mit dem Satz an: »In diesen Dingen glauben wir, wie es der apostolischen Kirche entspricht« (Theodoret h. e. 1,4,46). Für Kattenbuschs Hinweis auf die ägyptische Kirchenordnung gilt das in A 37 Gesagte. Auch Kelly 189 betrachtet Alexander als Zeugen für eine verbindliche Formel.

Testament. Mit der Weissagung wird sein prophetisches Wirken angedeutet. Einen festen Bestandteil für das Symbol des Alexander bildet die Kirche, deren Einzigkeit und Unzerstörbarkeit besonders hervorgehoben werden, wobei zum erstenmal in einem Text, der auf ein Symbol hindeutet, die Apostolizität genannt wird[40]. Auch die Totenauferstehung gehört zum dritten Artikel.

Genaue Aufschlüsse über die Struktur sind aus Alexanders Worten schwerlich zu erhalten. Immerhin schließt er die Kirche an das pneumatologische Bekenntnis an. Die Auferstehung, die nicht wie der Geist bekannt wird, der vielmehr das Wissen der Gläubigen gilt, ist nur locker angefügt. Ähnlich verfährt eine Reihe von orientalischen Formeln[41]

Die Mitteilungen über das Bekenntnis der ägyptischen Kirche lassen es als durchaus möglich erscheinen, daß das von Hippolyts »apostolischer Überlieferung« abhängige Taufsymbol der ägyptischen Kirchenordnung bereits in der fraglichen Zeit im Raume Ägyptens Einzug gehalten hat[42]. Ohne nochmals die überlieferungsgeschichtlichen Fragen aufzunehmen, können die typischen Merkmale der alexandrinischen Form, soweit sie den dritten Artikel betreffen, ins Auge gefaßt werden[43].

Wie Hippolyt lassen die ägyptischen Versionen die Sündenvergebung unerwähnt. Ebenfalls gehen sie mit ihm zusammen in der

[40] Texte für die westliche Kirche sind: Beatus von Libana (Hahn 57), Gregor der Gr. (Hahn 22.231), ein Symbol nach einer Handschrift des 11. Jh. (Hahn 105), ein Symbol nach Honorius Augustodunensis (Hahn 107), nach einer Bamberger (Hahn 106) und nach einer Wessobrunner Handschrift (Hahn 108 b). Vgl. die Synode zu Braga 563 (Hahn 176) und die römische Synode 680 (Hahn 184). — Aus dem Osten sind zu nennen: Die sahidische Übersetzung der hippol. Kirchenordnung (s. o. § 6 a), Epiph. I und II (Hahn 125f, Lietzmann 19f, DS 42.44), Hermeneia (Hahn 127, DS 46), Apost. Konst. VII (s. u. § 9 Exkurs), Nestor. (Hahn 132, Lietzmann 24), Armen. längere Formel (Hahn 137, DS 48) und das Niz. Konst. (s. u. § 9 Exkurs).
Die letzteren Texte sprechen, bis auf die hipp. Kirchenordnung und Apost. Konst. VII, auch von der *einen* Kirche. Dazu kommen noch Arius (s. u.) und Cyrill von Jerusalem (s. u. § 9 Exkurs). Singulär ist allerdings die starke Betonung bei Alexander: μίαν καὶ μόνην ... ἐκκλησίαν. — Die Katholizität wird in fast allen genannten Formeln erwähnt.

[41] Vgl. Epiph. I und II, Antioch. I (Hahn 153), Nestor. und das Niz.-Konst.

[42] Zu den Texten s. o. § 6 a.

[43] Der Einfachheit halber seien die entscheidenden Stücke in der lateinischen Übersetzung von B. Botte, aaO 48ff, wiederholt: »Credo in unum deum patrem omnipotentem, et in unigenitum filium Jesum Christum dominum nostrum, et in spiritum sanctum vivificantem omnia, trinitatem consubstantialem, unam deitatem, unam dominationem, unum regnum, unam fidem, unum baptisma in sancta catholica et apostolica ecclesia, unam vitam aeternam, Amen ... Et credis in sanctum, bonum et vivificantem spiritum purificantem universa in sancta ecclesia? (add. aeth. [arab.]: et credis in resurrectionem carnis, quae fiet omnibus hominibus et ad regnum caelorum et ad iudicium aeternum?)«

Schlußwendung: »in der heiligen Kirche«. Inwieweit die übrigen, von Hippolyt differierenden Inhalte altes ägyptisches Gut wiedergeben oder erst dem Nicaeno-Konstantinopolitanum zu verdanken sind, ist nicht leicht zu entscheiden. Für die Worte über die lebenspendende Macht des Geistes könnte das letztere zutreffen. Andrerseits wird schon im vornizänischen Symbol des Thaumaturgen der Geist als Leben bezeichnet[44]. Auch die Prädikation »gut« und die Textfassung: »der das All heiligt in der heiligen Kirche«, brauchen nicht notwendig einer späteren Epoche zugewiesen zu werden. Die bei Hippolyt nicht angezeigte vierte Frage nach dem Glauben an die Fleischesauferstehung, das Reich der Himmel und das ewige Gericht, kann, denkt man an Alexander von Alexandrien, in der ägyptischen Kirche einen Anhalt haben. Da sie aber nur durch die späte arabische und äthiopische Übersetzung bezeugt wird, läßt sich nicht klären, von wann ab sie in Gebrauch gestanden hat[45].

In den Rahmen der ägyptischen Symbola wird auch das viel diskutierte Glaubensbekenntnis des Dêr Balyzeh- Papyrus gehören, das wesentlich älter ist als die für das sechste oder siebente Jahrhundert zu datierende Schriftrolle[46]. Der Glaube wird mit den Worten bekannt[47]:

»Ich glaube an Gott, den Vater, den Allmächtigen und an seinen einziggeborenen Sohn, unsern Herrn Jesus Christus
und an den Heiligen Geist
und an eine Auferstehung des Fleisches in der heiligen katholischen Kirche«.

[44] S. o. § 5 d A 67.

[45] Die βασιλεία τῶν οὐρανῶν wird für Ägypten durch die Formel des Arius bestätigt. Weitere östliche Zeugen sind Apost. Konst. VII (s. u. § 9 Exkurs) und Epiph. II (Hahn 126, Lietzmann 21f DS 44).

[46] Der Papyrus wurde im Jahre 1907 in den Ruinen des oberägyptischen Klosters Dêr Balyzeh entdeckt. Seither befindet er sich in der Bibliotheca Bodleiana zu Oxford. Er stellt eine alte ägyptische Gebetssammlung dar, innerhalb derer das hier interessierende Symbol überliefert wird. — Erste Ausgabe durch P. de Puniet, Le nouveau papyrus liturgique d'Oxford, Rev. Ben. 26 (1909) 34ff. Kritische Ausgabe durch C. H. Roberts und B. Capelle, An early Euchologion, the Dêr- Balizeh Papyrus enlarged and re- edited (Bibliothèque du Muséon 23), Louvain 1949; Symboltext auf den Seiten 32f. — Th. Schermann, Der liturgische Papyrus von Dêr- Balyzeh (TU 36), Leipzig 1910, hat sich für eine sehr frühe Datierung des Symbols (Ende des 2.—Anfang des 3. Jh.) ausgesprochen, aber keine Zustimmung gefunden. Roberts und Capelle, aaO 57—61, haben nachgewiesen, daß das Symbol älter ist als die im Papyrus wiedergegebene Anaphora und zur Taufe zu rechnen ist. Vgl. auch Kelly 92f, der mit Brightmann nicht vor die Mitte des 4. Jh. zurückgehen will.

[47] Text nach Roberts-Capelle, aaO 32, bei DS 2; vgl. Lietzmann 26. Die Rekonstruktion macht gerade beim 3. Artikel Schwierigkeiten, da der Text eine Lücke aufweist: καὶ εἰς τὸ πνεῦμα τὸ ἅγιον, καὶ εἰς σαρκὸς ἀνάστασι — — ἁγια καθολικη ἐκκλησια. Lietzmann 26 ergänzt im Anschluß an Puniet und Cabrol (DACL II 1884f): ἀνάστασι (ν καὶ) ἁγία κτλ. und liest den Artikel über die

In seiner gedrängten knappen Fassung hebt sich das Symbol vom Großteil der orientalischen Formeln ab. Besonders auffallend ist aber eine Reihe von Entsprechungen zum altrömischen Bekenntnis. Der erste Artikel stimmt wörtlich mit ihm überein. Beim zweiten fehlt das Kerygma über das heilsgeschichtliche Werk des Sohnes, aber mit einigen Umstellungen wird sonst der Wortlaut von R wiedergegeben. Der dritte allerdings ist anders gefaßt, insofern der Geist mit dem bestimmten Artikel eingeführt wird, die Fleischesauferstehung sich mit einem »und an« an das Vorhergehende anschließt und die Kirche mit dem Attribut »katholisch« als Abschluß der Formel erscheint. Schließlich fehlt im Vergleich mit R die Sündenvergebung.
Mit diesem Befund wird die von Hans Lietzmann aufgestellte These, im Symbol des Dêr Balyzeh- Papyrus sei die neungliedrige Urform des römischen Symbols wiederzuerkennen, fragwürdig. Die erforderlichen Umstellungen sind dem Gedanken einer Urform nicht günstig, und vor allem bietet das Symbol in der Fassung, welche die größte Wahrscheinlichkeit für sich beanspruchen kann, nicht die gewünschte Neungliedrigkeit[48].
Andrerseits braucht die Nähe eines ägyptischen Bekenntnisses zu Rom nicht wunderzunehmen, wenn man etwa an die Nachwirkungen der hippolytischen Kirchenordnung denkt. Die Formel kann dann entweder ein früheres Stadium der römischen Tradition repräsentieren oder als eine nachträglich verkürzte Fassung verstanden werden, wobei beidemal der Einfluß von Rom ausgegangen sein wird[49]. Da sich die Theorie von der neungliedrigen

Kirche als Akkusativ (vgl. Lietzmann, Urform 184). Dagegen hat J. A. Jungmann, ZkTh 48 (1924) 465—468, den Vorschlag gemacht, in der folgenden Weise zu substituieren: ἀνάστασι (ν ἐν τῇ) ἁγίᾳ κτλ., so daß mit Hilfe eines Jota subscriptum leicht die Kasusänderung vom Nominativ zum Dativ erreicht werden kann. Diese Konjektur, die auch bei Roberts-Capelle übernommen ist, erfordert vom Text her die geringsten Änderungen und hat überdies die Versionen der hippolytischen Kirchenordnung für sich, die gerade im Raum Ägyptens ein »in sancta ecclesia« bezeugen.

48 S. H. Lietzmann, Urform 183—185. Die akkusativische Lesart erhält nur dann einen Sinn, wenn die Kirche wie in R vor der Fleischesauferstehung genannt wird. Diese Umstellung nun aber damit begründen zu wollen, daß der Text »etwas verwildert« (aaO 184) sei, erscheint wenig überzeugend. Und Alexander von Alex. kann nur schwer zum Beweis für einen dreigliedrigen 3. Artikel herhalten, da sein Text im ganzen zu sehr auseinanderfällt. An Lietzmanns Hauptzeugnis gemessen, kann also seine These von einer neungliedrigen Urform beim römischen Symbol nur geringe Wahrscheinlichkeit für sich beanspruchen. Ihre Übernahme durch de Lubac, La Foi 99, muß darum als ein wenig leichtfertig erscheinen, zumal de Lubac selber sich an späterer Stelle (aaO 238) für Jungmanns Rekonstruktion des Dêr Bal.-Symbols ausspricht.

49 S. die von Lietzmann, Urform 184f, und Symbolstudien 281, gegebenen Beispiele.

Urform an ihm nicht bewahrheitet, wird es als ein Beispiel für eine alte Symboltradition zu betrachten sein, innerhalb derer dann auch die Formulierung von R möglich geworden ist.
Zusammen mit der »apostolischen Überlieferung« und ihren ägyptischen Übersetzungen bestätigt das Symbol des Dêr Balyzeh-Papyrus das Alter der Schlußklausel des dritten Glaubensartikels, der in dieser Form in der ägyptischen Kirche noch auf lange Zeit hin gültig geblieben ist. Seine inhaltliche Interpretation bleibt mit einer Reihe von Unsicherheitsfaktoren behaftet. Rechnet man die Möglichkeit einer nachträglichen Hinzufügung der Fleischesauferstehung ein, dann würde die Kirche wie bei Hippolyt direkt mit dem Geist zu verbinden sein. Im vorliegenden Wortlaut wird sie mit der Totenerweckung zusammengeschlossen, so daß sich die Deutung nahelegt, diese könne in der Kirche erhofft werden, da die vom Geist geschenkte Heiligung das Angeld der künftigen Vollendung ist. Dabei wird der Kirche eine heilsvermittelnde Funktion zukommen[50]. Sie als überirdische Wirklichkeit zu verstehen, ist vom Text her nicht angezeigt. Im Gegenteil, das Attribut »katholisch« deutet, wie die Erklärung von Alexander von Alexandrien es nahelegt, auf die konkrete, sichtbare Gemeinde der Gläubigen, die sich gegen alle andrängenden Anfeindungen zur Wehr setzt[51].
Das Bild über die ägyptischen Symbole kann zum Schluß noch durch zwei allerdings spätere Zeugen vervollständigt werden, durch Arius und Makarius von Ägypten. In den Jahren 330—331 überreicht Arius zusammen mit Euzoius dem Kaiser Konstantin ein Glaubensbekenntnis zu ihrer gemeinsamen Rechtfertigung. Der von den Historikern Sokrates und Sozomenos überlieferte Text läßt in den ersten beiden Artikeln das Bemühen erkennen, dem nizänischen Glauben möglichst nahe zu kommen. Im dritten Teil aber bietet er eine ausführliche, von der unmittelbaren Situation her nicht geforderte Fassung, die man für die ägyptische Bekenntnistradition reklamieren kann[52]. Sie lautet:

[50] Man denke an die forma africana, bei der die instrumentale Funktion der Kirche deutlich wird; s. o. § 8.

[51] Gegen A. Adam I 194, der die Kirche als »himmlische Größe« verstehen möchte. Vgl. den Text Alexanders und auch das Symbol des Arius.

[52] Text bei Sokrates h. e. 1,26 (PG 67,149) und Sozomenos h. e. 2,27 (PG 67,1012); Hahn 187, Lietzmann 24f. Zur Analyse vgl. Kattenbusch I 331f, der beim Schlußsatz schon die Parallelität zur ägyptischen Kirchenordnung hervorgehoben hat, sowie Kelly 190. — Von Arius ist noch ein erstes, älteres Bekenntnis aus einem Brief an Alexander von Alexandrien erhalten (Text nach Athanasius, de synodis 16, bei Hahn 186), welches rein theologisch gehalten ist und für die Frage nach der ägyptischen Tradition deshalb ausscheidet.

(wir glauben ...) »und an den Heiligen Geist und an eine Auferstehung des Fleisches und an ein Leben der zukünftigen Welt und an ein Reich der Himmel und an eine katholische Kirche Gottes von den Enden zu den Enden der Erde«.

Mit den übrigen ägyptischen Texten stimmt die Formel darin überein, daß die Sündenvergebung ausfällt und der dritte Artikel im ganzen nur ein lockeres Gefüge bildet. Die dreigliedrige Struktur steht aber für Arius fest, da er selber in seinen Schlußbemerkungen auf den Taufbefehl als die Grundlage des Glaubens hinweist[53]. Wenn die Annahme zu Recht besteht, daß Arius schon auf eine existierende Formel Bezug nimmt, dann ist damit ein ausgebildeter dritter Glaubensartikel bezeugt, der über die etwa gleichzeitige knappe Formulierung des Nicaenum hinausgeht und sie als Abkürzung erscheinen läßt[54].
Von Makarius von Ägypten († um 390) schließlich wird ein Bekenntnis überliefert, dessen dritter Teil den Wortlaut hat[55]:

(ich glaube ...) »und an den Heiligen Geist, der wesensgleich mit dem Vater und seinem Wort ist. Wir glauben auch an eine Auferstehung der Seele und des Leibes, wie der Apostel sagt: gesät wird ein seelischer Leib, auferweckt ein geistlicher Leib (vgl. 1 Kor 15, 43)«.

Auch dieser nachnizänische Text ist den früheren nicht unähnlich. Eigenartig ist das Fehlen der Kirche, sehr ungewöhnlich auch die Rede von der Auferstehung von Seele und Leib. Zum erstenmal wird hier die Homoousie des Heiligen Geistes ausgesprochen, die bis auf drei Ausnahmen sonst in keinem der orientalischen Symbolzeugnisse erwähnt wird[56].

[53] Arius schließt mit den Sätzen: »Diesen Glauben haben wir aus den hl. Evangelien empfangen, wo der Herr zu seinen Jüngern spricht: ›Geht, macht alle Völker zu Jüngern, und tauft sie auf den Namen des Vaters und des Sohnes und des Hl. Geistes‹. Wenn wir dies nicht so glauben und wenn wir nicht in Wahrheit Vater, Sohn und Hl. Geist annehmen, wie es die ganze katholische Kirche und die Schriften lehren, denen wir in allem Glauben schenken, dann ist Gott unser Richter, jetzt und beim kommenden Gericht.«

[54] S. auch § 9 Exkurs A 2.

[55] Der Text ist in zwei, im Detail voneinander abweichenden Fassungen überliefert, nach dem Wiener Kodex V (9. Jh.) der Apophtegmata Macarii (PG 34.212 vgl. 51) und den Codices Parisienses Graeci 1627.1628 (13./14. Jh.) der Historia Lausiaca des Palladius v. Hellenopolis (ed. Preuschen, Palladius und Rufinus, Gießen 1897, S. 127). Text bei Lietzmann 25f und DS 55.
Da die Unterschiede im 3. Artikel unbedeutend sind, gebe ich nur die Übersetzung nach dem Wiener Kodex wieder. Zur Analyse vgl. Kattenbusch II 242—247.730f und Kelly 191.

[56] Die Homoousie begegnet in der Hermeneia Ps. Athanasiana (Hahn 127, DS 46), im Bekenntnis des Charisius (Hahn 221) und im Symbol des Bischofs Sophronius von Jerusalem (Hahn 233).

Exkurs: Symbola aus der Zeit der großen Synoden

Vom Jahre 325 an spiegelt sich in den orientalischen Symbolen die theologische Auseinandersetzung um die Gottheit des Sohnes und dann auch um das Wesen des Heiligen Geistes wider. Auf Synoden und Konzilien wird das theologisch interpretierte Taufbekenntnis als Ausdruck des rechten Glaubens herausgestellt, bis schließlich eine Fassung als verpflichtende Norm zur Anerkennung gelangt. Obwohl die Texte gerade hinsichtlich des Geistes interessant werden, fallen sie, was die theologische Problematik anbetrifft, doch aus dem Rahmen heraus, den das Bekenntnis bei Irenäus von Lyon eröffnet. Sie brauchen deshalb in ihren spezifischen Aussagen, die sich von der neuen Fragestellung aus erklären, nicht mehr eigens untersucht zu werden. Da sie aber andrerseits alte Bekenntnistraditionen aufgenommen haben, sollen die wichtigsten in wenigen Strichen vorgeführt werden.

Die kurze Formulierung des dritten Artikels im Symbol des Konzils von Nikaia[1]:

(wir glauben ...) »und an den Heiligen Geist«,

erklärt sich aus der Tatsache, daß beim damaligen Stand der Diskussion mit den Arianern die Frage nach der Gottheit des Geistes noch nicht gestellt worden ist. Der dritte Teil brauchte deshalb nur insoweit angedeutet zu werden, als es das Schema des Taufglaubens erforderte[2]. Ob man nun mit der älteren Forschung ein eusebianisches, auf Kaisareia hinweisendes Symbol zur Grundlage für das Nicaenum macht, auf einen Jerusalemer Typus erkennt oder es als Kompilation aus mehreren Vorlagen versteht, in jedem Fall wird der dritte Artikel eines oder mehrerer vorliegender Texte ausführlicher gelautet haben, als es die jetzige Fassung erkennen läßt[3].

[1] Der Haupttext wird von Eusebius in seinem Brief an die Gemeinde zu Caesarea geboten (Athanasius, de decretis Nicaenae Synodi 37,2; ed. H. G. Opitz, Athanasius' Werke 2,1 Berlin-Leipzig 1935, S. 30.36f; Theodoret h. e. 1,12; Sokrates h. e. 1,8). Text bei Hahn 142, Lietzmann 26f, DS 125.

[2] Ein ähnliches Verfahren ist beim Antioch. I (Hahn 153, Lietzmann 27f) zu beobachten. Lietzmanns Urteil (Symbolstudien 210), in den Texten sei die älteste Form des 3. Artikels zu entdecken, vermag darum nicht zu überzeugen. Auch das Bekenntnis des Thaumaturgen (s. o. § 5 d A 67) ist kein Beweis, da es eine rein theologische Formel sein will, in der um der trinitarischen Aussagen willen alle weiteren Elemente des dritten Artikels ausgefallen sind (gegen Lietzmann, Anfänge 166).

[3] Gegen die traditionelle, auf das Bekenntnis von Caesarea deutende Meinung (F. J. A. Hort, Two Dissertations on Μονογενὴς Θεός and on the ›Constantinopolitan‹ Creed and other Eastern Creeds of the Fourth Century, Cambridge-London 1876, S. 54—72; Kattenbusch I 228—233; Seeberg II 41—45; J. Ortiz de Urbina, LThK² 7,968f) hat Lietzmann (Symbolstudien 248—259) auf ein Jerusalemer Symbol schließen wollen. A. v. Harnack hält in seiner kurzen Erwiderung (Symbolstud. 259f) mehrere redaktionelle Vorlagen

Das von Cyrill überlieferte Jerusalemer Symbol wird einen in dieser Annahme bestärken. Als eine Gemeindeformel in zeitlicher Nähe zum Konzil von Nikaia bietet es einen ausgebauten dritten Teil. Die Rekonstruktion nach den um das Jahr 348 zu Jerusalem gehaltenen Katechesen ergibt den Wortlaut[4]:

(wir glauben ...) »und an den Heiligen Geist, den Parakleten, der in den Propheten gesprochen hat,
und an die eine Taufe zur Vergebung der Sünden
und an die eine heilige katholische Kirche
und an die Auferstehung des Fleisches und an das ewige Leben«.

Cyrills Text ist in dieser Ausführlichkeit das früheste bekannte Beispiel aus dem Bereich der orientalischen Kirche. Unter Vermeidung dogmatischer Ausdrücke bewegt er sich inhaltlich im Rahmen der seit Irenäus, zum Teil auch schon seit Justin bekannten Aussagen[5]. Besondere Beachtung verdient die Erwähnung der Prophetie und der Taufe, die in die westlichen Symbola nicht eingegangen sind, obschon man die Sündenvergebung findet, und auch in der ägyptischen Kirche fehlen. Alexander von Alexandrien hatte hier, was das erstere angeht, die einzige Ausnahme gebildet[6].
Die einzelnen Artikel sind aneinandergereiht und werden jeweils durch die Präposition »an« eingeleitet. Daß dennoch die trinitarische Struktur des Symbols gültig bleibt, könnte eine inhaltliche Interpretation anhand der Katechesen zeigen[7].

für wahrscheinlich; vgl. auch Harnack II 229ff. Kelly 216—229 geht den vorgebrachten Argumenten nochmals geduldig und kritisch nach, mit dem Ergebnis, ein Ortsbekenntnis »syrisch-palästinensischer Provenienz« (229) habe als Grundlage gedient.

4 Text nach den Katechesen bei Hahn 124, Lietzmann 19, DS 41. Cyrill wird zweimal von den Akazianern abgesetzt (357 und 360) und nach seiner Rückkehr im Jahr 361 erneut durch Kaiser Valens verbannt (367). Er kehrt erst im Jahr 378 zurück und nimmt an der Synode zu Konstantinopel (381) teil. Vgl. A. A. Touttée in PG 33,31—124 und die Einleitung von Ph. Haeuser in BKV² 41,1—6.

5 Vgl. dazu die Nachweise u. § 10 A 6—9.

6 S. o. § 9 c.

7 Da sie im einzelnen hier nicht geliefert werden kann, sollen einige wenige Stellen angehoben werden, die ein trinitarisches Verständnis bekunden. So Kat. 16,4 (PG 33,921 A): »Nicht trennen wir die heilige Trinität, wie es einige machen, noch vermischen wir sie wie Sabellius«; vgl. Kat. 17,34 (1008 C 1009 A). In Kat. 16,4 (921 A) wird von der Sünde gegen den Geist gesprochen, »der mit dem Vater und dem Sohn geehrt wird und zur Zeit der hl. Taufe in der heiligen Trinität einbegriffen war«. Kat. 16,23 (949 B 952 A) stellt den Geist »als Führer, Lehrer und Heiligmacher« über die Engel. In Kat. 6,6 (548 A) heißt es: »Der einziggeborene Sohn hat mit dem Heiligen Geist Anteil an der Gottheit des Vaters«. Kat. 17,2 (969 C) bezeichnet den Geist als den »Lebenden, die ›Person‹ (ὑφεστώς), den Redenden, den Wirksamen, den Heiligmacher«; vgl. Kat. 17,5 (973 B); 17,28 (1000 C); 17,33.34 (1005 B 1008 B). —

Geist, Taufe, Kirche werden jeweils als der oder die »eine« bekannt. Beim Geist kann damit die Sonderheit seiner Hypostase bezeichnet werden: Wie Christus einer ist, ohne einen »Bruder« neben sich zu haben, so gibt es auch neben dem Geist kein verwandtes Wesen[8]. Dann aber sichert nach Cyrill die Selbigkeit des Geistes zu den verschiedenen Zeiten das Christuszeugnis der Propheten wie die Einheit der Schriften des Alten und Neuen Bundes[9]. Schließlich ist der Heilige Geist der eine im Bewirken der mannigfaltigen Tugenden und in den vielen Namen, die sein Handeln anschaulich machen[10].

Warum die eine Taufe zu bekennen ist, wird nicht eigens begründet. Das Attribut wird einen antihäretischen Akzent tragen und insonderheit gegen Praktiken, bei denen eine erste (psychische) Taufe durch eine pneumatische vervollständigt werden sollte, betonen, daß die eine, in der Kirche gespendete Taufe den Gläubigen mit dem Geist verbindet und ihm die Heilszukunft eröffnet[11].

Ähnliches gilt für die eine Kirche. Als der große »Wächter und Heiligmacher der Kirche«, als ihr »großer Lehrer«, der alle guten Regungen in ihr erweckt[12], entfaltet sich der Geist in ihr, so daß Abspaltungen nur als trübe Nachempfindungen angesehen werden

Kennzeichnend für Cyrill ist die Zurückhaltung in der theologischen Terminologie. Beim Sohn vermeidet er den Ausdruck ὁμοούσιος, der ihm zu stark nach Sabellianismus schmecken wird (vgl. Kat. 11,17; 712 B; Kat. 15,27; 909 BC). Auf dem von ihm beschrittenen »königlichen Weg« der Mitte wendet er sich dann gleichermaßen gegen Arius (vgl. Kat. 11,17; 712 B; auch Kat. 11,8; 700 C; und Kat. 7,5; 609 B — 612 A). Der Sohn ist nach ihm dem Vater ὅμοιος κατὰ πάντα (Kat. 4,7; 461 B; vgl. Kat. 11,4.18; 696 B. 713 A). (Ein orthodoxes Verständnis der Homoiousie ist seit der Synode zu Alexandrien 362 anerkannt. Vgl. Seeberg II 116f. Auch Harnack II 249f A 3 gesteht Cyrill eine Orthodoxie der Sache nach zu). — Für den Geist gilt der Grundsatz: »Die Natur oder die Hypostase des Geistes sollst du nicht neugierig erforschen ... Was nicht geschrieben steht, daran wollen wir uns nicht wagen« (Kat. 16,24; 953 A; vgl. Kat. 16,2.5 (920 AB. 924 B); Kat. 17,1; 968 A).

[8] S. Kat. 16,3 (PG 33,920 B).

[9] S. Kat. 16,3.4.6 (PG 33,920 BC. 921 AB. 924 A. 925 AB); Kat. 17,5.18 (976 A. 989 BC).

[10] S. Kat. 16,12 (PG 33,933 AB); Kat. 17,2.3—5 (969 A—976 A); Kat. 17,12 (885 A). — Von dem einen Geist sprechen noch die Bekenntnistexte des Eusebius (Hahn 143, DS 40) und Alexanders von Alexandrien (s. o. § 9 c), das Symbol der Nestorianer (Hahn 132, Lietzmann 24), Eunomius (Hahn 190), Basilius (Hahn 196), die kata meros pistis (Hahn 204), Sophronius v. Jerusalem (Hahn 233) sowie Gregor der Wundertäter (s. o. § 5 d A 67).

[11] Man denke an die von Irenäus geschilderten gnostischen Praktiken der Taufe (adv. haer. 1,21; H 1,180—188; s. auch u. § 14 a). Cyrill sagt zwar, Gnostiker bzw. Valentinianer würden Irrlehren über den Geist aufstellen (Kat. 16,6), verliert aber kein Wort über gnostische Taufbräuche.

[12] Kat. 17,13 (PG 33,985 B); vgl. Kat. 17,29 (1000 C); Kat. 16,14.19 (937 B. 945 B).

können[13]. Er wirkt in der katholischen Kirche, da der durch ihn gestiftete Neue Bund keine durch Volkszugehörigkeit, soziale Stellung oder Bildung festgelegten Grenzen kennt[14].

Eigenartig innerhalb der Symboltradition erscheint bei Cyrill die Nennung von Taufe und Sündenvergebung vor der Kirche. Sie mag dadurch zustande kommen, daß ihm in den Taufkatechesen nächst dem Bekenntnis zu den drei göttlichen Personen die Anerkennung der Taufe und der Sündenvergebung als das Wichtigste erschienen ist[15].

Nach Cyrill von Jerusalem ist das Symbol beachtenswert, welches im siebten Buch der Apostolischen Konstitutionen enthalten ist. Auch wenn die Vermutung Ferdinand Kattenbuschs, es sei das Bekenntnis Lukians des Märtyrers und habe die Vorlage für die Formeln der antiochenischen Enkäniensynode (341), speziell für die vierte, gebildet, nicht zutrifft, steht es als ein syrisches Bekenntnis aus der Mitte des vierten Jahrhunderts innerhalb einer arianisch redigierten Sammlung in räumlicher, zeitlicher und inhaltlicher Nähe zur zweiten Synode von Antiochien[16]. Der Taufbewerber bekennt:

»ich werde auch auf den Heiligen Geist getauft, das heißt, auf den Parakleten, der in allen Heiligen von Anbeginn gewirkt hat, der später vom Vater her auch den Aposteln gesandt worden ist nach der Verheißung unseres Erlösers und Herrn Jesus Christus
und nach den Aposteln allen Glaubenden in der heiligen katholischen und apostolischen Kirche zur Auferstehung des Fleisches,
und auf die Vergebung der Sünden und auf das Reich der Himmel und auf das Leben der künftigen Welt«.

Da die Aussagen sämtlich von dem neu anhebenden Satz: »Ich werde getauft«, abhängig sind, liegt vom formalen Befund aus

[13] Kat. 18,26 (PG 33,1048 AB).

[14] S. Kat. 18,23 (PG 33,1044 AB). — Eine schöne Auslegung der Prädikation »katholisch«, die die bisherige Interpretation bestätigt, gibt Kat. 18,26 (1048 B): Cyrill sagt, man solle sich statt an die häretischen Abspaltungen an die katholische Kirche halten, und er erteilt seinen Hörern den Rat, in einer fremden Stadt solle man nicht einfach nach dem »Haus des Herrn«, auch nicht nur nach der »Kirche« fragen, sondern: »›Wo ist die katholische Kirche‹? Denn dies ist der spezielle Name für unsere hl. Kirche, für unser aller Mutter, die Braut unseres Herrn Jesus Christus, des einziggeborenen Sohnes Gottes ... Auch ist unsere Kirche ein Abbild und eine Nachahmung des oberen Jerusalem; sie ist die Freie und die Mutter von uns allen (vgl. Gal 4,26), welche zuerst unfruchtbar war, nun aber viele Kinder hat.«

[15] Vgl. die in Kat. 18,22 (PG 33,1044 A) angedeuteten Schwerpunkte sowie mystag. Kat. 1,9 (1073 C). Kattenbusch I 237 A 5 vermutet eine »rhetorisch bedingte Umstellung«.

[16] Apost. Konst. 7,41,4—8 (ed. Funk 444.446.448). Text auch bei Hahn 129, Lietzmann 23, DS 60. Zur Redaktion der Konstitutionen s. Altaner-Stuiber 255f.

gesehen ein dritter Glaubensartikel vor. Innerhalb seiner wird nicht nur die Kirche mit dem Geist verknüpft, sondern mit einiger Wahrscheinlichkeit auch die Fleischesauferstehung. Das fehlende »und« sowie ihre singuläre Stellung vor der Sündenvergebung und dem zukünftigen Leben wiegen so schwer, daß man auf eine Bedeutungsverschiedenheit der Präposition »an« zu erkennen haben wird. Während sie sonst das jeweilige Glaubensobjekt bezeichnet, mit dem der Gläubige in der Taufe verbunden wird, erhält sie bei der Auferstehung einen finalen Sinn: Der Geist wird in der Kirche gegeben, damit die Christen zur Totenerweckung gelangen[17]. Die restlichen Stücke werden dann neu an das grammatikalische Subjekt angeschlossen. Insofern bei ihnen der bestimmte Artikel fehlt, sind sie vom Bekenntnis zum Heiligen Geist unterschieden.

Das Symbol der Konstitutionen verzichtet auf theologische Erklärungen über das Wesen des Geistes. Es bietet wie Cyrill von Jerusalem den Paraklettitel und spricht sonst nur von der Heiligung. Diese wird auch für die vorchristliche Zeit ausgesagt. Schon hier ist der Geist wirksam, ehe er von Christus aus nach dem Willen des Vaters über die Apostel und die Gläubigen in der heiligen Kirche kommt. Die ganze Heilsgeschichte ist vom Geist der Heiligung umgriffen.

Hinsichtlich der Verbindung zwischen Geist und Kirche steht das Symbol in einer Reihe mit den Texten, welche die Schlußwendung: »in der heiligen Kirche« aufweisen[18]. Einmalig ist jedoch der unmittelbare Anschluß der Auferstehung an das heiligende Tun des Geistes. Er braucht dennoch nicht als schlechthin außergewöhnlich zu erscheinen, da auch in anderen, schon seit Irenäus bekannten Fassungen des dritten Artikels der Glaube an den Heiligen Geist in die eschatologische Heilserwartung einmündet[19].

Die abschließenden Sätze der Formel haben nunmehr den Charakter einer zusätzlichen Bestätigung. Die setzen nochmals bei

[17] Der Vorschlag ist ohne nähere Begründung zum erstenmal von P. Nautin, Je crois 26f, gemacht worden. Über den finalen Gebrauch von εἰς in östlichen Symbolen s. Cyrill v. Jer. mit der Wendung: καὶ εἰς ἓν βάπτισμα μετανοίας εἰς ἄφεσιν ἁμαρτιῶν; ähnlich Epiph. I (Hahn 125, Lietzmann 19f, DS 42) und das Niz.-Konst. (s. u.). Bleibt die von den Herausgebern vorgenommene Interpunktion, nach der εἰς σαρκὸς ἀνάστασιν abgetrennt und an βαπτίζομαι angeschlossen wird, auch möglich und begründbar, so hat die vorgeschlagene Deutung immerhin den Wert einer Hypothese, welche inhaltlich gut mit der Ausrichtung des 3. Artikels zusammengeht.

[18] Obwohl das siebte Buch anders als das achte nicht von der hippolytischen Kirchenordnung abhängig ist, kann doch dem Redaktor die Schlußklausel Hippolyts vor Augen gestanden haben. Wenn nicht, dann hätte man einen weiteren Zeugen für die Verbreitung und das hohe Alter des Bekenntnisses zu dem in der Kirche wirksamen Geist.

[19] S. hierzu die Nachweise u. § 10 A 9.13 und § 12 A 1.

der Taufe an, auf der das Bekenntnis gründet, und zeigen, daß sie für den Glaubenden den Anfang der vom Geist eröffneten Zukunft bedeutet.
Der letzte und speziell für den dritten Artikel gewichtigste Symboltext der östlichen und dann auch der westlichen Kirche ist das Nicaeno-Konstantinopolitanum (C). Nach der traditionellen Meinung ist es mit der Synode zu Konstantinopel (381) zu verbinden und hat es in seinem dritten Teil in Bezug auf den Heiligen Geist den nizänischen Glauben gegenüber den Makedonianern weiterentwickelt[20]. Eine knappe Orientierung über die Forschungslage mag für sein Verständnis von Nutzen sein.
Ausdrücklich wird C erstmals auf dem Konzil zu Chalzedon (451) als der »Glaube der 150 Väter« erwähnt. Nicht ohne Einfluß des Kaisers Markian und seiner Gattin Pulcheria anerkennt die Synode neben dem nach wie vor an erster Stelle gültigen Nicaenum das Bekenntnis von Konstantinopel, mit welchem die Väter angesichts der neu aufgekommenen Irrlehren die Lehre des Nicaenum über den Heiligen Geist durch die Anfügung des Schriftzeugnisses klarer herausgestellt hätten[21].
Andrerseits findet sich schon bei Epiphanius sieben Jahre vor Konstantinopel ein im wesentlichen mit C identischer Text[22].
In der Zeit nach Chalzedon erscheint C regelmäßig in Verbindung mit dem Nicaenum, als dessen Bestätigung und Erläuterung es weiterhin aufgefaßt wird. Nachdem C vom sechsten Jahrhundert an sich im Osten eine immer größere Monopolstellung erobert hatte, konnte die Überzeugung von der sachlichen Identität zwischen ihm und dem Nicaenum dazu führen, daß C schließlich als

[20] Aus der ungezählten Literatur seien hervorgehoben: F. J. A. Hort, Two Dissertations, aaO; A. v. Harnack RE 11,12—28; Harnack II 276ff A 1; J. Kunze, Das nicaeno-konstantinopolitanische Symbol, Leipzig 1898; Caspari I 236ff; Kattenbusch I 233—244; Seeberg II 142f A 2; E. Schwartz, Das Nicaenum und das Constantinopolitanum auf der Synode zu Chalzedon, ZNW 25 (1926) 38—88; J. Lebon, Nicée-Constantinople. Les premiers symboles de foi, RHE 32 (1936) 537—547; ders., Les anciens symboles dans la définition de Chalzédoine, ebd. 809—876; A. M. Ritter, Das Konzil von Konstantinopel und sein Symbol. Studien zur Geschichte und Theologie des 2. ökumenischen Konzils (Forschungen zur Kirchen- und Dogmengeschichte 15), Göttingen 1965; eine ausgewogene und kritische Zusammenstellung bietet wiederum Kelly 294—327.

[21] Das geschieht auf der 5. sessio vom 22. Okt. 451 (ACO 2, I, II 128—129); der Text von C erscheint hier leicht modifiziert gegenüber seiner ersten Anführung auf der 3. sessio vom 10. Okt. (ACO 2, I. II 79f), wo er ebenfalls nach dem Nicaenum vorgelesen wurde. Zum politischen Hintergrund s. Schwartz, aaO, und Kelly 269f.313f.

[22] Epiph. Anc. 118 (ed. Holl 1,146f GCS 25); Text bei Hahn 125, Lietzmann 19f, DS 42f = Epiph. I. Im Vergleich mit C hat Epiphanius zusätzlich: »aus dem Wesen des Vaters«, »was in den Himmeln und auf der Erde ist«.

das nizänische Symbol verstanden wurde, dessen ursprünglicher Text in Vergessenheit geriet[23].
Die kritische Forschung setzt für C mit Johann Benedikt Carpzov († 1657) ein. Hatte dieser zeigen können, daß C nicht ein Werk der Väter von Nikaia ist und infolgedessen den Titel »Nicaeno-Konstantinopolitanum« verdient[24], so ging man vom neunzehnten Jahrhundert an dazu über, nur noch vom Konstantinopolitanum zu sprechen oder meinte im Anschluß an F. J. A. Hort gar, C jegliche innere Beziehung zur Synode und zur theologischen Arbeit der 150 Väter absprechen zu sollen[25]. Eine neue Wendung kündigte sich dann vor allem durch Eduard Schwartz an. Er ließ das Zeugnis von Chalzedon in seinem vollen Gewicht gelten und stellte die These auf, C sei ein eigens zu Konstantinopel geschaffenes Bekenntnis, bestimmt von dem Wunsch des Kaisers Theodosius, ähnlich wie einst Konstantin ein neues, die Kirche einigendes Symbol zu schaffen[26]. J. N. D. Kelly schließlich hat die Argumentation aufgenommen, sie aber, einer Anregung J. Lebons folgend, dahingehend korrigiert, daß der nizänische Glaube nach dem Urteil der Väter nicht an eine Formel gebunden gewesen ist, die dem Nicaenum aufs Wort hätte entsprechen müssen. So konnte auch ein Bekenntnis wie C als dessen Ausdruck verstanden werden, ohne ihm konkurrenzierend als neue Autorität zur Seite zu treten[27].
Die so erreichte Klärung, die der Rede von »Nicaeno-Konstantinopolitanum« wieder zu ihrem Recht verhilft und C gleichzeitig unmittelbar an die Synode des Jahres 381 bindet, wird seiner Bezeu-

[23] S. dazu die Zeugnisse bei Kelly 298f und auch I. Ortiz de Urbina, Nicäa und Konstantinopel (Geschichte der ökumenischen Konzilien 1), Mainz 1964, S. 263—265. Zur Rezeption von C, auch in der westl. Kirche, vgl. dann die Seiten bei Kelly 339—352.

[24] In der posthumen Isagoge in libros ecclesiasticos lutheranorum symbolicos, Leipzig [1]1665, [2]1675, [3]1690.

[25] Hort, dem Harnack im wesentlichen folgt, hält C für das nach 362 revidierte Symbol von Jerusalem, das Cyrill zum Ausweis seiner Rechtgläubigkeit vorgelegt habe. Kunze sieht in C das Bekenntnis der Gemeinde von Tarsus; der neue Bischof Nectarius v. Konst. habe sich mit ihm auf der Synode eingeführt. Seeberg ist geneigt, dem zuzustimmen. Kattenbusch bejaht mit Hort die Beziehung von C zu Jerusalem, betont aber auch die Verbindung mit Epiphanius; in II 274 A 15 zeigt er sich Kunzes Hypothese gegenüber nicht abgeneigt.

[26] E. Schwartz, aaO. Vor ihm haben bereits W. Schmidt, Zur Echtheitsfrage des Nicaeno-Konstantinopolitanum, Neue kirchl. Zeitschr. 10 (1899) 935—985; der Russe A. P. Lebedev (Zsfg. seines russ. Artikels in JTS 4 (1903) 285ff) und der Grieche Chrysostomus Papadopoulos, Das Symbol der zweiten ökumenischen Synode (griech.), Athen 1924, in diese Richtung gewiesen.

[27] S. Lebon, aaO 874f, Kelly 319—327. Ritter, aaO 182—208; er meint, C sei aus den Bemühungen hervorgegangen, eine Einigung mit den Makedonianern zu erzielen.

gung am sachentsprechendsten gerecht[28]. Daß die Väter ein schon dem Epiphanius geläufiges Symbol übernommen haben sollten, kann nicht mit letzter Sicherheit ausgeschlossen werden. Andrerseits sprechen gwichtige Gründe gegen eine Verbindung des Bischofs von Salamis mit dem Konzil zu Konstantinopel und für die Annahme einer Interpolation bei dem ersten, im Ancoratus wiedergegebenen Bekenntnis[29].

Für den dritten Artikel führt die Forschungsgeschichte von C zu dem Ergebnis, daß er seiner ursprünglichen Intention nach im Gegensatz zur makedonischen Leugnung der Gottheit des Geistes formuliert worden ist. Er lautet[30]:

[28] Chalzedon spricht eindeutig vom Bekenntnis der 150 Väter und verbindet es mit dem Nicaenum (bes. sess. 5; ACO 2, I, II, 126.128). Damit erklären sich die Zeugnisse, die den Glauben der 318 Väter (von Nizäa) bekennen und nur die Verurteilung der neuerlichen Häresien, insonderheit über den Geist, erwähnen: Der Brief der Synode zusammen mit den Kanones an Kaiser Theodosius (Mansi 3,557ff; vgl. DS 151), das Synodalschreiben vom Jahr 382 an Papst Damasus (Theodoret h. e. 5,9; Sokrates h. e. 5,8; Sozomenos h. e. 7,9) und der Brief des Gregor v. Nazianz an Cleodonius (epist. 102,2,1). — Die These von Hort-Harnack kann keinen positiven Beweis erbringen. Einzig C's Satz: »dessen Reich kein Ende hat«, könnte auf Cyrill zurückgehen (vgl. Kat. 15,27; gegen Marcellus gerichtet). S. die detaillierte Kritik bei Ritter, aaO 147—173, und Kelly 310—315. Auch Kunzes Vorschlag kann nur den Wert einer nicht näher beweisbaren Hypothese haben. Kelly hat seine früher geäußerte Vermutung, C könne mit Antiochien verbunden werden (Early Christian Creeds ²1960, S. 328), inzwischen fallen gelassen (s. jetzt Kelly 302) und schließt sich A. M. Ritter an. — Nach allem, was sich sagen läßt, ist C auf der Synode zu Konstantinopel, womöglich unter Heranziehung eines vorgegebenen Schemas, insonderheit gegen die Makedonianer aufgestellt worden. Mehr Sicherheit zu gewinnen, erscheint kaum möglich, wenn auch der zuletzt gemachte Versuch W. Jaegers (Gregor von Nyssas Lehre vom Heiligen Geist. Aus dem Nachlaß herausgegeben v. H. Dörries, Leiden 1966, S. 51—57) beeindrucken mag, die Notiz des Kirchenhistorikers Nicephoros Kallistos Xanthopoulos († um 1350) zu rehabilitieren, nach der Gregor v. Nyssaa entscheidend an der Abfassung von C beteiligt gewesen ist (h. e. 12,13; PG 146,784 B). Vgl. dazu schon Kattenbusch I 233f A 1, der sie als »m. E. sicher nicht zutreffend«, aber als doch »immerhin ... merkwürdig« angesehen hatte.

[29] Außer Zweifel steht die Echtheit für Hort, Harnack und wohl auch Kattenbusch. Nach Caspari, aaO, hat die Synode Epiph. I übernommen und als offizielles Bekenntnis proklamiert. Ähnlich urteilt Ortiz de Urbina, aaO 212. Für eine Interpolation plädieren: Lebedev, Papadopoulos, Schwartz und dann Kelly 315—317 und Ritter, aaO 161—169. — Die Hauptargumente dafür, daß in Anc. 118 ursprünglich N statt C gestanden hat sind nach Schwartz: 1. C erscheint mit dem Anathem von N kombiniert, 2. Epiphanius bezeichnet das Bekenntnis als den Glauben der 218 (niz.) Väter, 3. die zweite Formel, Anc. 119, kommentiert N und nicht C, und sie müßte 4. als überflüssig erscheinen, wenn ihr schon C und nicht N vorausgegangen wäre.
Besonders 1. und 3. sind m. E. schwerlich zu entkräften.

[30] Text nach sess. III (II) und V bei Lietzmann 36f, Hahn 144, DS 150.

(wir glauben ...) »und an den Heiligen Geist, der Herr ist und lebendig macht,

der aus dem Vater hervorgeht,

der mit dem Vater und dem Sohn zugleich angebetet und verherrlicht wird,

der durch die Propheten gesprochen hat;

an[31] die eine heilige katholische und apostolische Kirche;

wir bekennen die eine Taufe zur Vergebung der Sünden;

wir erwarten die Auferstehung der Toten und das Leben der kommenden Welt«.

Eine eingehende Interpretation braucht für den vorliegenden Zweck nicht geliefert zu werden. Sie hätte davon auszugehen, daß der Text der Absicht seiner Verfasser oder Kompilatoren nach eine antipneumatomachische Aussage darstellt. Dazu müßte der theologische Hintergrund angehoben werden, der bereits bei Epiphanius von Salamis sichtbar wird, dann aber vor allem in der Pneumatologie der Kappadozier, grundlegend bei Basilius dem Großen, zu finden ist. Hier sollen nur Anmerkungen gegeben werden, die sich aus dem Vergleich mit den bekannten Fassungen des dritten Glaubensartikels ergeben.

Das Augenfällige sind die dem Geist beigegebenen Bestimmungen über sein Herr-Sein, seine lebenschenkende Macht, sein Hervorgehen aus dem Vater und die ihm gleichermaßen geschuldete Ehre. Streicht man sie, dann bleibt das geläufige Schema des dritten Symbolartikels zurück. Diese Beobachtung führt zu der Erkenntnis, daß das theologische Gewicht der Formel in den vier Hinzufügungen liegt, die ihrerseits in den üblichen Duktus des pneumatologischen Teils eingepaßt worden sind. Als Vorbild hierfür bietet sich auf den ersten Blick das Jerusalemer Symbol an, welches sämtliche Inhalte des um die Einfügung gekürzten Textes von C aufweist. Eine direkte Abhängigkeit ist jedoch kaum wahrscheinlich zu

[31] Einige westliche Handschr. (Ord. Rom., Cod. Sangall., Göttweih; s. Hahn 144 A 27) sowie sämtliche lat. Übersetzungen mit Ausnahme des Gelasianum schreiben: »kai mian hagian ktl.« bzw. »et unam sanctam etc.« (Hahn 145, Lietzmann 37, DS 150). Das Fortfallen des εἰς — in ist ein Ergebnis der seit Rufin zu beobachtenden Unterscheidung im 3. Artikel (s. o. § 6b A 28). — Der Versuch der neuen deutschen ökumenischen Übersetzung, die westliche Tradition sprachlich wiederzugeben (»und die eine ... Kirche«), führt allerdings zu der im Deutschen ungewöhnlichen sprachlichen Härte, daß man die Kirche glaubt, und — was noch schwerer wiegt — zu dem Mißverständnis, daß beim Sprechen die Kirche mit dem Voraufgehenden verbunden wird, da man sprachlich keinen Einschnitt machen kann. So heißt es dann: »der gesprochen hat durch die Propheten und die eine ... Kirche«. Angesichts dessen gibt gibt es nur die Wahl, sich an das griechische καὶ εἰς — »und an« zu halten oder ein erneutes πιστεύομεν einzufügen und dann die sprachliche Ungewohntheit: »wir glauben die eine ... Kirche«, in Kauf zu nehmen.

machen. Im Einzelwortlaut stimmen die beiden Formeln nicht exakt überein. Und es fehlt besonders die Kennzeichnung »einer« für den Geist, auf die Cyrill einigen Wert gelegt hat und die man in C auch in Entsprechung zu den ersten beiden Artikeln erwartet hätte[32].

Wie dem auch sei, sicher hat den Vätern von Konstantinopel ein Bekenntnis vorgelegen, das sie zur Grundlage ihrer Erklärung gemacht haben. Wie der Vergleich mit der Symboltradition lehrt, fällt es in keiner Weise aus dem Rahmen, sondern bietet Stücke, die seit frühester Zeit mit dem Heiligen Geist verbunden worden sind. Das Konzil hat bewußt die alten Glaubensinhalte aufgenommen, um sie den Erfordernissen der Zeit entsprechend eindeutig und unmißverständlich zu interpretieren.

Ein Blick auf die Zusätze zeigt, daß man auch bei ihnen bemüht gewesen ist, keine eigentlich neuen Ausdrücke zu verwenden. Vom lebenspendenden Geist ist schon im Johannesevangelium die Rede (Joh 6,63). Auch Irenäus von Lyon bringt den Geist mit dem Leben in Verbindung und findet darin einen Grundbegriff zur Beschreibung seines Wirkens[33]. Ähnlich kann C mit der Wendung über den Hervorgang aus dem Vater auf die Schrift (Joh 15, 26) zurückgreifen. Und die Worte über die Doxologie verweisen in den Bereich des seit jeher üblichen Gebets und der gottesdienstlichen Verehrung. Gleichwohl hieße es die Aussageabsicht von C zutiefst mißverstehen, wollte man aus den Worten auf eine Zurückhaltung in der Sache schließen. Eine gediegene Interpretation erweist sie als eine überaus klare, an Eindeutigkeit nichts zu wünschen lassende Beschreibung der Gottheit des Heiligen Geistes[34].

[32] Vgl. A 28. Zum genauen Vergleich mit Cyrill s. Kelly 311.

[33] Zu Irenäus s. adv. haer. 3,11,8 (SC 211,160), den ganzen ersten Teil von Buch V (5,1—14; SC 153,16—194) mit einer Wendung etwa wie: (homo) »assumens vivificantem Spiritum inveniet vitam« (5,12,2; SC 153,150; zur Interpretation des Komplexes s. u. § 25), und 5,26,2 (SC 153,336). — Desweiteren denke man an das Symbol des Thaumaturgen (s. o. § 5 d A 67) und an die ägyptische Form der traditio apostolica (s. o. § 9 c A 43).

[34] Gegen Harnack II 275—284. Gegen die These vom Jungnizänismus, nach der bei den Kappadoziern und auf der Synode von Konstantinopel die nizänische Wesenseinheit im Sinne einer Wesensgleichheit verstanden worden wäre, haben sich mit überzeugenden Argumenten gewandt: J. Barbel, Gregor von Nazianz. Die fünf theologischen Reden (Testimonia 3), Düsseldorf 1963, S. 292—295 und A. M. Ritter, aaO 282—293; man vgl. die gewichtigen Ausführungen von B. Pruche, Basile de Césarée. Sur le Saint-Esprit. Introduction, Texte, Traduction et Notes (Sourc. Chrét. 17²), Paris 1968, S. 65ff. 179—196. — Basilius hat, wie Gregor v. Nazianz (epist. 58 PG 37,116 C. 117 AB) und Athanasius (epist. ad Pallad. PG 26,1168 D) sagen, in der ausdrücklichen Anwendung der Homoousie auf den Geist Zurückhaltung, »Ökonomie«, geübt. Vgl. dazu Pruche, aaO 79—110, der auch die These von Dörries, aaO 121—128, Basilius habe sein Schweigen mit der Unterscheidung von Kerygma

Die antipneumatomachischen Sätze bringen die trinitarische Aussage des Symbols mit allem Nachdruck zum Ausdruck. Aber sie erhalten doch ein so starkes Gewicht, daß nunmehr die Einheit des dritten Artikels zugunsten der Einheit von Vater, Sohn und Geist verdeckt wird und die übrigen Stücke nur noch als eine Art Anhängsel erscheinen, dessen Bindung an den Geist nicht mehr sehr deutlich wird. Immerhin hat die Kirche mit dem nicaeno-konstantinopolitanischen Symbol älteste Elemente des dritten Artikels bewahrt und den Sinn des alten Bekenntnisses theologisch sichergestellt.

Viertes Kapitel: Der Weg des pneumatologischen Artikels und der Wert des irenäischen Symbolzeugnisses

§ 10 Die geschichtliche Gestalt des dritten Glaubensartikels

Nachdem die Zeugnisse über den dritten Artikel bei Irenäus von Lyon und in der frühen Kirche vorgeführt worden sind, kann in einem zusammenfassenden Rückblick daran gegangen werden, das altkirchliche Bekenntnis zum Heiligen Geist als Ganzes zu überschauen und die Stellung des Lyoner Bischofs in ihm zu bestimmen.

Steht der Versuch, die Texte in ein großes Entwicklungsschema einzubauen, unter den gleichen Bedingungen wie die Hypothesen über die Entstehung des Symbols, gestatten es nämlich die Lückenhaftigkeit der Überlieferung einerseits und zum anderen ihre offenkundige Vielfalt nicht, den Befund auf einen

und Dogma (für den kleinen Kreis) motiviert, kritisch überprüft. (Das Bekenntnis zur Homoousie des Geistes in epist. 8,3; PG 249; geht auf Rechnung des Evagrius Ponticus; vgl. Altaner-Stuiber 267). — Gregor v. Nazianz hat die Homoousie für den Geist deutlich ausgesprochen: s. etwa orat. theol. 5,10 (ed. Barbel 236); ebenso der Nyssener: ad Eustath. (ed. Mueller 13 Opera III, 1); adv. Maced. 14 (ed. Mueller 100f), 15 (101f). — Daß die in C ausgesagte Homotimie nicht im Geringsten als Abschwächung der Homoousie verstanden werden kann, zeigt sehr schön Basilius, de Spiritu sancto (Näheres s. u. § 12 A 9). Hier mag ein Zitat aus epist. 159 (PG 32,621 A): »Wir verherrlichen also den Heiligen Geist mit dem Vater und dem Sohn, weil wir fest daran glauben, daß er der göttlichen Natur nicht fremd ist: er würde nicht an denselben Ehren teilnehmen, wenn er der Natur fremd wäre«, sowie der Hinweis auf Pruche, aaO 104—110, und H. Dörries, De Spiritu Sancto. Der Beitrag des Basilius zum Abschluß des trinitarischen Dogmas (AAG 3. F. 39), Göttingen 1956, S. 142f, genügen. Zum Ganzen s. die Ausführungen bei Dörries, aaO 174, und Ritter, aaO 293—307.

gemeinsamen Nenner zu bringen, so erscheint es dennoch möglich, inhaltliche und strukturelle Konstanten sowie, in gewissem Umfang, Ansätze zu einer Entwicklung hervorzuheben.

Nach allen überkommenen Texten liegt der Ursprung des pneumatologischen Artikels in der Taufe, genauer im Taufbekenntnis, welches sich auf dem trinitarischen Taufbefehl aufbaut[1]. Ein für sich gebrauchtes, den christologischen Formeln vergleichbares Bekenntnis zum Geist ist in der kirchlichen Tradition nicht nachweisbar.

Freilich ist mit der Rückbindung an den Taufbefehl noch nicht darüber entschieden, ob tatsächlich alle Formeln, in denen der Heilige Geist begegnet, als Ganze unmittelbar auf Mt 28,19 aufgebaut sind. Denn es bleibt möglich, daß ehemals selbständige zweigliedrige Texte unter dem Eindruck des Taufglaubens nachträglich um den pneumatologischen Artikel erweitert worden sind. Aber auch in diesem Fall wäre er nicht schlechthin als spätere Hinzufügung anzusehen, ist er doch von Beginn an im Taufbekenntnis verankert, und würde sich sein Hinzutreten zu möglicherweise eigenständigen, vom Taufglauben unabhängigen Formulierungen dadurch erklären lassen, daß diese in jenes integriert werden oder von ihm her eine Erweiterung erfahren, weil das kirchliche Bekenntnis vollständig ausgedrückt werden soll oder weil die Frage nach dem Geist an lehrmäßiger Bedeutung zunimmt[2].

Die Beispiele für eine dreigliedrige Glaubensregel bei Irenäus und den ersten kirchlichen Theologen bieten so, wie sie überkommen sind, allerdings keinen Grund für die Annahme einer sekundären Ergänzung. Vom heutigen Betrachter aus gesehen, orientieren sie sich mehr oder weniger ausdrücklich, dem jeweiligen Genus der Texte entsprechend, an der trinitarischen Struktur des Taufschemas. Die binitarischen Formeln als Vorstufen eines Entwicklungsprozesses zu deuten, ist nicht möglich. Sie erweisen sich vielmehr als Texte zum Zweck der lehrhaften Verkündigung, die das vollständige Bekenntnis nicht wiedergeben wollen[3].

[1] S. die in §§ 1.2 vorgestellten Texte, § 3 und die Analysen der trinitarischen Formeln. Andere Formen sind etwa die Segensformel von 2 Kor 13,13, die trinitarische Schwurformel von 1 Clem 58 (ed. Fischer 98), die Gebetsformeln bei Justin (s. o. § 5 a A 10) und die Doxologien der traditio apostolica (s. o. § 6 a A 20). Sie zeigen, daß der trinitarische Glaube nicht auf die Taufe beschränkt ist, Ein unmittelbarer Einfluß auf das Taufbekenntnis und die von ihm geprägten katechetischen Formeln ist nicht feststellbar. — Erwähnt sei noch das Gebet um den Geist bei der Handauflegung (trad. apost. 21; ed. Botte 52), bei der Epiklese innerhalb der Eucharistie (trad. apost. 4; ed. Botte 16) und bei den einzelnen Weihen (trad. apost. 2.8; ed. Botte 8.22.26).

[2] S. dazu bes. o. § 3!

[3] Man vgl. die Analysen zu den Texten bei den einzelnen Autoren o. §§ 4.5!

Auf die Frage, ob nicht doch eine Entwicklung in dem Sinne stattgefunden hat, daß im Laufe der Zeit immer reichere Formulierungen hervorgetreten sind, kann nur behutsam geantwortet werden. Lediglich auf Vermutungen angewiesen ist die Behauptung, die älteste Fassung habe nur den Heiligen Geist gekannt. Denn die vermeintlichen Zeugen wollen kein komplettes Symbol bieten, sondern nur die für den jeweiligen Zweck notwendigen Stücke nennen. Ihnen stehen weitaus ältere ausführlichere Versionen gegenüber[4]. Andererseits möchte man doch meinen, die in späterer Zeit erkennbare Tendenz, den dritten Artikel auszubauen, sei schon von Anfang an wirksam gewesen, so daß ähnlich wie im ersten und zweiten Glied weitere, für das Glaubensleben wichtige Inhalte hinzugekommen wären[5].
Der Befund stellt sich folgendermaßen dar: Beim Geist ist das Adjektiv »heilig« von der Frühzeit an bezeugt, so daß »Heiliger Geist« durchweg als Eigenname auftritt[6]. Die Erwähnung seines prophetischen Wirkens ist seit Justin geläufig und hat sich besonders in den östlichen Texten erhalten. Auffallend selten kommt der Paraklettitel vor, der auf die nachösterliche Wirksamkeit des Geistes hinweist[7]. Neben dem Heiligen Geist wird seit ältester Zeit die heilige Kirche genannt[8]. Ähnliches gilt für die Sündenvergebung und die Fleischesauferstehung[9].

[4] Ein Bekenntnis, das nur den Heiligen Geist nennen und damit eine ursprüngliche Fassung wiedergeben würde, ist nicht nachweisbar; s. o. § 9 c A 54 und § 9 Exkurs A 2. Beim Symbol des Thaumaturgen (§ 5 d A 67) handelt es sich um eine theologische Formel, die nicht als originär angesehen werden kann.

[5] Man denke an die Unterschiede zwischen R und den Symbolen, aus denen der textus receptus des Apostolicum hervorgegangen ist. Vgl. die Texte bei Lietzmann, Symbolstud. 11—16, und Hahn passim.

[6] S. Mt 28,19, die epistula Apostolorum (§ 9 a), Justin (§ 2 b) usf. Zu Irenäus vgl. § 4 b und § 27 A 26. S. auch § 7 b A 14.

[7] Paraklet schreiben u. a. die epistula Apostolorum (§ 9 a), Tertullian in seiner montanistischen Zeit (§ 5 b A 16), orientalische Bekenntnisse wie das von Jerusalem (§ 9 Exkurs), Epiphanius II (Hahn 126, Lietzmann 21f, DS 44), die Hermeneia (Hahn 127, DS 46) und dann bes. die arianisierenden Symbola Antioch. II (Hahn 154, Lietzmann 28), Antioch. III (Hahn 155, Lietzmann 30), Antioch. IV (Hahn 156, Lietzmann 30f), Apost. Konst. VII (s. o. § 9 Exkurs), Philipp. (Hahn 158), die sirmischen Formeln I, II, IV (Hahn 160.161. 163), Nice (Hahn 164, Lietzmann 33f), Seleucia (Hahn 165), Konst. v. J. 360 (Hahn 167, Lietzmann 34) u. a. (vgl. Hahn 134, 168, 176, 190, 192, 196, 217, 221). Bei Irenäus begegnet Paraklet, von der gnostischen Verwendung abgesehen, in 3,11,9 (SC 211,172); 3,17,2 (332) und zweimal in 3,17,3 (336). Zum proph. Geist s. u. § 12 A 4.

[8] Das früheste Zeugnis ist wiederum die epistula Apostolorum (s. o. § 9 a). In den Symboltexten des Justin (s. o. § 2 b und § 5 a) fehlt ein entsprechender Hinweis, keineswegs aber bei Irenäus (s. o. § 4 b. c). S. dann Tertullian (§ 2 c und § 5 b), Novatian (§ 5 c), Origenes (§ 5 d auch A 52) und Hippolyt (§ 6 a. b) sowie die Mehrzahl der weiteren Formeln. Eine merkwürdige Ausnahme ist

Im Ausgang von der bei Hippolyt und Anderen überlieferten Wendung: »in der heiligen Kirche«, mag man zu dem Schluß geführt werden, hier liege eine sehr alte Form des dritten Artikels vor, die später in einer zweifachen Richtung erweitert worden sei, indem einmal vor der Kirche weitere Objekte eingefügt, dann aber mit der Folge einer grammatikalischen Koordinierung nach ihr die übrigen Einzelartikel angeschlossen worden seien[10]. Die Hypothese hat eine Reihe von Zeugen für sich, muß sich aber doch die gravierende Einschränkung gefallen lassen, daß sie in der ersten Zeit, so bei Irenäus und auch bei Tertullian, nicht verifiziert werden kann und daß sie mit der These vom parataktischen Anschluß keine ausreichende Begründung für die spätere Entwicklung liefert. Sie trifft nur für einen bestimmten Kreis von Texten zu, die Versionen der hippolytischen Kirchenordnung und die afrikanischen Symbola[11].

An dem geschichtlichen Befund vorbei geht die Behauptung, der dritte Artikel sei des formalen Gleichgewichts halber parallel zu den ersten beiden ausgestaltet worden. Mag in der Tendenz zu größerer Ausführlichkeit eine gewisse Parallelität vorliegen, so kann doch eine formale Entsprechung nicht als das bestimmende Motiv für die Ausbildung erwiesen werden[12].

Größeren Aufschluß über die Eigenart des pneumatologischen Bekenntnisses kann die aus der Vergleichung der späteren Symbole mit den ersten Relationen der Glaubensregel gewonnene Erkenntnis vermitteln, daß in der Regula bei den Geschehnissen der Endzeit vom Gericht und vom Heil die Rede ist, während die Symbole in ihrem dritten Artikel die Möglichkeit der ewigen

der Text des Makarius (s. o. § 9 c). — Für die Frühzeit finden sich brauchbare Hinweise bei Hahn 387f (Harnack), Kattenbusch II 695—698 und Kelly 156—160.

9 Für die Sündenvergebung s. die epistula Apostolorum (s. o. § 9 a), Irenäus (§ 4 a), R (§ 7 b) und die weiteren westlichen Texte. Im Osten ist die Verbindung mit der Taufe üblich (s. dazu § 11 A 5). — Justin erwähnt zwar die remissio peccatorum nicht als Glaubensaussage, spricht aber doch von der Abwaschung in der Taufe (apol. 1,61); ähnlich Tertullian (s. nur de bapt. 6) und Novatian (de trin. XXIX ed. Weyer 186) wie auch Hippolyt (trad. apost. 21 ed. Botte 52). Weitere Angaben bei Hahn 388 (Harnack), Kattenbusch II 713ff und Kelly 160. Die Fleischesauferstehung fehlt in den Symboltexten bei Justin (s. o. § 2 b, § 5 a) und in der epistula (§ 9 a), kommt aber sonst durchweg zur Sprache. Man vgl. noch Hahn 388f (Harnack), Kattenbusch II 720ff sowie Kelly 163ff.

10 So Eichenseer, aaO 69ff.126, und de Lubac, La Foi 239f.

11 S. o. § 6 a; § 8; § 9 c.

12 Vgl. die Bemerkungen zur epistula Apostolorum (s. o. § 9 a mit A 10.12), zur traditio Apostolica (§ 6 a), zu R (§ 7 b mit A 23) und zum Dêr-Balyzeh-Papyrus (§ 9 c mit A 48).

13 S. dazu bes. § 4 a. b; § 5 b und § 5 d!

Bestrafung unerwähnt lassen[13]. Dem entspricht das zweite Kennzeichen, daß in der Glaubensregel der christologische Artikel wiederholt nur bis zur Himmelfahrt ausgeführt und die Wiederkunft erst nach dem Geist im Zusammenhang mit den Endereignissen erwähnt wird[14]. In diesen Fassungen liegt ein dritter Artikel in einer eigentümlichen Mischung vor, bei der die Aussagen über den Geist nicht klar von den christologischen abgehoben sind. Die Texte halten sich an die heilsgeschichtliche Abfolge, derzufolge die Geisterfahrung tatsächlich der Wiederkunft vorausgeht. Sie lassen damit zugleich erkennen, daß sie, obschon vom Taufbekenntnis geprägt und inhaltlich wie strukturell mit ihm verwandt, doch nicht schlechthin identisch mit ihm sind.

Die Symbola nun nehmen eine schon bei Tertullian anklingende Scheidung vor[15]. Die Worte über die Wiederkunft und das Gericht rücken in den christologischen Teil, so daß dieser jetzt das Werk des Sohnes vom Anfang bis zum Ende beschreibt und der dritte Artikel seine eigene umschriebene Form erhalten kann. Bei der Erwähnung des Endes werden Gericht und Bestrafung übergangen. Statt dessen ist nur noch von der Heilserwartung und dem göttlichen Leben die Rede. Es zeigt sich eine Entwicklung, innerhalb derer sich der pneumatologische Artikel vom christologischen Bekenntnis ablöst und dadurch die für ihn spezifische Gestalt bekommt.

An die Urform ist freilich auch auf diesem Weg nicht heranzukommen, da sich in der Glaubensregel bereits ein bestimmtes Stadium der Geschichte und der Interpretation des pneumatologischen Bekenntnisses widerspiegelt. Man erkennt aber, daß der Glaube an den Heiligen Geist schon früh in der ihm eigenen Bedeutung erfaßt worden ist, sich deshalb von der christologischen Verklammerung getrennt und die ihm entsprechende eschatologische Ausrichtung erhalten hat.

Die bisher erreichten Feststellungen führen zu zwei miteinander verbundenen Fragen. Wie fügt sich der dritte Artikel in die Gesamtstruktur des Bekenntnisses ein? Welche Strukturierung liegt innerhalb des dritten Teils vor?

Der erste Punkt ist mit der Abkünftigkeit aus dem Taufschema und dem Eigencharakter der binitarischen Texte schon zu einem wesentlichen Teil geklärt. Das Ergebnis wird jedoch, nicht hinsichtlich des historischen Ursprungs, wohl aber in Bezug auf die faktisch erfolgte Weiterentwicklung, durch die Möglichkeit in

[14] So bei Tertullian, de praescr. 13 (s. o. § 5 b), Origenes, de princ. 1 (s. o. § 5 d). Vgl. Irenäus adv. haer. 1,10,1 und 5,20,1 (s. o. § 4 a. c).

[15] Tertullian adv. Prax. 2 (s. o. § 5 b).

Frage gezogen, daß im dritten Teil der Geist in einer Reihe mit den übrigen Stücken steht und deshalb unter den Oberbegriff der Heilsgüter zu fassen wäre oder daß statt eines eigenen dritten Glaubensartikels eine vielgliedrige Strukturierung vorliegt.

Beginnt man mit dem letzten, der Frage nach der Gesamtstruktur, dann ist als Ergebnis der Untersuchung grammatikalisch vielgliedriger Symboltexte festzuhalten, daß sich bei keinem von ihnen die Meinung bewahrheitet hat, sie seien erst mit der Zeit in ein dreigliedriges Schema gebracht und dann entsprechend verstanden worden[16]. Abgesehen davon, daß man mit der Unterscheidung einer »triadischen« Struktur und einer »trinitarischen« Auslegung spätere Interpretamente in die Texte hineinträgt[17], erweist sich gerade die Auflösung als das Werk einer späteren Epoche, in der das trinitarische Verständnis gesichert war, der Sinn für die Einheit des Symbols aber abgenommen hat[18]. Andrerseits braucht man auch nicht bei allen Bekenntnistexten auf einer grammatikalisch ausgedrückten trinitarischen Struktur zu insistieren, da sie den Glauben in freier Form wiedergeben können. Dazu mag eine gewisse Sorglosigkeit in der Sprache kommen, für die sich eine trinitarische Auffassung nicht an formalen Gesichtspunkten entschied[19].

Daß die Stücke innerhalb des dritten Artikels inhaltlich koordiniert seien, ist des öfteren behauptet worden[20]. Doch handelt es sich hier-

16 Gegen G. Kretschmar, Taufgottesdienst S. 97. Sein auf die traditio Apostolica bezogenes Urteil hat an dieser keinen Anhalt (s. dazu o. § 6 a A 25). Als Hypothese über die Entstehung des Symbols gemeint, kann es sich nur auf die epistula Apostolorum berufen, die dann aber doch kaum einen beweiskräftigen Zeugen für ein fünfgliedriges Bekenntnis darstellt (s. o. § 9 a).

17 Ein Mann wie Basilius der Große ist der Überzeugung, mit der trinitarischen Deutung des Taufglaubens ganz in der kirchlichen Tradition zu stehen (s. dazu nur de spir. s. 29; ed. Pruche 500—518). Deshalb urteilt m. E. de Lubac zutreffend, wenn er über den Personbegriff schreibt: »Cette personnalité divine était alors reconnue *in actu*, sans équivoque, par la foi vivante ...« (La Foi 135). Man vgl. auch die Bemerkungen von A. Grillmeier, Vom Symbolum zur Summa. Zum theologiegeschichtlichen Verhältnis von Patristik und Scholastik (Kirche und Überlieferung, Hrsg. O. Betz, H. Fries, S. 119—169), Freiburg 1960, S. 122 A 8.

18 S. o. § 8 Exkurs A 8; § 9 c A 41.53; § 9 Exkurs A 7. Vgl. auch de Lubac, La Foi 61—69.

19 Hier ist zu denken an die epistula Apostolorum (s. o. § 9 a), das Symbol des Dêr-Bal.-Papyrus (§ 9 c), an die Formel Cyrills von Jerusalem und an das Niz.-Konst. (§ 9 Exkurs). S. auch o. § 7 b A 28!

20 A. Matthaei, Über den Zusammenhang im dritten Artikel des apostolischen Symbols (Programme Hamburg, Realgymsasium des Johanneums 1839—1844 S. 3—14), Hamburg 1884, spricht von einem einheitlichen Artikel hinsichtlich der Gaben, die »dem Täufling von Gott durch Christum zuteil werden oder in Aussicht gestellt sind« (S. 14). Matthaei erkennt aber nicht die besondere Strukturierung von R (s. dazu o. § 7 b). Die seit Rufin feststellbare Betonung

bei zuerst um eine dogmatische Feststellung. Vom formalen Befund allein ist sie nicht zu begründen. Denn wenn auch nach diesem nicht eine dermaßen enge Verbindung wie bei den beiden ersten Gliedern besteht, hat doch eine ihm folgende Betrachtungsweise zunächst davon auszugehen, daß nach dem Schema des Taufbekenntnisses der Geist parallel zum Vater und zum Sohn genannt wird. Er ist dadurch von den nachfolgenden Inhalten abgehoben, wie es später dann auch mehrere Texte in ihrer Strukturierung des dritten Teils andeuten[21]. Wenn seit frühester Zeit der Glaube an Vater, Sohn und Geist als die Hauptaussage des Bekenntnisses betrachtet wird, dann muß eine Deutung des dritten Artikels im Sinne von gleichrangigen Gütern ein größeres Sicherheitsrisiko tragen als die von der gesamten Entwicklung bestätigte Interpretation, die den trinitarischen Charakter des pneumatologischen Bekenntnisses festhält[22].

des Einschnitts nach dem Geist kann er nur als ein nachträgliches Interpretament betrachten, und die besonders durch Novatian (s. o. § 2 d; § 5 c) bezeugte Einheit des dritten Artikels unter dem Oberbegriff »Heiliger Geist« erhält bei Matthaei das nicht begründete Verdikt, die »Forderung eines Zusammenhangs« stehe über der »inneren Gestaltung« (S. 8). — Kattenbusch II 720 folgt ihm mit der These von den messianischen Gütern, der »kurzen Summe der eigentlich alttestamentlichen Prophetie in ihren tiefsten Gedanken«; vgl. dazu o. § 7 b A 27.

[21] Zu R s. o. § 7 b! Die Mehrzahl der späteren westlichen Texte behält im dritten Artikel die Präposition »an« dem Geist vor. Das Symbol aus dem Antiphonale von Bangor (Hahn 76, Lietzmann 16, DS 29) betont den Einschnitt dadurch, daß es nach dem Geist einen neuen Satz bildet: »sanctam esse ecclesiam catholicam«. Auch der Wechsel von »in Spiritu sancto« zu »sanctam ecclesiam« könnte beibehalten worden sein, um den Unterschied zu markieren. S. das Symbol von Aquileia (Hahn 36) und die Formel nach Fortunatus (Hahn 38). Zur letzteren ist bei Hahn (A 69) der Satz aus der Expositio abgedruckt: »Ergo ubi ›in‹ praepositio ponitur ibi divinitas approbatur, ut est: Credo in Patre, in Filio, in Spiritu sancto. Nam non dicitur ›in sancta ecclesia‹, sed (sanctam ecclesiam et) remissionem peccatorum credis«. S. weiterhin Florenz (Hahn 39), Ps. Athanasius (Hahn 46) und die Legendenformel bei Pirmin (Hahn 92, Lietzm. 15f).

[22] Dies wird nicht zuletzt die theologische Deutung des Symbols nach Irenäus zu beweisen haben. — Daß das später in mühseligen Kämpfen entwickelte Denken noch nicht in voller Klarheit in den frühen Formulierungen gefunden werden kann, braucht nicht eigens betont zu werden. Für zu einfach halte ich jedoch die Behauptung von K. Lehmann, Bedarf das Glaubensbekenntnis einer Neufassung? (Veraltetes Glaubensbekenntnis? P. Brunner, G. Friedrich, K. Lehmann, J. Ratzinger, S. 125—186), Regensburg 1968, S. 133, der Geist sei zuerst »primär als ›Gabe‹ und Kraft« verstanden und die Frühform sei»später durch Zusätze in gewisser Weise gesprengt bzw. umgedeutet« worden.

[23] H. Lietzmann, Symbolstudien 210; zur Kritik s. o. § 9 a A 10.12. — J. de Ghellinck, Les recherches 248, hält zwar an der Personalität des Geistes im Symbol fest, plädiert aber für die Anfügung von Heilsgütern ohne enge Verbindung mit dem Heiligen Geist. — J. Lebreton (in: A. Fliche, V. Martin, Histoire de l'Eglise I 370; vgl. auch seine Histoire du dogme de la Trinité, II

Ein zweiter Einwand kann die Auslegung erneut vor Schwierigkeiten stellen. Denn man mag fragen, ob an sich fremde Glieder mit dem Bekenntnis zum Geist eine nur äußerliche Verbindung eingegangen sind oder ob ein echter Zusammenhang in Entsprechung zu den ersten Gliedern vorliegt. Im ersteren Fall würde es keinen einheitlichen dritten Artikel geben, sondern nach dem Geist nur noch eine Art Anhang über verschiedene Glaubensdinge[23]. Nun hat aber die Analyse bei einer Reihe von Formeln eine formale Einheit sichtbar werden lassen, die aufgrund der Parallelität zum ersten und zum zweiten Teil auch den Inhalt betreffen muß[24]. Ja, selbst bei weniger geschlossenen Fassungen tritt ein inhaltliches Verständnis zutage, das die nachfolgenden Stücke mit dem Geist und seinem Wirken verknüpft[25]. Eine letzte, nicht gering zu veranschlagende Bestätigung liefert schließlich die Beachtung über die Ausscheidung des dritten aus dem christologischen Artikel, kommt es doch hierdurch zu dem je eigenen Charakter der beiden Teile, insofern beide in die Eschatologie einmünden, der pneumatologische aber mit dem nunmehr bezeichnenden Unterschied, daß er jetzt ganz die Heilserwartung der Gläubigen aussagt[26].

Das Bekenntnis zum Heiligen Geist beschreibt somit eine Bewegung, die erst mit der Vollendung in Gott zum Abschluß kommt. In sie fügen sich die Kirche, die Taufe und die Sündenvergebung ein als die Zeichen der Geistwirksamkeit, in denen sich das dem Menschen zukommende Heil ankündigt. Auch ohne daß die inhaltliche Auslegung zum entscheidenden Beweisgrund gemacht wird, stehen die Glieder des dritten Glaubensartikels in einem innerlichen Zusammenhang zum Wesen und zum Werk des Heiligen Geistes, das wiederum in die trinitarische Gesamtstruktur des Symbols hineingenommen ist[27].

170f) nimmt in Bezug auf die Stücke nach dem Geist die Idee von Kattenbusch auf, es handle sich um die Inhalte der (geistgewirkten) atl. Prophetie, und erreicht damit keine innerliche Verbindung. S. auch de Lubac, La Foi 136f. Kelly schreibt: »Der dritte Artikel von R ... ist insofern singulär, als er aus einer Kette recht verschiedener Glaubensinhalte besteht« (S. 152), meint dann aber, es sei »angebracht« gewesen, die Stücke dem Hl. Geist folgen zu lassen (S. 155).

24 Vgl. bes. die traditio Apostolica (s. o. § 6 b), R (§ 7 b) und die afrikanischen Symbola (§ 8).

25 S. die Verweise in A 19.

26 Vgl. o. A 13—15.

27 Der innerliche Zusammenhang des dritten Artikels ist in neuerer Zeit besonders durch P. Nautin, Je crois à l'Esprit-Saint, herausgestellt worden. Am Schluß seiner kleinen Untersuchung faßt er das Ergebnis, dem in der Grundaussage zuzustimmen ist, in dem Satz zusammen: »Je crois à l'Esprit-Saint dans la sainte Eglise catholique, communion des saints pour la remission

Den geschichtlichen Befund vor Augen, kann man von der einen Gestalt des pneumatologischen Bekenntnisses sprechen. Bevor sie in den großen Symbolen ihre letzte Ausprägung erfährt, zeigt sie sich in den voraufgehenden Jahrhunderten in vielen Texten. Sie begegnet in verschiedenartigen Variationen, in mehr oder weniger ausgewogenen Formulierungen. Aber in all dem tritt schon immer der dritte Artikel in den bezeichnenden Grundzügen in Erscheinung. Ob in den ersten Anfängen, ob in den Glaubensformeln des Lyoner Bischofs oder schließlich in den siegreichen Symbolen, es ist das eine Bekenntnis, dessen Gestalt sich in die Geschichte auslegt. Ohne die Formeln zu einem künstlichen, unorganischen Ganzen kumulieren zu müssen, ergibt sich ihre Einheit aus dem grundlegend Gemeinsamen der vielen Texte. Sie schließt eine gewisse Entwicklung, lokale Eigenarten und zuletzt die klarere Erfassung der theologischen Implikationen nicht aus, wird aber dadurch nicht aufgehoben, sondern als der eine Glaube bestätigt, der die Kirche über Zeiten und Orte hinweg verbindet. Es zeigt sich ein pneumatologischer Artikel, der mit dem Bekenntnis zu Vater und Sohn zusammengeschlossen ist. Diese Rückbindung wird die Grundlage für alle theologischen Aussagen über die Gottheit des Heiligen Geistes sein. Dann tritt der Geist in seinem eigenen Wesen und Werk in Erscheinung. Er gibt sich nicht nur in der nachösterlichen Sendung zu erfahren, sondern, im Blick auf das Erlösungswerk Christi, auch in der Zeit vor der Inkarnation. Er versetzt den Menschen in die Unmittelbarkeit zu Gott, bis hin zur Teilhabe an seinem Leben. Die Kirche steht in einer besonderen Nähe zu ihm, da sie die vorzügliche Stätte seiner nachösterlichen Wirksamkeit ist. Hier wird der Geist dem Christen in der Folge der Sündenvergebung in der Taufe zuteil und gewährt ihm die Hoffnung auf das ewige Heil.

Die gemeinsame Gestalt in der geschichtlichen Auslegung ist ein Zeichen der Identität des Glaubens. Sie ist gleichzeitig eine wichtige Voraussetzung für eine theologische Interpretation, die bei den je verschiedenen Situationen und Fragestellungen doch nicht die Einheit des Bekenntnisses übersehen darf.

des péchés, la resurrection de la chair et la vie éternelle« (S. 68). Zu den Details s. o. § 6a A 23 und § 6b. — J. Ratzinger, Einführung in das Christentum, hat — gleichfalls für das Apostolicum — »die innere Einheit der letzten Aussagen des Symbols« tiefgründig und überzeugend beschrieben (S. 275—300; bes. 275-280, unter der zitierten Überschrift). — Schließlich widmet H. de Lubac in seiner neuen Arbeit über das Apostolische Symbol dem Artikel vom Heiligen Geist wertvolle Seiten, auf denen er seine Einheit und die Einbindung in die trinitarische Struktur des Symbols darstellt und dies mit reichen Angaben aus der patristischen wie der neueren Theologie erläutert: La Foi, S. 132—140.153. 250—262.

§ 11 Taufsymbol und Glaubensregel

In der Rückschau auf den Weg des pneumatologischen Bekenntnisses seit Irenäus werden zwei Schwerpunkte sichtbar, der Taufglaube und die Glaubensregel. Der erstere, der sich im Taufschema, in Tauffragen, in katechetischen Formulierungen und schließlich im deklaratorischen Taufsymbol äußert, bildet den innersten Kern für den dritten Glaubensartikel[1]. Obschon dies im Grundsatz auch für die ersten beiden gilt, trifft es beim Heiligen Geist in besonderem Maße zu. Das Bekenntnis zu ihm ist länger im unmittelbaren Raum der Taufe geblieben, da es anfänglich eher indirekt von der theologischen Auseinandersetzung berührt worden ist und wohl auch noch nicht immer reflektierte theologische Bewußtheit erlangt hat[2]. Darüber hinaus steht gerade der Glaube an den Geist in einer inneren Beziehung zum Taufgeschehen, da es dem Gläubigen sein Wirken vermittelt[3]. Sämtliche Inhalte des dritten Artikels kommen von hier aus in den Blick. Geistempfang und Eintritt in die Kirche entsprechen einander, wie Taufe und Kirchengliedschaft zusammengehören[4]. Die Sündenvergebung nimmt unmittelbar auf die Taufe Bezug; und die Hoffnung auf ewiges Leben hat in ihr ihr Unterpfand[5]. So vollzieht das Glaubensbekenntnis die in der Taufe einsetzende Bewegung nach. Es bedeutet zutiefst die innere Übereinstimmung mit der Wirklichkeit des christlichen Eingangssakraments.

Daß dies in einer Glaubensbekundung ausgesprochen wird, hat nichts Merkwürdiges an sich. Wenn von frühester Zeit an die trinitarische Taufe üblich gewesen ist[6], dann muß das Bekenntnis

[1] S. dazu das in der Einführung Gesagte sowie die Nachweise in §§ 1.2.

[2] Vgl. bes. die Ausführungen in § 3.

[3] S. zu Irenäus o. § 4 c.d; zu Justin § 5 a A 19; zu Tertullian § 5 b A 21; zu Novatian § 5 c; zu Origenes § 5 d A 52; zu Hippolyt § 6 b. — Zur Frage eines besonderen Aktes der Geistmitteilung s. § 14 a A 5.6.7.

[4] S. hier nur die Angaben zu Irenäus (o. § 4 c), zu Hippolyt (o. § 6 b) und Cyprian (§ 8 und § 8 Exkurs). Über die Verbindung von Geist und Kirche bei Irenäus wird u. § 23 ausführlich zu handeln sein.

[5] Vgl. o. § 10 A 9. Sündenvergebung und Taufe werden in orientalischen Symbolen ausdrücklich verknüpft: Cyrill v. Jer. (s. o. § 9 Exkurs); Epiph. I (Hahn 125, Lietzmann 19f, DS 42); vgl. Epiph. II (Hahn 126, Lietzm. 21f, DS 44); Hermeneia (Hahn 127, DS 46); Apost. Konst. VII (Hahn 129, Lietzm. 23); Nestorius (Hahn 132, Lietzm. 24); Theod. v. Mopsueste (DS 51); Armen. längere Form (Hahn 137, DS 48); Niz. Konst. (s.o. § 9 Exkurs). Aufschlußreiche Formulierungen aus weiteren Bekenntnissen finden sich bei Hahn 53, 57, 66, 105, 106, 118 b, 120, 138, 211, 231. Zur Ausrichtung des dritten Artikels auf Heil und Leben s. o. Irenäus (§ 4c.d.), Novatian (§ 5c), R (§ 7 b), die afrikanischen Formeln (§ 8), Apost. Konst. VII (§ 9 Exkurs) u.ö.! Vgl. auch die Verweise o. § 10 A 13—15.

[6] S. o. § 2.

zum Werk des Geistes nach dem zu Vater und Sohn als eine Selbstverständlichkeit erscheinen. Religiöse Erfahrung und dogmatische Anerkennung können nicht in einer Weise gegenüber ausgespielt werden, daß man das Bekenntnis zum Heiligen Geist erst in einer Zeit für denkbar hält, die nichts mehr von den ursprünglichen Erfahrungen verspürt hätte[7]. Die Glaubenszusage an ihn hat in Verbindung mit der Taufe schon immer den Sinn, sein Wirken zu bejahen und zu übernehmen. Hier ist nicht zuerst an wogende charismatische Erlebnisse zu denken, sondern an die Bereitschaft zu einem Leben in Glauben und Liebe in der Bindung an die Gemeinschaft der Kirche. Der zunehmenden Klärung des Glaubensbewußtseins wird es dann vorbehalten bleiben, die Implikationen des ersten Bekenntnisses zu entfalten.

Insofern das Taufgeschehen über die katechetische Vorbereitung auf einen weiteren Bereich einwirkt, wird die kirchliche Glaubensunterweisung zum nächsten Gebrauchsort für den pneumatologischen Artikel. Vom Heiligen Geist wird gesprochen, sobald der Glaube der Kirche vollständig beschrieben werden soll. Er erscheint in formelhaften Texten, die nach dem Schema der Taufe die christlichen Hauptlehren aufzählen[8].

Welche Akzentuierung dem Bekenntnis zum Geist dabei gegeben wird, ist nicht leicht auszumachen. Eine antihäretische Ausrichtung wird nicht in dem Maße deutlich wie bei den ersten beiden Symbolgliedern. Eher ist es der Bereich, in dem und mittels dessen der Angriff der Häresie auf die Kirche zurückgewiesen werden kann[9].

So steht der dritte Artikel vor allem im Innenraum der Kirche. Er dient der Bestärkung der Gläubigen im Blick auf die verheißene Vollendung, der festen Begründung des kirchlichen Wahrheitsanspruchs und dann erst der Abgrenzung gegenüber häretischen Lehrmeinungen. In Entsprechung dazu beschreiben seine Inhalte zuoberst die geistgeschenkte Wirklichkeit kirchlichen Lebens und christlicher Hoffnung[10].

[7] Gegen Kattenbusch II 663f (vgl. II 506f A 34), der im Anschluß an Th. v. Zahn meint, der Geist »als Gegenstand einer Glaubensaussage« deute auf eine Zeit, in der man ihn »nicht mehr oder doch nicht oft mehr in der alten Weise ›spürte‹ «.

[8] S. dazu o. § 3 sowie die trinitarischen Formeln bei den kirchlichen Theologen o. § 4 und § 5.

[9] Man vgl. bes. o. § 3 und dann noch zu Irenäus o. § 1 a.b. und § 4 a.b, zu Tertullian o. § 5 b, zu Novatian § 2 d und § 5 c. — Freilich gilt die getroffene Feststellung nicht exklusiv. Denn es fehlt nicht an antihäretischen Akzenten in irenäischen Formeln (z. B. adv. haer. 5,20,1, s. o. § 4 c). Ähnliches trifft für Tertullian (vgl. adv. Praec. 2, s. o. § 5 b) und Origenes zu (de princ I, in epist. ad Tit. s. o. § 5 d). — Zur antihäretischen Ausrichtung der Pneumatologie bei Irenäus s. u. § 15 b und § 28 mit A 25!

[10] Vgl. die Hinweise o. A 5.

Für die altkirchlichen Theologen bildet der Glaube an den Heiligen Geist zusammen mit den anderen Artikeln eine Art von Traditionskanon. Sie wissen sich an ihn gebunden, da er ihnen die Identität mit der apostolischen Wahrheit zusichert. Freilich können seine Stücke in den Glaubensformeln und Relationen der Glaubensregel in den Dienst der Beweisabsicht des jeweiligen Verfassers genommen werden. Ohne daß sich die Grundaussagen ändern, deuten sich doch Unterschiede im theologischen Verständnis an, wie auch eine gewisse Freiheit in der Auswertung des kirchlichen Bekenntnisses sichtbar wird[11]. Es kann der Weg einer Theologie beschritten werden, die es auszulegen und zu begründen versucht oder über es hinausgeht, um seine verbindlichen Aussagen in einer umfassenderen Synthese aufnehmen zu wollen[12].

In der weiteren Entwicklung, bei der sich die Glaubensregel immer stärker im Symbol zusammenzieht und dieses vermehrt zum Träger theologischer Inhalte wird, gewinnt die trinitarische Auslegung des pneumatologischen Bekenntnisses zunehmend an Bedeutung[13]. Da die Formeln eine mehrdeutige Interpretation zulassen und auch von denen übernommen werden können, die dem kirchlichen Glauben widersprechen[14], bemüht man sich um präzisere theologische Formulierungen. Sie verstehen sich als Verdeutlichung dessen, was im Akt des Glaubens schon immer bekannt worden ist, und zeigen demzufolge das Bemühen, dem Bekenntnis nichts Fremdes hinzuzufügen, sondern in der Anknüpfung an den Ursprung seine Implikationen zu entwickeln[15].

Indem man die aus der streng trinitarischen Struktur des Symbols folgende Gottheit des Heiligen Geistes herausgestellt hat, konnte man der damals aktuellen Frage gerecht werden, das heißt, die theologisch notwendige Antwort formulieren. Ist diese Konsequenz

[11] Als Ausdruck des kirchlichen Glaubens sind die Formeln gleichwohl vom Denken der jeweiligen Autoren geprägt. Vgl. die Analysen in §§ 3.4.5.

[12] Für einen Mann wie Irenäus hat die kirchliche Bekenntnisformulierung eine größere Selbstverständlichkeit (s. adv. haer. 1,10,1—3; H 1,90—97) als für einen Origenes, der nicht zuletzt beim Hl. Geist die offenen Fragen betont (de princ. I praef. 4—10; ed. Koetschau 9—16). — Erinnert sei auch der Satz Tertullians, daß nichts gegen die Glaubensregel wissen, alles wissen bedeutet (de praescr. 14).

[13] Ansatzhaft ist die theologische Reflexion schon bei Justin sichtbar geworden (s. o. § 5 a mit A 6). Sie ist in der ganzen weiteren Symbolgeschichte gegenwärtig und erreicht schließlich mit der Formulierung im Niz.-Konst. (s. o. § 9 Exkurs) ihren Höhepunkt.

[14] Hier ist an die arianisierenden Bekenntnistexte zu denken (s.o. § 10 A 7), die bei allem Reichtum an biblischen Formulierungen das orthodoxe Glaubensverständnis zu umgehen versuchen.

[15] S. o. § 9 Exkurs mit A 34 und § 10 A 17).

der Entwicklung entschieden zu bejahen, so kann sie jedoch andrerseits auch die Gefahr einer Verkürzung mit sich bringen, insofern als die theologische Erklärung nicht mehr als der letzte Grund des Handelns des Geistes in der Einheit des trinitarischen Gottes verstanden wird, sondern zu einer dogmatischen Formel erstarrt, die sein lebendiges Wirken nicht mehr bewußt zu machen vermag[16].

Das wird vermieden, wenn der geschichtliche Weg des Bekenntnisses zum Heiligen Geist aus dem Inneren der Taufe bis hin zu den kirchenamtlichen konziliaren Symbolen als ein nicht auflösbarer Zusammenhang begriffen wird. Dann zeigt sich die Verbindung des Dogmas mit dem auf die Glaubenserfahrung zielenden Bekenntnis. Die dogmatische Grenzaussage führt wieder in den Kontext der sakramentalen Wirklichkeit, innerhalb dessen sich ihre Wahrheit bestätigt.

§ 12 Irenäus und das Glaubensbekenntnis der alten Kirche

Am Ende des von Irenäus aus eingeschlagenen Weges zeigt sich erneut, daß mit ihm nicht ein willkürlicher Ausgangspunkt gewählt worden ist. Er ist nach dem Überlieferungsstand nicht der erste Zeuge schlechthin, wohl aber der früheste Autor mit reichen Angaben über das pneumatologische Bekenntnis. Vergebens sucht man bei ihm nach den späteren Symbolformeln, wird jedoch reichlich entschädigt durch seine Glaubenssummarien, in denen sich das Weitere bereits ankündigt, in denen es strukturell und inhaltlich vorgebildet ist. Mit Irenäus ist in der Geschichte des dritten Glaubensartikels ein erster Höhepunkt erreicht. Er wird getragen von der kirchlichen Bekenntnistradition, wie er umgekehrt eine sichere Spur zu ihrem Verständnis angibt. Das Spätere mag in der Formulierung wie in der theologischen Auslegung über ihn hinausgehen, in der Grundrichtung und in den wesentlichen Aussagen bleibt es in der von Irenäus eröffneten Linie.

Vollauf am Werk des Lyoner Bischofs verifiziert wird der strukturelle Befund über den dritten Artikel. Er steht im trinitarischen Schema des Taufglaubens und erhält eine Eigenstruktur, die die inhaltlichen Angaben über das Werk des Heiligen Geistes trägt[1].

[16] Beim Niz.-Konst. (s. o. § 9 Exkurs) konnte beobachtet werden, daß durch die dogmatische Einfügung die innere Geschlossenheit des dritten Artikels leidet.

[1] Es kann global auf die o. § 1 und § 4 vorgenommenen Analysen verwiesen werden. Hervorgehoben seien die Formeln von Epideixis 6 und adv. haer. 5,20,1.

Seinen Inhalten nach tritt der dritte Glaubensartikel schon vollständig in Erscheinung. Er bekennt den Heiligen Geist, den Geist Gottes, die Gabe des Geistes. Sein Wirken entfaltet sich im Heilswerk des dreieinigen Gottes. Es begleitet den Heilsplan, macht ihn den Menschen aller Zeit sichtbar und läßt so schon vor der Ankunft Christi das Heil des Neuen Bundes schauen. Hier ist er in seiner ganzen Fülle vorhanden. Durch seine Gegenwart in der Kirche kommt er über die Menschheit und richtet sie auf die heilbringende Zukunft Gottes aus[2]. In diesem Zusammenhang fehlen weder der Hinweis auf die Sündenvergebung noch die Erwähnung der künftigen Wiederherstellung und des Lebens in der Herrlichkeit Gottes[3]. An das Gesamtbild des pneumatologischen Artikels gehalten, sind mit Ausnahme der »Gemeinschaft der Heiligen« bei dem Lyoner Bischof bereits sämtliche Elemente der Symboltradition bezeugt.

Als ein Mann, der aus Kleinasien stammt und dort seine eigentliche theologische Heimat hat, verweist Irenäus auch mit seinem Bekenntnis in den Raum der orientalischen Kirche. Das zeigt sich im dritten Artikel an der Rede vom prophetischen Geist, die nachgerade typisch für die östlichen Formeln ist, während sie im Westen sonst nicht mehr beobachtet werden kann[4]. Da er als der Bischof von Lyon andrerseits auch mit der westlichen Tradition bekannt ist[5], kann sein Bekenntnis als Schnittpunkt der beiden Stränge betrachtet werden. Zu einem frühen Zeitpunkt leuchtet bei ihm die Einheit des kirchlichen Glaubens auf. Beide Ausformungen lassen sich von Irenäus aus in ihrer grundlegenden Vereinbarkeit und Komplementarität begreifen.

Weiterhin wird Irenäus zum hervorragenden Zeugen, weil er das

[2] S. dazu die Glaubensformeln o. § 4. Für sie ist sämtlich bezeichnend, daß der große heilsökonomische Zusammenhang — das gilt auch für das Werk des Geistes — zum Ausdruck kommt.

[3] Auf die Sündenvergebung weist adv. haer. 1,10,1 hin (s. o. § 4 a). Auch in der Formel Epid. 6 kann man sie in dem Gedanken der Erneuerung mitangesprochen sehen. — Die eschatologische Ausrichtung ist allen Formeln mit Ausnahme von adv. haer. 4,33,7 gemeinsam.

[4] Die Idee vom prophetischen Geist klingt an in adv. haer. 1,10,1; 4,33,7 und in Epid. 6. Das Thema wird u. § 21 ausführlich entwickelt. — Traditionszeugen sind: Justin (s. o. § 2 b und § 5 a), Novatian (s. o. § 5 c) und Origenes (s. o. § 5 d). (Tertullian spricht in der Glaubensregel nicht davon, s. o. § 5 b mit A 18.) Von den orientalischen Formeln sind zu nennen: Cyrill v. Jer. (s. o. § 9 Exkurs), vgl. Apost. Konst. VII (§ 9 Exkurs), Epiph. I (Hahn 125, Lietzmann 19f, DS 42), Epiph. II (Hahn 126, Lietzm. 21f, DS 44), Hermeneia Ps. Athan. (Hahn 127, DS 46), Armen. längere Formel (Hahn 137, DS 48), Niz. Konst. (s.o. § 9 Exkurs).

[5] Das zeigt die Wortstellung »Christus Jesus« im zweiten Artikel; s. 1,10,1 und 4,33,7 (lat.). S. dazu o. § 4 a A 7.

Bekenntnis nicht im Vorübergehen streift, sondern in den Glaubensformeln den Maßstab für seine theologische Arbeit sieht[6]. Um ihre Entfaltung und Erklärung bemüht, hebt er auch schon den dritten Artikel hervor, der zwar noch nicht, wie in der späteren Auseinandersetzung, unmittelbar in den Streit um die Wahrheit hineingezogen ist, aber doch die Grundlage für die Bestreitung der Häresie bildet und dem auch im Gegenüber zum Geistanspruch der Gnosis großes Gewicht zukommt[7]. Damit erscheint nicht nur der Ausgang für die Darstellung der frühen Geschichte des dritten Glaubensartikels gerechtfertigt. Der Lyoner Bischof tritt auch als Theologe hervor, der eine Interpretation des Bekenntnisses möglich macht.

Auf dem zurückgelegten Weg sind in Verbindung mit den jeweiligen Texten wiederholt Ansätze zu einer Auslegung gemacht worden. Eine umfassende Deutung jedoch, die sich nicht nur mit der Erklärung einer Formel durch die Zuordnung von Einzelaussagen zufrieden gibt, sondern das Bekenntnis in einen großen theologischen Zusammenhang stellt, steht noch aus. Das zu leisten ist kaum möglich, indem man das gesamte vorliegende Material kumuliert und mit theologischen Daten aus der jeweiligen Zeit anreichert. Erschwerend wirkt sich fernerhin die weitgehende Anonymität der Symbola aus, welche die sichere Zuordnung zu einer theologischen Begründung nicht einfach macht. Deshalb erscheint die Exegese einer Formel, wie sie Ferdinand Kattenbusch in seiner großen Untersuchung für das altrömische Symbol versucht hat[8], zwar nicht unmöglich, aber doch mit einem großen Risiko und der Gefahr einer willkürlichen Interpretation belastet. Der Text selber liefert nicht genügend präzise Anhaltspunkte, und die Deutung des dogmengeschichtlichen Hintergrunds macht zwangsläufig eine Auswahl notwendig, bei der die Einzelzeugnisse nicht hinreichend berücksichtigt werden können. Erfolgversprechender ist es darum, die Symbolgeschichte an einzelnen Autoren transparent zu machen und ihr ein Gesicht zu geben, indem man das Bekenntnis im Denken des jeweiligen Theologen vorstellt und hier auch die feinen Nuancen registrieren kann, die in einer globalen Zusammenschau leicht untergehen.

Dies an Irenäus zu versuchen, erscheint nach dem Vorangegangenen als ebenso reizvoll wie sachlich berechtigt. An herausragender Stelle verspricht er Aufschluß über ein frühes Verständnis des dritten Glaubensartikels. Als Theologe der Kirche steht er in ihrer Tradition. Sein Bekenntnis führt kein isoliertes Dasein. Es

[6] Vgl. adv. haer. 1,10,1—3 (H 1,90—97) und die Ausführungen u. § 15 b.
[7] S. dazu die Angaben o. § 11 A 9.
[8] Zu Kattenbusch s. o. § 7 b A 27.

erschließt sich vor dem geschichtlichen Hintergrund und ermöglicht zugleich einen Zugang zu ihm, so daß der eine kirchliche Glaube an den Heiligen Geist und sein machtvolles Wirken zum Vorschein kommt.
Der Fehler einer irenäischen »Engführung« soll freilich vermieden werden. Die Pneumatologie des Lyoner Bischofs wird im Vordergrund zu stehen haben, genauer gesagt, seine Angaben über den Heiligen Geist, die durch die geschichtliche Situation, die theologische Denkform und die aktuelle Problematik der antignostischen Beweisführung bestimmt sind. Man wird darauf achten müssen, keine fremden Fragestellungen an Irenäus heranzutragen, lauert hier doch die Gefahr von Fehldeutungen, bei denen seine Aussagen in ein ungeeignetes dogmatisches Schema gepreßt oder, an Späterem gemessen, als unzureichend qualifiziert werden.
Andrerseits kann die Darstellung der irenäischen Pneumatologie nicht losgelöst von dem Bekenntnis erfolgen. Sie bildet nicht ein in sich geschlossenes System, sondern hat ihren inneren Bezugspunkt eben in dem Symbol, das die verbindlichen Glaubensinhalte wiedergibt und mit seinem dritten Artikel das Nachdenken über das Wirken des Geistes herausfordert. Da hiermit immer auch der kirchliche Glaube in den Blick kommt, als dessen großer Repräsentant sich Irenäus durchgängig erweist, gewinnt seine Pneumatologie Bedeutung für das altkirchliche Bekenntnis zum Geist. Sie ist mehr als nur die Privattheologie eines Autors, da sie der Intention und der Sache nach in den Raum der Kirche hineinführt.
Ein frühes Stadium der Lehre vom Heiligen Geist mag auch für die weitere Entwicklung aufschlußreich sein, insofern es zeigen kann, daß die späteren Fragen nicht notwendig eine Verfremdung des Ursprungs bedeuten. Ein Mann wie Basilius der Große etwa war der festen Überzeugung, in der Herausstellung der Gottheit des Geistes ganz im Sinne der kirchlichen Tradition zu handeln, ohne ihr etwas Neues hinzuzufügen[9]. Zuletzt kann die auf die Symbol-

[9] Basilius erklärt in seiner Schrift über den Heiligen Geist, die er gegen Männer richtet, welche die Doxologie an den Vater *durch* den Sohn *im* Geist zum Anlaß nehmen wollen, einen Unterschied in der Natur (φύσις) zu behaupten (de spir. s. 2,73; ed. Pruche 260), innerhalb seines großen Kapitels über das Alter der Doxologie »*mit* dem Geist«: »Wie soll ich also ein Neuerer sein, ein Erfinder neuer Ausdrücke, wenn ich als Urheber und Verteidiger dieses Wortes ganze Völker und Städte anführe, eine Gewohnheit, die älter ist als jedes menschliche Gedächtnis, Männer, die Säulen der Kirche sind, hervorragend in jeglicher Erkenntnis und Kraft des GEISTES?« (de spir. s. 29,74; ed. Pruche 514) Am Beginn des Kapitels hat er an erster Stelle Irenäus genannt (29,72; ed. Pruche 502) und von ihm dann zwei Texte zitiert (adv. haer. 5,8,2; SC 153,98; 5,9,3; SC 153,114), in denen vom »göttlichen Geist« die

geschichte ausgelegte Pneumatologie des Irenäus von Lyon dann auch eine kritische Funktion ausüben und eine faktisch eingetretene Verengung korrigieren helfen.

Rede ist (de spir. s. 29,72 ed. Pruche 506). — Zu Basilius vgl. o. § 9 Exkurs A 34.

Zweiter Teil

Die Auslegung des pneumatologischen Bekenntnisses durch die Theologie des Irenäus von Lyon

1. Kapitel: Der Zugang zur irenäischen Pneumatologie

§ 13 Zeit und Situation

Die pneumatologischen Aussagen des Lyoner Bischofs, die das Bekenntnis erläutern, stehen in einer geschichtlichen Situation, die für ihr Verständnis nicht ohne Bedeutung ist.

a) Vienne und Lyon

Der Name des Irenäus begegnet zum erstenmal im Zusammenhang mit den Märtyrern der südgallischen Gemeinden zu Vienne und Lyon. Im Jahre 177 überbringt der Presbyter Irenäus ein von ihnen verfaßtes Schreiben an den römischen Bischof Eleutherus, welches zur Frage der neuen, in Kleinasien aufgetretenen Prophetie Stellung nimmt[1].
Die Kirchen von Vienne und Lyon, die rege Beziehungen mit den kleinasiatischen Gemeinden unterhalten, stehen unter dem frischen Eindruck der eben ausgestandenen Verfolgung durch die heidnische Bevölkerung. Aus nichtigem Anlaß ausgebrochen, hat sie zahlreiche Märtyrer, unter ihnen den hochbetagten Bischof Photinus von Lyon hervorgebracht. Von ihrem Bekennermut sowie den unter dem äußeren Druck aufgetretenen Wunderwirkungen gibt der bei Eusebius überlieferte Brief an die Christen in Asien und Phrygien ein eindrucksvolles Bild[2].
Über das Verhalten des Irenäus während der Bewährungsprobe weiß der Gemeindebrief an die Asiaten nichts zu berichten. Dagegen wird er als der Überbringer des Märtyrerschreibens an Papst Eleutherus von seinen Absendern noch gerühmt. Sie loben

[1] Eusebius h.e. 5,3,4—5,4,2 (ed. Schwartz 432—434 GCS 9).
[2] Eusebius h.e. 5,1—3 (ed. Schwartz 402—432).

seinen »Eifer für den Bund Christi« und legen Wert auf die Feststellung, daß Irenäus seinem Stand als Presbyter Ehre gemacht hat[3]. Er muß in besonderer Weise in der Gemeinde hervorgetreten sein und sich nicht zuletzt dadurch als Nachfolger des ehrwürdigen Photinus empfohlen haben, dessen Amt er nach dem Zeugnis des Eusebius bald übernommen hat[4].

Aufschlußreich für die Mentalität der südgallischen Gemeinden ist ihr Urteil über die neue Prophetie. Es ist sowohl den Kleinasiaten, für deren Verbindung mit Gallien Irenäus selbst ein lebendiges Beispiel darstellt[5], als auch — durch Irenäus — Rom übermittelt worden. Den Erweis des göttlichen Gnadenwirkens in den eigenen Reihen vor Augen, bemühen sie sich, soweit es sich aus dem gerade hier eigentümlich kurzen Referat des Eusebius erkennen läßt, um einen vermittelnden Standpunkt »im Interesse des kirchlichen Friedens«. Sie scheinen im Sinne der auch sonst erkennbaren ersten kirchlichen Reaktion auf die kataphrygische Prophetie[6] zuerst in positiven Worten das Wirken des Heiligen Geistes in den Propheten gewürdigt zu haben. Das Wort des Eusebius, sie hätten »ihr eigenes, frommes und für den wahren Glauben entschieden eintretendes Urteil« über die neue Prophetie abgegeben, verrät eine gewisse Zurückhaltung, so als sei ihm, der selber sehr scharf über die Montanisten spricht, dieses zu mild gewesen[7]. Hieraus jedoch über eine abwägend vorsichtige Stellungnahme der Märtyrer hinaus zu schließen, die montanistische Bewegung sei bereits nach Gallien übergesprungen, geht zu weit[8]. Denn anders als die Montanisten vermeidet der Märtyrerbrief an die Kleinasiaten jegliche rigoristische Strenge. Er berichtet von Christen, die der Verfolgung zuerst nicht standgehalten, sich dann aber doch noch bekehrt haben. Er betont, daß die Märtyrer niemanden verurteilt

[3] Eusebius h.e. 5,4,2 (ed. Schwartz 434).

[4] Eusebius h.e. 5,5,8 (ed. Schwartz 436ff).

[5] Irenäus war, wie er selber berichtet, in seiner Jugend Schüler des Polykarp von Smyrna (adv. haer. 3,3,4; SC 211, 38; vgl. Eusebius h.e. 5,5,8; ed. Schwartz 438). Ein schönes Zeugnis über seinen Umgang mit Polykarp in Kleinasien bilden die Bemerkungen im Brief des Irenäus an Florinus (bei Eusebius h.e. 5,20,4—8; ed. Schwartz 482ff). Über den Weg von Smyrna nach Lyon handelt eingehend F.M.M. Sagnard, La gnose 55—64.

[6] Nach Tertullian adv. Prax 1 (ed. Kroymann-Evans 1159 CCL 2) hat der römische Bischof Viktor (oder Eleutherus) zuerst Friedensbriefe an die montanistischen Kirchen Asiens und Phrygiens geschickt. Unter dem römischen Bischof Zephyrin jedenfalls (198/199—217) ist nach Eusebius (h. e. 2,25,6; ed. Schwartz 176; 6,20,3; 566) der Presbyter Gaius dem Montanisten Proklus mit einem Dialog entgegengetreten.

[7] Man vgl. die aus dem Bericht über den Märtyrerbrief wiedergegebenen Worte (h.e. 5,3,4; 432) mit Eusebius h.e. 5,16—19 (460—480).

[8] Gegen Harnack I 428: »In Lyon sprachen die Confessoren unverhohlen ihre volle Sympathie mit der Bewegung in Asien aus«.

haben, den Gefallenen gegenüber nicht hochmütig gewesen sind und in ihrer großen Friedensliebe »der Mutter nicht Trauer, den Brüdern nicht Aufregung und Kampf, sondern Freude, Friede, Eintracht und Liebe hinterlassen« haben[9]. Wenn er überdies noch einen Bekenner erwähnt, der für seine überstrenge Aszese die Zurechtweisung eines Märtyrers erhält, es sei nicht recht, die Gaben Gottes zu verachten, und ihr als einem Rat des Heiligen Geistes sofort gehorcht[10], dann heben sich die südgallischen Christen eindeutig von der neuen Prophetie ab. Gerade sie, die das Wirken des Geistes in den Charismen erfahren haben, legen größten Wert darauf, daß die Prophetie dem Frieden der Kirche dient.

Es fällt nicht schwer, den geschilderten Hintergrund bei Irenäus wiederzufinden. Der Überbringer des Friedensbriefes[11] bestätigt in seinem Werk, daß die Prophetie und die übrigen Geistesgaben in seinen Gemeinden noch nicht erloschen sind. Er berichtet von »vielen Brüdern in der Kirche, die prophetische Charismen besitzen, durch den Geist in sämtlichen Sprachen reden, das Verborgene der Menschen zu ihrem Nutzen sichtbar machen, die Geheimnisse Gottes erzählen...«[12]. Oder er erklärt: »Einige treiben sicher und wahrhaft Dämonen aus, so daß die von den bösen Geistern Befreiten oftmals selber glauben und in die Kirche eintreten; andere haben die Kenntnis der Zukunft, Gesichte und prophetische Aussprüche; andere wiederum heilen die Kranken und machen sie gesund ...; wer könnte die Zahl der Gnaden aufzählen, die die Kirche über die ganze Welt hin von Gott empfängt und im Namen Jesu Christi, des unter Pontius Pilatus Gekreuzigten, zum Wohle der Völker jeden Tag ausspendet, ohne jemanden zu verführen, noch Geld von ihm anzunehmen«[13]. In der Lebendigkeit der charismatischen Gaben erkennt man das Bild einer Kirche, in der das Bekenntnis zum Heiligen Geist von der Erfahrung seiner sichtbaren Wirkungen gedeckt ist.

Damit eng verbunden ist für den Bischof von Lyon das Zeugnis des eben bestandenen Glaubenskampfes. Denn hier wird die Echtheit der Geistesgaben unter Beweis gestellt. Die Feuerprobe des Marty-

[9] Eusebius h.e. 5,2,7 (ed. Schwartz 430); vgl. 5,1,11f. 25f (406.410ff).

[10] Eusebius h.e. 5,3,1—3 (ed. Schwartz 432).

[11] Dazu kommt noch die Friedensvermittlung im Osterfeststreit (h.e. 5,24,11—17; ed. Schwartz 494—496), die Eusebius zu der Bemerkung veranlaßt, Irenäus habe seinem Namen als Friedensmann Ehre gemacht (h. e. 5,24,17; 496).

[12] 5,6,1 (SC 153,74). Zur hier gegebenen Übersetzung s. A. Rousseau SC 152,229.

[13] 2,32,4 (H 1,375). Beide Texte zitiert auch Eusebius (h. e. 5,7,3—6; ed. Schwartz 440ff), mit dem ausdrücklichen Vermerk, daß das Lebendigsein der Charismen etwas Besonderes ist, das die Kirche seiner Zeit nicht mehr kennt. Vgl. adv. haer. 2,31,2 (H 1,370); 4,20,6 (SC 100,642); 5,22,2 (SC 153,282).

riums macht das höchste Charisma, das Geschenk der Liebe, offenbar, um dessentwillen die Kirche die Verfolgung auf sich nimmt. So bewährt sie in ihren Gliedern den auf ihr ruhenden Geist Gottes[14].

b) Kampf um die Prophetie

Aufschlußreich für die Einstellung des Lyoner Bischofs gegenüber den Geistwirkungen sind zwei Äußerungen über die geistgeschenkte Prophetie.
Er wendet sich im dritten Buch von adversus haereses gegen Leute, die, »um das Geschenk des Geistes ungültig zu machen, das in den letzten Zeiten nach dem Wohlgefallen des Vaters über das Menschengeschlecht ausgegossen wurde, die Gestalt des Johannesevangeliums nicht zulassen, in dem der Herr die Sendung des Parakleten versprochen hat, vielmehr zugleich mit dem Evangelium den prophetischen Geist zurückweisen«[15]. Und zum Ende der Epideixis hin erklärt Irenäus: »Andere nehmen nicht die Gaben des Heiligen Geistes an und weisen das prophetische Charisma weit von sich, durch das der Mensch, wenn er von ihm durchtränkt ist, das Leben Gottes als Frucht trägt«[16].
In beiden Fällen ist von der Geistprophetie die Rede. Sie soll gegnerischen Meinungen gegenüber verteidigt werden. Beidemal aber steht die Auslegung vor der Schwierigkeit, daß die Namen der Gegner von Irenäus im Dunkeln gelassen werden. Was die erste Erklärung anbetrifft, wo wirft er ihnen im weiteren Zusammenhang vor, sie würden unter dem Vorwand, es gebe Pseudopropheten, so weit gehen, die Kirche der Prophetie überhaupt zu berauben; sie glichen deshalb denen, die sich wegen einiger heuchlerischer Elemente in den Kirchen gänzlich vom Gemeindeleben zurückzögen[17].

[14] S. bes. den Textzusammenhang 4,33,8—10 (SC 100,818—824).
[15] 3,11,9 (SC 211,170ff); vgl. d. Anm. v. A. Rousseau, SC 210,288f.
[16] Epid. 99 (SC 62,169).
[17] 3,11,9 (SC 211,172): »Pseudoprophetas quidem esse volunt, propheticam vero gratiam repellunt ab ecclesia: similia patientes his, qui propter eos, qui in hypocrisi veniunt, etiam a fratrum communicatione se abstinent. Datur autem intellegi quod huiusmodi neque apostolum Paulum recipiant; in ea enim epistola quae est ad Corinthios de propheticis charismatibus diligenter locutus est et scit viros et mulieres in ecclesia prophetantes (1 Kor 11,4f). Per haec igitur omnia peccantes in Spiritum Dei in irremissibile incidunt peccatum«. — Zum Text s. die Anm. von A. Rousseau, SC 210,289, der die nach anderen von Sagnard vorgeschlagene Korrektur (aaO 202, App. z.St.) »pseudopropheta*s* esse *n*olunt« nicht übernimmt. Sein Vorschlag, »pseudopropheta*s* esse volunt« zu lesen, wirkt überzeugend, da er die geringste Änderung erfordert und einen guten Sinn im Zusammenhang ergibt. Am Grundgedanken ändert sich freilich gegenüber Sagnard nicht viel.

Wen mag Irenäus bei der letzteren zum Vergleich herangezogenen Gruppe im Blick haben? Seine Bemerkung könnte auf ebionitische Kreise gemünzt sein, in denen man auch Paulus zurückweist, auf dessen Worte über die Charismen und die geistgewirkte Prophetie Irenäus sich sofort beruft, um die Haltlosigkeit seiner Gegner aufzuzeigen[18]. Er mag aber auch nur an eine rigoristische Parteiung denken, die übertriebene Reinheitsforderungen an die Kirche stellt. Es ist nicht auszuschließen, daß sie schon in Verbindung mit montanistischen Kreisen steht, sind diese doch im Märtyrerbrief der Kirchen von Vienne und Lyon gerade auf die Duldsamkeit und kirchliche Gesinnung der Blutzeugen hingewiesen worden[19]. Auf Rigoristen dieser Art trifft zu, was Irenäus an anderer Stelle schismatischen Gruppen vorwirft: »Um irgendwelcher belangloser Gründe willen zerspalten und teilen sie den großen herrlichen Leib Christi und bringen ihn, soweit es an ihnen liegt, zu Tode; sie reden von Frieden und bereiten den Krieg, in Wahrheit ›seihen sie die Mücke und verschlucken das Kamel‹ (Mt 23, 24): denn von ihnen kann keine Verbesserung des Glaubens ausgehen, welche die Verderbnis eines Schismas aufwiegen würde«[20].

Wenn auch auf einem je verschiedenen Gebiet, so machen sich die Leugner der Prophetie des gleichen Irrtums schuldig wie die Rigoristen: Um einiger Übertreibungen oder Mißstände auf der Gegenseite willen schließen sie radikal über das Ziel hinaus und zerstören ein Wesenselement des kirchlichen Glaubenslebens.

Wer aber sind die so gekennzeichneten Antipropheten? In der alten Kirche ist ein römischer Presbyter Gaius bekannt geworden. Er hat sich nicht nur durch eine schriftliche Auseinandersetzung mit dem Montanisten Proklus hervorgetan, sondern ist auch im Kampf gegen Cerinth so weit gegangen, die Johannesapokalypse als dessen Werk zu bezeichnen[21]. Da auch Epiphanius Gegner der Johannesschriften kennt, die er »Aloger« nennt[22], legt sich der Gedanke nahe, schon bei Irenäus eine ähnliche Tendenz angesprochen zu finden. Daß bei ihm von Antipropheten die Rede ist, während Gaius und die Aloger den Chiliasmus verwarfen sowie Cerinth

[18] 3,11,9 (SC 211,172); vgl. W. Harvey II 51 A 5 und N. Brox, aaO 60. Über die Enkratiten spricht Irenäus in 1,28,1 (H 1,219f). In 1,26,2 (H 1,212f) sagt er, die Ebioniten würden Paulus ablehnen und sich einzig an das Matthäusevangelium halten.

[19] Eusebius h. e. 5,2,6f (ed. Schwartz 430); vgl. auch die kommentierende Bemerkung des Eusebius h. e. 5,2,8; 432.

[20] 4,33,7 (SC 100,816).

[21] Eusebius h.e.3,28,1f (ed. Schwartz 256ff). Hippolyt hat gegen ihn die Capitula contra Gaium verfaßt (ed. Achelis 241—247 Hipp. 1,2 GCS 1). Vgl. dazu Hilgenfeld, aaO 415.571.599f.

[22] Pan. 51,3 (ed. Holl 250f Epiph. 2 GCS 31); Ancor. 13,5 (ed. Holl 21 Epiph. 1 GCS 25); zum Ganzen s. Pan 51 (ed. Holl 248—311).

bekämpften, braucht nicht ins Gewicht zu fallen, da beide sich auch gegen die montanistische Prophetie gewandt haben[23]. Die Aloger oder ihnen verwandte Kreise fügen sich bei allem, was hinsichtlich ihrer Absichten im Dunkeln bleiben muß, in das von Irenäus gezeichnete Bild von Christen, die aus Übereifer in den genau entgegengesetzten Graben fallen und sich damit der Sünde gegen den Geist schuldig machen[24].

In einer Art Gegenprobe ist noch die Möglichkeit zu überprüfen, ob nicht montanistische, die Prophetengabe ausschließlich für sich beanspruchende Gruppen hinter den Gegnern der Prophetie stehen könnten[25]. Wenn man die bisher zugrunde gelegte Deutung der »Pseudopropheten« nicht übernimmt, sondern Irenäus im Sinne der Gegner ironisch sagen läßt, sie wollten Pseudopropheten sein und beraubten damit die Kirche der prophetischen Gaben, dann erscheint dies nicht unmöglich. Zwingend ist jedoch der Schluß nicht. Denn Irenäus könnte auch den Gegnern der Prophetie schlechthin die Pseudoprophetie in den Mund gelegt haben, so als nähmen sie lieber dieses Odium auf sich, als die im Johannesevangelium verheißenen Gaben des Parakleten anzuerkennen[26]. Wie dem auch sei, der Argumentationsgang läuft jedenfalls darauf hinaus, daß die Prophetie anerkannt und nicht zuerst eine falsche zurückgewiesen wird. Davon sind nicht kataphrygische Propheten betroffen, sondern Kreise, in denen man den Prophetengaben skeptisch gegenübersteht und das vierte Evangelium eliminiert, was wiederum nur mit Mühe für Montanisten glaubhaft gemacht werden kann[27]. Mag Irenäus schon Vertreter des Montanismus kennen, die durch ihre persönliche Unglaubwürdigkeit die Sache der Prophetie in Mißkredit gebracht haben[28], im vorstehenden Text ist sein

[23] Eusebius h.e. 2,25,6 (ed. Schwartz 176); 6,20,3; 566; Epiphanius Pan. 51,33 (ed. Holl 307).

[24] Auf Antimontanisten allgemein erkennen: Hilgenfeld, aaO 564, Seeberg I 328 A 2, A. Grillmeyer, LThK² 1,363. Die Nähe zu den Alogern betonen: H. B. Swete, The Holy Spirit and the ancient church. A study of Christian Teaching in the Age of the Fathers. London 1912, S. 74f: A. d'Alès, La doctrine de l'Esprit en Saint Irénée, RSR 14 (1924) 497—538; 501 A 19; Lebreton II 609 A 1.

[25] So W. Harvey II A 2 nach Tillemont und Massuet.

[26] So deuten d'Alès, aaO 501f A 19 und Hilgenfeld, aaO 563f.

[27] Gegen Harvey II 51 A 2, der meint, die Montanisten hätten das Johannes-Evangelium abgelehnt, da es die Geistverheißung für die Apostel aussage, während erst Montanus sich als Empfänger des Parakleten betrachtet habe. D'Alès, aaO 501 A 19, weist zu Recht darauf hin, daß Tertullian in seinen montanistischen Schriften gerade die Abschiedsreden zitiert hat. S. auch Harnack I 430 A 2.

[28] Vielleicht sind die in 3,11,9 genannten Rigoristen in diesem Sinne zu verstehen. Hilgenfelds (aaO 564) gegen G. N. Bonwetsch, Die Geschichte des Montanismus, Erlangen 1881 (Nachdr. 1972), S. 24, gerichtetes Urteil, Irenäus habe

oberstes Anliegen nicht der Angriff gegen sie, sondern die Bewahrung der prophetischen Charismen, ohne welche die Kirche bar des Heiligen Geistes wäre.

Wie verhält sich zu diesem Ergebnis die Erklärung in der Epideixis? Da sie durch den unmittelbaren Kontext nicht eindeutig festgelegt ist, andererseits aber einen Teil des zusammenfassenden Schlusses bildet, kann man zuerst vom Ganzen der Schrift aus Aufschlüsse über sie erwarten. Im Beweisgang der Epideixis nimmt der prophetische Geist eine bedeutsame Rolle ein. Gott hat in ihm die Geschehnisse des Heils in der Vorzeit verkünden lassen, damit die Menschen erkennen, daß Gott schon immer zu ihrem Heil am Werk war[29]. Wer die Schrift mit offenen Augen liest, findet darum durchweg den Glauben durch die Erfüllung des einstmals Verheißenen bestätigt; und Irenäus entwickelt in langen Passagen den Schriftbeweis, der die Wahrheit der kirchlichen Verkündigung bestätigt[30].
Sind die Gegner in dieser Spur zu suchen, dann ist an Markion und seine Anhänger zu denken, die dem Alten Testament keinen Raum innerhalb des Christentums geben wollen, die frühere Prophetie zurückweisen und durch die Leugnung des prophetischen Geistes die Einheit des göttlichen Heilshandelns zerstören[31]. Aber auch die Gnosis wird von der Bemerkung über die Zurückweisung des prophetischen Charismas getroffen, insofern sie dem alttestamentlichen Schrifttum gegenüber ein sehr zwiespältiges Verhalten an den Tag legt, angesichts dessen das Zeugnis des Alten Bundes, das in seiner Offenheit auf den Neuen Bund hin den einen Gott offenbart, gesichert werden muß[32].
Und man wird noch einen Schritt weiter zu gehen haben. Mit dem fraglichen Text der Epideixis schließt sich der große, am Eingang mit dem Hinweis auf die Hauptstücke der Taufe aufgerichtete Spannungsbogen[33]. Wie im dritten Artikel des Taufbekenntnisses so erschöpft sich in der Schlußbemerkung über den Heiligen Geist sein

die Montanisten nicht abgelehnt, sondern eher begünstigt, läßt sich in dieser Form nicht halten. Denn die zum Beweis angeführte Unterscheidung von Pseudopropheten und Schismatikern (adv. haer. 4,33,6f; SC 100,814ff) besagt nicht, daß Irenäus noch keine kirchentrennende Pseudoprophetie kennt, sondern erklärt sich aus dem in 4,33 waltenden Bemühen, die Irrtümer in einer langen Liste aufzureihen, ist also mitnichten exklusiv gemeint. Freilich ist nicht sicher, ob in der Ablehnung der Pseudopropheten schon eine Distanzierung von den Montanisten ausgesprochen ist.

[29] Epid. 42 (SC 62,99).
[30] Epid. 86 (SC 62,152f) u. ö.
[31] So Froidevaux SC 62,169 A 3.
[32] S. dazu u. § 21 a und § 24 b.
[33] S. die Nachweise o. § 1 a mit A 7 und 8 sowie § 1 b.

Werk nicht in der prophetischen Weissagung. Das »prophetische Charisma« ist auch eine Gabe für die Gegenwart der Kirche. Wer es ablehnt, begibt sich der Möglichkeit, Frucht für Gott zu tragen. Mehr als nur ein Gegner der alttestamentlichen Prophetie, weist er ebenso die Geistwirkungen der gegenwärtigen Zeit zurück[34]. Damit aber rückt der Text in die Nähe zu der Bemerkung aus dem dritten Buch adversus haereses. Setzt Irenäus sich dort gegen eine geistfeindliche Parteiung zur Wehr, dann wird diese auch in der Epideixis mitangesprochen sein. Man erhält das Ergebnis, daß der Lyoner Bischof die Geistwirksamkeit verteidigt, wobei er besonders an die prophetischen Gaben der Gegenwart denkt, sie aber auch mit dem früheren heilsgeschichtlichen Wirken in Verbindung setzt.
setzt.

Die Wertschätzung des lebendigen Geistzeugnisses führt nicht zu einem kritiklosen Enthusiasmus. Da Irenäus an die Spitze der Geistesgaben und insonderheit vor »Gnosis« und Prophetie das Geschenk der Liebe stellt[35], kann er mit ebensolcher Schärfe wie die Antipropheten auch die Pseudopropheten verwerfen. Außer im Zusammenhang mit den Prophetengegnern gebraucht er den Ausdruck zur Kennzeichnung der Häresie[36] und bei den Hinweisen auf die Ereignisse der Endzeit[37]. Besondere Beachtung verdient die Erwähnung der Pseudopropheten innerhalb der langen Liste von Irrungen, die im vierten Buch im Anschluß an die Presbyterrede zusammengestellt sind.

Er bezeichnet sie als Männer, »die keine prophetische Gnade von Gott empfangen haben noch Gott fürchten, sondern um leeren Ruhmes willen, aus Gewinnsüchtigkeit oder sonstwie unter dem Einfluß des bösen Geistes zu prophezeien vorgegeben und Gott ins Angesicht lügen«[38].

Der Personenkreis ist wiederum nicht exakt bestimmbar. Will Irenäus schon die kataphrygische Prophetie verurteilen? Andrerseits deutet der Hinweis auf Ehrsucht und Gelderwerb auf gnostische Kreise, denen Irenäus im zweiten Buch entgegengehalten hatte, daß die Kirche im Unterschied zu ihnen niemanden verführt, noch Geld für die empfangenen Gaben verlangt[39]. Die ausführlichste Schilde-

[34] Schon der Wortlaut von Epid. 99 weist mit der Rede von den Gaben des Geistes und vom Fruchtbringen durch den Geist auf die kirchliche Gegenwart hin. Das »prophetische Charisma« ist ebenso wie der prophetische Geist in 3,11,9 als gegenwärtige Geistgabe zu verstehen. Vgl. auch 4,20,6 (SC 100,642).

[35] 4,33,8 (SC 100,820).

[36] 3,16,8 (SC 211,320): Zitat von 1 Joh 4,1ff; 3,14,3 (286) = Lk 6,26.

[37] 5,28,2 (SC 153,354); 5,29,2 (370); 5,30,2 (376).

[38] 4,33,6 (SC 100,814).

[39] S. 2,32,4 (H 1,375).

rung über derartige Praktiken liefert er anläßlich seines Referats über den Valentinianer Markus[40]. Schüler von ihm sind aus seinem ursprünglichen Wirkungsbereich in Kleinasien bis zu den Gemeinden des Lyoner Bischofs vorgedrungen und haben dort vor allem unter den weiblichen Mitgliedern einen verhängnisvollen Einflüß ausgeübt. Wie Irenäus weiß, verspricht man ihnen den »Samen des Lichts« als himmlischen Bräutigam, führt man sie unter geheimnisvollen Beschwörungen zu prophetischer Rede. Jedoch gibt sich der wahre Charakter der Bewegung bald daran zu erkennen, daß die Prophetinnen ihrem neuen Oberhaupt Hab und Gut vermachen, die mystische Hochzeit in durchaus realer Form nachvollziehen und sich auf Grund ihrer höheren Gnosis für frei von allen konventionellen Bindungen halten. Das Urteil über sie steht für Irenäus außer Frage: Eine derart in die Verfügbarkeit von Menschen gegebene Prophetie stammt nicht von Gott. Wo der Mensch größer sein will als der prophetische Geist, ist nicht dieser am Werk, sondern die verführerische Geistmacht der Dämonen, die den Glauben der Kirche zu erschüttern suchen[41]. Deshalb verlangt Prophetie die Unterscheidung der Geister. Sie erweist sich als Pseudoprophetie, wenn der Mensch an die Stelle Gottes treten will. Man erkennt sie an der persönlichen Unglaubwürdigkeit ihrer Vertreter, an ihrem libertinistischen Gehabe und in allem an der Loslösung von der Gemeinde der Gläubigen, der Kirche[42].
Damit kommen von der Prophetie aus schon die Hauptgegner des Bischofs von Lyon in den Blick. Im Kampf um die Charismen sieht er sich zugleich der Verfälschung gegenüber, die hier in gnostischen Kreisen vorgenommen wird. Inwieweit die Gnosis nach Irenäus darüber hinaus das Bekenntnis zum Heiligen Geist verfehlt, wird an anderer Stelle zu erörtern sein[43].
Aus dem Gesagten ergibt sich für Irenäus bei der Prophetie und den anderen Geistesgaben ein innerlich notwendiger Zusammenhang mit der Kirche. Da sie durch das Geistwirken begründet und fortwährend am Leben erhalten wird, kann man nur dann von Geistzeugnissen sprechen, wenn sie in die erfahrbare Wirklichkeit ihres Lebens eingebettet sind. Daran schließt sich in logischer Konsequenz der Satz über die Liebe als das höchste Charisma. Denn sie, aufgrund derer der Mensch vor Gott ganz hinter seinen eigenen Wünschen zurücktritt, hat für den Lyoner Bischof nur in der Kirche ihre Heimstätte[44]. Wer sich von ihr trennt, wer den »großen

[40] 1,13 (H 1,114—127).
[41] S. bes. 1,13,4 (H 1,120).
[42] Zur gnostischen Moral auf eigene Rechnung s. 1,6 (H 1,51—58) und 2,32,1f (H 1,371ff).
[43] S. dazu u. § 15 b
[44] 4,33,8 (SC 100,820).

herrlichen Leib Christi« zerspaltet, läßt es an nichts weniger als an der Liebe mangeln, da er sich um seiner selbst willen außerhalb der Kircheneinheit stellt[45]. Dagegen bezeugen die Märtyrer aller Zeiten, daß die Liebe Gottes in der Kirche wohnt. Ihr Leben bildet, ohne daß er durch spitzfindige Deuteleien abgeschwächt werden könnte, den machtvollen Erweis einer über allen Charismen stehenden Liebe, welche die Kirche als den Ort der Geistwirksamkeit ausweist[46]. Das entscheidende Kriterium zur Beurteilung der Geistesgaben ist jetzt gewonnen: Sie sind echt, wenn die Liebe sie trägt, das heißt, wenn sie in der kirchlichen Gemeinschaft zum Wohl des Ganzen zur Entfaltung gelangen[47].

c) Kirchenbewußtsein

In der Stellungnahme zu den Geistwirkungen zeigt sich schon, daß Irenäus mit seinem Werk eine Situation widerspiegelt, in der die Realität der Kirche in besonderer Weise erfahren wird. Für die Ausbildung der Pneumatologie ist dies ein Faktor von großer Bedeutung.

Die Situation ist zuerst bestimmt durch das Erlebnis der Bedrohung der Existenz der Gemeinden infolge der Übergriffe seitens der heidnischen Bevölkerung und der staatlichen Behörden. Wie der Märtyrerbrief an die Kleinasiaten berichtet, hatten nicht nur einzelne Christen die Bewährungsprobe zu bestehen, sondern die ganze um ihren Bischof gescharte Kirche. Sie bestärkt und ermuntert die Märtyrer. Diese geben ihr Zeugnis als Glieder des einen Leibes. Ihr Glaubensmut ist den Brüdern ein Vorbild; ihre Liebe und Nachsicht läßt sie teilnehmen an dem Leben, das sie durch ihr Martyrium von Gott zum Geschenk erhalten[48].

Die im gegenseitigen Tragen und Ertragen lebendige Gemeinde steht nicht für sich allein da. Eingebunden in die Gemeinschaft der Kirchen, weiß sie sich verantwortlich für die Brüdergemeinden in Kleinasien. Sie will ihnen durch Rat und Tat zum Frieden verhelfen. Sie tritt zweimal in Rom in Erscheinung, um dort ebenfalls eine die Einheit und den Kirchenfrieden ermöglichende Vermittlung zu erreichen[49].

Ist Irenäus bei diesen Aktionen ganz der Mann der Kirche, dann

[45] 4,33,7 (SC 100,816). [46] 4,33,9 (SC 100,820ff).

[47] Zu den genannten Texten vgl. noch 5,22,2 (SC 153,282): »Nos autem solutos per ipsum praeceptum docuit (sc. der Herr durch das Wort von Mt 4,7) esurientes quidem sustinere eam quae a Deo datur escam, in sublimitate autem positos universi charismatis vel in operibus iustitiae confidentes vel ministrationis supereminentia adornatos nequaquam extolli neque temptare Deum, sed humilia sentire in omnibus ...«

[48] S. aus dem Märtyrerbrief bei Eusebius bes. h. e. 5,2.3.6f (ed. Schwartz 428ff).

[49] S. o. A 11.

erst recht in seiner literarischen Tätigkeit. Die Sorge um die ihm anvertrauten Gläubigen treibt ihn dazu, den Schleier des Geheimnisvollen über der die Gemeinden bedrohenden Häresie zu lichten und ihr ganzes Gebäude als »eine künstliche Imitation aus Glas« zu entlarven[50]. Er hat die Menschen vor Augen, die auf die Versprechungen der Gegner hereingefallen sind und dies mit dem Verlust ihrer Ehre und Glaubensfreude bezahlt haben[51]. Deshalb setzt er sein ganzes Bemühen darein, die Christen in dem von der Kirche empfangenen Glauben zu bestärken, und das heißt vor allem, sie an ihre Taufe zu erinnern, an der festhalten den Weg der Wahrheit gehen bedeutet[52].

Neben der Situation der Verfolgung ist damit ein weiterer Grund für das Hervortreten der Kirche genannt: der infolge des Andringens der Häresie notwendig gewordene Prozeß der Klärung und Unterscheidung. Irenäus erkennt, daß die besondere Bedrohung durch die Ausläufer der valentinianischen Gnosis in dem Versuch besteht, die Kirche von innen auszuhöhlen. Er führt gegen »Wölfe im Schafsgewand« Klage, die in ihren Reden und Praktiken eine verführerische Nähe zum kirchlichen Christentum zeigen. Sie geben, wie er erkennt, zwar vor, es auf einer höheren Ebene aufzunehmen, machen aber in Wirklichkeit das Ganze zunichte, da sie die Bindung an die geschichtliche Gestalt des Glaubens mit allen dadurch gegebenen Konsequenzen aufheben[53]. Ihnen gegenüber wird die in der Besinnung auf die Wesensmerkmale der Kirche gründende Abgrenzung zur Lebensnotwendigkeit für die Christen.

Außer an den Vertretern der Gnosis bildet sich das Selbstbewußtsein der Kirche an der Auseinandersetzung mit den bereits sichtbar gewordenen Spaltungstendenzen, mit den Gegnern der Prophetie, mit Regoristen, mit vermeintlichen Propheten, unter welchen vielleicht schon montanistische Gruppen zu verstehen sind, denen gegenüber bald eine scharfe Trennungslinie mit dem Nachweis, daß allein in der Kirche der Geist lebendig ist, gezogen werden muß[54].

[50] 1 praef. (H 1,3).

[51] Anläßlich des Wirkens der Markosier schreibt Irenäus: »So redeten und handelten sie und haben auch in den Gebieten bei uns an der Rhone viele Frauen verführt. Mit verbrannten Gewissen tun einige öffentlich Buße, andere schämen sich davor, ziehen sich stillschweigend nach und nach zurück und verzweifeln am Leben Gottes; andere sind ganz abgefallen, andere schwanken ...« (1,13,7; H 1,126f).

[52] S. dazu die o. § 1 a A 14—17 angegebenen Texte.

[53] 1 praef. (H 1,4) und die Texte o. § 1 a A 18—20.

[54] G. Kretschmar, Le développement 30, hebt den Zusammenhang zwischen der Geisterfahrung in der Kirche und dem rigoristischen Montanismus hervor. Die Montanisten stehen jedoch bei Irenäus nicht so eindeutig im Vordergrund wie die übrigen Gruppen, vorab die Vertreter der Gnosis.

Das Hervortreten der Kirche geht bei Irenäus ineinander mit dem Bestreben, auch die Pneumatologie in seine theologischen Aussagen miteinzubeziehen. Anders als etwa Justin bringt er die Gestalt des kirchlichen Glaubens in einer mehr positiven Theologie zur Darstellung[55]. Er gelangt zu einer theologischen Methodik, die in einer bisher nicht gekannten Weise das kirchliche Taufbekenntnis zur Grundlage macht, das dann auch in seinem dritten Artikel wesentlich zur Geltung kommt[56]. In die gleiche Richtung führt ihn die inhaltliche Reflexion auf die Kirche. Er nimmt das in ihr erfahrene Wirken des Heiligen Geistes auf und erkennt im Nachdenken über die Heilswirklichkeit den innerlichen Zusammenhang zwischen Geist und Kirche, so daß er fast im Sinne einer Identitätsaussage den berühmten Satz formulieren kann: »Wo also die Kirche ist, da ist auch der Geist Gottes; und wo der Geist ist, dort ist die Kirche und alle Gnade ...«[57]. Die Kirchenerfahrung führt zum Geist, wie die Geisterfahrung die Kirche ins Spiel bringt; und es zeigt sich, daß das pneumatologische Bekenntnis nicht nur formal an die Kirche gebunden ist, insofern es den in ihr bekannten Glauben darstellt, sondern schon zuinnerst ihr eigenes Wesen betrifft.

Der Häresie gegenüber gilt dann, daß wer mit der Kirche bricht, keinen Anteil am Heiligen Geist haben kann. Er, der den Glauben der Kirche unversehrt bewahrt, kann nicht bei denen sein, die sich in Lehre und Leben von ihm entfernen. Aufgrund der Gleichung von Geist und Kirche gelangt der Bischof von Lyon zu einer vernichtenden Beurteilung seiner Gegner: »So werden, die an ihm (dem Geist) nicht teilhaben, nicht von den Brüsten der Mutter für das Leben genährt, noch empfangen sie den reinsten Quell, der aus dem Leibe Christi hervorgeht; sie graben sich rissige Zisternen (vgl. Jer 2, 13) in Erdlöchern und trinken aus dem Schmutz faules Wasser; sie fliehen den Glauben der Kirche, um nicht widerlegt zu werden, sie verwerfen den Geist, um sich nicht belehren zu lassen«[58].

So erweist sich die innere Einheit von Geist- und Kirchenerfahrung als ein hervorstechendes Merkmal der geschichtlichen Situation, aus der das Werk des Lyoner Bischofs erwachsen ist. Mehr als nur eine theologische Festsetzung beruht sie auf dem lebendigen Glauben an das Geistwirken in den irenäischen Gemeinden, auf der Erfahrung des Martyriums, der Prophetie und der übrigen Charismen. Zugleich hat sich gezeigt, daß der Geist nichts mit Unver-

[55] Man vgl. nur das in 1,10,3 (H 1,94—97) entwickelte theologische Programm mit den Zielen der Apologeten.

[56] S. dazu die Erklärungen zur Epideixis (o. § 1 b) und die Analysen der einzelnen Glaubensformeln (o. § 4).

[57] 3,24,1 (SC 211,474).

[58] 3,24,1 (SC 211,474).

bindlichkeit oder eigener Willkür zu tun hat. Seine Gaben sind auf die konkrete Gemeinschaft bezogen und bewähren sich, ohne daß es hier einen echten Gegensatz geben könnte, gerade in ihr. Ein Widerspruch zwischen einer charismatisch verfaßten Geistkirche und der hierarchischen Institution liegt nicht im Vorstellungsraum des Lyoner Bischofs. Beides erscheint bei ihm als ursprüngliche Einheit, wobei es weder zum Aufgehen des Geistes in der Institution noch zum Auseinanderfallen in gegeneinander streitende Gegensätze kommt[59].

§ 14 Die Taufe

Nachdem ein allgemeiner Hintergrund für die irenäische Pneumatologie hervorgetreten ist, soll in einem weiteren Schritt der nähere Umkreis der Taufe einer eingehenderen Betrachtung unterzogen werden. Denn über die bereits bei der Vorstellung der Glaubensformeln erkannte enge Verbindung des dritten Artikels mit der Taufspendung hinaus hat der Glaube an den Heiligen Geist für den Lyoner Bischof einen innerlichen Bezug zum christlichen Eingangssakrament. Hier findet er von der Zeit der Apostel an bis zur kirchlichen Gegenwart den vorzüglichen Ort der Geistwirksamkeit. Er erkennt, daß die Apostel einst mit der Taufvollmacht dazu befähigt worden sind, die von den Propheten verheißene eschatologische Gabe mitzuteilen. Ihre Spendung an die Menschheit ist die Begründung der über die Welt hin ausgebreiteten Kirche[1]. Und in dieser sprudelt jetzt »der frische aus dem Leib Christi hervorgehende Quell«[2], fluten »die Ströme des Heiligen Geistes«, die »das erwählte Geschlecht Gottes bewässern«[3], ergießt sich »der Trank, der zum ewigen Leben quillt«[4]. Von der Taufe aus erfüllt der Geist die Kirche; und deshalb gebührt jener eine zentrale Stellung innerhalb der Pneumatologie des Irenäus, die trotz der oftmals nur einschlußweisen oder versteckten Bezugnahme auf das sakramentale Geschehen nicht übersehen werden darf. Dies sichtbar zu machen, wird die Aufgabe des vorliegenden Abschnittes sein. Ohne schon

[59] Harnack I 410f A 2 trägt eine fremde Vorstellung an Irenäus heran, wenn er meint, dieser habe die ursprüngliche Auffassung von der Verbindung Geist—Kirche bewahrt, daneben aber schon den »hierarchischen Kirchenbegriff« übernommen, so daß die »alten Vorstellungen« nur dazu gedient hätten, »die irdische, katholische Kirche zu glorifizieren«. So wird man weder der beschriebenen geschichtlichen Situation gerecht noch dem Lyoner Bischof, für den eine Trennung im Sinne Harnacks undenkbar erscheint. — Vgl. auch u. § 23 a. aa.

[1] Epid. 41 (SC 62,96).

[2] 3,24,1 (SC 211,474).

[3] 4,33,14 (SC 100,842).

[4] 3,17,2 (SC 211,334).

auf die Detailfragen einzugehen, soll in einer Gesamtschau gezeigt werden, welche pneumatologischen Themata in der Taufe zusammengebunden sind.

a) Wasser und Geist

Da sich aus der Erörterung des Taufritus und des Problems eines besonderen Aktes der Geistmitteilung keine weiterführenden Gesichtspunkte für die Verbindung von Taufe und Geist ergeben[5], rücken die theologischen Fragen in den Vordergrund des Interesses.

Kennzeichnend für Irenäus ist die Zweieinheit von Wasser- und Geisttaufe, ohne daß jedoch an ihm der etwa bei Tertullian anklingende Versuch, zwischen dem Moment der Abwaschung durch das Wasser und der Heiligung durch den Heiligen Geist zu unterscheiden[6], eine Stütze fände. Waschung und Geistempfang bilden eine ursprüngliche Einheit, die so eng gefaßt ist, daß dieser unter den Oberbegriff der Abwaschung gestellt werden kann. Irenäus fragt bei der Kommentierung zweier Paulusworte: »Wann haben wir also das Bild des himmlischen Menschen getragen (1 Kor 14, 49)? Wenn, so heißt es, ›ihr abgewaschen seid‹, indem ihr ›im Namen des Herrn‹ (1 Kor 6, 11) geglaubt und seinen Geist empfangen

[5] Die Diskussion ist auf die Interpretation von zwei Stellen beschränkt, die Mitteilung über den von den Gnostikern geübten Ritus einer Salbung nach der Taufe (1,21,3; H 1,185) und die Erwähnung der Handauflegung seitens der Apostel zur Verleihung des Geistes (4,38,2; SC 100,948ff). Hat der gnostische Brauch als eine Imitation der kirchlichen Praxis zu gelten, dann ist also eine Salbung nach der Taufe anzunehmen. (Benoît, Le baptême 203f, denkt an die Krankensalbung, kann aber keinen überzeugenden Beweis führen). Ist dann aber diese Salbung, wie es bei Tertullian (de bapt. 8; ed. Borleffs 282 CCL 1) erscheint und durch Hippolyt bestätigt wird (trad. apost. 21; ed. Botte 50), Taufsalbung? Oder ist sie als die ebenfalls bei Hippolyt (trad. apost. 21; ed. Botte 52) bekundete und im Osten allein übliche Firmsalbung (s. nur Cyrill v. Jer. Kat. mystag. 3,1; PG 33,1089 A) zu verstehen? Mangels weiterer Anhaltspunkte ist eine Entscheidung kaum möglich. Wenn man für Irenäus nur eine Salbung annehmen möchte und ihn mit dem orientalischen Ritus verbindet, wird man auf eine Firmsalbung erkennen können; vgl. Stenzel, Die Taufe 125—132. — Die Mitteilung über die Handauflegung gibt zwar nicht direkt etwas für einen entsprechenden Ritus her, schließt ihn aber nicht aus, ja macht ihn dann wahrscheinlich, wenn man Irenäus von der bei Tertullian (de bapt 8) und Hippolyt (trad. apost. 21) bezeugten Praxis deuten kann; vgl. Benoît, Le baptême 205ff. In jedem Falle ist Benoît, Le baptême 205.208, zuzustimmen, wenn er bemerkt, daß Taufe und Geistmitteilung bei Irenäus als Einheit betrachtet werden, ohne daß die einzelnen Schritte theologisch scharf abgehoben sind.

[6] Tertullian de bapt. 6 (ed. Borleffs 282 CCL 1): »Non quod in aquis Spiritum sanctum consequamur sed in aqua emundati sub angelo Spiritui sancto praeparamur.«

habt«[7]. In dem einen Vorgang des Taufbades sind die Momente des Glaubens und der Geistbegabung inbegriffen, und zwar so, daß auf der letzteren das Gewicht der Aussage ruht, da sie das Bild des neuen Menschen begründet.

Ihren besonderen Akzent erhält diese Einheit durch den Gegensatz zur Häresie. Der Lyoner Bischof hat gnostische Praktiken vor Augen, die — sei es mit oder ohne Wasser — den Ritus einer zweiten höheren Geisttaufe zur Erlösung des inneren Menschen üben[8], wenn er über die christliche Taufe schreibt:

»Denn unsere Leiber haben durch das Bad die Einigung mit der Unvergänglichkeit empfangen, die Seelen aber durch den Geist. Darum ist auch beides notwendig, da beides zum Leben Gottes führt.«[9]

Worin besteht der Unterschied zur Gnosis? An die Stelle der von ihr vorgenommenen Trennung tritt eine Einheits- oder Relationsaussage. Sowohl Wasser und Geist wie auch Leib und Seele werden zusammengebunden. Der Versuch nämlich, die Taufe aufzuspalten, von der eigentlichen Geisttaufe einen minderen Bereich, den der ersten Wassertaufe, abzusondern, muß zu einem doppelten Irrtum führen. Man zertrennt den Menschen in einen niederen, indifferenten Teil und die höhere, allein interessante Geistsphäre. Zugleich zerstört man dadurch, daß der untere Mensch des dem Pneumatiker vorbehaltenen Heils für verlustig erklärt wird, das Grundverhältnis zwischen Gott und Mensch. Da es der Gnosis zufolge nicht zu einem eigentlichen Geistempfang kommt, sondern nur der seit jeher in der Erwählten gesenkte göttliche Same wieder in die Emanationen des göttlichen Ursprungs zurückgeführt wird, werden die Grenzen zwischen Gott und dem Geschöpf verwischt, während dieses nun seinerseits nicht mehr in vollem Umfang zu der gottgewollten Bestimmung gelangen kann[10].

Von hier aus kommt die Tragweite der Einheitsaussagen zum Vorschein. Die eine Taufe des Wassers und des Geistes betrifft in den beiden Momenten des äußeren sinnenhaften Zeichens und der vermittelten Geistwirklichkeit den ganzen Menschen. Ohne in

[7] 5,11,2 (SC 153,138). Eine gewisse Unterscheidung von Sündenvergebung und Geistempfang zeigt Irenäus bei der Zitation und Kommentierung der entsprechenden Texte aus der Apg; s. 3,12,2 (SC 211,182); 3,12,7 (210); 3,12,15 (246ff).

[8] Irenäus berichtet darüber in 1,21,2—4 (H 1,182—186); vgl. 1,13,6 (H 1,123ff).

[9] 3,17,2 (SC 211,332); mit A. Rousseau SC 210,329; vgl. Epid. 41 (SC 62,96).

[10] Zur Erläuterung genügt hier der Hinweis auf die gnostische Lehre von den drei Menschheitsgattungen, von denen die hylische notwendig zugrunde geht, die psychische bestenfalls an den Ort der Mitte gelangt, während die pneumatische ins Pleroma eingeht (1,6,1—1,7,1 H 1,51—59). Irenäus bemerkt: »Sie sagen, daß sie nicht durch Taten, sondern lediglich dadurch, daß sie von Natur pneumatisch sind, erlöst werden« (1,6,2; H 1,54).

höhere oder niedere Teile aufgelöst werden zu können, wird er über die Seele auch in seinem Leib vom Heiligen Geist ergriffen, woraus die Verpflichtung zu einem Leben folgt, das Seele und Leib im Hinblick auf Auferstehung und Unvergänglichkeit gleichermaßen in acht nimmt[11]. Dabei bleibt die grundsätzliche Überlegenheit Gottes gewahrt, sich durch den Geist seinem Geschöpf gnadenhaft zuwenden zu können, ohne daß es in einem Bereich abgewertet werden müßte.

Die erste Wirkung der so beschriebenen Taufe sieht Irenäus mit der kirchlichen Tradition des zweiten Jahrhunderts in der Sündenvergebung. Zwar spricht er über sie nicht mit der gleichen Intensität wie über die ihr korrespondierende Seite der Neubelebung durch den Geist, aber er übergeht sie keineswegs. Am Eingang der Epideixis erklärt er, der überlieferte Glaube erinnere zuerst daran, »daß wir die Taufe zur Vergebung der Sünden empfangen haben«[12]. Demnach ist der Sündennachlaß das erste durch die Taufe vermittelte Geschenk. Es wäscht den einstigen Wandel des Menschen ab, um ihm jetzt den Weg zum Leben Gottes zu eröffnen[13], und betrifft dabei das Geschöpf in der Ganzheit von Seele und Leib, wie es wiederum in der Epideixis heißt: »Sie (die Apostel) zeigten den Menschen den Weg des Lebens, um sie von den Götzenbildern abzuwenden, von Unzucht und Habgier, indem sie ihre Seelen und Leiber durch die Taufe des Wassers und des Heiligen Geistes reinigten«[14]. Irenäus kennt also keine Unterscheidung im Sinne einer Aufteilung der Taufe auf Sündenvergebung und Geistmitteilung, sondern sieht in dem einen Geschehen als ganzem die Ursache der Vergebung, wobei die beiden Kennzeichen einmal das äußere wie das innere Moment anzeigen und dann auf die Seele und Leib gleichermaßen betreffende Wirkung hinweisen. Die Sündenvergebung erscheint als eine Folge des Geistwirkens, dergestalt, daß die durch Christus geschenkte Befreiung in der Taufe von Wasser und Geist vermittelt wird, indem der Heilige Geist über das äußere Zeichen das Heil des Menschen bewirkt[15].

[11] Diese Konsequenz der einen Taufe für Seele und Leib wird dann bei Irenäus sehr schön in den Sätzen über den vollkommenen Menschen sichtbar: 5,6,1 (SC 153,72.80); s. dazu u. § 25 a und § 25 c.

[12] Epid. 3 (SC 62,32).

[13] 5,11,2 (SC 153,138).

[14] Epid. 41 (SC 62,96).

[15] Präzisere Angaben lassen sich angesichts der wenigen Texte kaum machen. Es scheint nur sicher, daß Wasser und Geist als ursprüngliche Einheit gesehen werden und daß deshalb die Sündenvergebung als vom Geist gewirkt betrachtet wird. Hat Irenäus eine Weihe des Taufwassers durch den Geist gekannt? Basilius d. Große betrachtet den Brauch als apostolisch (de spir. s. 27,66; ed. Pruche 481 SC 17[2]). Novatian spricht vom Geist als dem »consecra-

b) Geistmitteilung und neues Leben

Die durch den Geist geschenkte Neubelebung kommt für Irenäus zuerst von dem Gedanken der Wiedergeburt aus in den Blick. In dem zentralen Kapitel des dritten Buches über die Taufe Christi erklärt er, mit dem Taufbefehl sei den Jüngern »die Vollmacht der Wiedergeburt auf Gott hin« verliehen worden[16]. In der Epideixis stellt er »die Gnade der neuen Geburt« als den Wesensgehalt des Taufgeschehens vor[17]. Und anläßlich der Erklärung der johanneischen Perikope über die Heilung des Blindgeborenen führt er aus, Christus habe mit der Aufforderung, sich am Siloateich zu waschen, auf »die Wiedergeburt durch das Bad« hingewiesen, mit der er den Menschen nach der Übertretung Adams über die Wiederherstellung seines geschöpflichen Zustandes, die Heilung der körperlichen Blindheit, hinaus beschenkt habe[18].
Aufschluß über die Rolle des Heiligen Geistes beim Vorgang der Wiedergeburt vermittelt der Text über die Taufe Jesu am Jordan. Irenäus sieht hier vorbildhaft angezeigt, was dem Gläubigen in der Kirche widerfährt. Alles steht und fällt mit der Tatsache, daß nicht ein gnostischer Äonenchristus auf Jesus, das Geschöpf des Demiurgen, sondern der Heilige Geist auf den menschgewordenen Gottessohn herabgestiegen ist. Dieser ist das im Alten Bund sehnlichst erwartete, den Jüngern versprochene und für die Spendung der Wiedergeburt zugesagte Geschenk, das von der Menschheit Christi aus über die ganze Menschheit kommt, um den Menschgewordenen in ihr Gestalt werden zu lassen[19].
Als Vergleichspunkt zwischen der Jordantaufe und der der Gläubigen dient Irenäus der Heilige Geist. Sein gleichermaßen in beiden Taufen erwiesenes Wirken bildet, wobei die Geisterfahrung der kirchlichen Gegenwart einen großen Teil der Beweislast trägt, das Argument dafür, daß wirklich der für die Menschen bestimmte Geist und nicht ein oberer Christus auf den Gottessohn gekommen ist. Er mußte zuerst auf Christus ruhen, da er nicht ohne ihn zum Geschöpf kommen sollte, da er von ihm aus in der kirchlichen

tor caelestis nativitatis« (de trin. XXIX; ed. Weyer S. 168). Hippolyt sagt, zuerst werde »über dem Wasser gebetet« (trad. apost. 21; ed. Botte 44). Bei Tertullian liest man von der Heiligung der Wasser durch den Geist (de bapt. 4; ed. Borleffs 279f CCL 1). So kann man aus dem bei Irenäus (1,21,4; H 1,185f) berichteten gnostischen Brauch einer Vermischung von Wasser und Öl vielleicht auf die Übung einer Taufwasserweihe in der Kirche schließen; s. Stenzel, Die Taufe 107.

16 3,17,1 (SC 211,328).

17 Epid. 7 (SC 62,41); vgl. Epid. 3 (32).

18 5,15,3 (SC 153,208).

19 3,17,1 (SC 211,328ff).

Taufe über die Welt kommen sollte[20]. Da die Taufe nun im gleichen Atemzug als Wiedergeburt bezeichnet wird, steht diese mit dem Empfang des durch Christus ermöglichten Geistes auf einer Ebene: Beides macht ein- und denselben Sachverhalt aus; die der Geistmacht des Gottmenschen entspringende Gabe ist der unmittelbare Grund für die Wiedergeburt in der kirchlichen Taufe.

Deshalb ist das oberste Kennzeichen der neuen Geburt das Wohnen des Geistes im Menschen oder, wie es in antignostischer Zuspitzung heißt, »im Geschöpf Gottes«[21]. Seine Aufgabe wird mit der inhaltsreichen Wendung angegeben, die Menschen »von dem Alten zur Neuheit Christi« zu erneuern[22], das heißt, sie zum Gehorsam dem Willen des Vaters gegenüber zu führen, ihnen den Neuen Bund zu eröffnen und die Einheit der Vielen in dem nunmehr einzig verbindlichen Bezugspunkt, Jesus Christus, zu schaffen. Als die Gabe der Wiedergeburt ist der Heilige Geist die bewegende Kraft auf die Neuheit des Gottessohnes hin.

Ein Text aus der Epideixis kann das Bisherige verdeutlichen helfen. Im Anschluß an die drei Artikel der Glaubensregel führt Irenäus aus:

»Deshalb findet bei unserer neuen Geburt die Taufe durch diese drei Artikel statt. Sie verleiht uns die Gnade der neuen Geburt auf Gott den Vater hin durch seinen Sohn im Heiligen Geist. Denn wer den Geist Gottes trägt, wird zum Wort, das heißt, zum Sohn geführt; der Sohn stellt ihn dem Vater vor, und der Vater verleiht die Unvergänglichkeit. Also kann man ohne den Geist den Sohn Gottes nicht sehen; und ohne den Sohn kann niemand zum Vater gelangen. Denn die Erkenntnis des Vaters ist der Sohn; und die Erkenntnis des Sohnes Gottes (erlangt man) durch den Heiligen Geist; den Geist wiederum teilt nach dem Willen des Vaters der Sohn als Spender aus, für wen und wie der Vater es will.«[23]

Mit schöner Eindringlichkeit wird die Wiedergeburt als der Grundinhalt der Taufe vorgestellt. Sie hat Gott zum Ziel, der jetzt im trinitarischen Schema ausdrücklich als der Vater bestimmt wird. Sie ist ein Vorgang auf ihn hin und bedeutet Teilhabe an seiner Unvergänglichkeit[24]. Ist der Vater vom Menschen aus gesehen das

[20] S. 3,17,1; eine detailliertere Bestimmung wird u. § 20 a zu geben sein.

[21] »habitare in plasmate Dei«: 3,17,1 (SC 211,330). Über das Wort »plasma« hat G. Joppich, Salus carnis. Eine Untersuchung in der Theologie des hl. Irenäus von Lyon (Münsterschwarzacher Stud. 1), Münsterschwarzach 1965, S. 49—55, eingehend gehandelt.

[22] »renovans eos a vetustate in novitatem Christi«: 3,17,1 (SC 211,330).

[23] Epid. 7 (SC 62,41f); vgl. die Anm. v. Froidevaux z. St.

[24] Froidevaux notiert mit Recht die Parallele 4,20,5 (SC 100,638), wo Irenäus den für die Taufe beschriebenen Vorgang auf die Heilsgeschichte vom Alten Bund an auslegt.

Ziel des Aufstiegs, so bestimmt er doch das ganze Geschehen, insofern es von ihm seinen Ausgang nimmt und nach seinem Willen durchgeführt wird. Die Mittlerfunktion des Sohnes zeigt sich daran, daß er auf dem Weg zum Vater hin und vom Vater her die Mitte einnimmt. Im Sohn offenbart sich der Vater den Menschen; der Sohn stellt dem Vater vor, was sich an ihn gehalten hat, um in ihm den Vater zu erkennen. Deshalb kommt die Wiedergeburt durch den Sohn zustande; durch ihn wird sie zum Geschenk für das Geschöpf; durch ihn nimmt sie ihren Weg auf den Vater zu.
Der Heilige Geist erscheint als der End- oder der Anfangspunkt der doppelten Bewegung. Nach dem Willen des Vaters durch den Sohn gegeben, führt er die von ihm Ergriffenen wieder zum Ursprung zurück. Durch sein Wohnen im Menschen findet die Wiedergeburt statt. Sie steht in engster Einheit mit der Geistbegabung, unbeschadet der Einbindung des Geistwirkens in die trinitarische Dimension, die es vor der Vermischung mit dem Geschöpflichen bewahrt. Würde die Wiedergeburt im Heiligen Geist nicht zum Sohn und über ihn zum Vater führen, dann wäre nicht Gott am Werk, noch gäbe es eine wirkliche Befreiung des Menschen.
Inhaltlich ist des weiteren zu dem Epideixistext zu bemerken, daß er in nuce die ganze trinitarische Theologie des Lyoner Bischofs und innerhalb ihrer das Werk des Heiligen Geistes beschreibt. Was über die Taufe gesagt wird, gilt für die große Heilsökonomie von Vater, Sohn und Geist, die als die Bewegung Gottes auf das Geschöpf zu die eine Menschheitsgeschichte umschließt, um am Ende in die Anschauung des Vaters einzumünden[25]. Hier aber genügt es, die Bedeutung des Textes für den Vorgang der Taufe hervorgehoben zu haben. Auf ihn bezogen, ergänzt er die früheren Erklärungen und bietet sich in seiner formalen Klarheit als Verstehensschlüssel für die Aussagen zum Thema Geist und Wiedergeburt an[26].

[25] Man vgl. hierzu den Text aus A 24 und die Ausführungen u. § 18.

[26] Der Gedanke der Wiedergeburt wird in einen größeren Zusammenhang gestellt, wenn Irenäus erklärt, bereits Noe habe beim Bau der Arche die »Maße der Welt der zweiten Geburt« empfangen (4,16,2; SC 100,562). Der neue Einsatz des Lebens in der Taufe ist also im AT vorgezeichnet. Daran läßt sich dann die im Zusammenhang mit der Rekapitulation geäußerte Bemerkung schließen, daß Christus »als Erstgeborener von den Toten ... die alten Väter in seinen Schoß aufgenommen und sie zum Leben Gottes ..., zum Leben des Evangeliums wiedergeboren hat (regeneravit)« (3,22,4; SC 211,442). — Interessant ist ein Text, in dem Irenäus den Bogen bis zur endzeitlichen Vollendung spannt: »Der am Anfang den Menschen geschaffen hat, hat ihm nach seiner Auflösung zu Erde die zweite Geburt versprochen« (5,15,1; SC 153, 196; A. Rousseau erklärt allerdings in seiner Anm. z. St. SC 152,268, zweite Geburt meine hier im Sinne des Millenarismus die Auferstehung der Gerechten für das Reich; vgl. 5,2,2; SC 153,30). — Verführerisch ist der Gedanke, die

Von der Neubelebung durch den Geist kommt eine Reihe von weiteren zentralen Themata der irenäischen Pneumatologie zum Vorschein. Wenn Irenäus die Taufhandlung als »die neue Geburt auf Gott hin, so daß wir nicht mehr Söhne sterblicher Menschen, sondern des ewigen Gottes sind«[27], bezeichnet, dann spricht er bereits den Gedanken der Adoption an. Aus dem Bild der Geburt abgeleitet, erscheint der Stand der Kindheit als ihr Ergebnis. Er wird wie die Wiedergeburt durch Christus ermöglicht. Denn in seiner Menschwerdung ist es zur Einung von Gott und Mensch gekommen, zum heiligen Tausch, zum Eintritt des Geschöpfes in das Sohnesverhältnis, indem es zur Christusförmigkeit gestaltet wird[28]. Das geschieht wiederum im Heiligen Geist, da er von Christus ausgeht, die Gläubigen ihm gleichwerden läßt und dadurch ihr neues Verhältnis der Gottunmittelbarkeit begründet[29]. Geistgabe und Sohnschaft gehören so eng zusammen, daß beides in dem Satz, Gott habe »den Geist ... in den letzten Zeiten durch die Sohnschaft auf das Menschengeschlecht ausgegossen«[30], als ein Geschehen bezeichnet werden kann. Die Adoption nämlich bedeutet nicht weniger, als daß das Geschöpf im Geist zum Sohne Gottes wird[31] und im Besitz des Unterpfandes schon jetzt das vertrauensvolle ›Abba, Vater‹ sprechen darf, bis sich einst die Geistesgabe in ihrer Fülle an ihm auswirken und es zur Schau des Vaters führen wird[32].

Der in der Taufe vermittelte Heilige Geist ist der Grund für die

Sätze über die Wiedergeburt in der Taufe mit den Worten gegen die Ebioniten über die neue Geburt Christi aus dem Geist und der Jungfrau (4,33,4; SC 100, 812; 5,1,3; SC 153,24ff; vgl. 3,19,1; SC 211,370ff) zu verbinden; so Benoît, Le baptême 198f. Irenäus selber jedoch macht den Schritt nicht. Ganz auf die Ebioniten eingestellt, spricht er nicht von der Taufe, sondern nur von der Geburt Christi, die er als »reine Geburt« (3,19,1) oder als »*eine* neue Geburt« (5,1,3 mit Rousseau, Anm. z. St. SC 152,205; vgl. 4,33,4) bezeichnet und damit von der Wiedergeburt der Gläubigen unterscheidet. Eine Analogie ist freilich nicht ausgeschlossen. A. Rousseau faßt sie in der Anm. zu 4,33,4 in den Satz, Irenäus habe gegen die Ebioniten »la réalité de la naissance virginale du Fils de Dieu à laquelle fait communier la régénération baptismale« behaupten wollen (SC 100,270). Größere Zurückhaltung übt er in der Anm. zu 5,1,3 (s. SC 153,205ff).

[27] Epid. 3 (SC 62,32).

[28] 3,19,1 (SC 211,374); vgl. 3,10,2 (118); 3,16,3 (298); 3,18,7 (366); 5 praef. (SC 153,14); 5,6,1 (72).

[29] 4,1,1 (SC 100,392): »Cum sit igitur hoc firmum et constans neminem alterum Deum et Dominum a Spiritu praedicatum, nisis eum qui dominatur omnium Deus cum Verbo suo et eos, qui adoptionis Spiritum accipiunt ...«; vgl. 3,6,1 SC 152,205ff).

[30] 5,12,2 (SC 153,146) mit der Anm. v. Rousseau SC 152,256.

[31] 3,17,1 (SC 211,330); vgl. 5,18,2 (SC 153,238ff).

[32] 3,6,1 (SC 211,66ff); 5,8,1 (SC 153,94ff).

neue Geburt wie für die Sohnschaft. Mit beidem soll der unerhörte Vorgang der Neuwerdung nach dem Bilde Christi beschrieben werden, das Kommen Gottes zum Menschen und der Weg des Menschen zu Gott.
Ebenfalls in die Taufe mündet der von Irenäus so eindringlich entwickelte Gedankenkreis, daß im Heilswerk Christi das Schöpfungsziel des Menschen, Bild und Gleichnis Gottes (Gen 1,26) zu werden, in Erfüllung geht[33]. Hat Gott den Menschen seit Anbeginn immer in seinen »Händen«, dem Sohn und dem Geist[34], gehalten, so bedeutet die Geistgabe in der Taufe den letzten, unüberholbaren Einsatz für das Geschöpf, durch den es an sein Ziel gelangen soll. Irenäus bemerkt in der Epideixis: »In uns allen ist der Geist, der ›Abba, Vater‹ ruft und den Menschen zum Gleichnis Gottes gestaltet«[35]. Oder er schreibt im fünften Buch von adversus haereses: »Wenn aber dieser Geist (der Geist Gottes) sich mit der Seele vermischt und mit dem Leib verbindet, dann ist der Mensch kraft der Ausgießung des Geistes geistlich und vollkommen, und zwar der, der nach dem Bild und Gleichnis Gottes gemacht ist«[36].
Die bewegende Kraft der Wiedergeburt und der Adoption bewirkt, daß der Mensch zum Gleichnis des vollkommenen Bildes Gottes, des Sohnes, wird. Durch sie kann das in Christus sichtbar gewordene Gleichnis der Menschheit zum Bilde Gottes von dieser übernommen werden[37].
So führt der Geistempfang in der Taufe den Lyoner Bischof in den großen Zusammenhang des göttlichen Heilsplanes mit dem Geschöpf; und er erkennt die nach dem Willen des Vaters erfolgende Neubelebung. Irenäus kann sie innerhalb des Prozesses auf die Gottebenbildlichkeit hin beschreiben, im Geschehen der Sohnschaft oder im Vorgang der Wiedergeburt angeben, immer stellt der Heilige Geist die wirksame Gegenwart des Erlösergottes dar, mittels derer der Mensch in die Fülle seines Lebens hineinwachsen darf.

c) Die Taufe als Mitte der Pneumatologie

Vom Taufgeschehen aus ist der ganze Vorgang der Neuschöpfung des Menschen in den Blick gekommen. Es steht im Zentrum des Heilswerkes Gottes für das Geschöpf. Hier kommt der Heilige

[33] S. im Detail die Ausführungen u. § 25 b. Hier sollen nur die Linien gezeichnet werden, die in der Taufe zusammenkommen.
[34] S. die u. § 18 a A 11 angegebenen Texte.
[35] Epid. 5 (SC 62,37).
[36] 5,6,1, (SC 153,76).
[37] S. dazu die Erklärungen u. § 25 b. bb.

Geist über die Kirche, um die Menschheit an das Leben Gottes heranzuführen. Die Theologie der Taufe erweist sich als der Schnittpunkt der Leitgedanken der Pneumatologie des Bischofs von Lyon. Er braucht nicht immer ausdrücklich auf sie Bezug zu nehmen. Bei der tatsächlichen Ausführung eines Arguments können ihn andere Gesichtspunkte leiten. Aber im Hintergrund steht doch sie als der Mittelpunkt kirchlicher Geisterfahrung, als der Sitz im Leben, von dem das Bekenntnis zum Heiligen Geist ausgeht.

Wiederum erscheint aufs engste mit der Pneumatologie die Kirche verbunden. Sie wird durch die Geistmitteilung in der Taufe begründet und realisiert sich immer neu darin, daß sie in göttlicher Vollmacht den Geist weitergibt. Die Gaben der Neubelebung und die im Heiligen Geist geschenkte Hoffnung auf endzeitliche Vollendung betreffen den Einzelnen innerhalb des Gesamtsubjekts der Kirche[38]. Da sie aber als Ganze die Aufgabe hat, den ihr gegebenen Geist durch Drangsale hindurch bis hin zum Martyrium zu bewahren, werden jeglicher Triumphalismus einerseits, wie zum anderen jeder Anschein einer mechanischen Verbindung abgewehrt[39].

Schließlich läßt die Taufe den notwendig trinitarischen Charakter der Pneumatologie hervortreten. Durch den Sohn vom Vater her vermittelt, kann die Geistwirksamkeit im Sinne des Lyoner Bischofs nie isoliert betrachtet werden. Immer ist der Heilige Geist die Dimension, innerhalb derer sich das durch Christus nach dem Willen des Vaters geschenkte neue Leben ereignet. Seine Aktivität vollzieht sich in der Einheit des trinitarischen Gottes, da sie vom Vater aus über den Sohn zum Menschen gelangt und diesen in der umgekehrten Bewegung zum Ursprung zurückführt[40]. Damit wird für Irenäus zugleich eine klare Grenzziehung dem Geschöpflichen gegenüber möglich. Kommt der Geist dem Menschen so nahe, daß er sich ihm zum Besitz gibt, so bleibt er doch immer von ihm geschieden, da er ganz auf die Seite Gottes gehört, der gnadenhaft an sich Anteil schenken kann, ohne daß die Grenze zum Geschöpf in der Weise eines fließenden Übergangs verwischt würde[41].

Zuletzt ist die Rückbindung der irenäischen Geistlehre an das Taufgeschehen für die Auslegung des dritten Glaubensartikels be-

[38] Man vgl. dazu die Gedankenführung von 3,17,1—3 (SC 211,328—336); 3,24,1 (470—74); Epid. 41 (SC 62,96): »indem sie (die Apostel) ihn (den Geist) den Gläubigen mitteilten, begründeten sie diese Kirche«; und dann die Texte über den Glaubensempfang durch die Kirche: 1,13,4 (H 1,120); 3 praef. (SC 211,18); 3,4,1(44); 5 praef. (SC 153,10ff).

[39] S. 4,33,8f (SC 100,818—822).

[40] Vgl. die Ausführungen o. § 14 b.

[41] S. die o. § 14 a gegebene Interpretation von 3,17,2 (SC 211,332) und die Erklärungen o. § 14 b zu Epid. 7 (SC 62,41f).

deutsam. Sie zeigt, daß sein Inhalt in die Theologie der Taufe einmündet und von der trinitarischen Struktur des Bekenntnisses unablösbar ist. Der Versuch, die Pneumatologie des Irenäus vom Bekenntnis aus zu befragen und dieses zu ihrem Bezugspunkt zu machen, erhält eine ausdrückliche Legitimation.

§ 15 Die Pneumatologie im Werk des Irenäus

Das in den beiden zurückliegenden Paragraphen geübte Verfahren, unter einem bestimmten Gesichtspunkt einzelne Stücke aus dem Schrifttum des Lyoner Bischofs zusammenzustellen, ist so lange berechtigt, als sie nicht einem dem Autor fremden Frageschema zugeordnet werden. Die Bedingung kann bei den Bezugspunkten der geschichtlichen Situation und des Taufgeschehens als erfüllt gelten, da sie den äußeren und inneren Voraussetzungen der irenäischen Pneumatologie entsprechen. Bei diesem Vorgehen hat sich aber bereits gezeigt, daß die Texte sich nicht nahtlos zusammenfügen, daß sie lückenhaft sind oder vom Autor in einem Zusammenhang gebraucht werden, der über die ihm gestellten Fragen hinausgeht. Das macht eine kurze methodologische Besinnung notwendig.

a) Das Problem der literarischen und theologischen Einheit

Die Frage nach der Methodik hängt nicht zuletzt davon ab, welche Bedeutung der Pneumatologie im Ganzen des irenäischen Werks zukommt. Eine besondere Zuspitzung erfährt die Problematik durch die literarische und theologische Eigenart der Bücher adversus haereses.

Seit der kritischen Analyse von Friedrich Loofs[1] ist mit der Frage nach den Quellen des Irenäus unausweichbar das Problem der Einheit von Werk und Theologie gestellt. Ist der Bischof von Lyon im Sinne der radikalen Kritik von Loofs nur ein Kompilator? Besteht seine theologische Eigenleistung im wesentlichen nur in der Aneinanderreihung verschiedener, untereinander nicht ausgeglichener Quellen, hinter deren wichtigster sich die große Theologengestalt eines Theophilus von Antiochien verbirgt, die demnach zu Unrecht von dem Namen des Irenäus verdrängt worden wäre und

[1] Theophilus von Antiochien adversus Marcionem und die anderen theologischen Quellen bei Irenäus (TU 46), Leipzig 1930. Vor Loofs ist schon A. v. Harnack mit dem Aufweis Presbytertradition hervorgetreten: Der Presbyterprediger des Irenäus (IV 27,1—32,1), Bruchstücke und Nachklänge der ältesten exegetisch-polemischen Homilien (Philothesia zu P. Kleinerts 70. Geburtstage), Berlin 1907, S. 1—37. W. Bousset, Jüdisch-christlicher Schulbetrieb in Alexandria und Rom. Literarische Untersuchungen zu Philo und Clemens von Alexandria,

als der eigentliche Träger des wertvollen Gedankenguts im irenäischen Werk wiederentdeckt werden müßte?[2]
Friedrich Loofs hat die wissenschaftliche Reaktion auf seine Hypothese nicht mehr erleben können. Sein posthum veröffentlichtes Werk aber hat den Einfluß auf die weitere Forschungsarbeit nicht verfehlt, die in kritischer Überprüfung von Methodik und Ergebnis Korrekturen an seiner These anbringen und für das Verständnis des Irenäus entscheidende Klarstellungen erreichen konnte[3]. Soweit sie eine Voraussetzung für die Darstellung seiner Lehre vom Heiligen Geist bilden, sollen sie im folgenden aufgenommen werden.
Den Haupteinwand gegen seine Untersuchung hat Friedrich Loofs, ohne ihn zu lösen, selber vorweggenommen, wenn er zum Ende seiner Analysen die Frage stellt, ob er nicht doch zu »hellsichtig« gewesen sei bei dem Versuch einer präzisen Herausarbeitung der dem Theophilus zugewiesenen Hauptquellenschrift, die zugleich das stärkste Argument für die Ausgrenzung der weiteren Quellen bildet. Seine Antwort reicht nicht über ein Unentschieden hinaus, da sie immer noch »berechtigte Zweifel« an der, wie er hofft, zu

Justin und Irenäus, Göttingen 1915, S. 272—282, hat sich um den Nachweis von Traktaten über die Prophetien (4,20,8—12; 21; 25,2; 33,10—14), über die Willensfreiheit (4,37—39), über den Antichristen (5,25—30) und das Millenarium (5,31—36) sowie um die Ausgrenzung einer Versuchungsgeschichte (5,21—24) bemüht. — Da die radikalste Infragestellung durch Loofs erfolgt ist, ist es angebracht, bei ihm anzusetzen.

[2] Das ist die Quintessenz der Loofs'schen Untersuchung. Im einzelnen unterscheidet er die Hauptquelle IQTU (Theophilus), zu der er im wesentlichen die auch von Bousset isolierten Stücke rechnet, sowie die Quellen IQP (Presbyter), IQA (antiochenisch, sie soll auf Justins Schrift »de resurrectione« zurückgehen), IQS (Seniorenüberlieferung), IQE (Papias). Hält er die kleinasiatischen Quellen nur für schwer abgrenzbar, so glaubt er doch, das Gedankengut des Theophilus relativ säuberlich ausscheiden zu können, und sieht sich darum zu seinem vernichtenden Urteil über die theologische Eigenleistung des Irenäus (s. aaO 431) berechtigt. Ähnlich hatte Loofs schon in seinem Leitfaden zum Studium der Dogmengeschichte, Halle [4]1906, S. 311, geurteilt.

[3] Zu nennen sind die Arbeiten von F. R. M. Hitchcock, Loofs' theory of Theophilus of Antioch as a source of Irenaeus, JTS 38 (1937) 130—139. 255—266; ders., Loofs' Asiatic source IQA and the Ps. Justin de resurrectione, ZNW 36 (1937) 35—60; Th. A. Audet, Orientations théologiques chez saint Irénée. Le contexte mental d'une γνῶσις ἀληθής, Trad. 1 (1943) 25—54; bes. 15ff; G. Wingren, Människan och Inkarnationen enligt Irenäus, Lund 1947; engl. Übers.: Man and the Inkarnation. A Study in the Biblical Theology of Irenaeus, London 1959, S. XV—XIX; M. Widmann, Irenäus und seine theologischen Väter, ZThK 54 (1957) 156—173; A. Bengsch, Heilsgeschichte und Heilswissen. Eine Untersuchung zur Struktur und Entfaltung des theologischen Denkens im Werk adversus haereses des hl. Irenäus von Lyon (Erfurter theol. Stud. 3), Leipzig 1957, S. 189—207; A. Houssiau, La Christologie de Saint Irénée (Univers. cath. Lovaniensis Diss. 3,1), Louvain-Gembloux 1955, S. 19ff und A. Benoît, Saint Irénée, aaO S. 15—41.

Recht vorgenommenen Quellenscheidung konzediert[4]. Hier hat dann F. R. Montgomery Hitchcock eingehakt, indem er den sorgfältigen Nachweis führte, daß die versuchte Scheidung unbefriedigend bleibt. So läßt die wichtigste Quelle weniger Ähnlichkeiten mit dem, was von Theophilus erhalten ist, als mit dem übrigen Irenäustext erkennen. Ebenso unsicher bleibt die sogenannte asiatische Quelle mit den Fragmenten des Justin über die Auferstehung, da sie im ganzen Werk des Lyoner Bischofs zu belegen ist[5].

Erweist sich aber eine genaue Abgrenzung im Sinne von Loofs als unmöglich, dann erscheint sein Verfahren als ungeeignet, um zu einem Urteil über die irenäische Theologie zu gelangen. Es bleibt ein scharfsinniges Spiel mit letztlich unbekannten Größen[6], die nur mit von außen herangetragenen Beurteilungsmaßstäben gedeutet werden können. Mit der Ausgrenzung von »Einflußbereichen«[7], innerhalb derer es als eigentliches Denken des Autors nur gelten lassen will, was anderwärts sicher für ihn bezeugt ist, bildet es ein zu grobes Instrument zum Aufspüren der irenäischen Theologie, die nicht in einem einfachen Subtraktionsverfahren gewonnen werden kann, da ihre besondere Eigenart gerade in der Integration und Adaptation der früheren Traditionen besteht[8].

Da nicht von seiner Methode gedeckt, legt sich die Vermutung nahe, daß für Loofs' negative Beurteilung der irenäischen Theologie letztlich ein dogmatisches Kriterium den Ausschlag bildet, genauer gesagt, ein Standpunkt, der die Entwicklung der frühen kirchlichen Theologie, symptomatisch sichtbar am Werk des Lyoner Bischofs, negativ als das Abfallen von einer anfänglichen Höhe versteht und dadurch prinzipiell den Weg zur späteren katholischen Orthodoxie gekennzeichnet sieht[9].

[4] Loofs, aaO 431; Wingren, aaO XVIII, und Bengsch, aaO 192f, legen den Finger auf diese Selbstkritik.

[5] S. die in A 3 genannten Aufsätze. Anders als Loofs hält Hichcock die Schrift »de resurrectione« für pseudojustinisch.

[6] Vgl. Wingren, aaO XIX.

[7] So lautet die Terminologie von Loofs; s. z. B. aaO 397. 428f.

[8] Mit Houssiau, aaO 19f.

[9] Man prüfe nur einige von Loofs angelegte Wertungsmaßstäbe; so wirft er Irenäus ein »Herabziehen ... hoher Gedanken« (355) vor, er läßt sich bei der Textkritik von der Überlegung leiten: »Denn z. T. sind das tiefe, an Joh 6,44a erinnernde, von Luther zu Beginn der Erklärung des 3. Artikels in seiner Weise wiederholte Gedanken, die dem Verfasser von IQT eher zuzutrauen sind als dem Irenäus ...« (418); oder er urteilt: »Auch hier muß Irenäus Übernommenes verballhornt haben« (427), um abschließend zu der Feststellung zu gelangen: »So hat er das Evangelium von der Menschwerdung auf die physische Erlösungslehre zugespitzt: so ist er der Vorläufer des Methodius und Athanasius geworden. Daß dies in seiner eigenen Theologie ... hervortrat, hat es den Blicken entzogen oder, wo man schärfer hinsah, erträglich gemacht,

Die Kritik an Friedrich Loofs soll freilich nicht so verstanden werden, als sollte der Einfluß der alten Autoren auf Irenäus bestritten werden. Er selber bezieht sich ausdrücklich auf kleinasiatische Presbyter, auf Papias und auf Justin, den Märtyrer[10]. Er will gerade das Gedankengut seiner Vorläufer in die große Synthese des einen kirchlichen Glaubens einbringen, um den Neuerungen der gnostischen Lehre die Kontinuität und Einheit gegenüberzustellen. Als Theologe der Kirche lebt er in ihrer Tradition. In einer großartigen Einheitsschau sieht er, wie sie sich bei all ihrer Verschiedenheit zu einem großen Bild zusammenfügt, dessen strahlende Gestalt in der Häresie aufgelöst wird[11].

daß sein Werk viel Archaisches erhielt, das der späteren Orthodoxie nicht gemäß war ... Und vielen seiner Leser wird auch das fremde Gut, das sie noch viel weniger als Irenäus selbst sich seinem ursprünglichen Sinn nach aneignen konnten, wie dem Irenäus selbst erbaulich gewesen sein« (451f). — Auf die dogmengeschichtlichen Kategorien, die Loofs an Irenäus heranträgt, hat Audet, aaO 16, kurz hingewiesen. Die dogmatische Urteilsweise hebt Bengsch, aaO 193f, scharf hervor.

[10] Presbyter: 3,2,2 (SC 211,26); 4,12,4 (SC 100,518); 4,26,2 (718); 4,27,1 (728); 4,28,1 (756); 4,30,1 (770); 4,31,1 (786); 4,32,1 (798); 5,5,1 (SC 153,64); 5,20,1 (256); 5,33,3 (414); 5,36,1 (456); 5,36,2 (458).
Papias: 5,33,4 (SC 153,416). Justin: 2,28,1 (H 1,220); 4,6,2 (SC 100,440); 5,26,2 (SC 153,334).

[11] Vgl. 1,10,2.3 (H 1,92—97); 3 praef. (SC 211,16ff) und die Kapitel über die Tradition 3,1—5 (SC 211,20—62). Dazu Wingren, aaO XVf, Audet, aaO 17, Houssiau, aaO 22f, und die schönen Ausführungen bei H. Urs v. Balthasar, Ästhetik II, 1, S. 40—45. — M. Widmann, aaO 172f, findet ebenfalls treffende Worte für die kirchliche Theologie des Irenäus. Er weist die radikale Kritik von Loofs zurück und behauptet im Unterschied zu ihm »die universale Fassung des Ökonomie- und Rekapitulationsgedankens« »als eigenständige theologische Tat des Irenäus« (170). Dennoch hält er am Prinzip der Quellenscheidung fest, die er theologisch an der seiner Meinung nach für den originalen Irenäus typischen universalen Ausprägung des Ökonomiebegriffs auszuweisen sucht. Er grenzt aus: die antimarkionitische Presbyterpredigt (4,27—32; Harnack), den Traktat über den »Erweis der Güte Gottes in der Erziehung des freien Menschen« (4,37—39; Bousset), zu dessen Einflußbereich auch 3,18—23 gehören soll, den Traktat über die Prophetien (4,20,1—7; Loofs; 4,20,8—12; 21; 25,2; 33,10—15; Bousset) mit einer »offenbarungsgeschichtlichen Fortschrittsidee« sowie die Abschnitte 5,25—30; 5,31—36 (Bousset), die er Melito von Sardes annähern möchte. — Ob freilich das argumentum e silentio, das Fehlen des universalen Ökonomiebegriffs in den bezeichneten Stellen, hinreichend beweiskräftig ist, muß bezweifelt werden. Zudem kann Widmann nicht überzeugend dartun, wie eigenes Denken des Irenäus und Quellentexte sich zueinander verhalten. Sein Urteil, die »Spezialitäten« der übernommenen theologischen Texte könnten »nicht von des Irenäus Grundanliegen her verstanden werden«, sondern nur, »wenn man sie isoliert und von einem ursprünglich selbständigem Gedankenkreis her interpretiert« (171), beruht auf der zweifachen Voraussetzung, daß die Theologie des Irenäus wirklich nur mit der Zange des universalen Ökonomiebegriffs zu fassen ist und daß nicht gerade die von Irenäus vorgenommene Synthese das Interessante

Daraus folgt dann aber das erste an Irenäus selber gewonnene Kriterium für die Einheit von Werk und Theologie. Vor einer Zerlegung in Quellenschriften muß die Erkenntnis der Absicht stehen, die den Autor bei der Abfassung geleitet hat. Sie ermöglicht den Zugang zu seiner Denkform als dem integrierenden Faktor der einzelnen Stücke. Damit verbindet sich ein psychologisches Kriterium, die Überlegung etwa, daß der Lyoner Bischof seine persönliche Geschichte in seine Theologie miteinbringt[12]. Und schließlich kann man auf der Suche nach einem festen Ausgangspunkt Leitideen im irenäischen Werk hervorheben, um von hier aus die Eigenleistung des Verfassers gegenüber den vorliegenden Traditionen zu bestimmen[13].

Da sich der doppelte hermeneutische Zirkel von eigenem Vorverständnis und irenäischem Werk einerseits wie zum anderen von der Denkform des Lyoner Bischofs und den von ihr geprägten Traditionen nicht aufbrechen läßt, können die genannten Kriterien nur mit großer Behutsamkeit angewendet werden. Der letzte Maßstab bleibt immer das ganze Werk des Verfassers, das dann in einer traditionsgeschichtlichen Arbeit aufgehellt, aber auch als vom Autor geschaffene Einheit interpretiert werden kann[14].

So eröffnet sich eine um ebenso viel angemessenere wie fruchtbarere Fragestellung. Auf die Pneumatologie bezogen, wird ein Weg möglich, bei dem nicht nur in einer historischen Nachforschung die einzelnen Traditionsschichten aufgedeckt zu werden brauchen, sondern die Lehre vom Heiligen Geist in der Gestalt dargestellt werden kann, die sich dem Bischof von Lyon erschlossen hat.

seines Denkens ausmacht. — A. Benoît, aaO 202—233, ist in der Beurteilung der irenäischen Theologie im wesentlichen Widmann gefolgt.

12 Vgl. Audet, aaO 17: »Nous substituons donc un principe psychologique pour l'interprétation de la théologie d'Irénée à des éléments formels ›noyautés‹ (c'est l'expression de Loofs) d'après une sélection que nous avons jugée trop incontrolable pour n'être pas avantureuse«, und A. Benoîts Ansatz beim Menschen Irenäus (aaO 41—44.47—73).

13 Das ist die andere Seite des von Benoît vorgeschlagenen Zugangs zur irenäischen Theologie (aaO 44.203—233), wobei er im Anschluß an Widmann die Einheit und die universale Ökonomie als die großen Themen bestimmt, während er dem Fortschrittsgedanken für Irenäus selber keine große Bedeutung beimißt.

14 In vorbildlicher Weise ist das erstere bei Houssiau durchgeführt; man vgl. seine methodologischen Überlegungen, aaO 7—16. — Da die hier vorgenommene Untersuchung mehr als eine synthetische Darstellung gedacht ist, wird in ihr die theologiegeschichtliche Rückfrage nicht systematisch durchgeführt.

b) antihäretische Motivation und Glaube an den Heiligen Geist

Nachdem über die persönlichen Voraussetzungen und den Verstehenshorizont bereits gesprochen worden ist, muß noch das Verhältnis der pneumatologischen Texte zu den für die Bücher adversus haereses und die Epideixis bestimmenden Motivationen erörtert werden.

Eine präzise Formulierung des Ziels von adversus haereses bietet der ausführliche Titel: »Entlarvung und Widerlegung der vermeintlichen Gnosis«[15]. Unter »Gnosis« versteht Irenäus zuerst die Spielart, die in der Schule Valentins durch den Lehrer Ptolemäus vertreten wird. Da er in ihr den Inbegriff aller Häresie erkennt, widmet er sich eingehend ihrer Widerlegung. Ist sie gelungen, dann hat nach seiner Meinung jede andere gnostische Lehre den Boden unter den Füßen verloren[16].

Zwei weitere Namen geben der Irrlehre ein Gesicht: Markus der Magier und Markion. Mit dem ersteren hat Irenäus insofern Bekanntschaft gemacht, als sein Einfluß großen Schaden in den südgallischen Gemeinden angerichtet hat[17]. Und die Lehre Markions ist für den Lyoner Bischof noch so aktuell, daß er ihr mit zahlreichen Argumenten begegnet und gar zweimal seine Absicht bekundet, ihn in einem eigenen Werk zu widerlegen[18].

Allerdings treten im Verlauf der Beweisführung die konkreten Namen zumeist in den Hintergrund. Auch kann Irenäus seine Gegner je einzeln oder gemeinsam bekämpfen, so daß sich die

[15] S. dazu o. § 1 a A 1.

[16] 4 praef. 2 (SC 100,384): »qui enim his contradicunt secundum quod oportet, contradicunt omnibus qui sunt malae sententiae, et qui hos convertunt evertunt omnem haeresim«. Den Ptolemäern ist die große Darlegung des ersten Buches 1,1,1—8,6 (H 1,6—80) gewidmet. Der Name des Ptolemäus fällt sechsmal: 1 praef. (H 1,5); 1,8,5 (80); 1,12,1 (109); 2,4,1 (H 1,259); 2,22,2 (331); 2,28,9 (358). Valentin wird allein 25mal erwähnt: 1 praef. (H 1,4); 1 praef. (5); 1,11,1 (99); 1,11,4 (106); 1,28,1 (220); 1,30,15 (241); 1,31,3 (243); 2 praef. 1 (H 1,249); 2,4,1 (259); 2,16,4 (306); 217,8 (310); 2,19,9 (321); 2,28,9 (358); 2,31,1 (369); 3 praef. (SC 211,16); 3,15,2 (278); 3,16,1 (286); 4 praef. 2 (SC 100, 384); 4,6,4 (444); 4,6,4 (446); 4,33,3 (808); 4,35,1 (862); 5,1,2 (SC 153,24); 5,15,4 (210). Nachweise für Valentin und Markion s. A 18.

[17] S. 1,13—16 (H 1,114—164).

[18] Eine Schrift gegen Markion wird angekündigt in 1,27,4 (H 1,219); 3,12,12 (SC 211,333); vgl. Eusebius h. e. 5,8,9. — Markion wird wiederholt ausdrücklich erwähnt; häufig wird er zusammen mit Valentin genannt. Markion: 1,27,2 (H 1,216); 1,27,3 (218); 1,28,1 (220); 2,1,2 (H 1,252); 2,1,4 (253); 2,3,1 (257); 2,30,9 (368); 2,31,1 (369); 3,3,4 (SC 211,40); 3,3,4 (42); 3,4,3 (50); 3,12,12 (232); 3,25,3 (482); 4,6,2 (SC 100,440); 4,6,4 (444); 4,8,1 (464); 4,13,1 (524); 4,33,2 (804); 4,34,1 (846). Markion und Valentin: 2,28,6 (H 1,355); 3,2,1 (SC 211,26); 3,3,4 (40); 3,4,3 (50); 3,11,2 (144); 3,11,7 (158ff); 3,11,9 (170ff); 3,12,5 (196); 3,12,12 (232ff); 3,14,3.4 (272.274); 5,26,2 (SC 153,332).

Argumentation überlagert, ohne daß die verschiedenen Schichten deutlich voneinander abgehoben wären.
Bereits bei der Untersuchung der Glaubensformeln war zu erkennen, daß unter den großen Themata, die Irenäus in der Auseinandersetzung mit der Häresie entwickelt, nicht die Pneumatologie erscheint[19]. Im Vordergrund steht das Anliegen, der gnostischen Trennung von höchstem Gott und Schöpfergott, zwischen einem Christus des unbekannten Vaters und einem Jesus des Demiurgen, zwischen pneumatischer, psychischer und hylischer Substanz, zwischen Altem und Neuem Bund die Einheitsaussage entgegenzustellen, daß der höchste Gott und die Welt der Materie und des Menschen keine unüberbrückbaren Gegensätze darstellen, sondern in dem großen Heilswerk des einen Gottes zusammengehalten werden[20]. Da es beim Heiligen Geist an einem derart handgreiflichen Gegensatz zur Gnosis fehlt, insofern sie hier keine dem Vater oder Christus vergleichbare Scheidung vornimmt, sieht sich Irenäus nicht genötigt, parallel zur Einheit der ersten beiden Personen in gleicher Deutlichkeit von dem einen Geist zu sprechen. Daraus jedoch auf eine nur untergeordnete Rolle der Pneumatologie zu schließen, hieße die Argumentationsebenen verwechseln. Denn Irenäus weiß nicht nur um das lebendige Geistwirken, das er gegen anderslautende Anschauungen verteidigt, er erkennt auch, daß in der gnostischen Häresie die Lehre über den Heiligen Geist verfälscht wird[21].
Bei der Untersuchung des gnostischen Mythos entdeckt er, wie neben dem Weltenschöpfer auch Christus und der Heilige Geist so umgedeutet werden, daß im Vergleich mit der christlichen Anschauung nur noch ein Zerrbild von ihnen übrig bleibt. Da sie gleichfalls vom Fall der Sophia, dem Geschehen, das die Bewegung im Pleroma auslöst, abhängig gemacht werden, treten sie nur in abgeleiteter Folge hervor. Sie sind, wie Irenäus mit Abscheu formuliert, zur »Frucht eines Fehltritts«, des ungestümen Drangs der Sophia zum unbekannten Urgrund hin, herabgewürdigt worden[22]. Er legt mit diesem Hinweis, der in die komplizierten, hier nicht näher zu behandelnden Probleme der gnostischen Mythologie hineinführt[23], den Finger auf die Tatsache, daß die Lehre vom Heiligen Geist gleichermaßen in den Streit um die Wahrheit

[19] S. die Nachweise o. § 11 A 9.
[20] S. o. § 1 a und § 3.
[21] Außer dem Folgenden vgl. die o. § 13 b und § 14 a gemachten Beobachtungen sowie die Nachweise § 11 A 9.
[22] S. die Bemerkung in 2,19,9 (H 1,321): »non solum itaque in fabricatorem irreligiosi sunt, labis eum dicentes fructum, sed et in Christum et in Spiritum sanctum, propter labem dicentes eos emissos . . .«; vgl. 4 praef. 3 (SC 100, 386).
[23] Näheres dazu u. § 16.

hineingezogen ist. Eine ähnliche Feststellung wird er in Verbindung mit der christologischen Problematik zu machen haben[24]; und nicht zuletzt zeigt sich dann die Verfälschung des christlichen Bekenntnisses zum Geist bei der Lehre vom pneumatischen Samen, mit der Irenäus sich bei den anthropologischen und ekklesiologischen Themata auseinandersetzen muß[25].

So steht für den Lyoner Bischof bei seinem Hauptanliegen der Widerlegung der Gnosis auch der Glaube an den Heiligen Geist auf dem Spiel. Er kommt zwar nicht auf der Ebene der großen Einheitsaussagen zur Sprache, wird aber doch schon von dem Streit um sie betroffen, da er sich dem Kernstück gnostischen Denkens und Fühlens gegenüber zu behaupten und dessen Anleiheversuche zurückzuweisen hat[26]. Daß Irenäus bei der Pneumatologie die Annahme der Herausforderung nicht in der Weise sichtbar macht wie bei der Frage nach dem Vater und dem Sohn, hat seinen Grund darin, daß sich der gnostische Dualismus am augenfälligsten an ihnen auswirkt, während die Geistlehre eher als eine Voraussetzung erscheint.

Die Auseinandersetzung mit ihr erfolgt dann in verschiedenen Bereichen. Einschlußweise geschieht sie bei der Entwicklung des Leitgedankens der einen göttlichen Ökonomie. Irenäus stellt den Geist in das große, die Geschichte umfassende Heilswerk des einen Gottes. Fest in der Trinität verankert, wird er aus jedweder Abhängigkeit von einem Fall im Pleroma oder einem Bedürfnis des Menschen befreit[27].

In der Christologie entscheidet sich an der richtigen Bestimmung des Verhältnisses zwischen Christus und dem Heiligen Geist einmal die Irrtümlichkeit der gnostischen Lehre über den Erlöser, dann aber auch die Stellung des Geistes, insofern er vom Christusgeschehen aus seine heilsgeschichtliche Einordnung erfährt[28].

Dem aus der gnostischen Samenlehre abgeleiteten Anspruch auf die Darstellung der wahren Kirche wird Irenäus auf dem Feld der Ekklesiologie mit dem Nachweis begegnen, daß nur in der sichtbaren Kirche der Geist seine Wirksamkeit entfaltet, da sie allein dem Heilsplan Gottes mit dem Menschen entspricht[29].

Schließlich wird er in der Anthropologie jede aus dem pneumatischen Samen abgeleitete naturhafte Verbindung mit dem göttlichen Urgrund zurückweisen, der Gnosis die Unverfügbarkeit des Gottes-

[24] 3,17,4 (SC 211,338): »qui Spiritum quidem interimunt, alium autem Christum et alium Jesum intellegunt ...«
[25] Darüber wird im einzelnen u. § 23 a. bb und § 25 a. bb zu handeln sein.
[26] Zum Grundansatz der gnostischen Geistlehre s. die Ausführungen u. § 16.
[27] S. dazu u. § 17 und § 18.
[28] S. u. § 20.
[29] S. u. § 23.

geistes vorhalten, der die Bewährung durch ein gläubiges Leben verlangt, und dann in schärfstem Widerspruch zu ihr die Glaubensüberzeugung begründen, daß der Geist nicht eine unüberbrückbare Trennung der Wirklichkeit schafft, sondern im Gegenteil das Geschöpf in seiner Ganzheit ergreift, um es zu Gott zu führen[30].

Was folgt aus dem bisherigen Ergebnis für den dritten Artikel der von Irenäus zitierten Glaubensformeln? Die vier Stellen, an denen er das kirchliche Bekenntnis in seiner Vollgestalt zu Wort kommen läßt, sind gleichsam Kristallisationspunkte seines Werkes. Er findet in den Formeln ein wichtiges methodisches Mittel in Entsprechung zu seiner Denkform. Ausgangspunkt und Ziel seiner Beweisführung ist der Glaube der Kirche, den der Einzelne bei der Taufe übernimmt[31].

Ohne Schwierigkeit läßt sich die Übereinstimmung mit der antihäretischen Motivation an den ersten beiden Artikeln aufzeigen. Das Bekenntnis zum einen Gott und zum einen Christus entspricht den großen Grundgedanken von adversus haereses[32]. Der dritte Glaubensartikel tritt auf dieser Ebene zurück, aber da der Lyoner Bischof auch den gnostischen Anschauungen über den Heiligen Geist widerspricht, wird auch hier dem Bekenntnis die antihäretische Wendung nicht fehlen. So gesehen treten die Glaubensformeln als ganze in den Dienst der Auseinandersetzung mit den Gegnern[33].

Andrerseits kann der Symbolbefund vor falschen Alternativen in der Bewertung der irenäischen Pneumatologie warnen, insofern er die Ergänzung notwendig macht, daß das antihäretische Moment nicht die einzige Motivation für die Anführung des dritten Artikels ausmacht. Da das Bekenntnis zum Geist im Unterschied zu den beiden ersten Hauptstücken nicht gesondert in symbolartigen Wen-

[30] S. u. § 25.

[31] S. für die Epideixis die Bemerkungen o. § 1 b, für die Bücher adversus haereses o. § 4. — Auf die Verbindung der Symbola mit dem theologischen Ansatz des Irenäus hingewiesen zu haben, ist das Verdienst von A. Benoît, Saint Irénée 209—219.

[32] S. dazu o § 3 mit A 8—10.

[33] A. Benoîts Urteil (Saint Irénée 224 A 2): »...si Irénée connait les 3 articles de la foi, il faut bien admettre que pour lui, le 3e article ne représente pas un des axes de sa pensée«, verlangt eine Differenzierung. Verglichen mit den ersten beiden Artikeln, stellt der dritte keine Hauptaxe bei Irenäus dar, da von der Einheit des Geistes nicht mit dem gleichen Nachdruck die Rede ist. Andererseits fehlt die antihäretische Motivation nicht, so daß seine Anführung nicht nur eine Sache der Treue zum kirchlichen Glauben ist. Benoîts Vorschlag, als drittes Hauptthema des irenäischen Symbols die Idee der einen Ökonomie anzugeben (aaO 224), ist darum kaum hilfreich. Der Oberbegriff »Ökonomie« reicht nicht aus, um die Bedeutung des 3. Artikels auszusagen.

dungen vorkommt, aber in den zentralen Glaubensformeln zu finden ist, gehört es als solches zum vollständigen Glauben der Kirche. Sobald dieser ausgesagt werden soll, darf es nicht fehlen. Von dem Motiv aus, die kirchliche Glaubensüberzeugung in ihrer Ganzheit zur Darstellung zu bringen und an ihre bei der Taufe übernommene verbindliche Gestalt zu erinnern, kommt der Bereich in den Blick, der unmittelbar das christliche Leben begründet. Von hier aus kann Irenäus dann in den Streit mit der Gnosis eintreten mit dem Ziel, eben diese Kirche zu bewahren, indem er die Gläubigen vor den andrängenden Gefahren warnt[34].

Ein letzter Beweggrund für die Zitation des pneumatologischen Artikels kommt damit zum Vorschein. Der Bischof von Lyon weiß die Kirche durch den Heiligen Geist in der Wahrheit bewahrt. Er schenkt ihr die vollkommene Erkenntnis und macht die positive Zurückweisung der Häresie dadurch möglich, daß er in den biblischen Schriften spricht und dem Theologen der Kirche die Augen für die Heilsgeschichte in der Einheit von Verheißung und Erfüllung öffnet[35].

Mit den so aufgewiesenen Momenten nimmt der Artikel vom Heiligen Geist im Gefüge der Intentionen von adversus haereses den Weg, der seine dogmengeschichtliche Entwicklung auszeichnet. Er entspringt der Taufe, weist von hier aus in den Raum der Kirche, den durch das Geistwirken geprägten Bereich von Glaube, Hoffnung und Liebe, dient der Begründung der Wahrheit und des Schriftverständnisses und ist schließlich die Grenze zur Geistlehre der Häresie.

Ein Rückblick läßt als wichtigstes Ergebnis die Berechtigung erkennen, aus den Schriften des Irenäus eine Pneumatologie hervorzuheben, die nicht eine mehr oder weniger willkürliche Zusammenstellung disparater Einzelstücke bleiben muß, sondern an der Denkform des Autors ihren Rückhalt hat. In der Erfahrung des lebendigen Geistwirkens in den Gemeinden, im Bewußtwerden der kirchlichen Dimension des Glaubens an den Heiligen Geist, in der Überzeugung von den Geistwirkungen der Taufe kommt ein für den Lyoner Bischof bedeutsamer Bereich zum Ausdruck. Seine Hauptmotivation, die Widerlegung der Gnosis und die Entfaltung der kirchlichen Lehre im Gegenüber zu ihr, betrifft auch die Lehre vom Heiligen Geist. Er sieht sie durch seine gnostischen Gegner in Frage gestellt. Weiterhin kennt er Gruppen, die die Geistprophetie unterdrücken oder verfälschen. Und bei all dem führt ihn sein

[34] S. die Nachweise o. § 11 A 9f.

[35] Man denke an die Formel 4,33,7 (s. o. § 4 b). Zur Ausführung des Themas s. u. § 24.

Vorhaben, den Glauben der Kirche darzustellen, zum Geist, der die Kirche begründet und darum zu den Hauptstücken ihres Bekenntnisses gehört.

In der Darstellung der irenäischen Pneumatologie kann jetzt ein Weg eingeschlagen werden, auf dem die verschiedenen Aussagen als eine in der Absicht des Autors grundgelegte Einheit verstanden werden. Sie können unter dem Aspekt ihrer Komplementarität betrachtet werden, so daß ein der Denkbewegung des Bischofs von Lyon entsprechendes Gesamtbild seiner Pneumatologie entsteht, das den theologischen Hintergrund für die einzelnen Formulierungen des dritten Glaubensartikels bei ihm bildet[36].

[36] Mit dieser Zielsetzung unterscheidet sich die vorliegende Untersuchung nach Methodik und Inhalt von anderen Arbeiten zur Pneumatologie des Bischofs von Lyon. W.-D. Hauschild, Gottes Geist und der Mensch, aaO, stellt in seinem Abschnitt über Irenäus (206—220) nur die irenäische Konzeption »der Formung des Menschen durch Gottes Geist« (206) vor, wobei er bemüht ist, verschiedene Traditionsschichten voneinander abzuheben. Auf eine Gesamtdarstellung verzichtet er ebenso wie auf den Versuch einer von ihm selber für möglich gehaltenen synthetischen Auffassung der pneumatologischen Themata (220). — G. Kretschmar, Le développement 30—34, gibt auf seinen fünf Seiten über Irenäus eine skizzenartige Übersicht. Er hebt die Entdeckung der Kirche für die Entfaltung der Pneumatologie hervor und stellt seiner Fragestellung entsprechend fest, Irenäus habe der griechischen Wahrheitsfrage in seiner trinitarischen Reflexion noch nicht Genüge getan. — Th. Rüsch, Die Entstehung der Lehre vom Hl. Geist bei Ignatius, Theophilus, Irenäus (Stud. z. Dogmengesch. u. system. Theol. 2) Zürich 1952, S. 90—119, unternimmt eine zusammenfassende Darstellung, die jedoch unter dem Mangel leidet, daß sie nicht das gesamte Material berücksichtigt und die irenäische Theologie nur unbefriedigend herausgearbeitet, insofern sie den Hl. Geist nur von der geheimnisvollen Unnahbarkeit Gottes her interpretiert und der kirchlichen Dimension der irenäischen Pneumatologie nicht hinreichend gerecht wird. — G. N. Bonwetschs Werk (Die Theologie des Irenäus, Beitr. z. Förd. christl. Theol. 2,9, Gütersloh 1925), das seiner behutsamen Darstellung wegen für eine erste Information über das irenäische Denken gute Dienste leisten kann, in Einzelfragen aber kaum weiterhilft, bietet über den Heiligen Geist fünf knappe Seiten (65—69) und kommt sonst nur nebenbei auf ihn zu sprechen. — Der Aufsatz von A. d'Alès, La doctrine de l'Esprit, aaO, stellt die Pneumatologie unter der Fragestellung der Erneuerung des Menschen durch den Geist dar, wobei an Irenäus die Kategorien der scholastischen Gnadentheologie angelegt werden. — H. B. Swete, The Holy Spirit, aaO 84—94, hat für Irenäus eine gute Zusammenstellung wichtiger Texte vorgelegt, ohne daß er freilich eine theologische Durchdringung leisten und die Verbindung zur irenäischen Denkform aufzeigen wollte.

Zweites Kapitel
Der Heilige Geist in der Einheit des trinitarischen Gottes

Während die gnostischen Lehrer bei ihrer Suche nach den tiefsten Geheimnissen auf immer neue Erklärungen verfallen, die sämtlich auf eine Auflösung der verbindlichen Gestalt des Glaubens hinauslaufen, will Irenäus selber sich an die klar vor Augen liegenden Tatsachen der Offenbarung halten, an das, wie er sagt, »zuverlässige, wahre Wissen über Gott«[1]. Er findet es in der Schrift mit der notwendigen Eindeutigkeit gelehrt und unabänderlich in der Kirche bewahrt. In ihm hat die Theologie ihre unveräußerliche Grundlage, es sei denn, sie wollte sich selber aufgeben. Irenäus stellt fest: »Wir müssen uns, indem wir die Lösung der Fragen in diese Richtung lenken, in der Erforschung des Geheimnisses und des tatsächlichen Planes Gottes üben und in der Liebe zu ihm wachsen, der solches für uns getan hat und tut. Niemals dürfen wir von dem aufs Klarste gepredigten Rat abweichen, daß dieser allein Gott und Vater ist; er hat auch diese Welt geschaffen, den Menschen gebildet, in seinem Geschöpf das Wachstum niedergelegt und ruft es vom Kleinen zu dem Größeren, das bei ihm selber ist...«[2]. Von diesem Ansatz aus betreibt der Lyoner Bischof seine Theologie, steht er immer wieder neu vor dem Geheimnis des trinitarischen Gottes, welches den Heiligen Geist und sein Werk in sich einbegreift. Wie er im Angesicht seiner theologischen Gegner den kirchlichen Gottesglauben vorstellt, wird im folgenden zu erörtern sein. Das Bekenntnis zum Heiligen Geist findet hier seine grundlegende, unaufgebbare theologische Einordnung.

§ 16 Irenäus in der Auseinandersetzung mit dem Gottesbegriff der Gnosis

Den Grundfehler des Unterfangens der Gnosis[3], eine Trennung im Gottesbegriff vorzunehmen und von ihr aus einen höchsten, unnennbaren Urgrund im Gegensatz zu dem Gott dieser Welt zu

[1] 2,28,1 (H 1,349).
[2] Ebd.
[3] Indem ich die Darlegung auf die valentinianische Gnosis (genauer, auf die Ptolemäer) abstelle, folge ich dem Beispiel des Irenäus, der hier seine Hauptgegnerschaft sieht und die Argumentation besonders gegen sie wendet. Markion kann ausgeblendet werden, da, abgesehen von der Frage der Prophetie und der Christologie, seine Lehre die Pneumatologie nicht unmittelbar betrifft und da seine Grundaussage von der Trennung des atl. gerechten Schöpfergottes vom guten Gott des NT (s. bes. 1,27,2ff; H 1,216—219; 3,12,12; SC 211,232ff; 3,25,2—5; 480—86; 4,8,1; SC 100,464; 4,13,1; 524; 4,33,2; 804ff)

behaupten, sieht der Bischof von Lyon darin, daß man Gott nach eigenem Maße zu messen versucht. Man macht gerade mit der Unermeßlichkeit Gottes, der über allem stehen und doch einem jeden ganz nahe sein kann (vgl. Jer 23,23), nicht Ernst, sondern begrenzt mit der Erfindung eines anderen Vaters einerseits und andrerseits des Demiurgen gleichermaßen die Größe Gottes, da sowohl der Einflußbereich des Urvaters durch das von der übrigen Schöpfung geschiedene Pleroma begrenzt ist als auch der Demiurg nicht über den siebten Himmel hinausreichen kann und deshalb am Pleroma das Ende seiner Macht erfahren muß[4].

Irenäus stößt mit seiner Kritik in das Zentrum des gnostischen Systems. Sie trifft die Lehre über den unbekannten, erst durch Christus geheimnivoll angekündigten Gott, der dem Gott der Schöpfung, des Alten Testaments und der irdischen, sichtbaren Kirche gegenübergestellt wird. Dieser wird als eine mindere, unwissende Wesenheit betrachtet, die aus psychischer Substanz besteht. Im unsichtbaren Urvater dagegen sieht man den schweigenden Urgrund des pneumatischen Pleroma der dreißig Äonen. Außer dem Monogenes, dem ersterzeugten Äon nach dem vollkommenen Uranfang, hat niemand Zutritt zu ihm. Er wird von den übrigen Äonen, nachdem der begehrliche Erkenntnisdrang der Sophia, des letzten Äons, ausgeschieden und die Belehrung durch Christus und den Heiligen Geist erfolgt ist, als die unfaßbare Ursache der pleromatischen Existenz angenommen — ein Vorgang, in dem bildhaft die Weise der Gotteserkenntnis der pneumatischen Samen in den einzelnen Gnostikern auf Erden dargestellt ist[5].

Die Rede vom unbekannten Gott hat weitreichende Konsequenzen. An die Stelle der Einheit Gottes tritt eine Vielzahl von abgestuften Wesenheiten. Auch die Übernahme christlicher Denominationen wie der Christi und des Geistes kann Irenäus nicht darüber hinwegtäuschen, daß inferiore Wesen in die Gottheit eingeführt werden, deren Handeln letztlich nur eine Funktion der Selbstdarstellung des Menschen ist[6].

bei Irenäus mit der gnostischen Position zusammen gesehen und in einer Argumentation wiederlegt wird (s. 5,26,2; SC 153,322ff: »qui ergo blaphemant Demiurgum, vel ipsis verbis et manifeste quemadmodum qui a Marcione sunt, vel secundum eversionem sententiae quemadmodum qui a Valentino sunt ...«; sowie 2,1,2; H 1,252; 2,3,1; 257; 2,30,9; 368; 2,31,1; 369; 3,2,1; SC 211,26; 4,6,4; SC 100,444).

[4] S. hierzu die Sätze in 4,19,2f (SC 100,618—622).

[5] S. das Referat des gnostischen Mythos in 1,1—2,6 (H 1,8—23) sowie 1,19f (H 1,175—180) und 4,6 (SC 100,436—454).

[6] 1,22,1 (H 1,189): »omnes enim fere quotquot sunt haereses, Deum quidem unum dicunt, sed per sententiam malam immutant«; 2,28,4 (H 1,353f): »graviter quidem et honeste videmini dicere vos in Deum credere; dehinc alterum Deum cum minime possitis ostendere, hunc ipsum, in quem credere vos dicitis, labis

Weiterhin hebt man die Einheit der ganzen Wirklichkeit auf, da diese in die drei Substanzen des Pneumatischen, Psychischen und Hylischen zerfallen soll, deren erste nur abgeleitet über die aus dem Pleroma geschiedene Sophia — Achamoth in den pneumatischen Samen in die Welt kommt, deren zweite, das Psychische, aus der Umkehr der Achamoth entstanden ist und dem Demiurgen als Eigentum dient, ohne Aussicht auf eine Überwindung der Unwissenheit, wohl aber in der Gefahr, noch weiter abzusinken in den Bereich der dritten Substanz, die fern vom Pleroma aus dem Leiden der Achamoth entstanden ist; der »Demiurg der linken Seite« bedient sich ihrer zur Erschaffung der materiellen Welt, aber sie ist der eigentliche Bereich des »Fürsten dieser Welt«, der am Ende zusammen mit allem Materiellen durch Feuer zugrunde gehen wird[7].

Schließlich muß man, wenn Christus den unbekannten Gott angekündigt haben soll, auch bei ihm selber eine Trennung vornehmen. Von dem Bereich des Leibhaftigen bleibt nur noch der »Jesus von der Heilsordnung« übrig. Ohne jegliche materielle Substanz war er so beschaffen, daß er als sichtbarer Leib erscheinen und leiden konnte. Dazu kommt die dem Demiurgen zugeordnete psychische Substanz, die durch Christus der ihr erreichbaren Vollendung außerhalb des Pleroma zugeführt werden kann. Das Höchste in ihm aber ist das pneumatische Element; mit ihm macht er den unbekannten Gott kund, führt die zerstreuten Samen zur Einheit und läßt sie in das Pleroma aufsteigen, wo sie in die ruhige Ordnung der Äonen eingehen, ohne je das Geheimnis ihres Gottes ergründen zu wollen[8].

Der Heilige Geist erscheint im gnostischen Mythos zum erstenmal, nachdem bereits das Pleroma der dreißig Äonen vollendet ist[9]. Ebenso wie für den oberen Christus bildet für seine Existenz der Fall der Sophia das auslösende Moment. Zusammen mit Christus aus dem Eingeborenen entlassen, trägt der Geist nach der Ausstoßung des begierdehaften Teils der Sophia wieder zur einträchtigen Ruhe im Äonenpleroma bei. Während Christus die Äonen über das Wesen des Pleroma und die Unbegreifbarkeit des

fructum et ignorantiae prolationem pronuntiatis ... et has (sc. prolationes) non aliunde accipientes, sed ex affectione hominum ...«; über Fehltritt und Unwissenheit s. noch: 1,16,3 (H 1, 163); 2 praef. 1 (H 1,250); 2,1,1 (251); 2,3,2 (258); 2,19,9 (321); 3,5,2 (SC 211,60); 3,10,1 (114); 3,12,12 (234); 4 praef. 3 (SC 100,386).

[7] S. das Referat des Irenäus in 1,4—7,5 (H 1,31—66).

[8] 1,6,1 (H 1,51f) und 1,7,1f (H 1,58—62).

[9] In 2,17,7 (H 1,279f) versäumt Irenäus nicht zu vermerken, daß die im Mythos genannte Zahl von 30 Äonen nicht haltbar ist, wenn es weitere Emanationen gibt.

Urvaters belehrt, kommt es ihm zu, sie in das »Danksagen« einzuweisen und dadurch die »wahre Ruhe« einzuführen, in der die Äonen zum einträchtigen Lobpreis ihres Urgrundes gelangen[10].
An anderer Stelle schreibt Irenäus: »Er (Valentin) sagt, daß der Heilige Geist von der Wahrheit (Irenäus gibt hier den weiblichen Teil der Syzygie Monogenes — Aletheia an) hervorgebracht ist und zur Prüfung und Befruchtung der Äonen unsichtbar in sie eingedrungen ist; durch ihn sollen die Äonen Sprößlinge der Wahrheit hervorbringen«[11]. Auch von der Kirche übernommene Anschauungen über das befruchtende Wirken des Heiligen Geistes klingen hier an. Da sie jedoch in starker Verfremdung begegnen, ist im Mythos nicht ihr ursprünglicher Ort zu suchen.
Ein letztes Mal ist innerhalb des Pleroma vom Geist die Rede, wenn er zusammen mit Christus seine wohlgefällige Zustimmung dazu erteilt, daß die Äonen zur Ehre des Urvaters den Erlöser als ihre gemeinsame Frucht hervorbringen[12].
Nun werden aber die Vorgänge im gnostischen Pleroma insofern interessant, als an ihnen das Geschick des Menschen zu erkennen ist. Die verstoßene Tendenz der Sophia auf den Urgrund hin irrt formlos und ungestaltet im Kenoma umher, bis sich vom Pleroma aus der obere Christus und der Geist ihrer erbarmen, sie ihrem Wesen nach befestigen und ihr einen »Duft der Unsterblichkeit« hinterlassen, der sie an ihre Herkunft erinnert. Sie heißt deshalb, wie Irenäus vermerkt, nicht nur «Sophia« von ihrem pleromatischen Ursprung her, sondern trägt auch den Namen »Heiliger Geist« vom Geist her, der ihr im Verein mit Christus die Wesensgestaltung geschenkt hat[13].
Der Prozeß ihrer Gestaltung ist damit nicht zu Ende. Denn jetzt, nachdem die Sophia — Achamoth ihrer selbst bewußt ist, kommt es zu einer erneuten Leidenschaftlichkeit, in der sie, unwissend über die Natur des Pleroma, ganz von ihm zurückfällt, dann aber auch zur Hinwendung zu dem oberen Christus und schließlich zum rettenden Eingreifen aus dem Pleroma, jetzt nicht mehr durch Christus und den Geist, sondern durch den Erlöser, der die Achamoth zur Gestaltung der Erkenntnis nach führt, sie die pneumatischen Samen gebären läßt und das psychische und hylische Element von ihr absondert[14].
Dadurch entstehen die drei Substanzen; und Achamoth ist jetzt das rein pneumatische Wesen, die Mutter der durch den Samen aus-

[10] 1,2,5 (H 1,21—23); vgl. 1,3,1 (24).
[11] 1,11,1 (H 1,101).
[12] 1,2,6 (H 1,23).
[13] 1,4,1 (H 1,31ff).
[14] S. 1,4,1—5 (H 1,33—41).

gezeichneten Gnostiker. Im Bericht des Irenäus heißt es: »Diese Mutter aber nennen sie Achtheit, Weisheit, Erde, Jerusalem, Heiliger Geist und — männlich — Herr«[15]. Sie ist ein Widerschein des Geistes, der die Äonen danksagen ließ und in ihr selber einstmals den Duft der Unsterblichkeit zurückgelassen hatte; und sie wird sich zuletzt nach der Vollendung ihres Samens als weibliches Pneuma in bräutlicher Vereinigung mit ihrem Erlöser verbinden, um so endlich ins Pleroma eingehen zu können[16].

Auch in den Samen der Achamoth-Söhne ist der Heilige Geist zu erkennen. Er garantiert ihnen zusammen mit ihrer Mutter die Rückkehr in die hochzeitliche Fülle des Ursprungs hinein und macht die Vielzahl der pneumatischen Samen auf der Erde zum Ebenbild der oberen Äonenkirche, während den Psychikern die sichtbare, geistferne Kirche vorbehalten bleibt, die sich der Demiurg angelegen sein läßt, ohne sie je ins Pleroma einführen zu können[17].

Die gnostischen Aussagen über den Geist erweisen sich damit als ein integrierender Bestandteil des Äonenmythos. Sie dienen ganz der Lehre vom unbekannten Gott, da der Geist die im Wissen um die Unerkennbarkeit des Urvaters begründete Harmonie im Pleroma wiederhergestellt und seine Tätigkeit im Kenoma ebenfalls darauf zielt, dem Gefallenen wieder zur Erkenntnis des unergründbaren Ursprungs zu verhelfen. Ob im Pleroma oder außerhalb seiner, sein Einsatz ist bedingt durch den Fall der Sophia. Dabei verwischen sich die Grenzen zur Schöpfung, da der Geist zugleich das pneumatische Element ausmacht, das allein zur Aufnahme ins Pleroma bestimmt ist.

Der Bischof von Lyon wird der gnostischen Gottesvorstellung in den folgenden Bereichen entgegentreten, wobei immer auch der Heilige Geist in den Blick kommt: Dem unbekannten Gott stellt er den Gott der Offenbarung gegenüber, der sich seinem Geschöpf zu allen Zeiten zu erkennen gibt. Dieser Gott kennt keine inferioren Zwischenwesen, sondern ist selber mächtig genug, seine eigene Schöpfung zu umgreifen. Darum gibt es die große Heilsordnung des trinitarischen Gottes für sein Geschöpf. Und schließlich wird Irenäus die christliche Glaubenswahrheit betonen, daß dieser Gott mit dem Sohn und dem Geist vor allem Anfang existiert hat, ohne in ein prozeßhaftes Geschehen aufgelöst werden zu können.

[15] 1,5,3 (H 1,46).
[16] 1,7,1 (H 1,58).
[17] 1,7,4 (H 1,64); vgl. 1,7,1 (59).

§ 17 Die Offenbarung des trinitarischen Gottes

In seiner Theologie des sich offenbarenden Gottes geht Irenäus davon aus, daß Gott wirklich der Unermeßliche ist, und weist er das Unterfangen zurück, ihn unter dem Vorwand der Unerkennbarkeit doch wieder auf die Maße menschlichen Begreifens zuzuschneiden.

Im Blick auf die gnostische Lehre führt er aus: »Also kann man Gott seiner Größe nach nicht erkennen; denn den Vater zu messen, ist unmöglich. Seiner Liebe nach aber — denn sie führt uns durch sein Wort zu Gott —, erfahren, die ihm gehorchen, zu allen Zeiten, daß ein so großer Gott existiert ...«[1]. Fern davon, der schweigende Urgrund der Gnosis zu sein, tritt der christliche Gott in seiner Liebe durch das Wort aus sich heraus, gibt er sich als der zu erkennen, der die ganze Wirklichkeit umfaßt. Dies, und darin liegt die Aussagespitze gegen die Gnosis, geschieht zu allen Zeiten, nicht als habe erst im Neuen Testament die Gotteserkenntnis begonnen, die dann umso leichter gegen die vorchristliche Zeit ausgespielt werden könnte[2].

»Der Schöpfer«, erklärt Irenäus wenig später, »hat diese Welt dem Menschengeschlecht zugeteilt. Seiner Größe nach ist er allem, was von ihm geschaffen worden ist, unbekannt — denn niemand hat seine Höhe erforscht, keiner der Alten, noch einer der jetzt lebenden Menschen. Seiner Liebe nach wird er immer durch den erkannt, durch den er das All begründet hat; und dieser ist sein

[1] 4,20,1 (SC 100,624). Die hochtheologischen Ausführungen des 20. Kap. von Buch 4 sollen im folgenden den inneren Leitfaden für die Darstellung bilden. Daß es sich hier nicht um einen ausscheidbaren Fremdkörper, sondern um für Irenäus zentrale Gedanken handelt, zeigt die Verbindung mit dem Ganzen seines Werks und seiner Theologie (zur Kritik an Loofs s. o. § 15 a). Loofs geht über Bousset hinaus und will in 4,20,1—7 die Einleitung zum Traktat über die Prophetien sehen (aaO 10—22.413ff; vgl. auch o. § 15 a A 1 und 11). Wenn aber Loofs meint, da die Gedanken von 4,20,1—6 in der Epideixis »so gut wie gar nicht zur Geltung gekommen« seien (aaO 11 mit A 2), könnten sie Irenäus nicht zugeschrieben werden, dann berücksichtigt er zu wenig die Eigenart der Epideixis, die sich von dem großen Werk adversus haereses gerade dadurch unterscheidet, daß sie sich thematisch nicht mit der gleichen Schärfe gegen die Gnosis wendet. Loofs übersieht denn auch, daß 4,20 in den Kernaussagen die gnostische Lehre vom unerkennbaren Gott trifft und nicht zuerst antimarkionitisch ausgerichtet ist (gegen Loofs, aaO 13 A 1 und 413f: »Der Verfasser ist bei diesem Gedanken von Anfang an ... antimarcionitisch eingestellt ...«). Der Gedanke von der Größe und Liebe Gottes ist im vorliegenden Zusammenhang in erster Linie gegen die Gnosis gerichtet. S. dazu nur die Verknüpfung mit 4,19,2f (SC 100,618—622) und die gleiche Anwendung des Themas in 2,13,4 (H 1,283).

[2] Vgl. auch 4,6,2 (SC 100,438). Hier steht Markion im Hintergrund, und Irenäus erklärt, selbst wenn der Sohn nicht zu allen Zeiten bei seinem Geschöpf gewesen wäre, sei man noch lange nicht berechtigt, einen anderen Gott zu erfinden.

Wort, unser Herr Jesus Christus, der in den letzten Zeiten Mensch unter den Menschen geworden ist, um das Ende mit dem Anfang zu verbinden, das heißt, den Menschen mit Gott«[3]. Der Höhepunkt der Offenbarung der Liebe Gottes durch das Wort ist mit der Menschwerdung erreicht[4]. Aber sie ist das Ziel einer langen Entwicklung. Sie ist in der Schöpfung grundgelegt[5] und nimmt im Wirken des Wortes im Alten Bund ihren Fortgang[6]. So eröffnet sich der Vater von Beginn an in immer unmittelbarerer Weise. Seiner Größe nach bleibt er der unsichtbare Gott, in seiner Liebe macht er sich in seinem Sohn sichtbar, um den Menschen an der Überfülle seines Lebens teilhaben zu lassen[7].

Mit dem göttlichen Wort tritt auch der Heilige Geist hervor. Irenäus schreibt wiederholt, daß der Gott der Offenbarung der eine Gott ist, der durch das Wort und die Weisheit, den Sohn und den Geist, handelt[8]. Zusammen mit dem Wort steht auch er von Anfang an in der Bewegung der Liebeszusage des Vaters an die Menschen. Die Offenbarung durch die Schöpfung erfolgt auch in ihm[9]. Mit dem Wort tritt er in der alttestamentlichen Ankündigung der kommenden Sichtbarkeit in Erscheinung[10]. Und schließlich ist er an der Kundgabe Gottes im Heilsereignis des Neuen Bundes beteiligt, da er sein Werk der Erneuerung ausübt und die Menschen zur Gotteserkenntnis führt[11]. Damit ist schon im ersten Ansatz der dem unbekannten Gott der Gnosis gegenübergestellte christliche Gott als der trinitarische bestimmt, der sich als Vater, Sohn und Geist offenbart.

An den Gedankenkreis von der Erkennbarkeit Gottes seiner Liebe nach schließt sich die Aussage, daß er selber in Verbindung mit seiner Schöpfung steht, ohne dazu vermittelnder, von ihm abgespaltener Tendenzen zu bedürfen, wie sie die gnostische Sophia-

[3] 4,20,4 (SC 100,634).
[4] 4,20,2 (SC 100,630).
[5] 4,20,4 (SC 100,634); 4,20,7 (648); 4,6,6 (448).
[6] 4,20,4 (SC 100,634ff).
[7] 4,20,7 (SC 100,648); 4,20,5 (638); zur Lehre von der Offenbarung Gottes durch das Wort vgl. 2,30,9 (H 1,368), wo Loofs, aaO 15.379f, freilich wiederum Theophilus reden hören möchte: »semper autem coexistens Filius Patri, olim et ab initio semper revelat Patrem«; sowie 3,6,2 (SC 211,70); 3,11,6 (156); 4,4,2 (SC 100,420); 4,5,1 (426); 4,6 (436—454); 4,7,3 (460ff). — Das Thema von der Größe und Liebe Gottes erscheint noch in 2,6,1ff (H 1,263f); 2,13,4 (283); 2,17,9—11 (310ff); 3,24,2 (SC 211,476).
[8] 4,20,1 (SC 100,626); vgl. 4,20,2 (630); 4,20,4 (634) sowie die u. § 18 b A 26 angeführten Texte.
[9] 4,20,1 (SC 100,626).
[10] 4,20,8 (SC 100,648): »Spiritus Dei per prophetas futura significavit ...«; vgl. 4,6,7 (454).
[11] 4,20,6 (SC 100,642).

Achamoth oder der Demiurg darstellen. In einer sehr dichten Formulierung heißt es bei Irenäus:
»Also haben uns nicht Engel gemacht, noch gebildet. Denn nicht Engel, noch eine vom Vater des Alls weit entfernte Kraft konnten ein Bild Gottes machen. Gott brauchte diese nicht, um zu machen, was nach seiner eigenen Vorherbestimmung werden sollte, als hätte er nicht seine eigenen Hände. Immer nämlich sind bei ihm das Wort und die Weisheit, der Sohn und der Geist, durch die und in denen er alles frei und unabhängig schafft. Zu ihnen spricht er auch: ›Laßt uns den Menschen machen nach unserem Bild und Gleichnis‹ (Gen 1, 26), indem er aus sich selbst die Substanz des Geschaffenen, das Modell dessen, was gemacht ist, und die Gestalt dessen, was hergerichtet ist, genommen hat.«[12]
Gott selber trägt das All[13] und mit ihm sein Geschöpf, den Menschen. Er umfaßt es in der Einheit seines trinitarischen Wirkens, da er durch sich selber im Sohn und im Geist das setzt, was nicht Gott ist. In ihnen tritt er aus sich heraus und bleibt doch er selber, steht er in Beziehung zur Vielfalt des Vorfindlichen und drückt ihr das Prägemal seines Willens auf. Das von Irenäus mit Vorliebe verwendete Bild von den Händen Gottes[14] macht eine derartige Unmittelbarkeit anschaulich. Sohn und Geist sind die ausführenden Organe. Mit ihnen verwirklicht er das bei ihm Beschlossene, umgreift er, was nach seinem Willen außerhalb seiner steht.
Über eine äußerliche Beziehung hinaus erscheinen den göttlichen Personen je eigene Aspekte der Schöpfungswirklichkeit zugeordnet[15]. Im Vater hat alles seinen Bestand, da er aus sich selber die Substanz des Geschaffenen setzt, ohne sich auf eine über ihm stehende Macht oder ein außerhalb seiner liegendes Substrat beziehen zu müssen. Das Modell der Kreatur ist im Wort beschlossen. Als die ausführende Macht dient es dem Vater zugleich als die Idee der Schöpfung. Dem Geist wird die Gestalt der Ordnung und des Zusammenspiels zugewiesen. An ihr gibt sich die planende Weisheit des göttlichen Schöpfers zu erkennen.

[12] 4,20,1 (SC 100,624ff).

[13] Das »ipse a semetipso« der lateinischen Übersetzung hat zahlreiche Parallelen. S. noch 4,20,1 (SC 100,624); 2,2,4 (H 1,255); 2,16,1 (305); 2,30,9 (367f).

[14] S. dazu u. § 18 a A 11.

[15] A. Rousseau, SC 100,248, weist auf eine schöne Entsprechung des zitierten Textes: »ipse a semetipso *substantiam creaturarum* et *exemplum factorum* et *figuram in mundo ornamentorum* accipiens« zum Eingang desselben Paragraphen hin: »et ipse est qui per semetipsum *constituit* et *fecit* et *adornavit* omnia« (et continet fällt nach der armen. Übers. aus). Vgl. auch die Differenzierung in 2,30,9 (H 1,368): »Pater condens et faciens omnia ... Verbo virtutis suae, et omnia aptavit et disposuit Sapientia sua«; zum Vokabular s. 2,16,1 (H 1,305).

In besonderer Weise zeigt sich die innerliche Verbindung Gottes mit seiner Schöpfung an der Bestimmung des Menschen. Nach dem Bild und Gleichnis Gottes geschaffen, steht er in unmittelbarer Beziehung zu ihm. Der Schöpfungsauftrag ergeht an den Sohn und den Geist, die ihn die ganze Geschichte hindurch verwirklichen, wobei in der Zuordnung von Bild und Gleichnis das gemeinsame Werk der Hände Gottes zu erspüren ist[16]. Ohne daß es zu einer

[16] S. 4,20,1 (SC 100,626). Über den Themenkreis imago-similitudo wird u. § 25 b ausführlicher zu handeln sein. Hier aber soll im Zusammenhang mit den trinitarischen Aussagen in einer längeren Anmerkung über A. Orbe, La Teología del Espiritu Santo (Analecta Greg. 158, Estud. Valent. 6), Rom 1966, gesprochen werden. A. Orbe verbindet den Text 4,20,1 mit 4,7,4 (464), um daraus den Beweis für seine These zu ziehen, die valentinianische Gnosis habe, besonders in ihrem Vertreter Ptolemäus, einen ersten Ansatz zu einer spekulativen trinitarischen Theologie entwickelt, der auch auf Irenäus eingewirkt habe. — Nach ihm betrachtet Irenäus den Geist als figuratio Patris (4,7,4; 4,20,1), während der Sohn die progenies Patris sei (4,7,4). Der progenies entspreche die statische Vollkommenheit der imago (exemplum factorum: 4,20,1), der figuratio die dynamische Gestaltung der similitudo, die Gestaltung der Dinge gemäß Gott (aaO 462f). Orbe gelangt zu dem Schema: forma-imago Patris — durch den Sohn; figura-similitudo — durch den Geist; der Geist ist die dynamische forma der Welt, der Ursprung aller natürlichen und übernatürlichen Tugenden, die ihr Ziel als figuratio Patris in der Beziehung auf den Menschen erreicht (aaO 464—467). — Zwar trenne Ptolemäus zwischen der Bildung des Pleroma und der Erschaffung der Welt, aber in beiden Bereichen (als Bild und Abbild aufeinander bezogen) finde eine zweifache Gestaltung statt, die formatio secundum substantiam (κατ' οὐσίαν) und die formatio secundum agnitionem (κατὰ γνῶσιν, κατὰ δύναμιν = καθ' ὁμοίωσιν). Die erste wird auf den Logos bezogen, die zweite auf den unpersönlichen (im Pleroma), bzw. personalen Hl. Geist (= Sophia). Irenäus sei nun, obschon er keine Unterscheidung zwischen Gott Vater und dem Demiurgen, zwischen Pleroma und Kenoma zulassen könne, dem gleichen Schema gefolgt, insofern er die äußere Form secundum imaginem dem Logos, die innere secundum similitudinem der Sophia zugeschrieben habe (aaO 475f). — Das Ergebnis: Die valent. Gnosis hat den Versuch einer trinitarischen Spekulation gewagt, bei der der Hervorgang des Geistes mit der Schöpfung und Gestaltung der Materie verbunden worden ist. Der Äonenmythos will eine dynamische trinitarische Ökonomie ausdrücken. Der Fall der Sophia ist nicht im Sinne einer dualistischen Trennung zu deuten, sondern kann genetisch als Prozeß erklärt werden, der seinen letzten Grund im Willen des Vaters hat (aaO 522.587 u. ö.). — Inwieweit Orbes Deutung der Gnosis zu Recht besteht, braucht hier nicht erörtert zu werden (vgl. die kritischen Fragen von J. Daniélou, RSR 56 (1968) 121—125; 122.125). Hauschild, Gottes Geist, aaO 151—190, verzichtet auf eine detaillierte Auseinandersetzung mit den Thesen Orbes. — Was jedoch Irenäus anbelangt, so muß der Deutungsversuch Orbes m. E. gravierende Einschränkungen hinnehmen, die die aufgewiesenen Parallelen abschwächen und eine Systematisierung dieser Art als kaum hilfreich erscheinen lassen. Denn die beiden Schlüsselbegriffe progenies und figuratio-figura lassen sich nicht in der von Orbe gewünschten Weise verifizieren. A. Rousseau, SC 100,212—219, hat für 4,7,4 überzeugend nachgewiesen, daß der armenische Text die richtige Lesart wiedergibt, die von »progenies et suae manus« (statt »progenies et figu-

Trennung oder Unterschiedenheit innerhalb der Gottheit kommt, steht die Erschaffung des Ebenbildes in der Verklammerung des einen Geschehens, in dem sich Gott »durch sich selber« und so als Vater, Sohn und Geist dem Geschöpf vermittelt.

Hieran schließt sich ein letzter, gleichfalls die Offenbarung des trinitarischen Gottes betreffender Gedanke. Durch und in dem Sohn und dem Geist schafft Gott »frei und unabhängig«. Irenäus stellt damit einmal die göttliche Souveränität fest. Der Schöpfer steht der Kreatur frei gegenüber, ohne daß diese einen Anspruch auf ihn hätte oder gar sein Wirken als eine Funktion ihrer selbst

ratio sua«) spricht. Vgl. schon Lebreton II 563 A 2 sowie die bei Rousseau angegebene Literatur. Progenies erhält dann einen kollektiven Sinn, der den Sohn und den Geist umgreift, also noch nicht auf den Ursprung des Sohnes festgelegt ist, sondern den gemeinsamen Unterschied beider zur Schöpfung betont (progenies - γέννημα im Gegensatz zum factum - ποίημα s. Rousseau, aaO; ders. in SC 152,286—295). — Orbe hat sich in einer langen Note (aaO 467ff A 9 a) — auch in »Antropología de San Ireneo«, Madrid 1969, S. 42 A 47, erhält er seinen Einspruch aufrecht — gegen die armenische Lesart gewehrt, ohne jedoch überzeugende Argumente beibringen zu können. Denn der Nachweis, progenies bezeichne den spezifischen Ursprung des Sohnes, läßt sich unter Berufung auf 5,36,3 (SC 153,466): »... ut progenies eius primogenitus Verbum descendat in facturam ...« gerade nicht führen, da progenies den Gegenbegriff zu factura bildet, sich also mit dem Bedeutungsgehalt von 4,7,4 deckt. (Für weitere Texte s. A. Rousseau SC 152,294f). — Abgesehen von der armenischen Textfassung von 4,7,4 scheitert Orbes Erklärung daran, daß das Wort figuratio bei Irenäus sonst nicht mit dem Geist in Verbindung gebracht wird und in 4,7,4 im Hinblick auf den Hl. Geist keinen Sinn ergeben würde. Rousseau, SC 100,213f, macht darauf aufmerksam, daß der Geist nie als eine Art Bild des Vaters bezeichnet wird. Und selbst wenn man aus 4,20,1 (figura in mundo ornamentorum) und 5,9,1 (SC 153,106): altero quidem salvante et figurante, qui est Spiritus, auf eine Beziehung des Geistes zur Gestalt der Welt und des Menschen schließen kann, ist damit nicht eine besondere Form der Sendung des Geistes an die Schöpfung ausgesagt, die, auf die figura-similitudo bezogen, der dem Sohn zugeordneten forma-imago gegenübergestellt werden könnte, sondern es wird lediglich auf das Wirken des Geistes in der geschöpflichen Wirklichkeit hingewiesen, ohne daß dies als dynamische Sendung der statischen Prägung durch das Wort entgegengesetzt werden könnte. — Läßt sich nun aber die Schematisierung nicht durchhalten, dann wird auch die scharfe Differenzierung von Bild und Gleichnis fragwürdig. Es wird noch zu zeigen sein, daß der Doppelbegriff bei Irenäus nicht zuerst das unterschiedene Wirken der göttlichen Personen, sondern die Einheit sichtbar macht. — Bedarf die Deutung A. Orbes m.E. somit einschneidender Korrekturen, dann bleibt zwar ein Einfluß der gnostischen Konzeption vom Aufstieg des Menschen durch das Pneuma auf Irenäus insofern nicht ausgeschlossen, als dem Geist eine entscheidende Rolle in der Selbstmitteilung Gottes an die Schöpfung und auf ihrem Weg zu Gott zukommt. Aber es erscheint unmöglich, dem irenäischen Denken auf der von Orbe gezeichneten Spur gerecht zu werden, da dem Autor ein Frageschema aufgezwungen wird, das an ihm selber nicht mit der nötigen Klarheit verifiziert werden kann, und da bei all dem das große Anliegen des Kampfes gegen die von Irenäus als häretisch betrachteten gnostischen Spekulationen nicht hinreichend zum Tragen kommt.

verstehen könnte. Das annehmen, hieße die Dinge auf den Kopf stellen, da dem Geschöpf mehr Ehre zukäme als seinem Herrn[17]. Der Hauptakzent trifft aber einen Dualismus gnostischer Prägung, demzufolge die Machtausübung des Schöpfers nur eine eingeschränkte wäre. Irenäus kennt keinen Demiurgen im Sinne der Gnosis, der als minderes Wesen einer fremden, ihm selber unbekannten Bestimmung folgen müßte, sondern nur den Gott, der nach seinem Ratschluß in eigener Freiheit tätig wird. Da in der Gnosis zugleich damit die Souveränität des höchsten Gottes in Frage gezogen ist, insofern die Schöpfung an seinem Willen vorbei geschieht, muß Irenäus das übergreifende Moment der göttlichen Willensbestimmung betonen. Sie findet keine Grenze an den Schranken menschlicher Vorstellungen. Ohne an Formen minderer Vermittlung gebunden zu sein, setzt sie sich in eigener Vollmacht durch[18]. Denn im Sohn und im Geist steht ihr »das reiche und unaussprechliche Dienstamt« zur Verfügung[19]. Der Sohn übt »von Beginn an den Dienst aus, durch den er im Himmel und auf Erden den Willen des Vaters erfüllt hat«[20]. Und mit ihm teilt sich der Geist in die Ausführung der väterlichen Anordnungen, so daß in allem Gottes Wille durch sich selber zu seinem Ziel gelangt[21].

§ 18 Der eine göttliche Heilsplan

Die Offenbarung des trinitarischen Gottes führt zu dem großen Heilswerk, das die Geschichte der Menschheit von ihrem Anfang bis hin zum Ende umspannt. Innerhalb seiner tritt das Wirken des Heiligen Geistes zu den verschiedenen Zeiten in Erscheinung[1].

[17] S. 2,15,3 (H 1,304).

[18] S. 4,35,1 (SC 100,862). Es handelt sich hier um die abschließenden Bemerkungen zur Problematik der atl. Prophetie. Vgl. noch 2,1—2,6 (H 1,251—257); 3,8,3 (SC 211,96); 4,38,3 (SC 100,952ff).

[19] 4,7,4 (SC 100,464).

[20] 4,20,6 (SC 100,642ff); vgl. 2,11,1 (H 1,275): »Deus in his, quae sunt eius varia et dissimilia, Verbo fabricavit quemadmodum ipse voluit«; und 3,8,3 (SC 211, 94); 4,6,7 (SC 100,452ff).

[21] Außer 4,20,1 s. nur noch 4,7,4 (SC 100,464).

[1] Schon A. d'Alès, Le mot οἰκονομία dans le langue théologique de S. Irénée, REG 32 (1919) 1—9, hat zwischen Stellen, wo οἰκονομία im Sinne der Gnosis gebraucht wird (z. B. 1,6,1; H 1,52; 1,14,6; 139f) und den eigentlich irenäischen Aussagen unterschieden. R. A. Markus, Pleroma and Fulfilment. The significance of History in St. Irenaeus' opposition to Gnosticism, Vig. Christ. 8 (1954) 193—224, hat den Nachweis unternommen, daß die irenäische Konzeption der Ökonomie und der Geschichte bis ins Detail hinein eine Umkehrung der gnostischen bedeutet. Vgl. auch M. Widmann, Der Begriff οἰκονομία im Werk des Irenäus und seine Vorgeschichte, Diss. Tübingen 1956; s. dazu seinen Aufsatz, Irenäus und seine theologischen Väter, aaO. Er weist

a) Vater, Sohn und Geist

Der Bischof von Lyon macht seinen Gegnern zu wiederholten Malen den Vorwurf, ihre irrige Lehrmeinung entstamme der Mißachtung oder Unkenntnis des Heilsplans Gottes[2]. In der Kenntnis der »gesamten Heilsordnung Gottes«[3] liegt für ihn die Lösung der Fragen beschlossen, welche die Gnosis auf eigene Rechnung zu erforschen sucht. Denn hier zeigt sich der eine Gott, »der von Anfang bis zum Ende durch verschiedene Heilsanordnungen den Menschen beisteht«[4]. Der unaussprechliche Vater geht auf das Geschöpf zu. Er macht in der Heilsökonomie seinen Willen kund und vollzieht ihn so, wie er ihn vorhererkannt hat. Immer der Eine, gibt er sich den Menschen auf verschiedene Weise zu erfahren, so daß die Unterschiedenheit allein auf der Seite der Kreatur liegt, die erst langsam durch die verschiedenen Heilsanordnungen hindurch seine Fülle begreifen lernen muß[5].

Was beim Vater beschlossen ist, wird durch das göttliche Wort er-

auf den Unterschied zwischen dem singularischen οἰκονομία und dem pluralischen οἰκονομίαι hin, welches letztere schon in der vorirenäischen Theologie zu finden ist. Das Verdienst des Irenäus sei die universale Fassung des ursprünglich »christologisch verhafteten Begriffs«: »Der eine Heilsplan gliedert sich in viele einzelne Geschichtstatsachen, Heilstatsachen. Sofern sie alle Teile in einem umfassenden Ganzen sind, können sie als οἰκονομίαι (pluralisch) bezeichnet werden« (aaO 159). — A. Benoît, Saint Irénée 219—225, schließt sich Widmanns Ergebnissen an. — Vgl. zum Ganzen auch A. Verriele, Le plan du salut d'après S. Irénée, Rev.Sc.Rél. 14 (1934) 493—524; W. Hunger, Der Gedanke der Weltplaneinheit und Adameinheit in der Theologie des hl. Irenäus, Schol. 17 (1942) 161—177; J. Daniélou, S. Irénée et les origines de la théologie de l'histoire, RSR 34 (1947) 227—231; A. Bengsch, aaO 74—108; N. Brox, aaO 180—189.

[2] 3,12,12 (SC 211, 234): »haec omnia contulit eis scripturarum et dispositionis Dei ignorantia« (zum Text s. A. Rousseau, SC 210,302); 4,1,1 (SC 100,394): »et doctrinam quidem Christi praetermittentes et a semetipsis autem falsa divinantes adversus universam Dei dispositionem argumentantur«; vgl. 2,10,1 (H 1,273); 3,11,9 (SC 211,170); 4,11,3 (SC 100,506); 4,33,15 (842ff); 5,2,2 (SC 153,30); 5,5,2 (70); 5,32,1 (396).

[3] 4,1,1 (SC 100,394).

[4] 3,12,13 (SC 211,236).

[5] 2,28,1 (H 1,349); vgl. 3,12,13 (SC 211,236): »sic erant perfecti qui unum et eundem Deum ab initio usque ad finem variis dispositionibus assistentem humano generi sciebant«; 4,20,7 (SC 100,646ff): »et propterea Verbum dispensator paternae gratiae factus est ad utilitatem hominum, propter quos fecit tantas dispositiones ... et invisibilitatem quidem Patris custodiens, ne quando homo contemptor fieret Dei et ut semper haberet ad quod proficeret, visibilem autem rursus hominibus per multas dispositiones ostendens Deum, ne in totum deficiens a Deo homo cessaret esse: gloria enim Dei vivens homo, vita autem hominis visio Dei«; sowie 2,7,5 (H 1,269); 4,37,7 (SC 100,942); 5,19,2 (SC 153,250); 5,26,2 (SC 153,332).

füllt[6]. Von ihm her schließt sich die gesamte Heilsordnung auf. Sie zu erfahren wird möglich, weil das Wort wirksam ist. Es ist von Beginn an bei den Menschen und trifft zuletzt in seiner Menschwerdung die Heilsanordnungen, durch die sie gerettet werden[7]. »Christus ... geht« mit den Worten des Irenäus »die ganze Heilsordnung hindurch und faßt Alles in sich zusammen«[8]. In der Vermittlung des großartigen Heilswerks ist er in Wort und Tat der zuverlässige Zeuge, der den Willen Gottes zu erfahren gibt[9].
Um aus sich selber den Heilsplan ins Werk zu setzen, bedient sich der Vater zusammen mit dem Sohn auch des Heiligen Geistes[10]. Er erscheint in dem Bild von den Händen Gottes schon immer als das andere Organ der nie unterbrochenen Tätigkeit Gottes an seiner Schöpfung[11]. Seine besondere Funktion innerhalb der Heilsökono-

[6] 5,26,2 (SC 153,332): »ministrans Patris sui voluntati et adimplens secundum humanum genus dispositionem«; vgl. 3,16,7 (SC 211,314ff); 3,17,4 (338); 4,34,3 (SC 100,852).

[7] 4 praef. 4 (SC 100,390): »... caro, propter quam omnem dispositionem fecisse Filium Dei multis modis ostendimus«. Für die weiteren Einzelheiten s. die Hauptstellen: 3,11,8 (SC 211,168); 3,13,1 (250ff); 3,16,3 (296ff); 3,18,5 (354); 3,24,1 (470); 4,5,5 (SC 100,434); 4,20,7 (646); 4,23,1 (694); 4,26,5 (728).

[8] 3,16,6 (S 290ff): »errantes (sc. Gnostici) a veritate eo quod absistat sententia eorum ab eo qui est vere Deus, nescientes quoniam huius Verbum Unigenitus, qui semper humano generi adest, unitus et consparsus suo plasmati secundum placitum Patris et caro factus, ipse est Jesus Christus, Dominus noster, qui et passus est pro nobis et surrexit propter nos et rursus venturus in gloria Patris ad suscitandum universam carnem et ad ostensionem salutis et regulam iudicii extendere omnibus, qui sub ipso facti sunt — unus igitur Deus Pater ... et unus Christus Jesus Dominus noster veniens per universam dispositionem et omnia in semetipsum recapitulans«. Text mit A. Rousseau, SC 210,322f. — Zur Verbindung von Rekapitulation und Ökonomie s. 3,22,3 (SC 211,438); 4,20,8 (SC 100,652); 5,14,2 (SC 153,186). — Daß die Rekapitulation bei Irenäus von der Ökonomie umgriffen wird, und nicht umgekehrt, hat m.E. zu Recht A. Benoît, Saint Irénée 225ff, betont. Anders verteilen die Gewichte: A. d'Alès, La doctrine de la récapitulation en s. Irénée, RSR 6 (1916) 185—211; E. Scharl, Recapitulatio mundi. Der Rekapitulationsbegriff des hl. Irenäus und seine Anwendung auf die Körperwelt, Freiburg 1941; R. Potter, St. Irenaeus and ›Recapitulation‹, Domin. Stud. 4 (1951) 192—200. — Wenn auch Irenäus selber einen Hinweis darauf geben mag, daß Justin bereits den Rekapitulationsgedanken verwandt hat (s. 4,6,2; SC 100,440; so Loofs, Theophilus 364.368; s. aber dagegen R. A. Robinson, On a quotation from Justin Martyr in Irenaeus, JTS 31 (1929) 374—378, nach Wingren, aaO 80), so braucht daraus jedoch nicht auf eine plagiatorische Abhängigkeit geschlossen zu werden (mit Wingren, aaO 79ff), sondern es ist zumindest die Eigenleistung des Irenäus in der universalen Fassung des Gedankens zu betonen (Widmann, aaO 169, Benoît, Saint Irénée 227).

[9] 1,25,3 (H 1,344): »semsim discis a Verbo dispositiones Dei qui te fecit«; vgl. 4,20,7 (SC 100,646); 4,20,11 (660.668).

[10] 4,7,4 (SC 100,464).

[11] Ebd. in der o. § 17 A 16 begründeteten Textfassung. — Das Bild von den Händen Gottes fügt sich gut in den Gedankengang von der Ausführung des

mie erkennt er im Bekanntmachen und Erläutern. Er ist »der Geist Gottes, der von Anfang an bei sämtlichen Heilsanordnungen Gottes mit den Menschen gewesen ist, die Zukunft angekündigt, auf die Gegenwart hingewiesen hat und das Vergangene erzählt«[12]. Irenäus erklärt, daß er »durch die Propheten die Heilsanordnungen Gottes verkündet hat«[13]; und er vergleicht ihn mit einem klugen Regisseur, der die Pläne von Vater und Sohn vorstellt[14].
So ist von Beginn an bis zu der erneuten Spendung im Neuen Bund auch der eine Geist an den Menschen tätig. Mit dem Sohn verbunden übergreift er die Zeiten und macht sie nach dem Willen des Vaters zu der einen, von Gott selber getragenen Heilswirklichkeit[15].

b) Der eine Gott vom Anfang bis zum Ende

Die Aussagen des Lyoner Bischofs über die Einheit des Heilswerkes in den verschiedenen geschichtlichen Phasen orientieren sich nicht an einem für sich stehenden Grundriß der Geschichte. Wesentlich für sie ist die Bindung an das alles entscheidende Neuheitserlebnis der Menschwerdung Gottes in Christus und der endzeitlichen Ausgießung des Heiligen Geistes. Es kann nicht in eine vorgegebene Geschichte eingeordnet werden; vielmehr ist es das einmalige unüberholbare Ereignis, von dem aus sich die Vergangenheit aufschließt und Gottes Handeln in ihr sichtbar wird, das schon die Zukunft darstellt, in die hineinzuwachsen die Aufgabe der Gläubi-

Heilplans ein. Irenäus gebraucht es, um das Schöpfungswerk Gottes durch den Sohn und den Geist auszudrücken, das den Menschen von Anfang bis Ende, von der ersten Schöpfung bis zur Neuschöpfung im Christusereignis und mit der Geistspendung umfaßt und ihn schließlich nach dem Bild und Gleichnis gestaltet. S. dazu noch 4 praef. 4 (SC 100,390); 4,20,1 (626); 5,1,3 (SC 153,26ff); 5,5,1 (62ff); 5,28,4 (360); Epid. 11 (SC 62,48f). Wiederholt spricht Irenäus nur von der »Hand« Gottes, worunter er dann das Wort versteht: 3,21,10 (SC 211,428); 3,22,1 (430); 4,19,2 (SC 100,618ff); 4,39,2 (966); 5,15,2 (SC 153,206); 5,16,1 (214); oder auch vom »Finger« Gottes: 3,21,8 (SC 211, 422) = Ex 8,15; 4,19,2 (SC 100,618); 4,29,1 (770) = Ex 8,15; 4,39,2 (966): digiti. — Vom Geist als Finger Gottes (s. Mt 12,28 u. Lk 11,20) ist nicht eigens die Rede (zur fraglichen Deutung von Epid. 26; SC 62,73; s. d. Anm. z. St. v. Froidevaux und J. Mambrino, Les deux mains de Dieu dans l'oeuvre de saint Irénée, Nouv.Rev.Théol. 79 (1957) 355—370;358); vgl. aber etwa Gregor v. Nazianz, orat. theol. 5,29 (ed. Barbel 270). — Mambrino, aaO, und Lebreton II 580 heben die atl. Verwurzelung des Idioms von den Händen Gottes hervor (vgl. noch Jes 48,13; Hi 10,8).

[12] 4,33,1 (SC 100,802).

[13] 1,10,1 (H 1,90f).

[14] 4,33,7 (SC 100,818) mit der o. § 4 b gegebenen Interpretation.

[15] 4,33,15 (SC 100,844): »et semper eundem Spiritum Dei cognoscens etiamsi in novissimis temporibus nove effusus est in nos«; vgl. 3,24,1 (SC 211,470ff); 4,6,7 (SC 100,454).

gen ist[16]. Die antignostische oder antimarkionitische Position des Irenäus ist nicht darin zu sehen, daß er die christliche Neuheitserfahrung weniger ernst nähme, als seine Gegner es tun, sondern darin, daß er von ihr aus die ganze Wirklichkeit begreift. Schon von Beginn an prägen Menschwerdung und Geistausgießung die Geschichte. Sie sind nicht etwas Fremdes, dem Bereich des Geschaffenen und dem Alten Bund Entgegengesetztes. Auch betreffen sie nicht nur einen auserwählten Teil der Menschheit. In ihnen zeigt sich der eine Gott, der als Vater, Sohn und Geist über seinem Eigentum steht und in unüberholbarer Weise sichtbar in sich einbezieht, was er geschaffen und auf die Begegnung mit ihm vorbereitet hat[17].

Die entscheidende Phase des Hervortretens von Sohn und Geist im göttlichen Heilsplan ist deshalb die Zeit des Neuen Bundes. Hier vereinen sie sich mit dem Geschöpf, um es dem vom Vater gewollten Ziel entgegenzuführen[18]. Der Geist wird von der Menschwerdung des Sohnes aus in seinem ganzen Reichtum frei. Er läßt sich von den Menschen »umarmen«[19] und bewirkt ihre unmittelbare Zuwendung zu Gott. Der Geist ist an der Inkarnation des Wortes beteiligt[20]; er steigt bei der Jordantaufe auf Christus herab, um sich

[16] Die ›Heilsgeschichte‹ hat ihren Höhepunkt und ihr Ende in den novissima tempora, die mit dem Christusgeschehen und der Geistspendung angebrochen sind. In ihnen erfolgt die Vermittlung des Menschen mit Gott, die endlich in der Schau des Vaters zum Abschluß gelangen wird. Man vgl. die Aussagen über die novissima tempora oder die plenitudo temporis: 1,10,3 (H 1,96); 2,25,1 (H 1,342); 3,5,3 (SC 211,62); 3,11,5 (154); 3,11,9 (170); 3,17,1 (330); 3,17,4 (338); 3,18,1 (342); 3,21,4 (410); 3,23,7 (464); 4 praef. 4 (SC 100,388); 4,7,2 (458); 4,10,2 (496); 4,20,4 (634); 4,22,1 (684); 4,24,1 (700); 4,33,15 (844); 4,34,3 (852); 4,34,4 (858); 4,35,4 (876); 4,36,7 (912); 4,38,1 (946); 4,41,4 (994); 5,12,2 (SC 153,146); 5,15,2 (206); 5,17,1 (220ff); 5,18,3 (244). — Die letzten Zeiten sind das Stadium der vollen Wirksamkeit des Geistes. Wenn es in 4,20,5 (SC 100,638) heißt, in der Zeit der Propheten habe man Gott durch den Geist gesehen, bei der Ankunft Christi durch den Sohn, im Himmelreich werde man ihn als Vater sehen, dann liegt hier nicht eine andere Konzeption vor, als sei der Alte Bund die Zeit des Geistes (gegen Kretschmar, Le développement 31), sondern es wird die Zeit des prophetischen Wirkens des Geistes angegeben, die noch nicht die der durch den Sohn erfolgten Neuausgießung ist.

[17] Man beachte die in den Texten von A 16 ausgedrückte Polarität, bei der dem Geschehen der letzten Zeiten die Wirksamkeit von Sohn und Geist seit Beginn gegenübergestellt wird. Irenäus geht es nicht darum, eine Geschichte zu entwickeln. Er will vielmehr die Einheit und Kontinuität der Heilswirklichkeit feststellen. — Die hier angedeuteten Einordnungen sind von K. Prümm, Zur Terminologie und zum Wesen der christlichen Neuheit bei Irenäus (Pisciculi S. 192—219), Münster 1939, nur z.T. gesehen worden.

[18] 5,1,3 (SC 153,26).

[19] 4,20,4 (SC 100,636). Nach der armen. Übersetzung (s. den App. z. St.) ist zu lesen: »copulatus et mixtus cum Spiritu«.

[20] S. 5,1,3 (SC 153,24); Epid. 51 (SC 62,111); 59 (124); 71 (138f).

mit ihm als die Gabe für das Menschengeschlecht zu zeigen;[21] schließlich wird er über die ganze Erde hin ausgegossen, begründet die Kirche und erfüllt sie mit seiner Gegenwart[22].

Von dem Höhepunkt aus erkennt Irenäus im Blick auf die Vergangenheit, wie Wort und Geist immer tätig gewesen sind. Was bei der Menschwerdung sichtbar geworden ist, hat sich in der Zeit des Alten Testaments vorbereitet. Die Ankunft Gottes auf Erden und die Geistspendung werden in der Prophetie vorausgesehen, und nicht nur das, Wort und Geist sind bereits in ihr wirksam, indem sie in enger Verschränkung die Offenbarung Gottes am Menschen ausführen[23]. Was den Geist anbelangt, so läßt er die Zukunft erkennen, wie er aus der Perspektive des Neuen Bundes die Vergangenheit eröffnet; in der Weise der Vorausdarstellung ist er in den alttestamentlichen Zeugen gegenwärtig, um die Menschheit zum fleischgewordenen Wort und darin zum Vater zu führen[24].

Der nächste Schritt führt zu dem Geschehen der Schöpfung. In demselben Wort, das in den letzten Zeiten als Mensch erschienen ist, hat alles seinen Anfang genommen[25]. Von Beginn an an der Ausführung der Schöpfung beteiligt, bestimmt der Geist sie als die Weisheit Gottes, so daß seine erneute Ausgießung diese bis in ihre Tiefen hinein aufnehmen und befestigen kann[26].

Die neutestamentliche Erfahrung läßt schließlich den göttlichen Heilsplan auch im Hinblick auf die Zukunft hervortreten. Seit dem Anbruch der »letzten Zeiten« sind der Sohn und der Geist endgültig und in voller Wirksamkeit da. Diese in der Kirche gegebene Manifestation Gottes geht so weit, daß selbst die zweite Ankunft

[21] 3,17,1—4 (SC 328—342).

[22] 3,11,8 (SC 211,164.168); 3,17,1—3 (328—336); 3,24,1 (470ff); 4,36,2 (SC 100, 886); 5,12,2 (SC 153,146); Epid. 6 (SC 62,40).

[23] S. vorerst nur 4,20,4—8 (SC 100,634—654). Genauer über das Verhältnis von Wort und Geist wird u. §21 b zu handeln sein. — Wenn im folgenden generell vom Alten Bund und den Propheten gesprochen wird, dann deshalb, weil Irenäus selber nicht eine säuberliche Scheidung von heilsgeschichtlichen Etappen vornimmt und etwa Abraham und Moses mit den Propheten in eine Reihe stellt (s. 4,7,1; SC 100,454ff; 4,11,1; 496; 4,20,9; 654). In 3,11,8 (SC 211, 160—170; vgl. A. Rousseau, SC 210,286) zählt Irenäus entsprechend zu den Evangelien 4 Testamente: Adam, Noe, Moses, das Evangelium, sonst aber auch nur die naturalia praecepta für die Patriarchen (4,15,1; SC 100,548; 4,16,3; 564), den Dekalog (ebd.) und das Evangelium (4,12,3; SC 100,514).

[24] 4,20,6 (SC 100,642); 4,20,8 (648); Epid. 6 (SC 62,40).

[25] 2,25,1 (H 1,342); 3,18,1 (SC 211,342); 3,21,10 (428); 4,6,6 (SC 100,448); 5,15,2 (SC 153,206); 5,16,1 (214); 5,8,3 (244).

[25] 2,25,1 (H 1,342); 3,18,1 (SC 211,342); 3,21,10 (428); 4,6,6 (SC 100,448); 5,15,2 (SC 153,206); 5,16,1 (214); 5,18,3 (244).

[26] 1,22,1 (H 1,188f); 2,30,9 (H 1,368); 3,8,3 (SC 211,94ff); 3,24,2 (476); 4,7,4 (SC 100,464); 4,20.1 (626); 4,20,2 (630); 4,20,4 (634); 4,38,3 (954); 5,1,3 (SC 153,26ff); 5,5,1 (62ff); 5,28,4 (360); Epid. 5 (SC 62,35); 10 (46).

Christi nichts eigentlich Neues mehr bringen, sondern im Grunde nur das bereits erfolgte Geschehen bestätigen wird[27]. Da aber alles auf das Ankommen des Geschöpfes beim Vater zielt, gibt es doch noch ein Fortschreiten. Dem mit der Wiederkunft Christi beginnenden Reich folgt das Reich des Vaters[28]; und auf der Seite des Menschen vollzieht sich das Hineinwachsen in die völlige Gemeinschaft mit dem Heiligen Geist und die vollkommene Gleichgestaltung mit Christus, an deren Ende erst die mit dem Sehen des Vaters geschenkte Unvergänglichkeit steht[29].

So offenbart sich in der großen Heilsökonomie vom Anfang bis zum Ende hin der eine Gott. »In all dem und durch dies alles wird ein- und derselbe Gott Vater gezeigt«, heißt es in den letzten Sätzen von adversus haereses[30]. Oder Irenäus erklärt in einem früheren Zusammenhang: »In allem und durch alles gibt es nur einen Gott Vater, ein Wort, einen Geist und ein Heil für alle, die an ihn glauben.«[31] Da die gesamte Menschheitsgeschichte von dem einen Gott zusammengehalten wird, der als der trinitarische das Heilswerk an seinem Geschöpf ausführt, ist der von den Gegnern des Bischofs von Lyon unternommene Versuch einer Aufspaltung der Wirklichkeit in nicht überwindbare Gegensätze zutiefst ins Unrecht gesetzt.

c) Harmonie und Konsonanz zum Nutzen des Menschen

In der bisher beschriebenen Heilsordnung offenbart sich Gott als »ein weiser Architekt«[32], der alles in kunstvoller Weise zu einer

[27] Beides fällt zusammen in den novissima tempora, deren Heilsgehalt eben in der Manifestation des Herrn besteht. S. die Auslegung des Gleichnisses von den Arbeitern im Weinberg 4,36,7 (SC 100,910ff), wo die Gerufenen aller Zeiten, also auch die atl. Gerechten beim Anbruch des Reiches, den gleichen Lohn empfangen, den die »am Ende« gerufenen Christen erhalten, die Erkenntnis des Sohnes. Vgl. 4,20,10 (SC 100,656ff); 4,26,1 (714ff); 5,33,4 (SC 153,418ff); Epid. 61 (SC 62,126ff). Dies präzis herausgearbeitet zu haben, ist das Verdienst von A. Houssiau, aaO 133—141.

[28] S. bes. 5,30,4 (SC 153,386); 5,32—35 (396—444): Reich des Sohnes; 5,35,2—36,2 (444—460): Reich des Vaters.

[29] 4,38,1 (SC 100,946ff): vollkommene Erkenntnis des Wortes; 5,8,1 (SC 153,94ff): die ganze Gnade des Geistes; 4,20,5 (SC 100,638ff): »videbitur in regno caelorum paternaliter ... Patre autem incorruptelam donante in vitam aeternam, quae unicuique evenit ex eo quod videat Deum«; vgl. 4,20,6 (642); 5,32,1 (396); 5,35,2 (450); 5,36,1 (456).

[30] 5,36,3 (SC 153,464) »unus« ex arm.

[31] 4,6,7 (SC 100,454); vgl. noch 4,9,2 (482ff): »adveniente perfecto non alterum Patrem videbimus, sed hunc, quem nunc videre concupimus ... neque alium Christum et Dei Filium exspectabimus, sed hunc, qui ex Maria, in quem credimus et quem diligimus ... neque alium Spiritum sanctum percipiemus, nisi hunc, qui est nobiscum et qui clamat ›Abba Pater‹ (Gal 4,6)«.

[32] 2,11,1 (H 1,275).

großen Harmonie zusammengefügt hat. Die verschiedenen Momente seines Wirkens fügen sich zu einem großen Spannungsbogen. Er schafft Kontinuität und Einheit in der scheinbar so sehr von Gegensätzen bestimmten Wirklichkeit[33]. Das göttliche Wort handelt, wie Irenäus sagt, »in richtiger Folge und wohlgeordnet ... vor dem Menschengeschlecht zur rechten Zeit und zum Nutzen«. Er fährt fort: »Denn wo eine richtige Folge besteht, dort gibt es einen Zusammenklang, wo einen Zusammenklang, dort rechte Zeit, wo rechte Zeit, da Nutzen.«[34] Alles ist hier aufeinander abgestimmt. Es herrscht kein blinder Zufall oder eine ungeordnete Begierde, wie sie etwa im Sophia-Mythos an den Tag tritt, sondern die gestaltende Macht Gottes, aus welcher der »wohlgeordnete Heilsplan«[35] hervorgeht. Versteht man mit Irenäus die Eigenart des Wirkens des Sohnes zu allen Zeiten, dann hat man den entscheidenden Maßstab für die Beurteilung des Schriftzeugnisses über Gottes Handeln gewonnen[36]. Wie sich in ihm der eine Leib des Gottessohnes abzeichnet, so sind Alter und Neuer Bund in ihrer Unterschiedenheit geeint und klingen in der großen Symphonie des Heils zusammen, die der trinitarische Gott mit seiner Schöpfung aufführt[37].

Harmonie und Konsonanz sind um des Menschen willen eingerichtet. Sie dienen seinem Entwicklungsprozeß, dem fortschreitenden Geschehen der Überwindung der anfänglichen Unvollkommenheit und des Zuwachsens auf Gott hin[38]. Dadurch, daß das Wort und der

[33] S. 2,25,1 (H 1,342f); 4,14,2 (SC 100,544) und auch 3,23,1 (SC 211,444).

[34] 4,20,7 (SC 100,646); vgl. 2,2,4 (H 1,255).

[35] 2,7,5 (H 1,269); vgl. 3,16,7 (SC 211,314): »nihil enim incomptum atque intempestivum apud eum (sc. Verbum), quomodo nec incongruens est apud Patrem; praecognita sunt enim omnia a Patre, perficiuntur autem a Filio sicut congruum et consequens est apto tempore«. Zur Kritik an der Gnosis s. außer den Texten über Fehltritt und Unwissenheit (o. § 16 A 6) noch 2,4,2f (H 1,259f); 2,15,3 (304); 2,17,11 (312).

[36] S. nur 2,10,1 (H 1,273) und 4,33,15 (SC 100,844).

[37] Z.B. 3,12,12 (SC 211,230—234); 4,9,2 (SC 100,484); 4,10,1 (490ff); vgl. auch den Abschnitt über die Einheit der Evangelien 3,11,8 (SC 211,160—170).

[38] 2,2,4 (H 1,255f); 2,25,3 (344); 3,20,1f (SC 211,382—392); 4,9,2 (SC 100,484); 4,9,3 (486ff); 4,37,7 (942); 4,38—39 (942—972); Epid. 12 (SC 62,50ff).
Das Thema ist somit nicht auf die hier von der Quellenkritik herausgestellten Texte 4,37—39 (Bousset, aaO 272—282; Loofs, aaO 10ff.24ff.420ff) beschränkt. Der Meinung, es sei dennoch im wesentlichen ausscheidbar (Widmann, aaO 165, Benoît, Saint Irénée 227—233), ist mit Erfolg P. Evieux, Théologie de l'accoutumance chez saint Irénée, RSR 55 (1967) 5—54, entgegengetreten. Er untersucht die Verbindung des Entwicklungsgedankens mit dem der Gewöhnung und erkennt so ein zentrales Thema der irenäischen Theologie, das unlösbar mit dem Gedanken der Heilsökonomie verbunden ist. — Schon K. Prümm, Göttliche Planung und menschliche Entwicklung nach Irenäus adversus haereses, Schol. 13 (1938) 206—224.342—366; 218 hat in diese Richtung gewiesen. — Daß sich der Entwicklungsgedanke mit dem der

Geist den Heilsplan ausführen, ermöglichen sie das Wachstum des Geschöpfes. In einer aufsteigenden Linie bringen sie es immer weiter voran. Im Alten Bund gewöhnen sie es, seiner geschichtlichen Situation angepaßt, an die neutestamentliche Zukunft. Und hier beginnt dann die neue und letzte Phase der Gewöhnung, bis schließlich am Ende in der Unmittelbarkeit zum Vater das Ziel der gesamten Heilsordnung erreicht ist[39].

Irenäus faßt den Vorgang in dem Satz zusammen: »Durch diese Ordnung also, in diesem Rhythmus und in solcher Führung wird der geschaffene Mensch zum Bild und Gleichnis des ungeschaffenen Gottes: Der Vater beschließt und befiehlt, der Sohn dient und gestaltet, der Geist ernährt und vermehrt, der Mensch aber gelangt voran und kommt zur Vollkommenheit, das heißt, er kommt ganz nahe an den Ungeschaffenen heran.«[40] In seinem wunderbaren Zusammenspiel ist das Heilswerk des trinitarischen Gottes die wirkmächtige Gestaltung der Schöpfung. Hier allein, und nicht auf dem von der Gnosis beschrittenen Weg findet der Lyoner Bischof die Antwort auf die Frage, woher der Mensch kommt und wohin er geht.

§ 19 Das trinitarische Gottesbild

In einem letzten Gang durch die trinitarische Theologie des Bischofs von Lyon soll nach der Gotteslehre gefragt werden.

a) Ein einziger Gott

Irenäus geht von der festen Überzeugung aus, daß Gott der Eine ist. Außer ihm gibt es keine andere unter-, über- oder nebengeordnete Macht. Der gnostische Mythos mit seinen Emanationen und Stufungen fordert zu einer scharfen Gegenposition heraus. Sie wird in einer Unzahl von Texten formuliert: Wer sich auf die Suche nach einem anderen Gott macht, »wird zwar immer auf der Suche

Rekapitulation stoße, ist vorsichtig von W. Bousset, Kyrios Christos, Göttingen [2]1921, S. 355, entschieden von F. Loofs, Theophilus 363f.414f, behauptet worden. Ähnlich auch Benoît, Saint Irénée 230f. Andrerseits ist die Erklärung Evieux' kaum von der Hand zu weisen, daß die Rekapitulation eben das Ergebnis des Prozesses der Gewöhnung ist und daß mit der durch sie erfolgten Wiederherstellung der Anfang einer neuen Gewöhnung gesetzt wird (aaO 54). Vgl. auch Wingren, aaO 27. Ausführlich über Entwicklung und Erziehung handelt Bengsch, aaO 120—136; 136—156.

[39] Über Sohn und Geist im Prozeß der Gewöhnung s. 5,5,1 (SC 153,62); 5,8,1 (92). Weitere Texte sind: 3,17,1 (SC 211,330); 3,20,2 (392); 4,5,4 (SC 100,434); 4,12,4 (518); 4,14,2 (542ff); 4,21,3 (684); 5,3,3 (SC 153,52); 5,32,1 (396); 5,35,1 (438).

[40] 4,38,3 (SC 100,954ff).

sein, niemals aber Gott finden, sondern in der Tiefe des Unbegreifbaren (des gnostischen Mythos) umherschwimmen, es sei denn, er tut Buße und kehrt dorthin zurück, von wo er verstoßen wurde, und bekennt und glaubt den einen Gott Vater und Schöpfer, der vom Gesetz und den Propheten verkündet und von Christus bezeugt wurde«[1]. Der eine Gott umfaßt das All, ohne selber umgriffen werden zu können. Sein Wille ist der Grund alles Existierenden; er allein verleiht Bestand im Dasein, während alles Übrige ihm unterworfen ist[2].

Der Lyoner Bischof faßt die Einheit Gottes so streng, daß er jeden Versuch zurückweist, mit Hilfe menschlicher Analogien Unterscheidungen innerhalb seines Wesens vorzunehmen. Ihm steht das abschreckende Beispiel seiner Gegner vor Augen. Wenn man wie sie in einer Emanationsreihe aus dem Bythos den Nous und dann den Logos hervorgehen läßt, um schließlich in der weiteren Folge zu Christus und dem Geist und über die gefallene Weisheit zum Weltenschöpfer zu gelangen, dann sind Unwissenheit und Abfall in die Gottheit selber hineingetragen. Im Ausgang von menschlichen Bewußtseinsmerkmalen, den Kategorien eines zusammengesetzten Wesens, behauptet man das Entspringen des Wortes (Logos) aus dem Verstand (Nous)[3], vergißt aber, daß genau das umgekehrte Verhältnis gelten muß, da der Mensch sich nicht zum Herrn über seinen Schöpfer erheben kann.

Irenäus erklärt: »Da Gott aber ganz Verstand, ganz Vernunft, ganz wirkender Geist und ganz Licht ist, immer derselbe ist und sich gleichbleibt, wie von Gott zu denken für uns recht ist und wie wir es aus den Schriften lernen, haben Affekte und Unterscheidungen dieser Art geziemenderweise nicht mit ihm zu tun ... Da aber Gott ganz Verstand und ganz Logos ist, spricht er, was er denkt; und was er spricht, das denkt er auch. Denn sein Denken ist der Logos; und der Logos ist Verstand; und der alles umschließende Verstand ist der Vater selber.«[4]

Jeder Gedanke der Uneinheitlichkeit in Gott ist mit Entschiedenheit auszuschließen. Immer ganz er selber, ist Gott die absolute Einheit, fern von jeglicher Pluralität. Die Tatsache, daß mit diesen strikten Aussagen schon der trinitarische Gott gemeint ist, wird auf den ersten Blick insofern verdeckt, als sie der Vielfalt eines gnosti-

[1] 4,9,3 (SC 100,488). Man vgl. die trinitarischen Glaubensformeln (s.o. § 4) und aus der Fülle von Texten noch 2,1,1 (H 1,251); 3,5,1 (SC 211,54ff); 3,8,1 (88); 3,11,4 (150); 5,25,2 (SC 153,312).

[2] S. 2,1,1 (H 1,251); 2,30,9 (367f); 2,34,4 (383) und auch die o. § 17 angegebenen Texte.

[3] 2,28,3—5 (H 1,353ff) und 2,13 (H 1,280—286). Die für den hier verfolgten Zweck nicht notwendigen Einzelargumente sind beiseite gelassen.

[4] 2,28,4f (H 1,354f); vgl. 2,13,3.8 (282.284f).

schen Äonenpleromas gegenüber, innerhalb dessen der Glaube an Vater, Sohn und Geist nur in sehr starker Brechung und nicht als ursprüngliche Motivation zu erkennen ist, die Unteilbarkeit Gottes betonen wollen. Irenäus aber kann und will dies nicht tun, ohne an das spezifisch christliche Gottesbild zu denken, und richtet deshalb sein Interesse besonders auf den Punkt, an dem die Auseinandersetzung mit der Gnosis das Wort, den Sohn, betrifft[5]. Den Heiligen Geist allerdings greift er in diesem Zusammenhang nicht auf, es sei denn, man wollte in der Wendung »ganz wirkender Geist« einen einschlußweisen Hinweis auf ihn sehen, obschon sie sich in erster Linie gegen die Bestrebung richtet, dem Demiurgen das Geist-Sein abzusprechen und ihn dem Bereich des Psychischen zuzuordnen[6].

b) Vater und Sohn

Führt der gnostische Mythos dazu, daß in der Emanationsfolge der Logos von Gott getrennt wird, so gibt es für Irenäus, da er Gott ganz als Verstand und ganz als Logos betrachtet, keinerlei Diastase. Vater und Sohn sind unlösbar miteinander verbunden, in den von der Gnosis verwendeten Begriffen ausgedrückt: das väterliche Denken spricht sich vollkommen im Logos aus, und dieser ist wieder ganz von ihm umfaßt, so daß nichts aus der Einheit des einschließenden Gedankens des Vaters herausfällt. Der Lyoner Bischof schreibt: »Wenn er im Vater ist, erkennt er den, in dem er ist, das heißt, er ist nicht im Unwissen über sich selber.«[7] Oder er drückt die Einheit des Vaters mit dem Logos in den Sätzen des Johannesevangeliums aus, daß der Sohn »im Vater ist und in sich den Vater hat« (Joh 14, 10)[8], daß »Gott niemals jemand gesehen hat, sondern nur der einziggeborene Sohn Gottes, der im Schoß des Vaters ist, es erzählt hat« (Joh 1, 18)[9].
Den gnostischen Versuch, Hervorgänge aus dem Vater abzuleiten, vor Augen, wendet sich Irenäus gegen eine Theologie, die sich eigenmächtig in das innergöttliche Leben einmischen wollte. Ihm bleibt der Ausgang vom Vater ein unaussprechliches Geheimnis: »Wenn uns also jemand fragen sollte: ›Wie ist der Sohn vom Vater hervorgebracht?‹ dann antworten wir ihm, daß dieser Hervorgang oder diese Geburt, diese Aussprechung oder Eröffnung, oder mit welchem Namen auch immer man seine unaussprechliche Geburt bezeichnen möchte, niemand kennt; nicht Valentin und nicht Markion, weder Saturnin noch Basilides, nicht Engel und

[5] S. noch 2,28,6f (H 1,355ff).
[6] S. 2,30,8 (H 1,367).
[7] 2,17,8 (H 1,310).
[8] 3,6,2 (SC 211,70).
[9] 3,11,6 (SC 211,154ff).

Erzengel, noch Mächte und Gewalten, sondern allein der Vater, der gezeugt hat, und der Sohn, der geboren worden ist.«[10]
Nicht die Tatsache des Gezeugtseins wird als unzulässige Aussage zurückgewiesen. Irenäus bezeichnet den Sohn ausdrücklich als den »Einziggeborenen«[11] oder den »Erstgeborenen«[12], um damit seine innige Einheit mit dem Vater auszudrücken. Aber er wehrt sich gegen die Spekulation über die Art und Weise der ewigen Zeugung, die, wie er sieht, zu Trennung und Minderung innerhalb der Gottheit führt. Von hier aus wird es verständlich, wenn Irenäus kein sichtbares Interesse an einer Theologie über den besonderen Hervorgang des Sohnes als Gezeugtsein, der von einer dem Geist eigenen Weise zu unterscheiden wäre, findet, sondern sein Augenmerk einzig darauf richtet, mit den Erklärungen über die Geburt des Sohnes seine Zugehörigkeit zu Gott herauszustellen[13]. Im Verfolg dieser Linie gelangt er zu eindeutigen Aussagen über die Präexistenz des Wortes. Im Gegensatz zum Geschöpf ist es ungeschaffen. Es »existiert von Beginn an beim Vater« und ist nicht etwa erst in der Inkarnation zum Sohne Gottes geworden[14]. Es ist das »ewige Wort«, dessen Hervorgang aus dem Vater in keiner menschlichen Analogie adäquat ausgesagt werden kann[15].
Erklärungen dieser Art können nicht dadurch abgeschwächt werden, daß man die ewige Existenz nur auf einen Gott immanierenden Logos bezieht, dem vom Vater unterschiedenen Wort aber nur ein vorzeitliches, um der Schöpfung willen eingerichtetes Sein zuschreibt[16]. Der einzige fragliche Text, eine Stelle aus der Epideixis,

[10] 2,28,6 (H 1,355).
[11] 2,28,6 (H 1,355); 1,8,5 (79); 1,9,1 (82); 1,9,3 (84); 2,24,2 (336) u.ö.
[12] 5,36,3 (SC 153,466); vgl. 3,16,3 (SC 211,298): nach Kol 1,15, u.ö.
[13] Das hat A. Rousseau in seinen ausführlichen Anmerkungen zu 4,7,4 und 5,18,2 überzeugend nachgewiesen (SC 100,216—219; SC 152, 292f). Im Zusammenhang mit dem Geist wird darauf noch zurückzukommen sein (s. u. § 19 c).
[14] 3,18,1 (SC 211,342): »ostendimus enim quia non tunc coepit Filius Dei, existens semper apud Patrem« (s. Rousseau, SC 210,331f); 2,25,3 (H 1,344): »non enim infectus es o homo, neque semper coexistebas Deo sicut proprium eius Verbum«; 2,30,9 (368): »semper autem coexistens Filius Patri«; 4,14,1 (SC 100,538): »non enim solum ante Adam, sed ante omnem conditionem glorificabat Verbum Patrem suum, manens in eo, et ipse a Patre clarificabatur«; 4,20,7 (646): »qui ab initio est cum Patre«; vgl. 3,8,3 (SC 211,94ff); 3,11,5 (154) und Epid. 30 (SC 62,80).
[15] 2,13,8 (H 1,285): »qui generationem prolativi hominum verbi transferunt in Dei aeternum Verbum, et prolationis initium donantes et genesin, quemadmodum et suo verbo. Et in quo distabit Dei Verbum, immo magis ipse Deus, cum sit Verbum, a verbo hominum, si eandem habuerit ordinationem et emissionem generationis?«
[16] A. Orbe, Hacia la primera Teología de la Procesión del Verbo (Estud. Valent. 1), Rom 1958, S. 114—143, hat dies für Irenäus nachzuweisen versucht. Ihm

erweist sich in korrekter Übersetzung als eine Bestätigung der übrigen Aussagen über die Präexistenz des Sohnes. Denn Irenäus sagt: »Man muß Gott in allem glauben, denn Gott ist wahr in allem. Daß es einen Sohn für Gott gibt und daß dieser nicht nur ist, bevor er in der Welt erschien, sondern bevor die Welt wurde, das hat als erster Mose geweissagt, indem er auf hebräisch sagt: Baresith bara Elowim basan benowam samethares (Gen 1, 1), was übersetzt heißt: Ein Sohn (war) am Anfang: dann schuf Gott den Himmel und die Erde.«[17] Vor aller Schöpfung ist der Sohn schon immer bei Gott. Seine Zugehörigkeit zu ihm hebt ihn grundlegend von allem Geschaffenen ab, das in seiner seinsmäßigen Verschiedenheit nicht auf eine Stufe mit ihm gestellt werden kann, noch in der Art einer Emanationsfolge in eine Reihe mit ihm zu bringen ist[18].

folgt J. Ochagavía, Visibile Patris Filius. A Study of Irenaeus' Teaching on Revelation and Tradition (Orient.christ.Anal. 171), Rom 1964, S. 95—104. Die Position beider wird in dem Aufsatz von A. Rousseau, La doctrine de saint Irénée sur la préexistence du Fils de Dieu dans Dém. 43, Le Muséon 89 (1971) 5—42, zurückgewiesen. S. dazu die folgende Anm.

[17] So lautet der Text von Epid. 43 nach A. Rousseau, aaO 14f, dessen eingehende Begründung (15—39) ich freilich nicht nachprüfen kann. J. Smith, St. Irenaeus: the Demonstration of the Apostolic Preaching (ACW 16), Westminster-London 1952, S. 180f, liest: »Gott begründete (»established« als Übersetzung eines griechischen ἔκτισεν) im Anfang einen Sohn, dann den Himmel und die Erde«. S. auch seinen Aufsatz: Hebrew Christian Midrash in Irenaeus Epid. 43, Biblica 38 (1957) 24—34. Froidevaux hält sich ganz an Smith (SC 62,99f s. die Anm. z. St.). Dem folgen auch Orbe, aaO 132—136, und Ochagavía, aaO 95—104. Die früheren Übersetzungen dagegen bewegen sich in der von Rousseau aufgenommenen Spur (s. z. B. Weber, BKV² 4,31f: »Im Anfang der Sohn, dann schuf Gott den Himmel und die Erde«; sowie die Übersicht bei Rousseau, aaO 6—8).
Am Rande sei vermerkt, daß durch Epid. 43 (s. auch die Texte von A 14) auch N. Bonwetsch mit seiner Bemerkung, die Bezeichnung »Sohn« sei bei Irenäus vom Menschgewordenen hergenommen (aaO 61), ins Unrecht gesetz wird. Ähnlich H. Ziegler, Der Bischof von Lyon. Ein Beitrag zur Entstehungsgeschichte der alten Kirche, Berlin 1871, S. 182 und Loofs, Theophilus 347.

[18] Das an Epid. 43 nicht verifizierbare Urteil Orbes und Ochagavías, der Hervorgang des Sohnes sei mit der Schöpfung in Verbindung zu bringen, findet dann auch an den anderen Texten keinen Anhalt (s. A 14f). Man vgl. im Gegenteil das Wort des Irenäus über die Spekulationen zu den prolationes: »Antequam mundum faceret Deus, quid agebat? Dicimus quoniam ista responsio subiacet Deo ... et non ita stultas et sine disciplina blasphemas adinvenire velle prolationes, et per hoc, quod putas te invenisse materiae prolationem, ipsum Deum qui fecit omnia reprobare« (2,28,3; H 1,352f). — Zu Orbes Deutung von 4,20,1—3 s. u. A 23. Die Berufung Ochagavías (aaO 102) auf Epid. 39 (SC 62,93f) weist A. Rousseau, aaO 13 A 26, zu Recht mit dem Hinweis zurück, daß hier von der universalen Herrschaft Christi die Rede ist. Zu Epid. 47 s. u. § 20 A 25.

c) Der Geist

Geht es Irenäus in der Auseinandersetzung mit der gnostischen Emanationslehre zuerst darum, das Zueinander von Vater und Sohn zu bestimmen, so weiß er doch, daß auch der Heilige Geist unverzichtbar zum christlichen Gottesbild gehört.

Schon im Gedankenkreis über die Heilsökonomie hat er von dem einen Gott gesprochen, der durch sich selber, also ohne etwas Außer- oder Untergöttliches, und das heißt, durch den Sohn und den Geist in der Welt tätig wird[19]; des weiteren bietet er eine Reihe von Texten an, in denen die gleichen Formulierungen, wie sie für den Logos hervorgehoben worden sind, auch auf den Geist angewendet werden.

Innerhalb des zwanzigsten Kapitels von Buch vier heißt es: »Daß das Wort, das heißt, der Sohn, immer mit dem Vater war, haben wir vielfach bewiesen; daß aber auch die Weisheit, die der Geist ist, bei ihm vor aller Schöpfung war, wird durch Salomo so gesagt: ›Gott hat durch die Weisheit die Erde begründet ...‹ (Spr 3,19f) ... ›Der Herr hat mich als Anfang seiner Wege für seine Werke geschaffen, vor den Zeiten hat er mich begründet ..., vor allen Hügeln hat er mich gezeugt‹ (Spr 8,22—25) ...«[20]

Da Irenäus unmittelbar vorher sagt, daß Wort und Weisheit immer beim Vater sind[21], und jetzt für den Geist nachholen will, was er schon für den Sohn bewiesen hat, ist das streng genommen nur für den Sohn ausgesagte Immer-beim-Vater-Sein auch auf den Geist zu beziehen. Hat es für das Wort die ewige Präexistenz bedeutet, dann legt sich auch für die Weisheit die gleiche Annahme nahe.

Eine Schwierigkeit könnte sich daraus ergeben, daß in dem Satz aus dem Buch der Sprüche die Weisheit unmittelbar als Schöpfungsprinzip verstanden wird. Bestätigt sich damit die These Antonio Orbes von einer auf die Schöpfung bezogenen Weisheit, die keine ewige Präexistenz besitzt, sondern am Anfang der Zeit von Gott geschaffen worden ist?[22] Der Weg zu einer Antwort eröffnet sich von der Beurteilung der Präexistenz des Sohnes aus. Da Irenäus den Beweis für den Geist parallel zu dem für den Sohn führt, muß er bei beiden die gleiche Weise der Existenz ergeben. Ist aber das Sein des Wortes keine Funktion der Schöpfung, dann kann auch die Bindung des Geistes an sie nicht exklusiv aufgefaßt werden, sondern es bleibt in der Aussageabsicht des Lyoner Bischofs der ganze »Raum« des vorzeitlichen ewigen Seins des Geistes bei Gott

[19] S. o. § 17 mit A 13.

[20] 4,20,3 (SC 100,632).

[21] 4,20,1 (SC 100,626): »adest ei (sc. Patri) semper Verbum et Sapientia, Filius et Spiritus ...«

[22] A. Orbe, aaO 131f.

offen[23]. Die Betonung der Schöpfungswirksamkeit folgt dann lediglich aus dem Irenäus zur Verfügung stehenden Schrifttext, der überdies nicht zu einer präzisen dogmatischen Aussage taugt, da in ihm sowohl vom Schaffen und Begründen wie auch vom Zeugen die Rede ist[24].

Wie Adelin Rousseau gezeigt hat, kann man aber bei Irenäus zu noch größerer Klarheit gelangen[25]. Denn er nennt den Geist ebenso wie den Sohn den »Gezeugten«. Ohne daß der Ausdruck im Sinne der späteren Tradition schon auf den besonderen Hervorgang des Sohnes eingeengt wäre, bezeichnet er den radikalen Unterschied zwischen dem Bereich des Geschaffenen und Gott[26]. Für den Lyoner Bischof ist »der Lebenshauch (vgl. Gen 2, 7), der den Menschen psychisch macht«, ein Anderes als »der lebenspendende Geist (vgl. 1 Kor 14, 45), der ihn geistlich macht«. Unter Berufung auf das Jesaiawort: »Der den Himmel gemacht und befestigt hat, der die Erde gegründet hat und was in ihr ist, der dem Volk, das sie bewohnt, den Hauch gegeben hat und den Geist denen, die auf sie treten« (Jes 42, 5), sowie den Satz: »Der Geist wird von mir ausgehen, und allen Hauch habe ich gemacht« (Jes 57, 16), erklärt Irenäus: »Er (Jesaia) stellt den Geist eigens auf die Seite Gottes, der ihn in den letzten Zeiten durch die Annahme an Kindesstatt auf das Menschengeschlecht ausgegossen hat, weist den Hauch aber der Schöpfung insgemein zu und bestimmt ihn als Geschöpf. Denn was gemacht ist, ist von dem, der es gemacht hat, geschieden. So ist der Hauch zeitlich, der Geist aber ewig.«[27]

Die Sätze lassen kaum etwas an Präzision zu wünschen übrig. Auf der einen Seite steht das Geschaffene, zum Ganzen der Schöpfung Gehörende, auf der anderen der lebenschenkende Geist, Gott zugerechnet, der Schaffende im Unterschied zum Geschaffenen, der Ewige im Gegensatz zum Zeitlichen[28]. Der Geist ist die schöpferische, ewige Macht Gottes. Sie umgreift das kontingente Geschöpf und läßt ihm die Fülle göttlichen Lebens zuteil werden.

[23] Auch Orbe nimmt eine Koppelung vor, allerdings im umgekehrten Sinne, indem er vom Schöpfungsbezug des Geistes aus das »semper« für den Sohn in der von ihm gewünschten Weise interpretiert. Wenn nun aber nicht zuletzt nach Epid. 43 die ewige Präexistenz des Sohnes anzunehmen ist, dann bietet sie einen sichereren Ausganspunkt für die Deutung von 4,20,3 als das für sich genommene Zitat aus dem Buch der Sprüche.

[24] creavit - ἔκτισεν, fundavit - ἐθεμελίωσε (Spr. 8,22f); genuit - ἐγέννησε (Spr. 8,25).

[25] S. seine Anm. zu 4,7,4; 5,12,2; 5,18,2 in SC 100,216ff und SC 152,256ff.292ff.

[26] Vgl. dazu die o. § 17 A 16 gegebenen Erklärungen zu 4,7,4: »ministrat ei enim ad omnia sua progenies et suae manus (ex. armen.), hoc est Filius et Spiritus, Verbum et Sapientia«.

[27] 5,12,2 (SC 153,142—146), zum Text s. Rousseau, SC 152,255—258.

[28] »Spiritum quidem proprie in Deo deputans ... afflatum autem communiter in

Die bisher gewonnenen Unterscheidungen kehren ein wenig später gleichfalls in einem Text des fünften Buches wieder. Der Gnosis gegenüber will Irenäus die Verbindung der Schöpfung mit Gott behaupten. Christus ist nicht in die Fremde eingegangen, um in ihr den unbekannten Vater zu offenbaren, sondern in sein Eigentum, nicht in die von minderen, unwissenden Kräften gemachte Welt, sondern in die Gott eigene Schöpfung, die »in der Kraft, der Kunst und der Weisheit Gottes gründet«, in dem trinitarischen Gott, dem »einen Gott Vater, der über allem und durch alles und in allem ist (Eph 4, 6)«. »Denn«, heißt es weiterhin, »über allem ist der Vater; und er ist das Haupt Christi; durch alles ist das Wort; und es ist das Haupt der Kirche; in uns allen aber ist der Geist, und er ist das lebendige Wasser, das der Herr denen gibt, die recht an ihn glauben, ihn lieben und wissen, daß es einen Vater gibt, der über allem, durch alles und in uns allen ist«[29].
Ist schon in diesen Sätzen die Gottheit des Heiligen Geistes ausgesprochen, insofern auch in ihm und durch seine Vermittlung die Schöpfung als das Eigentum Gottes und eben nicht als der Bereich fremder, untergöttlicher Mächte erscheint, so wird die nunmehr verständliche nachfolgende Erklärung noch deutlicher: »Der Vater nämlich trägt die Schöpfung und mit ihr zugleich sein Wort; und das Wort, vom Vater getragen, gewährt dem Willen des Vaters entsprechend allen den ›Geist‹: den Einen gibt er ihrem Geschaffensein entsprechend den, der zur Schöpfung gehört, der ein Geschaffenes ist; den Anderen gibt er ihrer Sohnschaft entsprechend den, der aus dem Vater ist, der seine Zeugung ist.«[30]
Für das Verständnis bedeutsam ist die Beobachtung, daß Irenäus mit »Geist« verschiedene, ja wesensmäßig von einander getrennte Inhalte bezeichnet. Was er im oben wiedergegebenen Zitat Lebenshauch genannt hat[31], fällt hier ebenso unter das Wort »Geist« wie der göttliche Geist, so daß man drei Bedeutungsinhalte erhält, den geschaffenen, den göttlichen Geist und die Bezeichnung beider zusammen als »Geist«[32]. Dennoch aber nimmt er keine auch nur an-

conditione, et facturam ostendens illum«; factura wird durch griech. Fragmente als Übersetzung eines griechischen ποίημα erwiesen (s. den App. z. St.).

[29] 5,18,1—2 (SC 153,234—240).

[30] 5,18,2 (SC 153,238ff): »Pater enim conditionem simul et Verbum suum portat; et Verbum portatum a Patre praestat Spiritum omnibus quemadmodum vult Pater: quibusdam quidem secundum conditionem, quod est conditionis, quod est factum; quibusdam autem secundum adoptionem, quod est ex Deo, quod est generatio«.

[31] 5,12,2 (SC 153,142): »aliud enim est afflatus vitae ... et aliud Spiritus vivificans«.

[32] Mit A. Rousseau, SC 152,286. Eine ähnliche Vielschichtigkeit des Begriffs liegt in 5,6,1 (SC 153,74ff) vor: Unter »ipsum solum spiritum« begreift Irenäus die

deutungsweise sichtbare Vermischung vor. Gerade seine Unterscheidung zwischen dem Geschaffenen und dem Gezeugten zeigt dies aufs Deutlichste. Der Heilige Geist, in dem sich wie auch im Sohn der eine Gott Vater offenbart, ist zusammen mit dem Sohn das vom Vater Gezeugte, wesenhaft von allem übrigen abgehoben[33]. Da er auf die Seite Gottes gehört, ist die von ihm mitgestaltete Schöpfung Gottes Eigentum, wie auch umgekehrt seine Transzendenz die Voraussetzung dafür ist, daß sich in ihm wirklich Gott dem Geschöpf zuwenden und in die Adoption aufnehmen kann.

Ein Rückblick ergibt, daß der Lyoner Bischof, der das Heilswirken von Vater, Sohn und Geist in so eindringlichen Worten zu beschreiben weiß, sich auch an das Geheimnis der ewigen Wesenheit Gottes heranzutasten versucht. In dem einen Gott erkennt er von Ewigkeit her den Vater, den Sohn und den Heiligen Geist. Fern davon, in ein Äonenpleroma im Sinne der Gnosis auseinanderzufallen, ist und bleibt er als der trinitarische bei sich selber, geht er auf seine Schöpfung zu.

Irenäus beschreitet in seiner ansatzweisen Reflexion noch nicht die Wege der späteren Theologie. Es kommt ihm nicht so sehr auf eine Bestimmung der innertrinitarischen Beziehungen an, als vielmehr auf die Sicherung der absoluten Transzendenz des Sohnes und des Geistes gegenüber der Welt des Geschaffenen. Er stellt sie ganz auf die Seite Gottes, ohne daß in seinem Verständnis dadurch die Einheit der Gottheit aufgehoben wäre[34].

menschliche Seele und den Hl. Geist zugleich, um den Gegenpol zum »Fleisch« zu formulieren; dann spricht er gesondert vom »spiritus hominis« und »Spiritus Dei« (vgl. A. Rousseau, SC 152, 230ff).

[33] Rousseau, SC 152,289f erschließt für »generatio« (ebenso wie für »progenies« in 4,7,4 und 5,36,3) ein griechisches γέννημα als Gegenbegriff zu ποίημα. Er kann eine interessante Parallele aus einem Leontios von Byzanz zugeschriebenen Traktat »de sectis« nachweisen (PG 86,1193—1268; 1217 D). Möglicherweise ist Irenäus durch Spr. 8,25: »ante omnes colles genuit (ἐγέννησε) me«, zitiert in 4,20,3; SC 100,632, dazu geführt worden, den Geist als γέννημα des Vaters zu bezeichnen.
Zur Unterscheidung von Schöpfer und Geschaffenem s. noch 3,8,3 (SC 211,94ff) mit der Erläuterung von A. Rousseau, SC 210,261f. Im Text ist zwar ausdrücklich nur vom Vater und vom göttlichen Wort die Rede. Da aber Ps 33 (32), 6 zitiert wird, könnte der Hl. Geist einschlußweise mitgemeint sein; man denke an 1,22,1 (H 1,188f) und Epid. 5 (SC 62,35).

[34] Die Auffassung von F. Loofs über die Gottes- und Logoslehre wie über die irenäische Christologie erscheint mir nicht akzeptabel. Nach ihm hat Irenäus eine »pluralistisch-binitarische Gotteslehre« vertreten, bei der die Zweiheit von Vater und Sohn nicht hinreichend mit dem Monotheismus ausgeglichen worden wäre (Theophilus 346). Nun ist aber nicht einzusehen, wieso der Monotheismus beeinträchtigt werden sollte, wenn auch der Logos-Sohn als Gott bezeichnet wird (gegen Loofs, aaO 343). Denn das Bekenntnis zur Gottheit des Sohnes steht bei Irenäus ganz im Rahmen des Monotheismus. Daß er es hier mit antithetischen Aussagen bewenden läßt, ohne sich im einzelnen

Sind die zweite und die dritte Person der Trinität nicht als Funktionen der Schöpfung zu verstehen, so ergibt sich doch aus ihrer Transzendenz wiederum die freie und ungeschuldete Zuwendung zur Kreatur. Denn über allem, durch alles und in allem erweist sich für Irenäus der trinitarische Gott in einem Prozeß immer größerer Selbstmitteilung als der Gott, dessen wesenhafte Lebendigkeit auf sein Geschöpf übergehen soll.

Drittes Kapitel: Die Rolle des Heiligen Geistes bei der Ausführung des göttlichen Heilswerks

§ 20 Der Heilige Geist im Christusereignis

Nachdem die Verankerung des Heiligen Geistes im Bekenntnis zum trinitarischen Gott und seiner Offenbarung feststeht, kann das besondere Werk des Geistes hervorgehoben werden. Dabei emp-

um eine philosophische Vermittlung zu bemühen, besagt noch nichts über eine angebliche Widersprüchlichkeit seines Denkens. Wenig überzeugend ist schließlich die gönnerhafte Bemerkung Loofs', Irenäus könne vom Gedanken, daß Gott totus mens, totus logos sei (s. o. A 4), »die Zusammengehörigkeit Gottes und seines Logos sich verständlich gemacht« haben (aaO 346), was aber doch nicht mehr als eben nur eine »Möglichkeit« sei (ebd. A 3). — Die These von Loofs, der Geist habe bei Irenäus nicht die Rolle einer dritten göttlichen Größe eingenommen, beruht auf der Voraussetzung, daß die anderslautenden Texte dem Theophilus zugeschrieben werden (aaO 16ff.344f). Dies rein mechanisch vorzunehmen, ist m.E. jedoch unzulässig, zumal wenn man von dem fragwürdigen Prinzip ausgeht, da es nur heiße, niemand werde in der Schrift Gott genannt außer dem Vater und dem Wort (s. 3,6,1f; SC 211,66ff; 4 praef. 4; SC 100,390; 4,1,1; 392), rechne der Geist für Irenäus nicht zur Gottheit (aaO 345). Loofs übersieht nämlich, daß es sich hier nicht um eine exklusive Behauptung handelt, sondern präzis um die Gegenposition zur Häresie, die den einen Gott und den einen Christus bestreitet. Ebensowenig ist es zulässig, die Erwähnung der filii adoptionis rundweg mit dem Hinweis auf die »Widersprüchlichkeit« des irenäischen Denkens abzutun (aaO 345). — Über die weitere These Loofs', Irenäus biete eine »pluralistische Logoslehre« (aaO 347—351) und dem entspreche »eine vom Logos ausgehende henprosopische Christologie« (aaO 352—355), ist hier nicht zu handeln; vgl. Wingren, aaO 19; Houssiau, aaO 230—235; Bengsch, aaO 177f.196—201. — Im ganzen ausgewogen wirken die Erklärungen über den Logos bei Bonwetsch, aaO 57—65. Zu vergleichen sind ebenfalls seine Ausführungen über den Gottesbegriff, aaO 50—56. Wenn Harnack I 587f A 1 aus den Texten 4,20,4 (SC 100,638) und 5,36,2 (SC 153,458ff) über den Aufstieg vom Geist zum Sohn und vom Sohn zum Vater schließt, »daß die Gleichordnung von Vater, Sohn und Geist bei Irenäus keine unbedingte und die Ewigkeit von Sohn und Geist keine absolute ist«, so übersieht er, daß es sich hier um heilsökonomische Aussagen handelt, und vergißt, daß in der späteren Trinitätslehre unbeschadet der göttlichen Wesenseinheit der Vater als die Quelle der Trinität herausgestellt worden ist.

fiehlt es sich nach den bereits gewonnenen Erkenntnissen über das christliche Neuheitsereignis als Schlüssel für die Heilsgeschichte[1] vom Geist nicht in der zeitlichen Reihenfolge vom Beginn der Welt bis zu ihrer Vollendung zu sprechen, sondern mit dem Lyoner Bischof vom Neuen Bund auszugehen, um von hier aus die alttestamentliche Geschichte und das Schöpfungsziel aufzuhellen.

Den Einzelanalysen zur neutestamentlichen Geisterfahrung sollen einige Sätze vorangestellt werden, die den großartigen Neueinsatz des Heiligen Geistes anzeigen. Das Wort, erklärt Irenäus »ist für uns Mensch geworden und hat das Geschenk des himmlischen Geistes auf die ganze Erde ausgesandt und beschützt uns so mit seinen Flügeln« (vgl. Ps 91(90), 4)[2]. Mit dem Gottmenschen entfaltet zugleich der Geist sein belebendes Tun; es findet das letzte Bündnis mit der Menschheit statt, welches in den Worten des Lyoner Bischofs »durch das Evangelium den Menschen erneuert und alles in sich zusammenfaßt, indem es die Menschen erhebt und zum himmlischen Reich emporfliegen läßt«[3]. Durch den Geist verbindet der Sohn den Menschen mit Gott, stellt er ihn jetzt in die Kirche, »das Paradies in dieser Welt«[4], hinein. »Er eint«, wie Irenäus sagt, »den Menschen mit dem Geist und läßt den Geist im Menschen wohnen, indem er selber zum Haupt des Geistes geworden ist und den Geist des Menschen Haupt sein ließ; denn durch den Geist sehen, hören und reden wir«[5].

Bei Erklärungen dieser Art steht man nicht nur im Zentrum der irenäischen Pneumatologie; man spürt auch die Begeisterung, die den Bischof von Lyon bei der Rede vom Heiligen Geist erfaßt. Um für ihre Thematisierung einen festen Ausgangspunkt zu erhalten, erscheint zuerst eine nähere Bestimmung des Verhältnisses von Geist und Christus angebracht.

a) Taufe und Geistsalbung Christi

aa) Orthodoxe Christologie und Eigenwirklichkeit des Heiligen Geistes

Bei der Taufe Christi tritt der Geist zum erstenmal öffentlich in Erscheinung. Hier zeigt sich, was später in der Kirche zur Verwirklichung gelangen wird.

Die Bedeutung des Geschehens am Jordan entdeckt und entwickelt Irenäus in der Auseinandersetzung mit seinen theologischen

[1] S. o. § 18 b.
[2] 3,11,8 (SC 211,168).
[3] 3,11,8 (SC 211,170) mit d. Anm. v. A. Rousseau, SC 210,286f.
[4] 5,20,2 (SC 153,258): »plantata est enim ecclesia paradisus in hoc mundo«.
[5] 5,20,2 (SC 153,260).

Gegnern. Er sieht sich einer Interpretation der Taufe Christi gegenüber, die den Geistempfang als Begabung mit der Gottheit betrachtet, dergestalt, daß auf den psychischen Jesus des Demiurgen der obere pneumatische Christus herabgestiegen wäre, mit dem vereint Christus gewirkt habe, bis er sich auf dem Weg zu Pontius Pilatus wieder in das pneumatische Äonenpleroma zurückgezogen habe[6].

Die Konsequenzen einer solchen Aufteilung liegen auf der Hand. Gänzlich ihres Sinnes entleert wird die Fleischwerdung des Wortes, da man nur eine äußerliche, zeitweilige Verbindung des Äonenchristus mit der Welt des Demiurgen annimmt, die ihrerseits nicht angenommen, sondern gerade überstiegen werden soll, damit das Pneumatische befreit und dem Psychischen bestenfalls der Aufstieg zum außerpleromatischen Ort der Mitte ermöglicht werden kann[7]. Zugleich mit der in die Christologie hineingetragenen Trennung wird die Gottheit des menschgewordenen Wortes aufgehoben. Sie erscheint nur auf einen Teil der Person des Erlösers beschränkt, um sich alsbald wieder von ihm abzuspalten, ohne eine echte Verbindung mit dem Geschöpflichen eingegangen zu sein[8].

Woher aber nimmt die Gnosis das Recht für derartige Lehrmeinungen? Irenäus will sich von seinen Widersachern die Schrift nicht aus den Händen entwinden lassen und hält ihnen deshalb die in seinen Augen eindeutige Aussage des Neuen Testaments entgegen: »Die Apostel hätten nämlich sagen können, daß Christus auf Jesus herabgestiegen sei oder der obere Erlöser auf den von der Heilsordnung oder der aus dem Unsichtbaren stammende auf den vom Demiurgen. Sie haben aber nichts dergleichen gewußt, noch gesagt. Denn hätten sie es gewußt, dann hätten sie es auch gesagt. Gesagt

[6] Dies ist die Theorie der Ptolemäer: s. 1,7,2 (H 1,60ff). Ähnliches gilt für Markus den Magier (1,15,3; H 1,150), für Cerinth (1,26,1; 211), für die Ophiten (1,30,12; 238). Irenäus spricht einfachhin von den »falsarii Gnostici« (3,10,4; SC 211,126). Seine Kritik trifft an diesem Punkt auch Markion, der zwar nicht den Herabstieg des oberen Christus auf Jesus lehrt, sondern Christus unerkannt in einem Scheinleib in die Welt gekommen sein läßt, sich aber darin mit der Gnosis trifft, daß die Fleischwerdung des Wortes, das Kommen in sein Eigentum, bestritten wird (s. bes. 3,11,2f; SC 211,144—148). — Eine eingehende und zuverlässige Auskunft über die häretische Christologie vermittelt Houssiau, aaO 145—162.

[7] 3,11,3 (SC 211,148): »secundum autem nullam sententiam haereticorum Verbum Dei caro factum est«; vgl. 3,16,8f (SC 211,318—326).

[8] 3,17,4 (SC 211,338ff): »alium autem Christum et alium Jesum intellegunt, et non unum Christum sed plures fuisse docent; et si unitos eos dixerint, iterum ostendunt, hunc quidem participasse passionem, hunc autem impassibilem perseverasse; et hunc quidem ascendisse in Pleroma, hunc autem in Medietate remansisse; et hunc quidem in invisibilibus et innominabilibus epulari et oblectari, hunc autem assidere Demiurgo evacuantem eum virtutem«; vgl. noch 3,18,1 (SC 211,342).

aber haben sie, was in Wirklichkeit war, daß der ›Geist Gottes wie eine Taube auf ihn herabgestiegen ist‹ (Mt 3, 16 parr); der Geist, über den von Jesaia gesagt worden ist, wie wir es oben erklärt haben: ›und über ihm wird ruhen der Geist Gottes‹ (Jes 11,2), und nochmals: ›der Geist des Herrn ist über mir, deswegen hat er mich gesalbt‹ (Jes 61, 1). Es ist der Geist, von dem der Herr sagte: ›Nicht ihr seid es, die reden werden, sondern der Geist eures Vaters wird in euch sprechen‹ (Mt 10, 20). Und wiederum sprach der Herr zu den Jüngern, als er ihnen die Vollmacht der Wiedergeburt gab: ›Geht, und lehret alle Völker, und tauft sie im Namen des Vaters und des Sohnes und des Heiligen Geistes‹ (Mt 28, 19). Diesen (Geist) nämlich versprach er durch die Propheten in den letzten Zeiten über die Knechte und Mägde auszugießen, damit sie prophezeien (vgl. Joel 3, 1f). Deswegen ist er auch auf den Sohn Gottes, der zum Sohn des Menschen geworden ist, herabgestiegen und gewöhnt sich mit ihm, im Menschengeschlecht zu wohnen, auf den Menschen zu ruhen und im Geschöpf Gottes zu wohnen, indem er den Willen des Vaters in ihnen wirkt und sie von dem Alten zur Neuheit Christi erneuert.«[9]

Was erreicht der Lyoner Bischof mit seiner Berufung auf das Apostelzeugnis? Zuerst kann er eine negative Feststellung treffen: Die Schriften wissen nichts von einem bei der Taufe herabgestiegenen oberen Erlöser. Dem Menschgewordenen fehlt nicht ein pneumatisch-göttlicher Teil, der sich erst — auf Zeit — mit ihm verbinden müßte. Denn der Sohn Gottes, das ewige Wort des Vaters, ist in der Inkarnation zum Sohn des Menschen geworden und hat sich so mit dem Geschöpf vereint[10].

Heißt es nun positiv, daß der Geist auf den zum Menschensohn gewordenen Gottessohn herabgekommen ist, dann ist eine neue und eigene Wirklichkeit angesprochen, die sich nicht in der von der Gnosis versuchten Weise verrechnen läßt. Fern davon, eine Art himmlisches Komplement für das Geschöpf des Demiurgen zu bilden, wird der Geist dem Gottmenschen zuteil, ohne ihn in seinem Wesen zu begründen. Er ruht auf ihm, damit in Erfüllung geht, was den Menschen verheißen ist. Die Prophetie eines Jesaia und Joel, das Versprechen Christi selber haben hier ihre Mitte. Die Fülle des Geistes kommt über den Gottmenschen, damit über ihn

[9] 3,17,1 (SC 211,328ff); vgl. A. Rousseau, SC 210,328f.

[10] Für das, was über das vorstehende Zitat hinausgeht, s. 3,17,4 (SC 211,338): »Filio Dei unigenito, qui et Verbum est Patris, veniente plenitudine temporis incarnato in homine propter hominem ...«; 3,18,1 (342): »ostenso manifeste quod in principio Verbum existens apud Deum, per quem omnia facta sunt, qui et semper aderat generi humano, hunc in novissimis temporibus secundum praefinitum tempus a Patre unitum suo plasmati, passibilem hominem factum ...«.

die gesamte Menschheit von ihr ergriffen werden kann. Wie Christus ihre Wirksamkeit ermöglicht, so stellt er sie in sich selber dar. Er ist der neue Mensch, dem gleichzuwerden der Heilige Geist den Geschöpfen helfen wird.

Nicht um seiner selbst willen also konzentriert sich in Christus die Mächtigkeit des verheißenen Beistandes, sondern gerade für die von der Gnosis abgespaltene Wirklichkeit des Geschaffenen, für die Kirche auf der ganzen Welt und nicht nur für einige auserwählte Pneumatiker, die überdies nach ihrem eigenen Verständnis gar keiner Geistspendung bedürfen, da sie sich von Natur aus im Besitz des pneumatischen Samens wähnen[11]. Alle sollen nach Irenäus an der Geistfülle Christi teilnehmen können, an »dem Geist der Weisheit und des Verstandes, dem Geist des Rates und der Stärke, dem Geist der Wissenschaft und der Frömmigkeit, dem Geist der Gottesfurcht (Jes 11,2f): eben diesen hat er dann der Kirche gegeben, indem er auf die ganze Erde vom Himmel aus den Parakleten sandte«[12].

Die Bedeutung der hier getroffenen Unterscheidungen darf nicht unterschätzt werden. Indem Irenäus die Eigenständigkeit des Geistes entdeckt, gelangt er zu einer Interpretation der Tauferzählung, bei der die Herabkunft des Heiligen Geistes in vollem Umfang stehen bleiben und für die christliche Glaubenserfahrung fruchtbar gemacht werden kann, ohne daß in irgendeiner Weise der Gottheit Christi Abbruch getan würde. Irenäus löst das Jordangeschehen aus dem Bezeugungszusammenhang der Göttlichkeit des Sohnes und kann damit einerseits die gnostische Inanspruchnahme des Textes zurückweisen, zum anderen das Verhältnis von Christus und Geist so bestimmen, daß dieser um der Menschheit willen über ihm ist[13]. Mit der Entdeckung der autonomen Existenz des Heiligen Geistes ist die orthodoxe Christologie gesichert. Wer mit dem Lyoner Bischof sein Wirken begreift, kann ihn nicht als einen Teil

[11] S. 1,4,5 (H 1,41); 1,5,6 (51f); 1,6—7 (51—66) mit der Bemerkung: »eo quod sint naturaliter spiritales, omnimodo salvari dicunt« (1,6,2; 54), und 2,19 (H 1,316—321).

[12] 3,17,3 (SC 211,334ff).

[13] Irenäus unterscheidet sich von Justins Interpretation der Taufe am Jordan (Dial. 87—88 ed. Goodspeed 200—203), der zwar auch den Herabstieg des Geistes um der Menschen willen betont, die Taufe aber mangels einer noch nicht mit letzter Konsequenz durchgeführten Unterscheidung von Logos und Pneuma doch noch als ein *Zeichen* für die Messianität Jesu betrachtet (Dial. 88,6; 202). Vgl. dazu Houssiau, aaO 172f.176—180, und Kretschmar, Le développement 32. So treten gerade in der Aufnahme und Klärung der Argumente seiner Vorgänger die Originalität und die theologische Unterscheidungsfähigkeit des Lyoner Bischofs hervor. — Eine Analyse der Texte Justins, bei der die ewige Salbung und die messianische Salbung um der Menschen willen voneinander abgehoben werden, bietet Martin, aaO 213—223.

der Person des Erlösers betrachten. Er erkennt in ihm die göttliche Macht, die durch Christus auf die Menschen zukommt, um sie durch die Verbindung mit dem fleischgewordenen Wort dem Vater zu empfehlen[14].

Von dieser Position aus erscheint eine »Geistchristologie«, derzufolge der präexistente Christus mit dem Geist identifiziert und das göttliche Element im Menschgewordenen eben als Geist verstanden worden wäre, ausgeschlossen. Inwieweit sie sich an anderen Texten erhärten läßt, wird noch eigens zu prüfen sein[15].

bb) Geistsalbung für die Menschheit

Für die weitere Definierung des Verhältnisses von Geist und Christus kommen bei Irenäus die wiederholten Bemerkungen über die Geistsalbung in Betracht. Er zitiert mit dem Lukasevangelium die in Christus erfüllte Prophetie des Jesaia: »Der Geist Gottes ist über mir, deswegen hat er mich gesalbt ...« (Jes 61, 1f; Lk 4, 18f)[16]; mit Matthäus das Wort über den Gottesknecht: »Seht meinen geliebten Sohn, an dem ich mein Wohlgefallen habe; ich werde meinen Geist auf ihn legen, und er wird den Völkern das Recht verkünden ...« (Jes 42, 1—4; Mt 12, 18—21)[17]. Irenäus beruft sich auf das Wort über die sieben messianischen Geistesgaben (Jes 11, 1—4)[18] und sieht in dem messianischen Psalmtext: »darum hat Gott dich mit dem Öl der Freude mehr als deine Gefährten gesalbt« (Ps 45(44), 8), einen Hinweis auf die nunmehr verwirklichte Geistfülle[19]. Immer erscheint der Geist Gottes als die im Menschgewordenen kulminierende endzeitliche Gabe für die Menschheit.

Der Bischof von Lyon hat wiederum die Christologie der andrängenden Häresie vor Augen, wenn er im zweiten Haupttext über die Taufe Christi bemerkt:

»Nicht Christus ist damals auf Jesus herabgestiegen, noch ist Christus ein anderer als Jesus; sondern das Wort Gottes, der Erlö-

[14] Man beachte den strikten Zusammenhang, den Irenäus in den abschließenden Sätzen zur Taufe Christi zwischen dem autonomen Geist und der wahren Gottheit und Menschheit Christi herstellt: »Spiritu itaque descendente ... et Filio Dei ... veniente plenitudine temporis incarnato in homine propter hominem ..., mendaces ostensae sunt universae doctrinae eorum, qui octonationes et quaternationes et decadas adinvenerunt et subdivisiones excogitaverunt, qui Spiritum quidem interimunt ...« (3,17,4; SC 211,336ff). Text mit A. Rousseau, SC 210,330f.

[15] S. u. § 20 c. bb.

[16] 3,9,3 (SC 211,108ff); 4,23,1 (SC 100,694); Epid. 53 (SC 62,114).

[17] 3,11,6 (SC 211,156).

[18] 3,9,3 (SC 211,108); 3,17,3 (334ff); Epid. 9 (SC 62,45); 59 (123).

[19] Epid. 47 (SC 62,107).

ser aller und der Herrscher über Himmel und Erde, das Jesus ist, wie wir oben gezeigt haben, das Fleisch angenommen hat und vom Vater mit dem Geist gesalbt worden ist, ist zu Jesus Christus geworden ... Denn insoweit das Wort Gottes Mensch war aus der Wurzel Jesse und Sohn Abrahams, ruhte der Geist Gottes auf ihm, und es wurde gesalbt, um den Demütigen das Evangelium zu bringen (vgl. Jes 11,2; 61,1); insoweit es Gott war, richtete es nicht nach dem Ansehen, noch urteilte es nach dem Hörensagen (vgl. Jes 11,3) ... Der Geist Gottes ist also auf ihn herabgestiegen, des Gottes, der durch die Propheten versprochen hatte, er werde ihn salben, damit wir von der Fülle seiner Salbung empfingen und gerettet würden.«[20]

Erneut zeigt sich, daß für Irenäus, anders als in der gnostischen Interpretation, die Salbung nicht die Gottheit Christi betrifft. Das Wort Gottes hat Fleisch angenommen. Es wird in Jesus als Gott und Mensch erkannt. Dazu kommt, vom Vater gegeben, der Geist. Er macht Jesus zum Gesalbten. Die Aussage wäre als eine unbefriedigende Tautologie zu betrachten, würde Irenäus nicht in aller Deutlichkeit erklären, daß das Gesalbtsein das Wort Gottes als Mensch betrifft. Nicht weil es die göttliche Würde erlangt, wird es zum Christus, sondern weil seine Menschheit vom Geist überformt wird mit dem Ziel, mit der verheißenen messianischen Gabe nunmehr das gesamte Menschsein in Besitz für Gott zu nehmen[21].

Eine dreifach ineinander verschränkte Aussage zeichnet sich ab: Der Geist ist eine eigene, von Christus zu unterscheidende Realität. Als diese macht er ihn zum Christus. Er kommt auf die menschliche Natur des Erlösers herab, um von hier aus alle Menschen zu heiligen.

Bei diesem Vorgang tritt unübersehbar der trinitarische Gott in Erscheinung. Der Vater läßt in der Salbung den Geist über den Sohn kommen, der ihn seinerseits weitergibt, damit er am Geschöpf wirksam wird und es durch die Verbindung mit Christus zum Vater führt[22]. Der Lyoner Bischof formuliert: »Im Namen Christi nämlich hört man zugleich den, der gesalbt hat, den, der gesalbt worden ist, und die Salbung selber, in der er gesalbt wurde; und zwar hat der Vater gesalbt, der Sohn aber wurde gesalbt in dem Geist, der die Salbung ist. So heißt es bei Jesaia: ›Der Geist Gottes ist über mir, deswegen hat er mich gesalbt‹, womit er den Vater, der salbt, den gesalbten Sohn und die Salbung, die der Geist ist, bezeichnet.«[23]

[20] 3,9,3 (SC 211,108—112).

[21] Vgl. auch A. Houssiau, aaO 174ff, und A. Rousseau, SC 210,267, wobei der letztere »Jesus« richtiger von der Inkarnation her versteht.

[22] S. 3,17,1 (SC 211,330): »voluntatem Patris operans in ipsis et renovans eos a vetustate in novitatem Christi«.

[23] 3,18,3 (SC 211,350ff); s. ebenso 3,6,1 (66): »utrosque enim Dei appellatione

So zeigt der Titel »Christus« das Wirken von Vater, Sohn und Geist an, wie es der Gesalbte selber in sich darstellt. Nach dem Willen des Vaters entfaltet sich in ihm und durch ihn die endzeitliche Geistgabe. Ohne in ihm aufzugehen, bildet sie die dritte Wirklichkeit des einen Gottes, der an seinem Geschöpf handelt. Die Unterscheidung von Geist und Christus führt mit innerer Logik zu einer trinitarischen Theologie, die allein angemessen ist, um den Reichtum der Heilserfahrung des Neuen Bundes unverkürzt auszusagen.

Die so beschriebene Salbung steht ganz im Dienst der durch Christus und den Geist erfolgenden Heilsvermittlung an die Menschen. Wenn es außer dem bisher Gesagten heißt, daß die sieben Gaben des Geistes »auf dem Sohn Gottes, das ist, auf dem Wort, bei seiner Ankunft als Mensch ruhen«[24], dann kommen mit der Geistfülle Christi schon immer die Empfänger, die Gläubigen des Neuen Bundes in den Blick. In Bezug auf die Menschheit des Sohnes sind sie nach Irenäus seine »Gefährten«, weil er selber einer von ihnen geworden ist. Und das gilt nicht nur für die Menschen der neutestamentlichen Kirche, sondern auch für die Gestalten des Alten Bundes, in denen sich die Geistgabe schon anfangshaft gezeigt hat[25]. Die gesamte Menschheitsentwicklung findet in der Geistsalbung Christi ihre Mitte.

Davon ist nun genau der Bereich betroffen, der den Menschen wesentlich in seinem Geschöpfsein kennzeichnet und doch von der

significavit Spiritus, et eum qui ungitur Filium, et eum qui unguit, id est Patrem«; 3,9,3 (108): »qui et assumpsit carnem et unctus est a Patre Spiritu, Jesus Christus factus est«; 3,12,5 (196): »invocaverunt Deum ... et eius Filium Jesum quem unxit Deus«; 3,12,7 (210ff): »et non tantum hoc, sed et Jesum ipsum esse Filium Dei testificatus est (sc. Petrus), qui et unctus Spiritu sancto Jesus Christus dicitur«; sowie 4,33,11 (SC 100,828) Epid. 47 (SC 62,107) und Epid. 53 (114).

[24] Epid. 9 (SC 62,45). Nach K. Schluetz, Isaias 11,2 (Die sieben Gaben des Hl. Geistes) in den ersten vier christlichen Jahrhunderten (Atl. Abhandl. 11,4), Münster 1932, S. 46—58; 56, hat man hier nicht nur die früheste Erwähnung der Siebenzahl, sondern in der anschließenden Erklärung über die gestufte Reihenfolge auch »den wichtigsten Hinweis für die aszetische Schätzung dieser Geistesgaben«.

[25] Epid. 47 (SC 62,107): »Denn der Sohn, der Gott ist, empfängt vom Vater, d. h. von Gott, den Thron der ewigen Herrschaft und das Öl der Salbung reichlicher als seine Genossen (vgl. Ps. 44(45)7f); und das Öl der Salbung ist der Geist, mit dem er gesalbt ist, und seine Genossen sind die Propheten, die Gerechten, die Apostel und alle, die an seiner Herrschaft teilhaben, d. h., seine Jünger.« — Zur Übersetzung s. schon Weber, aaO 35, und jetzt bes. A. Rousseau, SC 210,248—252; 251. Rousseau weist überzeugend die Deutung A. Orbes (La unción del Verbo; Estud. Valent. 3; Rom 1961, S. 501—541) zurück, nach der die Salbung die Gottheit des Sohnes betreffen würde, und stellt nachdrücklich fest, daß sie allein der Menschheit gilt.

Gnosis vollends des Heils für verlustig erklärt wird: »Der ist Christus«, so hat der Täufer nach Irenäus dem Volk erklärt, »auf dem sich der Geist Gottes niedergelassen hatte, vereint mit seinem Fleisch«[26]. Indem er die menschliche Leiblichkeit ergreift, wird der von Christus unterschiedene, auf ihm ruhende Heilige Geist fruchtbar für das Geschöpf. Es kann durch die Ähnlichkeit mit dem Sohn an seiner Salbung teilnehmen. In seiner menschlichen Wesensbestimmung ist es in die Einheit des trinitarischen Heilswerks einbezogen, das im fleischgewordenen Sohn die lebenschenkende Macht des Geistes offenbar werden läßt.

b) Inkarnation

aa) Menschwerdung durch den Geist

Wird in der Geistsalbung nicht die Gottheit Christi begründet, dann kann in der Inkarnation das wirkliche Eingehen des göttlichen Wortes in die Welt des Geschöpflichen erfolgen. Irenäus bemerkt: »Er (Petrus im Hause des Kornelius) bezeugt, daß Jesus selber der Sohn Gottes ist, der — mit dem Heiligen Geist gesalbt — Jesus Christus genannt wird; und eben dieser ist der aus Maria Geborene ...«[27] Vom richtigen Verständnis der Geistsalbung aus erhält die Menschwerdung ihre volle Bedeutung. Denn wie bei der Taufe kein Jesus des Demiurgen eine zeitweilige Verbindung mit dem oberen Christus eingegangen ist, so ist auch bei der Inkarnation nicht ein Geschöpf des Demiurgen hervorgegangen. Jesus ist ohne Einschränkung der Sohn Gottes, da das Wort selber Fleisch angenommen hat[28].

Mit der evangelischen Überlieferung spricht der Lyoner Bischof von der Geburt Christi aus der Jungfrau und dem Heiligen Geist[29]: »Den das Gesetz durch Moses und die Propheten des allerhöchsten, allmächtigen Gottes angekündigt haben, der Sohn des Vaters aller Dinge, durch den alles ist, der mit Mose gesprochen hat, dieser kam nach Juda, gezeugt von Gott durch den Heiligen Geist und von der Jungfrau Maria geboren ...«[30] Ursache für die Inkarnation ist der

[26] Epid. 41 (SC 62,95).

[27] 3,12,7 (SC 211,210ff).

[28] Über die häretischen Meinungen zur Inkarnation, von denen hier die valentinianische Ausprägung angedeutet worden ist, s. die Mitteilungen des Irenäus in 1,6,1 (H 1,51ff); 1,7,2 (60ff); 3,11,3 (SC 211,146ff): Ptolemäer; 1,27,2 (H 1,216ff); 3,11,3 (SC 211,146ff): Markion; 1,26,1 (H 1,211f): Cerinth; 1,30,11 (237f): Ophiten; 1,15,2f (146—152): Markus; 1,26,2 (212f); 3,19,1 (SC 211,370ff); 4,33,4 (SC 100,810ff); 5,1,3 (SC 153,24ff): Ebioniten.

[29] In den Büchern adversus haereses beschränkt er sich auf die Zitierung von Mt und Lk: 3,16,2 (SC 211,292): Mt 1,18.20—23; 3,21,4 (410): Lk 1,35; Mt 1,18; 4,23,1 (SC 100,692): Mt 1,20f.22f; 5,1,3 (SC 153,24): Lk 1,35.

[30] Epid. 40 (SC 62,95).

im Geist an Maria wirksame Wille Gottes. Irenäus kann formulieren: »Er wurde geboren von der Jungfrau durch den Willen und die Weisheit Gottes.«[31] Er hebt die Verheißung aus dem zweiten Lied vom Gottesknecht hervor: »Gott selber bildet ihn vom Mutterleib an, das heißt, er wird geboren werden vom Geiste Gottes« (vgl. Jes 59, 5)[32]; oder er sagt einfach, daß »der Vater aller Dinge auch seine Inkarnation wirkt«[33].

Nachdem das Bewirktsein der Inkarnation durch den nach dem Willen des Vaters handelnden Geist festgestellt worden ist, kann schärfer nach der besonderen Bedeutung des Heiligen Geistes gefragt werden. Dabei ist eine zweifache Akzentsetzung zu erkennen. Der gnostischen und markionitischen Christologie gegenüber hebt Irenäus die wirkliche Annahme der menschlichen Verfaßtheit bei der Geburt des Sohnes Gottes hervor. Im Gegensatz zu den Ebioniten legt er allen Nachdruck auf die in der geistgewirkten Inkarnation sichtbar gewordene neue Geburt, in der Gott sich mit dem Geschöpf vereint.

Daß der Sohn wirklich Mensch geworden ist, daß er aus Maria menschliches Fleisch angenommen hat, ist für den Bischof von Lyon eine unaufgebbare Glaubensaussage. Wollte man annehmen, das göttliche Wort hätte nichts aus der Jungfrau angenommen, dann wäre seine Geburt aus ihr überflüssig gewesen[34]. Das Gegenteil aber ist der Fall. Der aus Maria Geborene steht als Mensch in der Linie der einen göttlichen Heilsgeschichte. Er geht aus der Wurzel Jesse hervor, ist als Nachkomme aus dem Stamme Davids zugleich mit Abraham, dem Vater der künftigen Gläubigen verbunden[35]. In seiner Menschwerdung gibt er zu erkennen, wie Gott vom Anfang bis zum Ende seinem Geschöpf beisteht, um es zu seinem Bild und Gleichnis zu schaffen[36].

[31] Epid. 32 (SC 62,82).
[32] Epid. 51 (SC 62,111).
[33] Epid. 53 (SC 62,112f); vgl. 5,1,3 (SC 153,26) und Epid. 53 (114).
[34] 3,22,2 (SC 211,434): »ceterum supervacua est in Mariam descensio eius. Quid enim in eam descendebat, si nihil incipiebat sumere ab ea?«; 5,1,2 (SC 153,24): »ostendimus autem, quoniam idem est putative dicere eum visum et nihil ex Maria accepisse: neque enim esset vere sanguinem et carnem habens, per quam nos redemit, nisi antiquam plasmationem Adae in semetipsum recapitulasset«.
[35] 3,16,3 (SC 211,296): »manifeste significans (sc. Paulus) unum quidem Deum, qui per prophetas promissionem de Filio fecerit, unum autem Jesum Christum Dominum nostrum, qui de semine David secundum eam generationem, quae est ex Maria ...«; Epid. 40 (SC 62,95): »gezeugt von Gott durch den Heiligen Geist und geboren von der Jungfrau Maria, die von David und Abraham abstammt«; vgl. 3,9,2f (SC 211,102—106); 3,19,3 (378ff); Epid. 30 (SC 62,80); 59 (124).
[36] 5,16,1f (SC 153,214ff): »iam non oportet quaerere ... alteram manum Dei praeter hanc, quae ab initio usque ad finem format nos et coaptat in vitam et adest plasmati suo et perficit illud secundum imaginem et similitudinem Dei.

Gerade die wahre Menschheit Christi wird nun mit dem Wirken des Geistes in Verbindung gebracht. Irenäus bemerkt zur Prophetie von Jesaia 11: »Und er nennt sein Fleisch eine Blume (Jes 11, 1), denn es ist dem Wirken des Geistes entsprossen.«[37] Das menschliche Fleisch Jesu, der Gnosis so anstößig, daß sie es zu eliminieren sucht, ist eine Frucht des Heiligen Geistes. Dadurch, daß er auf die Jungfrau herabkommt, wird der Sohn Gottes als Mensch geboren. Durch ihn ist von Beginn an die menschliche Seite Christi geheiligt.

Den gleichen Gedankengang kann man im Kommentar zu dem Vers aus den Klageliedern: »Unter seinem Schatten werden wir leben unter den Heiden« (Klgl. 4, 20), finden: »Als Schatten bezeichnet sie (die Schrift) hier seinen Leib; denn wie ein Schatten durch einen Leib entsteht, so ist das Fleisch Christi auch durch seinen Geist gemacht worden.«[38] Ohne näher auf die allegorische Auslegung des Schriftwortes eingehen zu müssen — Irenäus liefert einen Weissagungsbeweis über das Leiden Christi, über die Erniedrigung dessen, unter dessen Schatten leben zu wollen, schon prophetisch für die Christen erklärt worden ist —, erhält man wieder die Deutung bestätigt, daß das Fleisch Christi dem Geist zu verdanken ist. Der Maria überschattende Geist gestaltet bei der Inkarnation die menschliche Natur des Sohnes und kann so auch das Geschöpf in seiner Ganzheit in Besitz nehmen.

bb) Die neue Geburt

Die ebionitische Lehre, nach der Jesus lediglich ein natürlicher Sohn Mariens wäre, wird zwar seiner vollen Menschheit gerecht, verkennt aber nicht weniger als die Gnosis den wahren Charakter der Fleischwerdung.

»Töricht sind aber auch«, erklärt Irenäus, »die Ebioniten, da sie die Vereinigung Gottes und des Menschen nicht durch den Glauben in ihre Seele aufnehmen, sondern im Sauerteig der alten Geburt verharren. Sie wollen nicht einsehen, daß der Heilige Geist auf Maria herabkam und die Kraft des Höchsten sie überschattet hat. Deshalb ist auch das von ihr Geborene heilig und der Sohn des höchsten Gottes, des Vaters von allem, der seine Inkarnation gewirkt hat und eine neue Geburt zeigt, damit wir, wie wir durch die erste

Tunc autem hoc verum ostensum est, quando homo Verbum Dei factum est, semetipsum homini et hominem sibimetipsi assimilans, ut per eam quae est ad Filium similitudinem pretiosus homo fiat Patri«.

[37] Epid. 59 (SC 62,124).

[38] Epid. 71 (SC 62,138). »Fleisch Christi« kann nach dem Armenischen ebensogut mit »Leib Christi« übersetzt werden; s. die Anm. z. St. Für die Verbindung von Schatten-Leib-Geist kann sehr gut Lk 1,35 (»et virtus Altissimi obumbrabit te«; s. 3,21,4; SC 211,410 u.5,1,3; SC 153,24) maßgeblich gewesen sein.

Geburt den Tod geerbt haben, durch diese Geburt das Leben erben«[39].

Der Grundvorwurf betrifft das Unterfangen, die Geburt Christi auf die Ebene des rein Menschlichen herunterzuspielen und sich dadurch der Möglichkeit zu berauben, das Eingehen Gottes in diese Welt anzunehmen. Im Gegensatz dazu stellt Irenäus gerade die Herabkunft des Geistes als das Besondere der neuen Geburt heraus[40]. Ohne jetzt die von ihm gestaltete Menschheit des Sohnes hervorzuheben, betont er die durch sein Wirken erfolgende Einung Gottes mit dem Geschöpf.

Irenäus führt die Argumentation mit den Sätzen weiter: »Sie weisen so die Vermischung des himmlischen Weines zurück und wollen nur das Wasser dieser Welt sein, da sie die Vermischung Gottes mit sich nicht annehmen, sondern in dem Adam verharren, der besiegt und aus dem Paradies vertrieben worden ist. Sie bedenken nicht, daß wie am Anfang unserer Erschaffung in Adam der von Gott mit dem Geschöpf vereinte Lebenshauch den Menschen belebt und zu einem vernünftigen Wesen gemacht hat, so am Ende das Wort des Vaters und der Geist Gottes sich mit der alten Substanz der adamitischen Schöpfung vereint und den Menschen lebendig und vollkommen gemacht haben, fähig zum Ergreifen des vollkommenen Vaters. So sollen wir, wie wir alle in dem psychischen Adam sterben, in dem geistigen das Leben empfangen.«[41] Da das Wort und der Geist sich in der neuen Geburt mit dem Geschöpf verbinden, kommt es zu einer wirklichen Vereinigung von Gott und Mensch, zur Neuschöpfung nach dem Willen Gottes.

Bevor die Interpretation in dieser Richtung vorangetrieben werden kann, ist die im vorliegenden Text enthaltene Schwierigkeit zu berücksichtigen, daß nach der lateinischen Übersetzung Wort und Geist als ein grammatikalisches Subjekt erscheinen[42]. Setzt Irenäus eine Identität von Logos und Pneuma voraus? Dagegen spricht außer dem bisher angehobenen Befund der unmittelbare Kontext.

[39] 5,1,3 (SC 153,24ff). Zum Text s. A. Rousseau SC 152,203—207. Für die hier gebotene Übersetzung von: »unitionem Dei et hominis per fidem non recipientes in suam animam«, vgl. die Parallelstelle 4,33,4 (SC 100,812): »si non in novam generationem mire et inopinate a Deo,in signum autem salutis datam, quae est ex Virgine, per fidem regenerentur«.

[40] Vgl. noch 3,19,1 (SC 211,372): Ebionaei »contemnunt incarnationem purae generationis Verbi Dei«; 3,19,2 (376): »Quoniam praeclaram praeter omnes habuit in se eam, quae est ab altissimo Patre genituram, praeclara autem functus est et ea, quae est ex Virgine generatione«; 5,19,2 (SC 153,252): »alii autem rursus ignorantes Virginis dispensationem ex Joseph dicunt eum generatum«; sowie 3,19,3 (SC 211,378ff); 3,21f (SC 211,398—444).

[41] 5,1,3 (SC 153,26); vgl. Rousseau SC 152,207ff.

[42] »... Verbum Patris et Spiritus Dei adunit*us* antiquae substantiae ... viventem et perfectum effec*it* hominem ...«.

An das Zitat schließt sich sofort die Bemerkung an, daß sich im Wort und im Geist das Handeln der Hände Gottes am Menschen zeigt. Da sich beide Aussagen formal und inhaltlich vollkommen entsprechen, muß die zuletzt angezeigte Dualität auch für die erste Erwähnung gelten[43]. Für ihre singularische Konstruktion bietet sich dann entweder die grammatikalische Erklärung an, daß die lateinische und auch die armenische Übersetzung hier einem griechischen Sprachgebrauch folgen, bei dem sich das Prädikat nach dem nächsten Bezugswort richtet[44], oder die inhaltliche Interpretation, Irenäus habe Wort und Geist, die er wohl zu unterscheiden wisse, als eine Realität beschrieben[45], um mit ihr zu bezeichnen, was dem Menschen in der neuen Geburt zukommt.

Was also will Irenäus über Wort und Geist in der Inkarnation sagen? Für das erstere liegt die Antwort auf der Hand. Es wird in der Menschwerdung mit dem Geschöpf verbunden und stellt so in sich selber die Einheit von Gott und Mensch dar. Wenn nun aber die neue Geburt an der Herabkunft des Heiligen Geistes erkennbar wird, dann erweist er sich als Macht, die das neue göttliche Leben in der Welt begründet. Weil es in ihm zur Inkarnation des Wortes kommt, gibt es nicht mehr das bloße »Wasser dieser Welt«, sondern die »Mischung des himmlischen Weines«, das heißt, die Einung von Wort und Geist mit dem Geschöpf[46].

Schon in der Menschwerdung geschieht demnach die Verbindung des göttlichen Geistes mit der Menschheit. Dem Lebenshauch des ersten Adam korrespondiert die bei der Inkarnation des Wortes sichtbare Lebendigkeit. Alles Bisherige wird in den Schatten gestellt, da der Mensch im Heiligen Geist durch Christus zum Vater geführt wird, da sich der Schöpfungsauftrag des Vaters an Sohn und Geist bewahrheitet, das Bild und Gleichnis Gottes ins Werk zu setzen[47].

[43] Irenäus fährt fort: »non enim effugit aliquando Adam manus Dei ... et propter hoc in fine non ex voluntate carnis neque ex voluntate viri (Joh 1,13) sed ex placito Patris manus eius vivum perfecerunt hominem«.

[44] S. Blass-Debrunner 135 und A. Rousseau, SC 162,209.

[45] So A. Rousseau, aaO 205 A 4.

[46] In den Worten »Wein« und »Wasser« spielt Irenäus auf den ebionitischen Brauch einer Paschafeier an, bei der Wasser statt des Weines verwendet wird (Epiphanius Pan. 30,16; ed. Holl 353 Epiph. 2 GCS 31). Dazu und auch zur kosmologisch-heilsgeschichtlichen Interpretation der Worte »himmlisch« und »von dieser Welt« s. A. Rousseau, SC 162,208f.

[47] Indem Irenäus das Wirken des vom Logos unterschiedenen Heiligen Geistes bei der Inkarnation aussagt, setzt er sich von Justins Deutung ab, derzufolge der Geist und die Kraft des Allerhöchsten (Lk 1,35) die Herabkunft des Logos auf die Jungfrau bedeuten (Apol. 1,33,6; ed. Goodspeed 49; vgl. die behutsame Interpretation bei Martin, aaO 177—186, nach der keine Identifikation von Logos und Pneuma vorliegt, sondern Justin lediglich vom Logos-Geist

Zwei weitere antiebionitische Texte können den Gedanken abrunden helfen.

Irenäus hät den Ebioniten die eindringlichen Fragen vor: »Wie wird der Mensch in Gott eingehen, wenn Gott nicht in den Menschen eingegangen ist? Wie wollen sie die Geburt des Todes verlassen, wenn sie nicht durch den Glauben zu der neuen Geburt wiedergeboren werden, zu der aus der Jungfrau, die von Gott wunderbar und unbegreiflich zum Zeichen des Heils geschenkt wurde? Oder wie werden sie von Gott die Sohnschaft empfangen, wenn sie in dieser Geburt, die dem Menschen in dieser Welt entspricht, verharren?«[48]

Wieder zeigt sich, daß nur die neue Geburt eine Verbindung mit Gott schaffen kann. Anders als die in der Welt übliche stellt sie das wunderbare Eingreifen Gottes dar, ist sie die Geburt aus der Jungfrau; und das heißt, auch ohne daß Irenäus es eigens ausspricht, sie ist durch das Erscheinen des Heiligen Geistes ausgezeichnet. Ihm ist das unfaßbare »Zeichen des Heils« zu verdanken. Eben darin ist sie Vorbild und Bedingung für die Sohnschaft der Gläubigen, für die Teilhabe an dem großen Neuheitsereignis der Inkarnation, die wie dieses wesentlich durch den Heiligen Geist bestimmt ist[49]. Zusammen mit dem Wort tritt bei der Menschwerdung der Geist auf den Plan und legt den Grund für seine neue Wirksamkeit.

Wenn Irenäus mit allem Nachdruck den göttlichen Charakter der Inkarnation verteidigt, dann deshalb, weil nicht weniger auf dem Spiel steht als das Heil des Menschen. Haben seine gnostischen Gegner es aufgehoben, insofern sie den Bereich der Leiblichkeit ausklammern und Gott nur zu einen Korrelat ihrer selbst machen,

spricht, wovon der Heilige Geist nicht betroffen ist). Andererseits findet die etwa von Rufin (expos. symb. 8; ed. Simonetti 145f CCL 20) vorgelegte Deutung, im Geist und der Kraft sei außer der dritten Person Christus zu erkennen, bei Irenäus keinen Anhalt, da er virtus an keiner Stelle ausdrücklich auf das Wort bezieht. — Natürlich ist die Inkarnation für Irenäus Sache des Wortes, insofern dieses Fleisch annimmt (s. 1,9,3; H 1,84f; 1,10,1; 90; 3,9,1; SC 211,102; 3,11,3; 146ff; 3,16,2; 290; 3,16,7; 318; 3,17,4; 338; 3,18,1; 342; 3,18,3; 350; 3,19,1; 374; 4,33,11; SC 100,830; 5,1,1; SC 153,20; 5,1,3; 26; 5,14,2; 186; 5,17,1 220ff; 5,18,1; 236; 5,19,2; 252; 5,20,1; 254; 5,25,5; 324); aber sie erfolgt durch den Heiligen Geist aus der Jungfrau Maria. Man kann dann in der Gedankenführung von 5,1,3 das Wort und den Geist wie beim ersten Schöpfungswerk so auch in der Inkarnation sehen. Jedoch glättet m. E. das Urteil von J. A. Robinson, St. Irenaeus: the demonstration of the Apostolic Preaching, London 1920, S. 66f, Irenäus denke an eine »cooperation of the Word of God and the Wisdom of God« bei der Inkarnation(s. auch Lebreton II 753), den Sachverhalt zu sehr, da die Folge des Geborenwerdens aus dem Geist und der Jungfrau nicht hinreichend berücksichtigt wird. — Zur Inkarnation vgl. auch die Bemerkungen von Joppich, aaO 116f.

[48] 4,33,7 (SC 100,810ff) zur neuen Geburt s. auch o. § 14 b A 26.

[49] Zur Adoption s. die Ausführungen o. § 14 b und u. § 25 b. dd.

so steht es um die judaisierenden Ebioniten nicht besser, da sie gänzlich in einer Welt ohne Gott verbleiben. Im Blick auf die letzteren führt er weiterhin aus: »Zu ihnen spricht das Wort, um sie auf das Geschenk seiner Gnade hinzuweisen: ›Ich habe gesagt, ihr seid Götter und Söhne des Höchsten insgesamt, ihr aber werdet wie Menschen sterben‹ (Ps 82(81),6f). So spricht es zweifelsohne zu denen, die das Geschenk der Sohnschaft nicht annehmen, sondern die reine Geburt der Inkarnation des Wortes Gottes verachten und so den Menschen des Aufstiegs zu Gott berauben und sich dem Wort gegenüber undankbar erweisen, das sich für sie selber inkarniert hat.«[50]

Auch hier kommt mit der Charakterisierung der Inkarnation als reine Geburt und Grund der Adoption neben dem Wort der Heilige Geist zum Vorschein. Das Geheimnis seines Wirkens wird verkannt, wo die Geburt aus der Jungfrau zurückgewiesen wird. Wie man ihn bei ihr nicht annimmt, so fehlt er dann als die Gabe der Sohnschaft. Denn er ist es, in dem das Wort zu den Menschen kommt. Er holt sie in der Adoption in das Geschehen der neuen Geburt hinein.

c) Logos und Pneuma

aa) Texte über die Einheit von Wort und Geist

In der Frage nach dem Verhältnis von Wort und Geist sieht man sich bei Irenäus mit einer Reihe von Aussagen konfrontiert, in denen die im Neuen Bund erfolgende Verbindung von Gott und Mensch so beschrieben wird, daß der Sohn und der »Geist« eine Einheit bilden.

Wenn er schreibt, daß Gott in Christus »seinem Geschöpf beisteht, indem er es rettet und sich von ihm ergreifen läßt ..., damit der Mensch den Geist Gottes umarme und zur Herrlichkeit des Vaters hinzutrete«[51], dann erscheint der »Geist« zusammen mit Christus als der Bereich Gottes, der sich dem Geschöpf eröffnet. Daß er beide nicht unterschieden habe, kann positiv kaum behauptet werden, ganz abgesehen von der Frage, ob »Geist« schon explizit und exklusiv den Heiligen Geist bezeichnen will. Unter Verzicht auf eine säuberliche Scheidung betrachtet Irenäus das Umarmen des Gottesgeistes als unmittelbare Folge der Menschwerdung des Sohnes.

Ähnlich äußert er sich bei der Erklärung der Jakobsgeschichte, aus der er die typologische Bedeutung ableitet, »daß Christus aus dem

[50] 3,19,1 (SC 211,372); vgl. dazu A. Rousseau, SC 210,343.
[51] 4,20,4 (SC 100,636); vgl. die armen. Fassung im App. z. St.
[52] 4,21,3 (SC 100,682ff).

Fleische nach Freien und den Versklavten Söhne Gottes bereitgestellt hat, indem er allen gemeinsam die Gabe des uns belebenden Geistes schenkte«[52]. Als die Gabe des Sohnes ist der Geist ein anderer. Aber beide treten doch eng zusammen, da die durch Christus ermöglichte Einung des Geistes mit dem Geschöpf als das Entscheidende angesehen wird.

In die gleiche Richtung weist schließlich die geschmähte Lottypologie der Presbyterhomilie mit dem Satz: »Denn der Same des Vaters von allem, das heißt, der Geist Gottes, durch den alles gemacht ist, hat sich mit dem Fleisch vermischt und geeint, das heißt, mit seinem Geschöpf ...«[53]. In allen drei Texten wird so das Anliegen erkennbar, von dem »Geist« als der im Christusereignis erschlossenen Wirklichkeit Gottes für die Menschheit zu sprechen.

Weiteren Aufschluß vermittelt die von Irenäus vorgelegte Interpretation des Verses aus den Klageliedern: »Der Geist unseres Angesichts, Christus der Herr, ist in ihren Fanggruben gefangen« (Klgl 4, 20). Der Lyoner Bischof sieht in ihm einen prophetischen Hinweis auf das künftige Leiden des Messias, »da: Christus, obschon er ganz Geist Gottes ist, ein dem Leiden unterworfener Mensch werden sollte«[54]. Und er bezieht ihn an anderer Stelle in eine an das Benediktus und Magnifikat angeschlossene Bemerkung über die Einheit Christi mit ein: »Denn er ist unser Erlöser als der Sohn und das Wort Gottes, die Hilfe aber als Geist — denn es heißt: der Geist unseres Angesichts ist Christus der Herr —, das Heil aber als Fleisch — denn das Wort ist Fleisch geworden und hat unter uns gewohnt.«[55]

Ein zuverlässiger Ausgangspunkt für die Auslegung des letzten Textes ist mit dem Argumentationsziel gegeben, daß der Gott Israels das neutestamentliche Heil auf neue Weise gewirkt hat. Man hat im Neuen Bund nicht einen anderen Gott zu suchen. Es geht um die Kenntnis (Gnosis) des neu geschenkten Heiles (Lk 1, 77); und das ist, wie Irenäus sagt, die Kenntnis des Sohnes Gottes, der nicht im Sinne der Gnosis in einen oberen Erlöser und Jesus aufgeteilt werden kann, sondern der menschgewordene Sohn Gottes ist[56]. Er ist zugleich die rettende göttliche Macht (Hilfe) und das in seinem menschlichen Leibe verwirklichte Heil. Wenn nun

[53] 4,31,2 (SC 100,794); mit »pater omnium« ist hier der Logos gemeint. Nach Loofs, Theophilus 105.109, geht diese Deutung auf Irenäus zurück, während der Presbyter darunter den einen Gott verstanden habe.

[54] Epid. 71 (SC 62,138). Für die Deutung des ersten Halbverses: »unter seinem Schatten werden wir unter den Völkern leben«, s. die o. § 20 b. aa gegebene Erklärung.

[55] 3,10,3 (SC 211,124).

[56] S. 3,10,3 (SC 211,122ff).

das erstere, die Hilfe, mit dem Geist in Verbindung gebracht wird, dann ist offenkundig, daß nicht der Heilige Geist gemeint ist, den Ireneäus überdies streng von einem vermeintlichen oberen Erlöser getrennt hat, sondern die Geistmacht Gottes, die das menschliche Fleisch erlöst[57]. Der Bischof von Lyon nimmt keine Identifikation zwischen Christus und dem Heiligen Geist vor; wohl aber gibt er zu erkennen, daß Geist in allgemeiner Bedeutung nicht den Heiligen Geist speziell ansprechen muß, sondern auf die erlösende Gottheit hinweisen kann[58].

Von der hiermit erreichten Klärung aus fällt Licht auf die erstgenannte Bemerkung. Sie spricht von der Geistmacht des göttlichen Wortes, die — und darin liegt jetzt die besondere Spitze — in die Verhüllung des Leidens eingeht.

Wie auf die Evangelisten so beruft sich Irenäus in der christologischen Beweisführung auch auf den Apostel Paulus, bei dem er in dem Schema »dem Fleische nach« — »dem Geiste nach« (Rö 1, 3f) die unaufhebbare Einheit des Erlösers ausgesprochen findet. Er gibt der Römerbriefstelle im Verein mit weiteren paulinischen Texten die Deutung:

»So gibt er (Paulus) deutlich zu erkennen ..., daß es einen Jesus Christus, unsern Herrn, gibt, der der Geburt aus Maria nach aus dem Samen Davids stammt, daß dieser zum Sohn Gottes eingesetzt ist, Jesus Christus, in Macht dem Geist der Heiligkeit nach aufgrund der Auferstehung von den Toten (vgl. Rö 1, 3f). Denn er sollte der Erstgeborene der Toten sein (vgl. Kol 1, 18), wie er auch der Erstgeborene vor aller Schöpfung ist (vgl. Kol 1, 15), der Sohn Gottes, der zum Sohn des Menschen gemacht worden ist, damit wir durch ihn die Sohnschaft empfangen (vgl. Gal 4, 4f), indem der Mensch den Sohn Gottes trägt, ergreift und umarmt.«[59]

Dadurch daß Irenäus beim Völkerapostel den gleichen Sachverhalt angezeigt sieht wie in den Evangelien, die Fleischwerdung des göttlichen Wortes selber durch die Geburt aus der Jungfrau, gelangt er zu einem Verständnis, das die Paulusworte im Sinne einer strikten Einheitsaussage begreift. Fern davon, eine Zweistufenchristologie zu unterschreiben, nach der Menschheit und Gottheit für Christus auseinanderfielen oder gar diese erst nachträglich zu dem als Menschen geborenen Herrn hinzukäme, versteht er das Schema von

[57] Über den Geist und den oberen Christus vgl. o. § 20 a. Die Differenzierung von »Hilfe« und »Heil« erklärt überzeugend A. Rousseau (SC 210,272f). Zur Verbindung von Heil und »Geist« s. 2,19,6 (H 1,320) und 5,9,1 (SC 153,106ff), wobei der letztere Text freilich auf den Hl. Geist geht (s. u. § 25 a).

[58] Zur Bezeichnung des Geistwesens Gottes mit »Geist« s. 2,13,3 (H 1,282); 2,28,4 (354); 2,30 (361—368); 5,1,2 (SC 153,22). Vgl. auch T. F. Torrance, Spiritus creator, Verb. Caro 23 (1969) 63—85; 64.

[59] 3,16,3 (SC 211,296ff); zur Textfassung s. Rousseau, SC 210, 314ff.

Rö 1, 3f im Sinne der gleichzeitig bestehenden Wirklichkeit von Gott und Mensch in Christus. Das macht ihm dann die Umkehrung der Reihenfolge möglich, daß der Sohn Gottes zum Sohn des Menschen geworden ist.

Schwer zu entscheiden ist die Frage, was er unter dem »Geist der Heiligkeit« verstanden hat. Von den anderen Texten herkommend, mag man wieder an die göttliche Geistmacht Christi denken. Aber es ist nicht auszuschließen, daß der Lyoner Bischof auch die auf dem Sohn ruhende Geistfülle im Blick hat. Denn in der Erwähnung der Geburt aus Maria klingt das Wirken des Heiligen Geistes bei der Inkarnation an[60]; und er mag auch mit der Sohnschaft angesprochen sein, als deren vorzügliche Gabe der Geist das Geschöpf dem Sohne Gottes gleich werden läßt[61]. Eine Gleichsetzung des präexistierenden göttlichen Wortes mit dem Heiligen Geist liegt nicht vor.

Insoweit diese Deutung als gesichert gelten kann, steht auch bei den zwei weiteren Zitationen von Rö 1, 3f eine ähnliche Aussage zu vermuten, zumal sie für sich genommen keine sicheren Anhaltspunkte für die gegenteilige Interpretation liefern. Einmal beruft sich Irenäus auf den Römerbriefvers, um die wirkliche Annahme menschlichen Fleisches durch den Gottessohn nachzuweisen. Das Gewicht liegt ganz auf dem ersten Halbvers, »dem Fleische nach«, ohne daß die zweite Hälfte besonders hervorgehoben wäre[62].

Im anderen Text wird das Zitat in den Dienst der Feststellung genommen, daß in der prophetischen Verkündigung der Sohn Davids dem Fleische nach angesagt worden ist, der »dem Geiste nach Sohn Gottes, beim Vater präexistierend, gezeugt vor jeglicher Erschaffung der Welt« ist[63]. Die Erwähnung des Geistes erklärt sich aus dem Schema von Rö 1, 3f, das von Irenäus wiederum sehr deutlich auf die Präexistenz ausgelegt wird, und wird im Sinne der anderen Stellen zu deuten sein.

Mit der Analyse einer letzten Bemerkung kann die Reihe der fraglichen Texte zum Abschluß gebracht werden. In einem Argument gegen doketische Tendenzen heißt es: »Schien er aber bloß als ein Mensch, ohne ein Mensch zu sein, so ist er weder das geblieben, was er in Wahrheit war, Geist Gottes nämlich — denn der Geist ist unsichtbar —, noch war irgendeine Wahrheit in ihm; denn er war nicht das, was er zu sein schien.«[64]

Irenäus legt einen ausgeklügelten Schluß vor. Nimmt man nicht die

[60] Vgl. 3,16,2 (SC 211,292).
[61] S. o.§ 14 b und u. § 25 b. dd.
[62] 3,22,1 (SC 211,432ff).
[63] Epid. 30 (SC 62,80).
[64] 5,1,2 (SC 153,22).

wahre Gottheit und Menschheit des Sohnes an, dann läßt man einerseits auch nicht mehr sein Geistwesen unangetastet, da man ja von ihm das Unmögliche behauptet, es sei sichtbar geworden, andererseits macht man ihn zu einem Scharlatan, der seine Anhänger hinters Licht geführt hätte. »Geist« bestimmt sich ohne Zweifel als die göttliche Natur Christi. Ohne sie zu verlieren wird das Wort Mensch unter den Menschen. Es bewahrt ganz sein Geistwesen, wie es ganz die Leiblichkeit des Geschöpfs annimmt.

Da Irenäus von der geisthaften Unsichtbarkeit spricht, kann »Geist Gottes« nicht unmittelbar auf den Heiligen Geist bezogen werden. Seiner Eigenständigkeit und Unterschiedenheit von dem Sohn wird jedoch kein Abbruch getan, da die Redeweise sich ganz in die Erklärungen fügt, die von Gott als dem »wirkenden Geist« handeln[65].

Trotzdem sollte man den Lyoner Bischof nicht ausschließlich auf eine einzige Aussagemöglichkeit festlegen. Es kann nicht ausgeschlossen werden, daß mit dem Geistwesen Gottes nicht auch schon implizit der mit Christus offenbar gewordene Geist angesprochen wird, heißt es doch nur wenige Zeilen vorher, der Sohn habe durch die Spendung des Geistes des Vaters Gott mit den Menschen verbunden[66], und folgt auf den antidoketischen Beweisgang das Argument gegen die Ebioniten, daß durch die Herabkunft des Heiligen Geistes auf Maria die Geburt des Herrn als die neue Geburt offenbar geworden ist[67].

bb) Zur Problematik einer Geistchristologie

Die zurückliegenden Textanalysen ermöglichen ein Urteil zur Frage einer Geistchristologie im Werk des Bischofs von Lyon.

Es war Friedrich Loofs, der unter diesem Schlagwort einen Strang der christologischen Tradition in der frühen Kirche zu verstehen versucht und ihn auch bei Irenäus hervorgehoben hat, um von hier aus einen weiteren Anhaltspunkt für die Ausscheidung von Quellen zu gewinnen[68]. Bei dem Lyoner Bischof sah Loofs die Geistchristologie vor allem im Bereich der Predigt des kleinasiatischen Presbyters bezeugt. Dieser habe, insofern er den präexistenten Christus mit dem Geist identifiziert habe, mit einem großen Teil

[65] Mit A. Rousseau, SC 152,202; vgl. die Texte von A 58.

[66] 5,1,1 (SC 153,20).

[67] 5,1,3(SC 153,24).

[68] F. Loofs, Theophilus 114—210.211—299; ders., Das altkirchliche Zeugnis gegen die herrschende Auffassung der Kenosisstelle Phil 2,5—11, Theol. Stud. u. Krit. 100 (1927-28) 1—102; ders., Paulus von Samosata, Leipzig 1924. — Eine ausgewogene und behutsame Darstellung findet sich bei Seeberg I 124—128. Harnack I 210—220.700ff unterscheidet zwischen einer adoptianischen und einer pneumatischen Christologie.

der frühchristlichen Tradition eine nicht trinitarische Theologie vertreten[69].

Weiterhin fand er sie im Einflußgebiet der kleinasiatischen Quelle, auf die Irenäus sich wie auch vor ihm schon Justin in seiner Schrift über die Auferstehung bezogen habe[70].

Insofern Friedrich Loofs versucht, von Irenäus selber abzugrenzen, was den vermeintlichen Quellen zu eigen ist, ist sein Verfahren von einem grundsätzlich anderen Ausgangspunkt bestimmt, als er die vorliegende, auf eine Synthese bedachte Untersuchung leitet. Loofs muß es sich angelegen sein lassen, Unterschiedenheiten und Brüche hervorzuheben, mittels derer er dann zu einem Urteil über den echten Irenäus gelangen will. Da dieser nun aber nicht eine Geistchristologie, sondern eine den Logos- und Sohnbegriff verbindende »pluralistisch-binitarische Gotteslehre« und eine vom Logos ausgehende »henprosopische Christologie« vertreten haben soll[71], erscheint der Verdacht umso größer, daß fremde Denkschemata ins irenäische Werk hineingetragen werden, die dann auch bei der Geistchristologie nicht mehr die Möglichkeit offen lassen, daß sich in ihr eine legitime Form des christologischen Denkens zu Wort meldet, die keinen echten Gegensatz zu einer trinitarischen Theologie darstellt.

Die Schwäche des Loofs'schen Ansatzes zeigt sich gleich bei der Kardinalstelle aus der Presbyterpredigt: »Der Same des Vaters aller Dinge, das heißt, der Geist Gottes, durch den alles gemacht ist, hat sich mit dem Fleisch vermischt und geeint.«[72] Friedrich Loofs geht davon aus, in der vorliegenden Fassung, in der irenäischen Wiedergabe der Predigt also, sei von dem durch das Wort wirksam gewordenen Geist Gottes die Rede, vom Samen des Logos als dem auf das Menschengeschlecht ausgegossenen Geist. Er glaubt aber behaupten zu können, der Presbyter habe als strenger Antimarkionit nur an den einen Gott denken können, der den Geist gleichermaßen im Alten wie im Neuen Bund, wo er dann in dem

[69] Loofs, Theophilus 101—113.205—210; 112: »In bezug auf diesen sehen wir deutlich, daß seine Christologie eine Geistchristologie war; das Göttliche in Christo war der spiritus Dei, durch den alles geschaffen ist und der schon die alttestamentlichen Frommen zu dem machte, was sie waren, zu einer Synagoge Gottes.«

[70] Loofs hat (aaO 211—299) vor allem 5,6—13,1; 5,15,1—17,4 als »Einflußbereich« dieser Quelle markiert. Er stellt auch die Hypothese von traditionsgeschichtlichen Bezügen zum Syrer Afrahat auf (aaO 257—280). Die Quelle IQA soll eng mit der kleinasiatischen Geistchristologie verwandt sein (aaO 256), die auch noch an anderen Stellen bei Irenäus zu finden sei. — Entschieden bestritten hat Loofs, Theorie F R. M. Hitchcock, Loofs' Asiatic source, aaO.

[71] Loofs, aaO 346.352.

[72] 4,31,2 (SC 100,794).

geschichtlichen Christus Fleisch angenommen habe, zu den Geschöpfen kommen ließ[73].

Die Unterscheidung jedoch steht auf schwachen Füßen. Warum sollte dem Presbyter nicht die Auffassung zuzutrauen sein, daß in der Lotgeschichte die durch Christus erfolgte Geistausgießung für die Kirche aus Juden und Heiden vorgebildet ist. Die antimarkionitische Spitze ist dann nicht zuerst in der Vereinigung der beiden Testamente zu sehen, sondern darin, daß der von den Markioniten geschmähte, dem alttestamentlichen Demiurgen zugewiesene Lot in seinem Verhalten entschuldigt wird, da es einen Typos für den neuen Bund darstellt[74]. Dann aber kann man beim Presbyter nicht mehr von einer Geistchristologie im strengen Sinne des Wortes sprechen. Er hat lediglich, wie auch Irenäus selber, die Geistwirklichkeit eng mit Christus verbunden, um damit die Einigung von Gott und Mensch zu betonen. Ohne über das gesamte von Loofs für die Existenz einer Christologie zusammengestellte Material zu entscheiden[75], kann man doch für die Presbyterpredigt die These mit ihren weitgespannten Konsequenzen zurückweisen und allenfalls eine äußerst behutsame Anwendung für möglich halten.

Wie steht es dann im Bereich der kleinasiatischen Traditionen? Wiederum kann Loofs nur mit Hilfe einer willkürlichen Interpretation zu dem gewünschten Ergebnis gelangen. Er muß in der antiebionitischen Bemerkung, daß sich das »Wort des Vaters und der Geist Gottes« mit der Schöpfung verbunden haben, die Erwähnung des Wortes als eine Einfügung in den hier seiner Meinung nach von Irenäus angezogenen Quellenbereich ausscheiden, bevor er von einer Geistchristologie sprechen kann[76]. Dabei ist jedoch vom Textzusammenhang die Streichung nicht nur nicht nahegelegt, sondern sogar positiv ausgeschlossen, da er die Zweiheit von Wort und Geist fordert[77].

Hat Loofs bei der Presbyterpredigt argumentiert, hier sei usprüng-

[73] Loofs, aaO 105.109.112.

[74] S. nur den Eingang der Presbyterpredigt 4,27,1 (SC 100,728ff) und die Bemerkung über Lot (4,31,1; 788): »etenim Lot non ex sua voluntate, neque ex sua concupiscentia carnali, neque sensum neque cogitationem huiusmodi operationis accipiens, consummavit typum«.

[75] Man vgl.hierzu den ausgewogenen Überblick von A. Grillmeier, Das Konzil von Chalzedon (hrsg. v. A. Grillmeier und H. Bacht) Bd. I, Würzburg 1951, S. 9—42. Die Unterscheidung Grillmeiers zwischen der Übernahme des menschlichen Fleisches durch das Wort und der Geistbegabung der Menschheit Christi (aaO 28f) ist nicht nur eine dogmatische Feststellung, sondern darüber hinaus ein hilfreicher Schlüssel zum Verständnis der umstrittenen Texte.

[76] 5,1,3 (SC 153,26); dazu Loofs, aaO 240 A 1.245ff A 6. Er spielt mit dem Gedanken, die Wendung für Theophilus zu reklamieren.

[77] S. dazu die Interpretation o. § 20 b. bb.

lich vom Geist des Vaters die Rede gewesen, so bringt er umgekehrt bei der gleichfalls dem kleinasiatischen Einfluß zugerechneten Wendung, Christus habe den Geist zur Einung von Gott und Mensch ausgegossen, »indem er Gott bei den Menschen durch den Geist niederlegte und den Menschen bei Gott durch seine Inkarnation«, die Voraussetzung ein, das sei nur möglich, wenn das Wort selber mit dem Geist identisch sei[78]. Das aber wäre erst zu beweisen. Denn wie die Analyse der einschlägigen Texte gezeigt hat, kann von einer Gleichsetzung von Wort und Heiligem Geist bei Irenäus kaum gesprochen werden. Und die Bezeichnung des Sohnes als »Geist Gottes« hat für sich allein genommen keine Beweiskraft hinsichtlich der von Loofs angenommenen Christologie[79].

Obwohl Irenäus selber nach Friedrich Loofs zu anderen christologischen Anschauungen gelangt, weist er ihm eine Bemerkung zu, in der er sich von der Geistchristologie beeinflußt zeige, den Satz, daß Christus »den Menschen mit dem Geist vereint und den Geist im Menschen wohnen läßt«[80]. Nun ist aber auch hier zu fragen, inwieweit die Formulierung einen derart starken Bedeutungsinhalt trägt. Denn sie fügt sich nicht nur ohne Mühe in die Gedanken über die im Menschgewordenen gipfelnde Macht des göttlichen Geistes, sondern steht auch in einem unmittelbaren Kontext, in dem der trinitarische Glaube der Kirche klar ausgesprochen wird[81].

Über die Stellen aus der Epideixis, die Loofs gleichfalls der kleinasiatischen Tradition zuschreibt und für eine Geistchristologie wie für eine »realistisch-pneumatische Erlösungslehre« reklamiert, ohne dies eigens zu begründen, braucht im einzelnen nicht mehr gesprochen zu werden, da sie mit der oben vorgenommenen Überprüfung zur Genüge in den Rahmen der bisher gegebenen Interpretation gestellt sind[82].

Zusammenfassend läßt sich sagen, daß sich die Hypothese einer Geistchristologie vom irenäischen Werk aus nicht bestätigt. Sie kann weder innerhalb der Presbyterpredigt, noch im Einflußgebiet der kleinasiatischen Traditionen überzeugend verifiziert werden, wie sie sich auch dann als nur stumpfes Werkzeug zur Abgrenzung von Quellen erweist. Was über das Verhältnis von Christus und Geist erkennbar geworden ist, kann — richtig verstanden — mit

[78] 5,1,1 (SC 153,20) und Loofs, aaO 241.

[79] Gegen Loofs, aaO 241; vgl. die im vorhergehenden Absatz vorgenommenen Analysen (o. § 20 c. aa).

[80] 5,20,2 (SC 153,260) und Loofs, aaO 242.372.

[81] 5,20,2 schließt sich inhaltlich an die voraufgegangenen Ausführungen über den kirchlichen Glauben, der im trinitarischen Taufbekenntnis seine Mitte hat. S. die Analyse zu 5,20,1 o. § 4 c.

[82] S. Loofs, aaO 437, und die Ausführungen im zurückliegenden Absatz o. § 20 c. aa.

Friedrich Loofs als »realistisch-pneumatische Erlösungslehre« bezeichnet werden[83], nicht aber als Geistchristologie, die mit dem trinitarischen Ansatz in Konkurrenz stünde oder ihn zumindest verdunkeln würde. Die undifferenzierte Rede von einem »›geistchristologischen‹ Ansatz« erscheint darum wenig hilfreich, auch wenn dieser nicht in der kleinasiatischen Tradition hervorgehoben, sondern in den Texten über die Geistsalbung Christi für die Gläubigen gesucht wird[84]. Wichtiger als das Verfahren, eine eingestandenermaßen nicht präzis greifbare Traditionsschicht abzusondern, sie ohne hinreichende Kennzeichnung der eigenen theologischen Aussage des Lyoner Bischofs mit dem wiederum nicht einlinigen Befund der frühchristlichen Theologie zu verbinden[85] und sie dann von anderen Konzeptionen bei Irenäus zu unterscheiden, ist der Versuch, sein Zeugnis als eine Einheit zu begreifen und die vom Autor selber geschaffene Synthese nicht in Frage zu stellen, wo sie sich ohne gewaltsame Konstruktion anbietet.

d) Geistsendung

Wie verträgt sich die Geistausgießung durch den erhöhten Christus nach seiner Himmelfahrt mit der Vorstellung, daß schon bei der Inkarnation und der Taufe Christi die Einigung des Geistes mit der Menschheit erfolgt?

Irenäus läßt einerseits keinen Zweifel an der Bedeutung des Pfingstgeschehens. Nicht nur bei der Auslegung der Apostelgeschichte erwähnt er die Herabkunft des Geistes auf die Jünger[86]; auch im zentralen Kapitel über die Taufe Christi geht er davon aus, daß der Geist nach der Auferstehung über die Menschen kommt[87]. Darüber hinaus findet sich eine Reihe weiterer Bemerkungen, die die pfingstliche Geistausgießung als einen für den Lyoner Bischof gänzlich unbestrittenen Sachverhalt zeigen[88].

[83] Loofs, aaO 358.372.437; s. dazu u. A 96.

[84] So W. D. Hauschild, aaO 208.214f. Gleichwohl braucht die von ihm gegebene Erläuterung dieses »Ansatzes«, »daß Christus von Gott den Heiligen Geist empfing, um ihn nach seinem Tod an die Gläubigen weiterzugeben und sie so zu Pneumatikern zu machen« (214), nicht im Streit mit einer trinitarischen Theologie zu liegen.

[85] Hauschild, aaO 214 A 21, stellt eine traditionsgeschichtliche Verbindung zu Melito von Sardes und Ignatius her. Man vgl. aber etwa für Ignatius von Antiochien die präzise Analyse bei J. Martin, aaO bes. 75—80, die überzeugend die Vielschichtigkeit des Pneumabegriffs herausgearbeitet hat.

[86] 3,12,1f (SC 211,176—184); 3,12,5 (196).

[87] 3,17,2 (SC 211,330—334).

[88] S. 3,11,9 (SC 211,172); 4,33,15 (SC 100,844); 4,36,2 (886); 5,1,1 (SC 153,20); 5,12,2 (146); Epid. 6 (SC 62,40); Epid. 41 (96).

Auf der anderen Seite steht die Anschauung, daß der Geist schon mit der Ankunft Christi neu in Erscheinung tritt. Die Inkarnation wird als die neue Geburt bezeichnet, an der teilzunehmen dem Menschen möglich wird[89]. Es ist von der in Christus geschehenden Geistsalbung für das Geschöpf die Rede[90], oder Irenäus spricht ohne nähere Angabe von der mit Christus eröffneten Erfahrung des Heiligen Geistes[91].

Zu diesen Texten gehört die Bemerkung anläßlich der Auslegung des Benediktus: »So hörte Zacharias auf, stumm zu sein, was seines Unglaubens wegen geschehen war; mit dem neuen Geist erfüllt (vgl. Lk 1,67), pries er aufs neue Gott. Denn alles war neu, weil das Wort auf eine neue Weise kam, um die Ökonomie seiner Ankunft im Fleisch zu erfüllen, damit der Mensch, der von Gott fortgegangen war, für Gott gewonnen werde.«[92] Mit der Menschwerdung Christi beginnt die neue Tätigkeit des Geistes, ja, sie setzt — zeitlich gesehen — sogar schon vor ihr ein, da die Geistmächtigkeit auf die Menschen überspringt und sie die Freude des Neuen Bundes erfahren läßt.

Der Weg zu einer ersten Antwort eröffnet sich über die wiederholte Erklärung, daß der Geist »in den letzten Zeiten« oder »in der Fülle der Zeit« ausgegossen worden ist[93]. Dieses Stadium ist nach Irenäus mit der Ankunft Christi angebrochen. Die alles Vorhergegangene ein- und überholende Endzeit hebt die Weltzeit auf und sammelt sie in das nicht mehr überholbare Wirken des Sohnes Gottes. Er hat in seiner Sichtbarkeit als Mensch den Anfang mit dem Ende verbunden und das Sohnschaftsverhältnis zu Gott wiederhergestellt[94]. Die letzten Zeiten sind darum nicht mehr mit den früheren Kategorien zu zu beschreiben. Als das absolut Neue stellen sie alle bisherigen Maßstäbe in Frage, da Gott selber sein Geschöpf zur Gemeinschaft mit sich emporgehoben hat. So kann es keinen echten Gegensatz zwischen dem Pfingstereignis und dem mit der Menschwerdung eröffneten Geist geben. Beides fließt zu-

[89] 3,19,1 (SC 211,372); 4,33,4 (SC 100,810ff); 5,1,3 (SC 153,24ff).
[90] S. 3,9,3 (SC 211,110ff); Epid. 9 (SC 62,45); 47 (107).
[91] 3,11,8 (SC 211,168); 4,20,4 (SC 100,636); 4,36,4 (892).
[92] 3,10,3 (SC 211,120); Übersetzung mit Rousseau, SC 210,270.
[93] 3,11,9 (SC 211,170); 3,17,1 (330); 3,21,4 (410); 4,33,15 (SC 100,844); 5,12,2 (SC 153,146); Epid. 6 (SC 62,40).
[94] Von den o. § 18 b A 16 angeführten Stellen s. bes. 1,10,3 (H 1,96): »in novissimis temporibus adventus Filii Dei, hoc est in fine«; 4,10,2 (SC 100,496): »in novissimis temporibus redimens (sc. Verbum) nos et vivificans«; 4,38,1 (946): »in novissimis temporibus recapitulans in semetipso omnia venit ad nos«; 4,41,4 (994): (Deus Pater) »in novissimis temporibus Filium suum misit et salutem suo plasmati donat, quod est carnis substantia«; 5,17,1 (SC 153,220ff): »in novissimis temporibus in amicitiam restituit nos Dominus per suam incarnationem mediator Dei et hominum (1 Tim 2,5) factus«.

sammen in der einen Heilswirklichkeit, die am Ende der Geschichte die Zeit des alten Menschen ablöst.
Mit dieser Betrachtungsweise ist ein zweiter Gedanke nicht ausgeschlossen, die Überlegung, daß es ein Hineinwachsen in die Neuheit der letzten Zeiten geben muß. Für den Menschen ist eine weitere Entwicklung notwendig, ehe er vollen Anteil am Heil erhält. Im Wort des Irenäus, seit der Taufe am Jordan »gewöhne« sich der Geist in Christus daran, unter den Menschen zu wohnen[95], kommen die beiden Momente der Wirksamkeit in Christus und seiner besonderen Ausgießung in den Blick. Betrifft das erste die Menschheit des Sohnes allein, so ist beim zweiten das Menschengeschlecht in seiner Vielheit angesprochen. Die Geistbegabung des Gottmenschen strömt über auf die Gläubigen. Was den einen Menschen ausgezeichnet hat, wird zur Gabe für die Vielen, damit sie ihrem Ebenbild entsprechen können. Der theologische Grund für die Doppelheit liegt dann darin, daß der Geist sich in Christus erst an das zweite Stadium gewöhnen muß; mit anderen Worten, die Menschheit wird fähig zum Empfang, weil Christus den Geist für sie übernommen hat. Christus ist die Bedingung für die Geistbegabung der Gläubigen..
Der Gewöhnungsvorgang kann bei all dem nicht als eine formale Beziehung verstanden werden. Er ist inhaltlich gefüllt durch das Erdenleben Christi, das erst das Überspringen des Geistes möglich macht. Nicht zuletzt ist hier an das Todesleiden Christi als den höchsten Akt der Gewöhnung des Geistes an die Menschheit zu denken. Auf ihren tiefsten Grund hin durchstoßen, bedeutet die Gewöhnung die Erniedrigung des Gottessohnes in das »Fleisch der Sünde« (Rö 8, 3), um durch die Überwindung der Sünde den Menschen für Gott zu heiligen[96]. Irenäus formuliert: »Da also der Herr

[95] 3,17,1 (SC 211,330).

[96] Dazu seien als Zitat die eindrucksvollen Sätze von 3,20,2 (SC 211,390ff) wiedergegeben: »Quapropter et Paulus ait ›Conclusit autem Deus omnia in incredulitate ut omnium misereatur‹ (Rö 11,32), non de spiritualibus aeonibus dicens hoc sed de homine, qui fuit inobaudiens Deo et proiectus de immortalitate, dehinc misericordiam consecutus est et per Filium Dei eam, quae est per ipsum percipiens adoptionem ... Quoniam et ipse ›in similitudinem carnis peccati‹ (Rö 8,3) factus est, uti condemnaret peccatum et iam quasi condemnatum proieceret illud extra carnem, provocaret autem in suam similitudinem hominem, imitatorem eum assignans Deo et in paternam imponens regulam ad videndum Deum et capere Patrem donans: Verbum Dei, quod habitavit in homine et Filius hominis factus est, ut assuesceret hominem percipere Deum et assuesceret Deum habitare in homine secundum placitum Patris.« A. Rousseau, SC 210,351ff, schlägt die überzeugende Korrektur: »in patern*um* imponens (ἀναγαγών) *regnum*«, vor, womit ein vorzüglicher Sinn erreicht wird. — Über die irenäische Erlösungslehre ist hier nicht näher zu handeln. Bonwetsch hat vermerkt, Irenäus scheue sich, »das Verfallensein an die Sünde hervorzuheben« (aaO 81), und gemeint, daß »das Kreuz Christi — und damit auch seine Auf-

uns mit seinem Blut erlöste, seine Seele für unsere Seele dahingab, sein Fleisch für unser Fleisch, und den Geist des Vaters zur Einigung und Gemeinschaft Gottes und der Menschen ausgoß ..., sind alle Lehren der Häretiker verloren.«[97]. Die Geistausgießung ist als ein besonderer Akt zu unterscheiden, wenn das Heilshandeln Gottes in Rücksicht auf die Situation des Menschen zur Sprache gelangt. So gesehen ist sie das Ergebnis des von Christus durchlittenen Gewöhnungsprozesses. Anders gesagt, sie wird möglich, weil der Sohn Gottes von seiner Menschwerdung an das Menschsein bis in den Tod hinein durchgetragen hat.
Das Christusereignis und die Geisterfahrung erweisen sich als Einheit. Sie sind das Neuheitsgeschehen der letzten Zeiten, in das der Mensch hineingenommen ist. Indem der Geist die Fülle göttlicher Lebendigkeit schenkt, steht er in dem einen Heilswerk des trinitarischen Gottes, wird er mit dem Sohn und von ihm aus fruchtbar, um das Geschöpf dem Vater vorzustellen.

§ 21 Der Heilige Geist in der prophetischen Ankündigung des Alten Bundes

Das Heilsgeschehen der letzten Zeiten legt für den Bischof von Lyon die gesamte Geschichte Gottes mit der Menschheit aus. Von ihm aus öffnen sich die heiligen Schriften, die von Gottes einstmaligem Handeln Zeugnis geben.

a) Die Öffnung des Alten Testaments durch die geistgewirkte Prophetie

Liest man die Schriften des Alten Bundes mit den Augen eines nur in ihrem unmittelbaren Kontext verbleibenden Betrachters, dann

erstehung — nicht die zentrale Stellung« einnehmen (aaO 113). Loofs, Theophilus, kommt — allerdings bei seiner Reduzierung auf »Irenäus selbst« — zu dem Ergebnis, er habe eine »physische Erlösungslehre« vertreten, indem er die »pneumatische Erlösungslehre von IQA mit der Logoslehre Justins verband« (aaO 374; s. auch 449—451). Vgl. Harnack I 607—613; Seeberg I 406—413. — Nun braucht freilich nicht bestritten zu werden, daß Irenäus der Theologe der Menschwerdung Gottes ist; aber es wäre doch falsch, ihn in eine von ihm selber nicht gewollte einseitige Systematik zu pressen, innerhalb derer dann die Aussagen über die Erlösung durch den Kreuzestod keinen echten Ort mehr hätten. Außer der bereits zitierten nenne ich: 3,5,3 (SC 211,62): »qui redemit nos de apostasia sanguine suo (vgl. Eph 1,7) ad hoc ut essemus et nos populus sanctificatus (vgl. 1 Petr 2,9)«; sowie 3,16,9 (324); 3,18,6 (362); 4,5,4 (SC 100,434); 4,10,2 (496); 4,20,2 (630); 5,1,1 (SC 153,18ff); 5,1,2 (24); 5,2,1 (28ff); 5,14,3.4 (188.190ff.194); 5,16,3—17,1 (218—234). — Joppich, aaO 108—111, spricht deshalb zu Recht von der Einheit der »ontischen« und »aktiven« Rekapitulation bei Irenäus.

[97] 5,1,1 (SC 153,20).

bleiben sie blind, zweideutig und rätselhaft in bezug auf ihren wahren Sinn. Er erschließt sich aber, sobald sie durch Christus aufgeschlossen werden. Diese neue, nunmehr allein angemessene Betrachtungsweise wird dem Lyoner Bischof am Unterschied zwischen christlichem und jüdischem Schriftverständnis deutlich. Er schreibt: »Wenn darum heute von den Juden das Gesetz gelesen wird, so gleicht es einer gehaltlosen Geschichte (fabula). Denn ihnen fehlt die Erklärung von allem, die in der Ankunft des Sohnes Gottes als Mensch besteht. Wird es aber von den Christen gelesen, dann ist es der im Acker verborgene Schatz (Mt 13, 44), den das Kreuz Christi offenbar gemacht und erklärt hat. Es bereichert die Einsicht der Menschen, zeigt die Weisheit Gottes, macht seine Heilsanordnungen für den Menschen erkennbar und stellt das Reich Christi im voraus dar ...«[1]. So werden die Schriften zum ersten, zum »alten« Testament, das seinen Sinn durch die Offenheit auf den Neuen Bund hin erhält. Auf diesen bezogen, sind sie das unverzichtbare Zeugnis für den Heilswillen des einen Gottes.

Worin besteht aber die über die unmittelbare geschichtliche Situation hinausführende Dimension der Schriften? Irenäus erkennt sie darin, daß sie Prophetie des Neuen Bundes sind. In ihnen kündigt sich an, was in seiner Fülle bei Christus sichtbar geworden ist. Die Prophetie befreit sie aus einer vermeintlichen Abgeschlossenheit und macht sie zum »Anfang des Evangeliums«[2]. Da nun die prophetische Ansage dem Heiligen Geist zu verdanken ist, da er als der prophetische Geist den Alten Bund über sich hinausgehoben und auf das volle Offenbarwerden des Heils vorbereitet hat, kommt ihm eine wesentliche Bedeutung für die Vorbereitung des Evangeliums zu[3].

Auch in der Frage der Prophetie steht der Bischof von Lyon in einem Abwehrkampf gegen die häretische Interpretation. Es liegt in der Konsequenz des gnostischen Ansatzes, die Unterscheidung zwischen dem unbekannten Gott und dem Schöpfer dieser Welt vor allem in den Schriften des Alten Testaments, in der Zeit vor der Herabkunft des Erlösers also, ausgesprochen zu finden. Die Valentinianer nehmen darum in bezug auf die Prophetie eine ähnliche Trennung vor wie in der Christologie. Sie lehnen die Prophetien

[1] 4,26,1 (SC 100,714ff). Daß Irenäus an das AT schlechthin und nicht nur an das Gesetz denkt zeigt der Eingangssatz: »si quis igitur intus legat Scripturas, inveniet in eisdem de Christi sermonem et novae vocationis praefigurationem« (4,26,1; 712).

[2] 3,10,6 (SC 211,136); Irenäus zitiert Mk 1,1—3 und erklärt: »manifeste initium Evangelii esse dicens sanctorum prophetarum voces«.

[3] S. 3,11,8 (SC 211,166), wo Irenäus wiederum zu Mk ausführt: »Marcus vero a prophetico Spiritu ex alto adveniente hominibus initium fecit: initium Evangelii quemadmodum scriptum est in Esaia propheta (Mk 1,1f) ... «

nicht schlechthin ab, lassen sie aber teils von dem pneumatischen Samen, dem Geistelement der wieder zum Pleroma drängenden Sophia, gewirkt sein und finden dann in ihnen geheimnisvoll verschlüsselte Hinweise auf die gnostischen Wahrheiten, zum anderen Teil schreiben sie sie dem psychischen Demiurgen zu, der sich in ihnen Ausdruck verschafft habe[4].

Radikaler als sie geht Markion vor. Ohne etwas vom Alten Testament übrig zu lassen, schneidet er es von dem guten Gott ab und betrachtet die Prophetien in ihrer Gesamtheit als wertlos[5].

In beiden Fällen gelangt man zu einem in der Sache gleichen Ergebnis. Mit der Auflösung der Prophetie wird Gott von der Geschichte der Menschheit getrennt. An die Stelle einer Kontinuität, die von Gott her eröffnet, die Welt in der Beziehung mit ihm erhält, tritt der Bruch mit unüberbrückbaren Gegensätzen einerseits und der Erwählung eines seit jeher dazu bestimmten Teils auf der anderen Seite. Man nimmt Zuflucht bei einer Heilsvorstellung, die Gott und Mensch dadurch auf einen Nenner zu bringen sucht, daß sie bei beiden die als anstößig empfundene Seite aufhebt: das Eingehen Gottes in die menschliche Geschichte und die leib-seelische Verfaßtheit des Menschen.

Für Irenäus bedeutet das die Herausforderung zu entschiedenem Widerspruch. Er verteidigt mit der Berufung auf die geistgewirkte Prophetie die Universalität des christlichen Gottes, der sich als der eine Herr der ganzen Menschheit erweist, da er sie schon immer auf sein volles Offenbarwerden ausgerichtet hat.

Die Aussagen des Lyoner Bischofs bewegen sich in zwei eng aufeinander bezogenen Bereichen. Einmal stößt er auf den Geist in den prophetischen Schriftworten über den Neuen Bund. Dann findet er ihn im antizipatorischen Geistbesitz der Gerechten und Propheten, der sie zu Vorboten des neutestamentlichen Heils macht.

b) Der Geist in der Prophetie

aa) Der eine Leib Christi

In der Prophetie geschieht die Öffnung des Alten Testaments für die neue Heilszukunft. Der Geist läßt die berufenen Verkünder die kommende Sichtbarkeit Gottes schauen. Irenäus schreibt: »Da nun der Geist Gottes durch die Propheten die Zukunft verkündete, um uns im voraus zur Hingabe an Gott zu formen und anzupassen, die Zukunft aber darin bestand, daß der Mensch nach dem Wohlgefallen des Vaters Gott sähe, mußten die Verkündiger der Zukunft

[4] S. 1,7,3f (H 1,62f); 4,35 (SC 100,862—876).
[5] S. 4,34 (SC 100,846—860) sowie 4,8,1 (464ff); 4,33,15 (844ff).

notwendigerweise den Gott sehen, dessen Anschauung sie selber den Menschen nahe brachten. Denn Gott und der Sohn Gottes, der Sohn und der Vater, sollten nicht nur in Worten prophetisch verkündet werden, sondern von allen geheiligten und über Gott belehrten Gliedern gesehen werden ... Denn nicht nur im Wort prophezeiten die Propheten, sondern auch durch Gesichte, durch ihr Verhalten und ihre Handlungen, wie es ihnen der Geist eingab.«[6]

Ohne schon sämtliche Aspekte des inhaltsreichen Textes würdigen zu müssen, kann man für den vorliegenden Zusammenhang festhalten, daß die Wirksamkeit des Geistes in der prophetischen Ankündigung eine echte gesamtmenschliche Begegnung mit Gott ermöglicht. Sie nimmt die Zukunft noch nicht vorweg, löst aber auch nicht alles in einer reinen Zukunftshaftigkeit auf, sondern schenkt schon von ihr geprägte anfangshaft gültige Gegenwart. Prophetie ist nicht unverbindliches Menschenwort oder — vom Neuen Bund aus gesehen — eine willkürliche Anpassung von Aussagegehalten an irgendwelche Worte, sondern eine von Gott im Geist gesetzte Wirklichkeit. Dadurch daß der Geist auf die Zukunft ausrichtet, ereignet sich in ihm schon sinnhafte Gegenwart, und das nicht nur bei den Propheten im technischen Sinne des Wortes, sondern auch, wie es an anderer Stelle heißt, bei »vielen Gerechten, die durch den Geist seine (Christi) Ankunft vorauswußten«[7].

In der in der Geistprophetie gegebenen Vorausdarstellung erkennt Irenäus den einen Leib Christi in seiner Erstreckung über die Zeiten hin. Die Propheten und Gerechten sind Glieder des Herrenleibes, da sie in ihrer Vielfalt und der jeweiligen geschichtlichen Situation entsprechend auf den Herrn in seiner Menschwerdung hinweisen. Im Geist gewinnt das Werk des Sohnes seine Ausdehnung. Es kündigt sich in der Prophetie schon wirksam an, ehe es sichtbar und greifbar in Erscheinung tritt[8]. Deshalb verstümmelt den »unversehrten Leib« des Sohnes, wer hier Trennungen vor-

[6] 4,20,8 (SC 100,648ff); statt »nach dem Wohlgefallen des Vaters« (armen.) liest die lateinische Übersetzung: »per sancti Spiritus beneplacitum«. Eine Verwechslung läßt sich leicht durch einen Lesefehler erklären (s. den App. z.St.). Für die armenische Version spricht, daß Irenäus sonst das Moment der willensmäßigen Zustimmung dem Vater zuweist. Vgl. die Ausführungen über die Souveränität Gottes o. § 17.

[7] 4,11,1 (SC 100,496).

[8] 4,2,4 (SC 100,404): »Dominus ... demonstrat ex una substantia esse omnia, id est Abraham et Moysen et prophetas etiam ipsum Dominum, qui resurrexit a mortuis«; 4,33,10 (824): »cum enim et ipsi membra essent Christi, unusquisque eorum secundum quod erat membrum, secundum hoc et prophetationem prophetabat, omnes et multi unum praeformantes et ea, quae sunt unius annuntiantes«; vgl. 4,33,15 (842ff).

nimmt und die Prophetien verschiedenen Wesenheiten zuordnet, statt sie auf das eine göttliche Heilshandeln zu beziehen.

bb) Geist und göttliches Wort

Die Beobachtung, daß sich für Irenäus in der Geistprophetie das Werk des Sohnes realisiert, führt zu einer besonderen Eigenart seiner Theologie, der engen Verbindung von Sohn und Geist auch im Alten Testament. Der Lyoner Bischof spricht nicht nur von dem Geist, der die Zukunft verkündet hat; er kann ebenso gut erklären, das Wort oder der Sohn habe mit Adam, Noe, Abraham, Mose und den Propheten gesprochen[9]. Es wird zu prüfen sein, welches Verhältnis zwischen beiden Aussagereihen besteht, ob Irenäus zwei nicht miteinander ausgeglichene Konzeptionen stehengelassen hat oder ob sie gar im Sinne einer bisher nicht bestätigten Identität von Logos und Pneuma zu verstehen sind[10].
Der Bischof von Lyon betont seinen theologischen Gegnern gegenüber, daß das Wort schon immer in der Heilsgeschichte gehandelt hat. Es ist nicht als der Künder des unbekannten Gottes völlig unvermittelt in die Welt gekommen, sondern hat sich lange vorher angekündigt. Deshalb ist im Alten Bund nicht ein untergeordneter Demiurg in Erscheinung getreten. Durch das Wort (und den Geist) hat sich der eine Gott zu erkennen gegeben. Wie der Sohn in seiner Menschwerdung die Manifestation des Vaters ist, so gibt er von Beginn an Kunde von ihm, um das Geschöpf durch die nie gänzlich abgerissene Bindung an ihn am Leben zu erhalten[11].
Für die alttestamentlich-prophetische Vorausdarstellung gilt darum der unbezweifelbare Satz: »Alle, die von Beginn an Gott erkannt und die Ankunft Christi prophezeit haben, haben die Offenbarung von eben dem Sohn empfangen, der in den letzten Zeiten sichtbar und greifbar geworden ist und mit dem Menschengeschlecht geredet hat.«[12] Das Wort hat die Gabe der Prophetie verliehen. Es hat das Vorherwissen der Zukunft ermöglicht und mit den Gestalten

[9] 3,6,1 (SC 211,68); 3,11,8 (168); 3,19,1 (372); 4,2,3 (SC 100,400); 4,5,2 (430); 4,6,6 (448ff); 4,7,2 (458); 4,9,1 (480); 4,10,1 (492); 4,20,4 (634); 5,22,1 (SC 153, 280); Epid. 2 (SC 62,30); 12 (51); 34(86); 44 (102); 45 (104); 46 (105f).
[10] Justin spricht oft vom Geist als Urheber der Prophetie (Apol. 1,31,1; ed. Goodspeed 46; 1,32,2; 47; 1,32,8; 48; 1,33,2; 48f; 1,33,5; 49; 1,35,3 50; 1,39,1; 52; 1,40,1; 53; 1,41,1; 54; 1,42,1; 55; 1,44,1; 56; 1,44,11; 57; 1,47,1; 59 1,48,4; 60; 1,51,1; 62; 1,53,4; 64; 1,59,1; 68; 1,60,8; 69; 1,63,2; 71; 1,63,12; 72 etc.), kann sie aber auch dem Logos zuschreiben (1,33,9; 49; 2,10,8; 86; und bes. im Dial. 49,2; 147; 52,4; 152; 54,2; 154; 55,2; 154 u. ö.). J. Martin, aaO 167—177, sucht eine Lösung, indem er verschiedene Schemata unterscheidet.
[11] S. nur 4,20,7 (SC 100,646ff) und 3,11,6 (SC 211,156).
[12] 4,7,2 (SC 100,458).

des Alten Bundes gesprochen[13]. Seine sichtbare Ankunft wurde in der Geschichte vorbereitet. Es ist den Menschen nicht fremd, da sie — zum Wachstum und zur vollen Begegnung mit dem Sohn Gottes bestimmt — sich durch den anfangshaften Kontakt mit ihm daran gewöhnt haben, in seine Nachfolge einzutreten, ehe er ihnen von Angesicht zu Angesicht gegenüberstand[14].

War bisher noch nicht vom Geist die Rede, so stellt Irenäus mit der folgenden Bemerkung die Verbindung her: »Von Anfang an steht der Sohn seinem Geschöpf bei und offenbart allen den Vater, bei denen der Vater es will, wann und wie er es will; und deshalb ist in allem und durch alles der eine Gott Vater, das eine Wort, der eine Geist und ein Heil für alle, die an ihn glauben.«[15] In einem Atemzug werden, von anderem abgesehen, das Wort und der Geist genannt, ja, Irenäus scheint einen inneren Begründungszusammenhang zu schaffen: Weil das Wort zu allen Zeiten am Werk ist, deshalb gibt es auch den einen Geist im Alten und im Neuen Bund. Sohn und Geist treten zusammen. Sie verweisen aufeinander in ihrer Selbigkeit im Laufe der Geschichte.

Ob eine Interpretation in dieser Richtung weiter vorangetrieben werden kann, muß sich bei der Überprüfung der übrigen Erklärungen über das Verhältnis von Wort und Geist in der Prophetie zeigen.

Der Bischof von Lyon nennt Abraham einen Propheten, der »im Geist den Tag der Ankunft des Herrn und die Heilsanordnung seines Leidens sah«, und folgert, Gott Vater und der Sohn seien ihm nicht unbekannt gewesen, »weil er vom Wort Gott kennengelernt hatte«[16]. Das Sehen im Geist wird der Kundgabe durch das Wort zugeordnet, und zwar so, daß dieses die Offenbarungsfunktion erhält, während der Geist als der Bereich erscheint, in dem das Wort sich dem Menschen eröffnet.

[13] 4,11,1 (SC 100,498): multi prophetae et iusti (Mt 13,17): »quemadmodum igitur concupierunt et audire et videre, nisi praescissent futurum eius adventum? Quomodo autem praescire potuerunt, nisi ab ipso praescientiam ante accepissent? ... omnia semper per Verbum revelata et ostensa ...«; 4,20,4 (634): »prophetae ab eodem Verbo propheticum accipientes charisma«.

[14] 4,5,4 (SC 100,434): »in Abraham enim praedidicerat et assuetus fuerat homo sequi Verbum Dei«; 4,5,5 (434): »ipse (sc. Abraham) quoque et omnes qui similiter ut ipse credidit credunt Deo salvari inciperent«; 4,11,1 (498): »aliquando quidem colloquente eo (sc. Verbo) cum suo plasmate, aliquando autem dante legem, aliquando vero exprobante, aliquando vero exhortante, ac deinceps liberante servum et adoptante in filium et apto tempore incorruptelae hereditatem praestante ad perfectionem hominis. Plasmavit enim eum in augmentum et incrementum, quemadmodum Scriptura dicit: ›Crescite et multiplicamini‹ (Gen 1,28)«.

[15] 4,6,7 (SC 100,454); s. auch 4,5,4f (434); 4,20,7f (648).

[16] 4,5,5 (SC 100,434ff).

Einen Schritt weiter führt die nächste Bemerkung. Anläßlich der Auslegung neutestamentlicher Parabeln zum Erweis der Einheit Gottes kommt Irenäus auch auf das Gleichnis vom unfruchtbaren Feigenbaum zu sprechen; er verbindet es mit dem Wehruf über das prophetenmordende Jerusalem (Lk 13, 34) und zieht den Schluß, schon bei den Patriarchen und Propheten sei das Wort Gottes aufgetreten; es mache den einen Gott offenbar, der die früheren Gerechten und dann die Heidenvölker der christlichen Zeit berufen habe: »Es ist dasselbe Wort Gottes, das die Patriarchen erwählt hat, sie oft durch den prophetischen Geist besuchte und uns von allen Seiten durch seine Ankunft herbeirief ...«[17].

Zwei Weisen der Auskunft werden geschildert, die des Sohnes als Mensch und die schon früher im Alten Bund erfolgte. Beidemale handelt es sich um das eine Wort, beide Begegnungsweisen bedeuten das Heil für die einstmaligen Gerechten wie für die Berufenen aus der Heidenwelt. Aber es gibt doch einen entscheidenden Unterschied. Bleibt die erste Ankunft auf die wenigen Erwählten beschränkt, deren Predigt bei der großen Menge kein Gehör gefunden hat, so wird bei der zweiten dem neuen Israel die Möglichkeit zum Fruchtbringen geschenkt. Von der sichtbaren Erscheinung des Wortes als Mensch aus gesehen, erweist sich das Frühere als prophetischer Hinweis auf die erst in der Zukunft eintretende Fülle des Heils. Irenäus bezeichnet die erste Ankunft im Unterschied zur menschlichen Gegenwart als ein In-Erscheinung-Treten durch den Geist. In ihm kommt das Wort schon zu den Menschen, es spricht zu ihnen und offenbart den Vater. Im Geist gibt es sich als der künftige Gottmensch zu erkennen und bezieht die Gerechten der vorchristlichen Zeit in das eine Erlösungswerk ein. Der »Besuch durch den prophetischen Geist« ist die Weise der Gegenwart des Wortes, die, auf die Zukunft ausgerichtet, schon heilsmächtig ist[18].

Kann man als Zwischenergebnis den Satz festhalten, daß das göttliche Wort im Geist in der Weise der Prophetie anwesend ist, dann hat man einen Ausgangspunkt für die Interpretation eines weiteren Textes gewonnen. Zum Eingang der Epideixis kommt Irenäus auf das Werk des trinitarischen Gottes in seiner Ausrichtung auf den Menschen zu sprechen; er schließt den Gedankengang mit dem Satz ab: »So also zeigt der Geist das Wort, deshalb haben auch die Pro-

[17] 4,36,8 (SC 100,916).

[18] Der gleiche Gedankengang findet sich in 4,20,5 (SC 100,638), wo Irenäus, nachdem er die Offenbarungsfunktion des Wortes betont hat, auf die Sichtbarkeit Gottes bezogen ausführt: »potens est enim in omnibus Deus; visus quidem tunc per Spiritum prophetice, visus autem per Filium adoptive, videbitur autem in regno caelorum paternaliter; Spiritu quidem praeparante hominem in Filium Dei ...«

pheten den Sohn Gottes angekündigt; das Wort aber spricht den Geist aus, und deshalb spricht es selber zu den Propheten und hebt die Menschen zum Vater empor.«[19]

Irenäus bemüht sich um die Formulierung eines Beziehungsverhältnisses, bei dem die doppelte Aussage vom Wirken des Geistes wie von der Wirksamkeit des Wortes in der Prophetie ihren Sinn erhält. Beiden weist er eine je eigene Funktion zu. Der Geist »zeigt«, das heißt, er stellt eine Weise der Sichtbarkeit her, da er den Propheten zu erkennen gibt, daß sich der Sohn Gottes als Mensch offenbaren wird. Liegt die im Geist geschaute Ankunft in der Zukunft, so ist aber das Wort doch in der Prophetie gegenwärtig. Denn der Geist, der es prophetisch als den Gottmenschen zur Erscheinung bringt, ist vom Wort in der ihm eigenen Weise »ausgesprochen«. Indem das Wort sich in ihm artikuliert, spricht es selber zu den Menschen. Auf eine Formel gebracht, dem Geist kommt das Sichtbarmachen, dem Wort das Sprechen in der Prophetie zu. Es ist in der prophetischen Rede worthaft zugegen, während seine menschliche Gegenwart durch den Geist vorausgeschaut wird.

Dabei versteht der Lyoner Bischof den Geist offenbar als die Realität, die in der Prophetie unmittelbar beim Menschen ist, gelangt doch in ihr das Wort zur Erscheinung und ist dieses dadurch der Sprecher in den Propheten, daß es den Geist artikuliert. Beides wird durch den Geist vermittelt, der seinerseits vom Wort gegeben und nur in dieser Folge zugänglich wird. So betrifft die vorgenommene Unterscheidung nicht zwei säuberlich voneinander abgrenzbare Bereiche. In dem einen Vorgang der vom Wort im Geist geschenkten Prophetie, kann der Aspekt des Schauens dem Geist, der des Sprechens dem Wort zugewiesen werden, ohne daß beides als eine nicht auflösbare Doppelung erscheinen muß[20].

Damit ist Irenäus zu einer Antwort gelangt, die einer Identifizierung von Wort und Geist aus dem Weg geht und gleichzeitig ein unausgeglichenes Nebeneinander überwindet. Die Prophetie ist eine auf die Zukunft bezogene Begegnung mit dem Wort. Christus spricht zu den Menschen. Als der alleinige Offenbarer des Vaters schenkt er die Gabe der prophetischen Erfahrung. Im

[19] Epid. 5 (SC 62,37f). Zur Übersetzung: »spricht den Geist aus«, s. die Anm. z. St. von L. M. Froidevaux.

[20] Die gleiche Zuordnung findet sich in 4,5,2.5 (SC 100,430.434); vom Wort-Sohn heißt es: »qui et locutus est Moysi, qui et patribus manifestatus est«; dann schreibt Irenäus: »propheta ergo cum esset Abraham et videret in Spiritu diem adventus Domini et passionis dispositionem ...« — Mit der vorgeschlagenen Interpretation läßt sich m.E. die Unentschiedenheit überwinden, die sich etwa in der Bemerkung von Froidevaux, SC 62,38 A 13, äußert: »Irénée attribue donc l'inspiration prophétique tantôt au Verbe, tantôt à l'Esprit-Saint«.

prophetischen Geist eröffnet sich der Sohn im Blick auf seine künftige Sichtbarkeit. Ganz auf die Selbstoffenbarung Gottes bezogen, verkündet der Geist nicht etwas Eigenes, sondern dient der Kundgabe des Vaters durch den Sohn an die Menschen. Der Bischof von Lyon kann deshalb mit Justin erklären: »Der Geist Gottes ... hat bei den Propheten manchmal im Namen Christi, manchmal im Namen des Vaters gesprochen.«[21] Der prophetische Geist steht in unlösbarer Verbindung mit dem Vater und dem Sohn und bringt sie zu Wort, so daß er in beider Namen auftreten kann. Immer gibt sich in ihm Gott zu erkennen[22], der sein Geschöpf von Anfang an auf die Begegnung mit ihm vorbereitet.

cc) Inhalt der Prophetie

Die Berufung auf die Prophetie dient dem Anliegen, die Einheit Gottes und seines Handelns unter Beweis zu stellen. Gott erweist sich als der eine, sei es, daß er durch die Propheten verkündet wird, sei es, daß der derselbe ist, der sie gesandt und später die Erfüllung der Verheißungen geschenkt hat[23]; und es zeigt sich die Einheit Christi, da er schon vor seinem sichtbaren Auftreten in der Geschichte wirksam gewesen ist[24].

Der Inhalt der prophetischen Aussage besteht mit einem Wort in der Ankündigung der Erlösung, das heißt, des in Christus aller Welt zugänglich gewordenen Heils[25]. Im Schriftbeweis erkennt der

[21] Epid. 49 (SC 62,110). Justin schreibt, daß die Propheten ὡς ἀπὸ προσώπου sprechen, wobei der Logos sie bewegt und sie manchmal in der Rolle des Vaters, manchmal in der Rolle Christi, manchmal in der des Volkes reden läßt: Apol. 1,36,1f (ed. Goodspeed 51); vgl. Apol. 1,37,1; 51; 1,37,3; 51; 1,37,9; 52; 1,38,1; 52; 1,47,1; 59; 1,49,1; 60; 1,53,7; 64; Dial. 25,1; 118; 30,2; 124; 36,6; 133; 42,2; 139; 88,8; 203.
Nach C. Andresen, Zur Entstehung und Geschichte des trinitarischen Personenbegriffs, ZNW 52 (1961) 1—39, liegt in der prosopographischen Exegese der Ursprung für die trinitarische Personenlehre. — Zur Interpretation von Dial. 36,6, wo vom πρόσωπον des Geistes die Rede ist, vgl. Martin, aaO 294ff. — Vgl. auch Tertullian, s.o. § 5 b A 25.

[22] S. dazu Texte, in denen Gott als Subjekt der Prophetie erscheint: 3,9,1 (SC 211,102); 3,9,3 (112); 3,10,2 (118); 3,10,4 (128); 3,12,1 (178); 3,12,4 (192); 3,12,10 (226); 3,16,2 (290); 3,21,3 (406); 5,26,2 (SC 153,332) u.ö.

[23] So 3,9,1 (SC 211,98.102); 3,10,4.6 (128.136); 3,11,4 (150); 3,12,4.10 (192.226); 3,15,3 (284); 3,16,3 (296); 4,5,2 (SC 100,430); 4,11,1 (498); 4,14,3—15,1 (548); 4,16,1 (560); 4,20,5 (636); 4,34 (846—860); 4,35 (862—876); 4,36,2 (882ff) u.ö.

[24] Z. B. 3,6,1 (SC 211,68); 3,11,8 (168); 4,5,2 (SC 100,430); 4,5,3—5 (432—436); 4,6 (436—454); 4,7,2 (458); 4,9,2 (480ff); 4,10,1 (490ff); 4,34 (846—860); 4,35 (862—876); 4,36,7 (910ff); 4,36,8 (916).

[25] Epid. 42 (SC 62,99): »wir sollten erkennen, daß es Gott war, der uns im voraus die Geschichte unseres Heils erzählt hat«.

Gläubige die Menschwerdung des göttlichen Wortes[26]. Der Geist macht die richtige Interpretation der Taufe Christi möglich[27]. Er zeigt, wie die Worte Christi die früher gegebenen Weisungen aufnehmen, so daß mit der Prophetie schon der Weg der göttlichen Gebote vorgezeichnet ist[28]. Der prophetische Geist hat die Erniedrigung des Gottessohnes, seinen Leidensweg zum Kreuz wie auch seine Auferstehung in Herrlichkeit und die Wiederkunft zum Gericht angesagt[29]. Der Reichtum des neu durch Christus geschenkten Heiligen Geistes ist von ihm angekündigt worden[30]. Und schließlich haben die Propheten schon von der Kirche des Neuen Bundes gesprochen, auf die gegen sie anstürmende Bedrängnis hingewiesen und sie als den rettenden Hafen bezeichnet, in den man flüchten soll, weil hier allein das in den Schriften bezeugte Heilswerk Gottes erfahren werden kann[31].

Mit diesen gerafften Angaben zum Inhalt des alttestamentlichen Geistzeugnisses wird ein Entsprechungsverhältnis zu seiner strukturellen Eigenart sichtbar. Auch von der inhaltlichen Seite her bestätigt sich, daß das Geistwirken nicht als ein isolierbares Phänomen betrachtet werden kann. Es bleibt ganz auf die neutestamentliche Offenbarung ausgerichtet. Die Erfahrung der Menschwerdung, der Geistspendung und des Lebens in der Kirche wird durch die Prophetie auf die Heilsgeschichte ausgelegt. So wird die Spannungseinheit von Altem und Neuem Bund sichtbar. Die Prophetie kündigt das Neue im voraus an, wie sie umgekehrt von ihm aus in ihrer Warheit erkannt wird. Andererseits erweist sie sich als die auf die Zukunft bezogene Schau durch eine kleine Zahl von Menschen, die durch die sichtbare Erfüllung für die Vielen abgelöst wird.

Man kann an Irenäus die Frage stellen, ob er nicht mit seiner Verbindung der beiden Testamente die endzeitliche Dynamik des einen gestutzt und den Neuheitswert des anderen gemindert hat[32]. In der

[26] 3,10,2 (SC 211,116); 3,16,2 (292); 3,16,3 (296); 3,19,1 (372); 3,21,1—9 (398—430); Epid. 30 (SC 62,79f); 36—39 (89—94); 53—64 (112—131).

[27] 3,9,3 (SC 211,108ff); 3,17,1—3 (328—336).

[28] 4,2,3 (SC 100,400); 4,2,4 (402); 4,12—16 (508—574); 5,22,2 (SC 153,282ff).

[29] 2,32,3f (H 1,374); 4,5,5 (SC 100,434); 4,33,11—13 (824—840); Epid. 65—88 (SC 62,131—155).

[30] 3,9,3 (SC 211,110); 3,12,1 (178); 3,17,1—3 (328—336); 4,20,6 (SC 100,642); 4,20,10 (658); 4,36,2 (882).

[31] 4,33,9f (SC 100,822ff); 4,33,14 (840ff); 5,20,1 (SC 153,256); 5,20,2 (258); 5,34,3 (430); Epid. 89—97 (SC 62,156—167).

[32] Th. Rüsch, aaO 94, spricht von einer »charakteristischen Verkürzung des alttestamentlichen Messianismus, indem er (Irenäus) die nationalen Hoffnungen der Propheten, den Gedanken des Reiches Gottes und des Tages Jahwes in der Erscheinung Christi als erfüllt betrachtet«. H. Urs von Balthasar, Ästhetik 2,1 S. 91, stellt in seinen verständnisvollen Schlußbemer-

Tat scheint es im Licht heutiger Exegese schwer möglich, Prophetie an rein äußerliche Merkmale oder nur unzureichend verifizierte Texte zu binden. Abgesehen von den Detailfragen jedoch, denen eine der historischen Problematik verpflichtete Exegese größere Sorgfalt widmen wird, als Irenäus es getan hat, kann der methodologische Grundansatz bleibende Gültigkeit für sich beanspruchen. Die in der Prophetie eröffnete Verbindung des Alten und des Neuen Testaments ermöglicht eine aktualisierende Exegese, die die Gegenwartsbedeutung der vergangenen geschichtlichen Situation erkennt, indem sie ihre Offenheit auf die Zukunft hin aufdeckt. Dabei wird die notwendigerweise bestehende Zeitbedingtheit nicht aufgelöst, sondern als Anknüpfungspunkt für die neutestamentliche Glaubenserfahrung betrachtet. Auf dem von Irenäus beschrittenen Weg kann das alttestamentliche Zeugnis über Gott ohne Verkürzung als anfangshaftes Erahnen dessen aufgenommen werden, der im Neuen Bund als Vater, Sohn und Geist offenbar geworden ist.

c) Antizipatorischer Geistbesitz

aa) Teilhabe an der Zukunft

Schon bevor der Geist vom Menschgewordenen aus in seinem ganzen Reichtum frei wird, werden im Alten Bund Menschen von ihm ergriffen. Er zeigt sich nicht nur in den äußerlichen Handlungen der Propheten und Gerechten. Schon in ihrer Person läßt er sie ein echtes Zeugnis von der Zukunft geben, da er über sie kommt und ihnen Gemeinschaft mit Gott schenkt[33]. Irenäus erklärt, daß durch ihn »die Väter die Dinge Gottes gelernt haben und die Gerechten auf dem Weg der Gerechtigkeit geführt worden sind«[34]. Im Geist erkennt man den Willen Gottes. Er tritt in den Propheten als Mahner auf, der das Volk von seinem eigenmächtigen Weg zurück in die Bereitschaft für seinen Herrn ruft[35]; er ist der heilbringende Besitz für die wenigen, die seinem Rat Folge geleistet haben[36].

kungen fest, »daß trotz der paulinischen Korrektur die Kurve der Entwicklung vom Alten zum Neuen Bund zu einlinig und zu wenig dramatisch und dialektisch dargestellt wird. Der Gegensatz wird unterschätzt, weil die Zweitursachen praktisch nicht hinreichend hervortreten«.

[33] S. 4,14,2 (SC 100,542ff) und 4,20,8 (648ff).

[34] Epid. 6 (SC 62,40).

[35] Epid. 30 (SC 62,79f): »Hierher (nach Jerusalem) wurden von Gott durch den Heiligen Geist die Propheten gesandt. Sie ermahnten das Volk und wendeten es zum Gott der Väter zurück, zum Allmächtigen, da sie Künder der Erscheinung unseres Herrn Jesus Christus geworden waren«.

[36] Epid. 56 (SC 62,119): »Denn für die, die gestorben waren, ehe Christus erschien, gibt es Hoffnung, bei der Auferstehung das Heil im Gericht zu erlangen, sofern sie Gott fürchteten, in Gerechtigkeit gestorben sind und in sich den Geist Gottes hatten wie die Patriarchen, die Propheten und die Gerechten«.

Wie für die gesamte alttestamentliche Vorausdarstellung so besteht auch für den vorgängigen Geistbesitz eine strenge Bindung an die Offenbarung des Neuen Bundes. Da ein und derselbe Geist innerhalb des einen Heilsplans am Werk ist, kann es kein disparates Wirken geben. Der Geist gleicht, wie Irenäus zum Gleichnis von den Arbeitern im Weinberg (Mt 20,1—16) sagt, dem Verwalter des Hausherrn: er »ordnet alles an« zu den je verschiedenen Zeiten und teilt am Ende den Arbeitern der letzten wie denen der ersten Stunde, das heißt, den im Laufe der Geschichte berufenen Menschen, den einen Lohn aus[37]. Seine Dispositionen zielen auf die Erkenntnis des menschgewordenen Gottessohnes, auf die aus ihr erwachsende Unvergänglichkeit für alle, die sich seinen Anordnungen gefügt haben.

In der Ausrichtung auf die letzten Zeiten hat das Geistwirken im Alten Testament zuerst vorbereitenden Charakter. Es dient der Führung des Volkes, bis es durch die universale Ausdehnung auf die Menschheit schlechthin überholt wird. Zur Erklärung dieser Folge bietet sich dem Lyoner Bischof das Gleichnis von den bösen Winzern (Mt 21,33—46) an.

In dem einen Weinberg des Menschengeschlechts treten nach dem Willen Gottes Adam, die Patriarchen und Mose auf. Dann wird in der Erwählung Jerusalems der Weinberg befestigt. »Und er (Gott) grub eine Kelter, das heißt, er bereitete ein Gefäß für den prophetischen Geist vor, und so schickte er die Propheten vor der babylonischen Gefangenschaft und nach ihr wieder andere in größerer Zahl als die ersten, die Früchte fordern sollten ... Da man ihnen aber nicht glaubte, sandte er zuletzt seinen Sohn, unsern Herrn Jesus Christus, den die bösen Weinbauern getötet und aus dem Weinberg hinausgeworfen haben. Deshalb übergab ihn Gott der Herr — nicht mehr von einen Wall umgrenzt, sondern über die ganze Welt hin ausgedehnt — anderen Weinbauern, welche ihm die Früchte zur rechten Zeit abliefern. Der Turm der Erwählung ist jetzt nach allen Seiten hin prächtig erhöht, denn überall strahlt die Kirche auf, überall ist die Kelter gegraben, denn überall empfängt man den Geist.«[38]

Die alttestamentliche Geisterfahrung erscheint als eine Etappe innerhalb des göttlichen Erwählungswerks. Sie wird den Propheten im Hinblick auf die kommende Heilszeit zuteil. Mit ihrer Hilfe werden sie zu Predigern der Gerechtigkeit, fordern sie das Einbringen der Früchte in die Kelter, in das von Gott bereitete Gefäß, in dem einst der prophetische Geist in seiner Fülle wohnen soll, das ihn aber schon anfangshaft aufnimmt, wo der Mensch dem Willen

[37] 4,36,7 (SC 100,910ff).
[38] 4,36,2 (SC 100,882—888).

Gottes entspricht. So bereitet sich in der Berufung der Propheten die volle Gegenwart des Geistes vor. Er wohnt unter den Menschen und läßt die wenigen Gerechten am kommenden Heil teilnehmen. Insofern aber die Propheten kein Gehör gefunden haben, ja schließlich sogar der Sohn selber verworfen worden ist, wird den einstigen Erben der Geist genommen, um jetzt allen Menschen zugänglich zu werden.

bb) Beziehung zur Kirche

Mit der Formulierung: »der Geist Gottes hat durch die Propheten die Zukunft angekündigt, um uns im voraus zu formen und geeignet zu machen, auf daß wir Gott unterworfen seien«[39], gibt Irenäus erneut zu erkennen, daß es bei dem früheren Geistwirken nicht um eine isolierbare Erscheinung geht. Der Geist arbeitet auf die Zukunft hin, er erzieht zum Gehorsam Gott gegenüber, um das Feld für die kommende Offenbarung zu bereiten. In der Erklärung, »wir«, die Menschen der Kirche also, würden durch den Geist vorbereitet, sind die Gläubigen der Endzeit mit den einstmaligen Gerechten verbunden; der Geist handelt an der einen, von dem einen göttlichen Heilswillen bestimmten Menschheit.
Der Bezug zur christlichen Erfahrung ist für Irenäus wertvoll. In den Propheten sieht er die kommende Gemeinde der Gläubigen vorgebildet. Ihr Glaube an Gott, ihr Gehorsam Christus gegenüber sind bereits an jenen zu erkennen[40].
Ein überzeugendes Beispiel hierfür ist das Martyrium. Die Kirche nimmt es auf sich, »wie auch schon die alten Propheten nach dem Wort des Herrn: ›denn so haben sie die Propheten verfolgt, die vor euch gewesen sind‹ (Mt 5,12), die Verfolgung ertragen haben. Denn da derselbe Geist, wenn auch in neuer Weise, auf ihr ruht, erleidet sie Verfolgung von denen, die das Wort Gottes nicht annehmen. Das nämlich haben die Propheten zusammen mit ihren übrigen Prophezeiungen auch vorhergesagt, daß alle, auf denen der Geist Gottes ruhen würde, die dem Wort des Vaters gehorchten und ihm nach Kräften dienten, Verfolgung erleiden, gesteinigt und getötet werden. An sich selber haben sie all das im voraus dargestellt um der Liebe zu Gott und seinem Wort willen«[41].
Der Geist also stellt die Beziehung zur Kirche her. Über die Prophezeiung des künftigen Geschicks der Gläubigen hinaus machen die Propheten es in ihm an sich selber wahr. Der ihrer Treue zum

[39] 4,20,8 (SC 100,648).
[40] 4,21,1 (SC 100,674): »in Abraham praefigurabatur fides nostra ... patriarcha nostrae fidei et velut propheta fuit«; vgl. 4,21,3 (684).
[41] 4,33,9f (SC 100,822ff).

Vater und zum Sohn wegen in ihnen weilende Heilige Geist macht sie in Wort und Tat zu Vorboten des Neuen Bundes, zu Kündern des einen Gottes.

Ist damit die Differenz zum Neuen Testament aufgehoben? Da Irenäus von einer Vorausdarstellung spricht, bleiben die Vorläufigkeit, die Unerfülltheit und Abhängigkeit vom neuen Einsatz Gottes bestehen. Wie er von der Martyriumserfahrung der Kirche aus, und nicht umgekehrt, auf die Propheten zu sprechen kommt, so vergißt er auch nicht, den neuen Charakter der Geistwirksamkeit der letzten Zeiten zu erwähnen. Die frühere Anwesenheit steht unter dem Vorzeichen der vorbereitenden Erziehung. Gott begleitet im Geist seine Schöpfung, um sie, ihrem jeweiligen Entwicklungsstadium entsprechend, in geduldiger Führung auf die Begegnung mit ihm auszurichten. Er hat, wie Irenäus sagt, »die Propheten vorbereitet, um auf der Erde den Menschen daran zu gewöhnen, seinen Geist zu tragen und Gemeinschaft mit Gott zu haben«[42]. Durch die Geistmitteilung an eine Gruppe von Zeugen wird die Menschheit auf das Kommende eingestimmt.

Irenäus hat damit auf dem Feld der Prophetie dem Dualismus seiner Gegner wirkungsvoll widersprochen. Der von ihnen aufgerissene Abgrund wird in einem Gewöhnungsprozeß überwunden. Fern davon, seit jeher erwählte pneumatische Samen aus der Welt der Materie zu befreien, führt Gott im Geist das wesensmäßig von ihm geschiedene Geschöpf in einem Vorgang der langsamen Einübung zur Gemeinschaft mit ihm. In den Propheten äußert sich nicht ein Geistsame im Sinne der Gnosis. Der im Neuen Bund allen Gläubigen zugänglich gewordene Heilige Geist kündigt in jenen das Eingehen Gottes in die Geschichte an und arbeitet behutsam auf die Überwindung der Trennung hin.

Das so beschriebene Geistwirken dient in der Bindung an die neutestamentliche Offenbarung auch den Personen selber, die vor der Menschwerdung gelebt haben. In einem unmittelbar nur auf die Patriarchen gemünzten, der Sache nach aber für die alttestamentlichen Gerechten schlechthin zutreffenden Satz bemerkt Irenäus: »Wie wir nämlich in den ersteren (den Patriarchen) im voraus dargestellt und angekündigt wurden, so werden sie wiederum in uns abgebildet, das heißt, in der Kirche, und empfangen sie den Lohn für ihre Arbeit.«[43]

[42] 4,14,2 (SC 100,542ff); vgl. 4,21,3 (684): »Christus qui tunc quidem per patriarchas suos et prophetas praefigurans et praenuntians futura, praeexercens suam partem dispositionibus Dei, et assuescens hereditatem suam obaudire Deo et peregrinari in saeculo et sequi Verbum eius et praesignificare futura«. — Zum Thema der Gewöhnung s. o. § 18 c.

[43] 4,22,2 (SC 100,690); daß »Patriarchen« nicht exklusiv gemeint ist, zeigt die wenige Zeilen später hergestellte Verbindung: «manifestum est quia

Zwischen den ehemaligen Geistträgern und den Gliedern der Kirche besteht ein beide Seiten berührendes Beziehungsverhältnis. Die Kirche erkennt sich in jenen nicht nur wieder, sie weiß nicht nur, daß sich in ihnen das ihr zugekommene Heil vorbereitet hat, sondern lebt so sehr von ihrer Arbeit, daß die Gerechten schon zu ihr gehören. Da die einstmals von ihnen ausgestreute Saat in der Kirche Früchte trägt, sind sie in ihr anwesend[44]; sie bezeugen die Ausrichtung des Geistes auf den Neuen Bund und die darin begründete Einheit der Testamente[45]. Aber Irenäus geht noch einen Schritt weiter. Mit dem Empfang des Lohnes für die geleistete Arbeit weist er auf eine wirkliche Teilhabe der Gerechten an dem in Christus sichtbar gewordenen Heil hin. Indem sie in die Kirche eingehen, erfahren sie selber die Erfüllung der von ihnen vorgelebten Verheißungen.

Um dieses Geschehen präziser fassen zu können, muß man es mit der Vorstellung vom Reiche Christi verbinden.

cc) Erfüllung im Reich

Der Bischof von Lyon schreibt zum Abschluß des eben behandelten Textzusammenhangs: »Die Patriarchen und Propheten nämlich haben die Verkündigung über Christus ausgesät, die Kirche aber hat geerntet, das heißt, die Frucht empfangen. Deshalb auch beten sie selber, in ihr eine Wohnstätte zu haben, wie Jeremia sagt: ›Wer wird mir in der Wüste eine letzte Wohnung geben?‹ (Jer 9, 1) ›damit der Säende und der Erntende sich zusammen freuen‹ (Joh 4, 36) im Reiche Christi, der für alle da ist, denen Gott von Anfang an wohlwollte, indem er ihnen sein Wort zur Hilfe zuteilte.«[46]

Der Gott, der sich den Menschen von der Vorzeit an mitgeteilt hat, sorgt dafür, daß die ersten wie die letzten in den Genuß der Frucht kommen. Das geschieht, indem die Gerechten mit dem erfüllten Sinn ihres früheren Wirkens in die Kirche eingehen, um schließlich

patriarchae et prophetae, qui etiam praefiguraverunt nostram fidem et disseminaverunt in terra adventum Filii Dei ...« (4,23,1; 690).

[44] Vgl. auch 4,23—24 (SC 100,690—704).

[45] A. Rousseau, SC 100,256, weist auf den geschlossenen Argumentationsgang hin, der von den letzten Zeilen des 22. Kap. bis Kap. 25 reicht (SC 100,688—710). — Da der Schwerpunkt der Aussage auf der Einheit der beiden Testamente liegt, möchte ich nicht so weit gehen wie A. Houssiau, aaO 132, der in der Wendung: »jene werden in uns abgebildet —in nobis illi deformantur«, einen Hinweis auf die Kirche als Typos des Reiches finden will: »l'Eglise est figure du royaume«. Die von Houssiau, aaO 133 A 3, vorgeschlagenen Restitution eines griechischen ἐκτυποῦσθαι für »deformari« wird von Rousseau nicht übernommen, der ἐκμορφοῦσθαι erschließt (aaO).

[46] 4,25,3 (SC 100,710).

im Reich zur ausdrücklichen Mitfreude mit den Gliedern der Kirche zu gelangen. Damit ist die Wirklichkeit genannt, die es Irenäus theologisch möglich macht, die Geistträger unverkürzt das Eintreten ihrer Prophezeiungen erleben zu lassen. Im Reich, das als der große Weltensabbat nach den 6000 Jahren der Weltzeit mit der Wiederkunft Christi anbrechen wird, werden sie auferweckt und kommen endlich zu der ersehnten Anschauung des Menschgewordenen, da sie mit ihm herrschen werden[47].

Kirche und Reich lassen sich für den Lyoner Bischof ohne Widerspruch in einem Gedankengang verbinden, weil mit dem Anbruch der letzten Zeit schon der ganze Reichtum der Offenbarung des Neuen Bundes vorhanden ist. Zwischen beiden liegt noch die weiterlaufende Zeit der Weltgeschichte. Die Gerechten müssen sie abwarten, ehe die in der Kirche erfüllten Verheißungen für sie eintreten; aber ein wesensmäßiger Unterschied zwischen ihnen ist mit Irenäus nicht zu erkennen. Anders ausgedrückt, das Eingehen der Heiligen des Alten Bundes in die Kirche und ihre faktisch erst später erfolgende Berufung in das Reich bedeuten der Sache nach ein und dieselbe Wirklichkeit[48]. Zusammen mit den Gläubigen der Kirche, die als Frucht der früheren Arbeit bereits die Erkenntnis des Menschgewordenen genießen, erhalten sie den versprochenen Lohn.

Vom antizipatorischen Geistbesitz aus öffnet sich über die Erfüllung der Prophetien im Reich hinaus schon der Blick auf die danach folgenden Ereignisse. Irenäus führt in der Epideixis aus: »Für die, die vor der Erscheinung Christi gestorben sind, gibt es Hoffnung, nach der Auferstehung das Heil im Gericht zu erlangen, sofern sie Gott gefürchtet haben, in Gerechtigkeit gestorben sind und in sich den Geist Gottes gehabt haben wie die Patriarchen, Propheten und Gerechten ...«[49]. Das am Ende des Reiches mit der

[47] S. dazu bes. 4,22,2 (SC 100,688); 5,28,3 (SC 153,358) und 5,31,1—35,2 (388—444). — In 4,22,1f (SC 100,686ff) legt Irenäus eine allegorische Ausdehnung der Ölbergszene vor. Im zweiten Kommen Christi zu den Jüngern erkennt er den Abstieg zu den Gerechten in der Unterwelt, die ihn zu sehen und zu hören gewünscht haben. Damit verschwimmt die Erwähnung der zweiten Parusie, die die Auferstehung für die Gerechten bedeutet. Höllenabstieg und Parusie liegen also auf einer Linie, insofern sie das Heil für die Gerechten bedeuten. Vgl. dazu 5,31,2 (SC 153,392ff). P. Evieux' Erklärung (aaO 50f), der Abstieg in die Unterwelt diene der Teilhabe der Gerechten an der Auferstehung, die bei der Parusie erfolgt (1. Auferstehung), stimmt damit überein. Sie wird aber dadurch unklar, daß er diese vor der Ankunft des Antichristen ansetzt, während Irenäus eindeutig von der Zeit nach seiner Ankunft spricht (so 5,30,4; SC 153,386; 5,35,1; 438).

[48] Vgl. A. Houssiau, aaO 129—141, und die o. § 18 b A 16 und A 27 gegebenen Erläuterungen.

[49] Epid. 56 (SC 62,119).

allgemeinen Totenerweckung verbundene Gericht[50] wird eine letzte Bestätigung ihrer Treue zu Gott sein. Da sie dem Geist keinen Widerstand geleistet haben, entzieht er ihnen seine lebenspendende Macht nicht, bis sie am Ende in der Schau Gottes, in der beglückenden Nähe zum Vater das Geschenk unvergänglichen Lebens empfangen.

So gelangt das Wirken des Heiligen Geistes in der alttestamentlich-prophetischen Ankündigung zu seinem Ziel. Irenäus hat den großen Spannungsbogen von der Prophetie über das Offenbarwerden in den letzten Zeiten bis hin zur ewigen Schau des Vaters durchgehalten. In der Erkenntnis der Aktivität des Geistes steht ihm die sinnhafte Gestalt der menschlichen Geschichte vor Augen. Sie ist als der Ort des Handelns Gottes mit seinem Geschöpf offen für die Begegnung mit dem menschgewordenen Sohn und endet schließlich mit dem Reich des Vaters. Indem die Geschichte so über das Vorfindliche, offen zutage Liegende hinaus an dem gottgeschenkten Sinn teilnimmt, zeigt sich ihre wahre Dimension: die menschlich unübersehbare Vielfalt ist eingeborgen in den einen Heilswillen des trinitarischen Gottes.

§ 22 Das Geistwirken seit Beginn der Schöpfung

Der am Ende ausgegossene Heilige Geist kommt nicht unvermittelt in eine ihm fremde Wirklichkeit hinab. Er hat sich in der Prophetie angekündigt. Aber darüber hinaus ist er zusammen mit dem Wort schon seit dem Anfang der Schöpfung wirksam. Vom Anfang bis zum Ende führt er mit ihm den Willen des Vaters aus, so daß der Mensch von seiner Erschaffung an bis zur Wiederherstellung und Neuwerdung im Christusereignis in dem großen Gestaltungsprozeß des trinitarischen Gottes steht[1].

a) Erschaffung des Menschen

Fragt man nun den Bischof von Lyon, wie der Geist von der ersten Schöpfung an hervortritt, dann trifft er zuerst die Feststellung: »der Mensch ist am Anfang durch die Hände Gottes, das heißt, durch den Sohn und den Geist, gebildet« worden[2]. Ohne auf fremde

[50] Zum Ablauf der endzeitlichen Geschehnisse s. die ausführlicheren Erläuterungen und § 25 d.

[1] S. dazu die Erklärungen o. § 18 b und besonders den Text von 5,1,3 (SC 153, 26ff).

[2] 5,28,4 (SC 153,360) mit der Anm. v. Rousseau (SC 162,329). — Mit der Erschaffung am Anfang kann Irenäus die Erschaffung des Menschen im Mutterleib in eine Linie stellen. Zur Heilung des Blindgeborenen (Joh 9)

Werkzeuge angewiesen zu sein, bedient sich der Vater zur Ausführung seines Werks seiner eigenen Hände. Zum Sohn und zum Geist gewandt, spricht er das seither nicht widerrufene Wort über die Bestimmung des Menschen. Sie setzen das Geschehen in Gang, das die gesamte Menschheitsgeschichte ermöglicht[3].
Durch den Sohn und den Geist geschaffen, ist der erste Mensch zum Bild und Gleichnis Gottes geworden. An Adam vor dem Sündenfall ist, wenn auch noch nicht in der Höchstform, da auch er erst auf die volle Teilhabe an Gott zuwachsen mußte, schon Wirklichkeit, was in der faktischen Heilsordnung im Neuen Bund erst wiedergeschenkt und dann überhöht wird[4]. Vom Gedanken der Bild- und Gleichniswerdung aus gesehen bedeutet der Urstand also schon eine besondere Begnadung und damit eine Nähe zum Sohn wie zum Heiligen Geist[5]. Um dies schärfer fassen zu können, stellt sich die Aufgabe, der Frage eines ursprünglichen Geistbesitzes genauer nachzugehen.

aa) Der Lebenshauch

Über die Erschaffung des ersten Menschen schreibt Irenäus in der Epideixis: »Den Menschen bildete er mit seinen eigenen Händen, indem er von der Erde den reineren und zarteren Stoff nahm und

schreibt er: »quod enim in ventre plasmare praetermisit artifex Verbum, hoc in manifesto adimplevit, ›uti manifestarentur opera Dei in ipso‹ (Joh 9,3) nec iam alterum requireremus manum per quam plasmatus est homo neque alterum Patrem, scientes quoniam, quae plasmavit nos in initio et plasmat in ventre manus Dei, haec in novissimis temporibus perditos exquisivit nos« (5,15,2; SC 153,206); vgl. 5,15,3 (206ff). Irenäus erreicht damit, daß die erste Schöpfung aus der rein zeitlichen Bindung gelöst wird, so daß der Mensch der Gegenwart unmittelbar betroffen werden kann. Über die hier notwendigen Distinktionen handelt A. Orbe, Antropología 80—89.

[3] S. nur 4 praef. 4 (SC 100,390); 4,20,1 (626); Epid. 11 (SC 62,48f). Zu der von Orbe, Antropología 42—47 hergestellten Beziehung von Vater, Sohn und Geist zu den verschiedenen Schöpfungsaspekten vgl. das o. § 17 A 16 Gesagte.

[4] Soweit sich die Frage nach dem Urstand vom Gedanken der imago-similitudo her stellt, steht für Irenäus fest, daß Bild und Gleichnis am Anfang bestanden haben (5,10,1; SC 153,126; 5,12,4; 156; 5,16,2; 216). Ebenso ist vom Verlust der imago-similitudo die Rede (3,18,1; SC 211,342ff; 5,16,2; SC 153,216). Die Wiederherstellung in Christus ist dann zugleich ein Mehr gegenüber dem anfänglichen Stadium. Denn sie geschieht innerhalb des vom Sohn und Geist ermöglichten Wachstumsprozesses, der über das anfängliche Kindheitsstadium hinausführt (4,38,3.4; SC 100,954ff.960; 5,1,1; SC 153,16ff; 5,1,3; 26ff; 5,8,1; 94ff; 5,16,1f; 214ff; 5,21,2; 264ff; 5,28,4; 360; 5,36,3; 464ff). — Zum Ganzen vgl. die Ausführungen u. § 25 b.bb.

[5] Über das Bewirken der imago-similitudo durch den Sohn und den Geist s. 4 praef. 4 (SC 100,390); 4,20,1 (626); 4,38,3 (954); 5,1,3 (SC 153,26ff); 5,6,1 (72—80); 5,28,4 (360); Epid. 97 (SC 62,167). — Da dies erst im Christusereignis sichtbar wird, wird im folgenden Kapitel darüber zu handeln sein.

in (weisem) Maß seine Macht mit der Erde vermischte. Denn er prägte dem gestalteten Fleisch seine eigene Form auf, damit es in seiner sichtbaren Erscheinung die göttliche Form trüge. Denn nach dem Bild Gottes gestaltet, wurde der Mensch auf die Erde gesetzt. Und damit er lebendig würde, hauchte er in sein Angesicht einen Hauch des Lebens, so daß der Mensch sowohl dem Lebenshauch wie auch dem gestalteten Fleisch nach Gott ähnlich wurde.«[6]
Der Schöpfungsakt als socher besteht darin, daß Gott dem aus dem Staub der Erde gebildeten Wesen den Lebenshauch eingibt. Anders als die Gnosis, die eine Trennung vornimmt zwischen der hylischen Substanz aus der unsichtbaren Materie und dem psychischen Lebensodem, die sie beide dem Demiurgen zuschreibt, insofern er das Hylische dem Bilde nach, das Psychische aber als ihm Wesensgleiches dem Gleichnis nach gewirkt haben soll, während die Bekleidung mit dem sichtbaren Fleisch erst nachträglich hinzukommt[7], bezeichnet Irenäus die leib-seelische Verfaßtheit des göttlichen Ebenbildes als die von dem einen Gott geschaffene Substanz. In seiner realen Leibhaftigkeit und mit der diese belebenden Seele ist der Mensch von Gott gesetzt und zur Teilhabe an ihm berufen. Spricht die Gnosis bei der Schöpfung noch von einer dritten Substanz, dem von der Sophia-Achamoth ohne Wissen des Demiurgen in die Seelen der erwählten Pneumatiker eingesenkten Geistelement[8], so gibt es der irenäischen Reflexion auf den Schöpfungsakt nichts Analoges. Der Mensch ist nach ihm gekennzeichnet durch seine leibseelische Wesenheit, durch den mit dem Lebensodem beseelten Leib, nicht aber durch einen zu seiner Natur gehörenden pneumatischen Samen, der den Charakter des Geschöpflichen verwischen würde[9].

[6] Epid. 11 (SC 62,48f), Text mit Froidevaux. Vgl. 1,9,3 (H 1,85); 2,26,1 (345); 3,21,10 (SC 211,428)); 3,24,2 (476); 4,20,1 (SC 100,624); 5,3,2 (SC 153,44); 5,7,1 (84—88); 5,14,2 (186ff); 5,15,2 (204ff). — Über die Vermischung der Macht Gottes mit der Erde handelt Orbe, Antropología 58ff.

[7] S. dazu 1,5,5 (H 1,49f); 1,18,2 (172). Das aus der flüssigen Materie Geschaffene ist dann das corpus animale im Unterschied zum sarkischen, sichtbaren Leib. Ein solches hat der Erlöser angenommen, indem es auf wunderbare Weise sichtbar gemacht worden ist (1,6,1; H 1,52f; 1,9,3; 84f; 1,30,13; 239). Vgl. auch u. § 25 a.bb und § 25 b.cc.

[8] S. dazu 1,5,1 (H 1,41f); 1,5,6 (50f); 1,6,1f (51—55); 1,7,5 (64f); 1,21,4 (186).

[9] 2,14,1 (H 1,294); 2,19 (316—321); 2,29,1 (358ff). Der Ablehnung der gnostischen tria genera hominum entspricht es, daß Irenäus den Menschen als aus Leib und Seele bestehend bezeichnet: »homo est enim temperatio animae et carnis« (4 praef. 4; SC 100,390); ebenso 2,29,3 (H 1,361) und Epid 2 (SC 62,29). Über die Seele sagt Irenäus: »anima ipsa quidem non est vita, participatur autem a Deo sibi praestitam vitam. Unde et propheticus sermo de protoplasto ait: ›factus est in animam vivam‹ (Gen 2,7), docens nos, quoniam secundum participationem vitae vivens facta est anima, ita ut separatim quidem anima intelligatur, separatim autem quae erga eam est vita. Deo itaque

Was versteht der Bischof von Lyon unter dem Lebenshauch? Eine erste Antwort gibt er mit seiner Auffassung zu erkennen, Adam unterscheide sich hinsichtlich des Lebensodems nicht wesensmäßig von dem Menschen nach dem Sündenfall. Irenäus kann wohl erklären: Adam »ist zu einer lebendigen Seele gemacht worden und hat, da er sich dem Schlechteren zuwandte, das Leben verloren«[10]; aber er weiß doch, daß auch nach dem Fall Gottes belebende Liebe die Schöpfung erhält. »Es gibt keine größere Aufgeblasenheit«, hält er den Leugnern des Schöpfergottes vor, »als wenn jemand sich für besser und vollkommener hält als den, der ihn geschaffen und gebildet hat, der den Hauch des Lebens geschenkt und das Dasein selber gewährt hat«[11]. Nicht in der Fortnahme der Belebung als solcher[12] besteht der Unterschied zwischen dem Anfang und dem Fall, wohl aber in dem Verlust des immerwährenden leiblichen Lebens durch den Tod. »Was also starb denn nun«, fragt er, um sofort die Antwort bereit zu halten: »Natürlich die Substanz des Fleisches, die den Lebenshauch verloren hatte und unbelebt und tot geworden war.«[13] Das durch den Lebenshauch mitgeteilte Leben hat also wesentlich in der Lebendigkeit des menschlichen Leibes bestanden. Ursprünglich vor dem leiblichen Tod bewahrt, ist das Geschöpf nach dem Fall Adams nicht gänzlich der belebenden Kraft beraubt, aber doch an seinem Leib der bedrückenden Grenze des Todes ausgesetzt. Der Lebenshauch gilt nicht mehr wie einst dem ganzen Menschen. Er begleitet ihn nur noch für eine kurze Zeit, bis er dann der Erfahrung seiner eigenen Machtlosigkeit überlassen wird[14].

Kann man nach dem Bisherigen den Lebenshauch nicht mit dem göttlichen Geist identifizieren, so spricht Irenäus dann auch mit aller wünschenswerten Klarheit die Unterscheidung aus: »Das

vitam et perpetuam perseverantiam donante, capit et animas primum non existentes dehinc perseverare, cum eas Deus et esse et subsistere voluit« (2,34,4; H 1,383). S. auch u. § 25 a.aa.

10 5,12,2 (SC 153,148); vgl. 3,23,7 (SC 211,464): »victus autem erat Adam, ablata ab eo omni vita«.

11 2,26,1 (H 1,345).

12 Irenäus spricht von der »insufflatio vitae« (3,24,2; SC 211,476), mit Gen. 2,7 vom »flatus vitae« (4,20,1; SC 100,624), von der »aspiratio vitae« (5,1,3; SC 153,26), vom »afflatus vitae« (5,12,2.3; 146.150; 5,15,2; 202; Epid. 8; SC 62,43; 11; 49; 14; 54) und in diesem Zusammenhang auch einmal vom »spiritus vitae« (5,26,2; SC 153,336; vgl. 1,30,6; H 1,233).

13 5,12,3 (SC 153,150); vgl. 3,23,6 (SC 211,460ff).

14 5,12,2 (SC 153,146): »et afflatus quidem auctus ad modicum et tempore aliquo manens deinde abiit, sine spiramento relinquens illud, in quod fuit ante«. Es bleibt die Seele, die für Irenäus unsterblich ist (2,34,1ff; H 1, 381f; 5,4,1; SC 153,56; 5,7,1; 84ff), ohne daß ihr eine wesenhafte Unsterblichkeit eigen würde (s. o. A 9).

einstmalige Leben ist nun vertrieben, da es nicht durch den Geist, sondern durch den Hauch gegeben war. Ein anderes ist nämlich der Hauch des Lebens, der den Menschen psychisch macht, ein anderes der lebenspendende Geist, der ihn geistlich macht.«[15] Die bei der Schöpfung geschenkte Lebendigkeit ist für sich genommen nur ein Vorschein der durch den Geist gegebenen Lebensfülle. Zwar ist der den Menschen mit Seele und Leib betreffende Lebensodem vor dem Sündenfall intensiver als der nachher für die kurze Spanne des Lebens verbleibende Hauch, an welchen Irenäus hier zunächst denkt. Aber beidemal bedeutet er eine Ausstattung für die geschöpfliche Natur des Menschen im Unterschied zu der im Geist geschenkten Teilhabe an Gott.

Die vorgenommene Sonderung führt nun aber auch wieder zur Entdeckung einer gegenseitigen Beziehung. Nicht ohne Grund sind Lebenshauch und Geist in einem Spannungsverhältnis miteinander verbunden[16]. Zwischen beiden besteht die Relation einer Anknüpfung, sei es, daß man an eine schon Adam zuteil gewordene Geistbegabung oder die für die faktische Heilsordnung bedeutsame Geistausgießung am Ende der Zeit denkt. Sieht man vom ersteren einmal ab, dann spannt sich zwischen der natürlichen Erschaffung des ersten Menschen und dem zweiten Adam des neutestamentlichen Heilsgeschehens, zwischen der Belebung durch den Hauch

[15] 5,12,1f (SC 153,142); zu vergleichen ist 5,1,3 (26): »ab initio ... a Deo aspiratio vitae unita plasmati animavit hominem et animal rationale ostendit ... in fine ... viventem et perfectum effecit (sc. Verbum et Spiritus) hominem ... ut, quemadmodum in animali omnes mortui sumus sic in spiritali omnes vivificemur (vgl. 1 Kor 15,22)«; zum Text s. o. § 20 b.bb. Wenn es dann in 5,12,2 (SC 153,148ff) heißt: »sicut igitur, qui in animam viventem factus est et devertens in peius, perdidit vitam, sic rursus idem ipse in melius recurrens et assumens vivificantem Spiritum, inveniet vitam«, so legt sich die Vermutung nahe, daß Irenäus wohl Lebenshauch und Geist voneinander unterscheidet und den letzteren nach dem Schema von 1 Kor 15 als das den Anfang übertreffende Ziel bezeichnet, dabei aber einen anfänglichen Geistbesitz Adams nicht ausschließt. Denn, wie Hauschild, aaO 213, richtig bemerkt, stehen Erlangung des Lebens und Geistempfang so sehr zusammen, daß man beim Verlust des Lebens nicht nur an den Lebenshauch, sondern auch schon an den Geist denken möchte. Das ändert freilich nichts an der Grundaussage des Textes über die Unterscheidung von Geist und Hauch, die die Zugehörigkeit des Geistes zur Gnadenordnung betont und von der faktischen Heilsordnung aus die durch Christus erfolgte Geistspendung hervorhebt, ohne sonderliches Interesse an einem anfänglichen Geistbesitz zu zeigen: »oportuerat enim primo plasmari hominem et plasmatum accipere animam, deinde sic communionem Spiritus recipere« (5,12,2; 148). Vgl. auch die Ausführungen u. § 20 a.bb und § 25 b.bb.

[16] 5,12,2 (SC 153,148ff); s. auch 3,11,8 (SC 211,160), wo Irenäus von dem in der Kirche wirkenden »Spiritus vitae« spricht, der den Menschen Unsterblichkeit zuweht und sie belebt; und 3,24,1 (472); 4,21,3 (SC 100,684); 5,12,3 (SC 153,150).

und dem Empfang des lebenspendenden Geistes eine Entwicklungslinie. Statt wie der Gnostiker eine zur Natur des Menschen gehörende pneumatische Substanz anzunehmen, die unüberwindbar von den anderen geschieden ist, läßt Irenäus den Geist der einen Menschheit zukommen, nachdem sie zuvor ins Leben gerufen worden ist und — in der nachadamitischen Geschichte — die lange, von Gott begleitete Entwicklung hinter sich gebracht hat. Schon bei der Erschaffung des Menschen zeigt sich seine von der neutestamentlichen Offenbarung aus erkannte Berufung zur vollen Gemeinschaft mit dem trinitarischen Gott[17].

bb) Das Gewand der Heiligkeit

Was das Geschaffensein Adams und seine Begabung mit dem Lebenshauch als solchem anbetrifft, so ist die Frage nach einem ursprünglichen Geistbesitz mit Irenäus negativ zu beantworten. Das schließt aber nicht aus, daß es schon im Falle Adams ein zusätzliches, über das Geschöpfsein hinausgehendes Geschenk des Geistes gegeben haben kann. In der Tat scheint Irenäus hieran zu denken, wenn er von dem in Adam verlorenen, von Christus wiederhergestellten Sein nach dem Bild und Gleichnis spricht[18]. Darüberhinaus macht er noch einige direkte Andeutungen, die im folgenden zu überprüfen sein werden.

Im dritten Buch von adversus haereses läßt der Lyoner Bischof Adam nach dem Sündenfall beim Anfertigen seines Kleides aus Blättern sprechen: »Das Gewand, das ich vom Geist der Heiligkeit empfangen hatte, habe ich durch Ungehorsam verloren. Und nun erkenne ich, daß ich eine solche Bekleidung verdiene, die dem Leib keinerlei Vergnügen bereitet, sondern ihn beißt und kratzt.« Irenäus fügt die Erläuterung hinzu: »Und dieses Gewand hätte er immer getragen, um sich selbst zu demütigen, wenn nicht der Herr in seiner Barmherzigkeit sie mit Röcken aus Fell anstelle der Feigenblätter bekleidet hätte.«[19]

Völlig außerhalb der irenäischen Argumentation liegt die gnostische Auslegung des Genesistextes über die Bekleidung Adams, nach der die Fellschurze den sinnlichen, fleischlichen Leib des Menschen bedeuten würden[20]. Der reale Leib wird von Irenäus als für Adam

[17] Durch das Anknüpfungsverhältnis ist natürlich das antithetische Moment nicht aufgehoben. Das gilt verstärkt für die faktische Heilsordnung, da diese durch den Verlust der vollen Lebendigkeit gekennzeichnet ist; aber im Prinzip schon für den Menschen als Geschöpf, da Lebenshauch und Geist wesentlich unterschieden sind.

[18] S. dazu die Texte o. A 4 und die Ausführungen u. § 25 b.bb.

[19] 3,23,5 (SC 211,458).

[20] S. 1,5,5 (H 1,49); vgl. Exc. ex Theod. 55,1 (Die Gnosis, Bd. I 199).

längst bestehende Größe vorausgesetzt. Denkt er nicht an das Zustandekommen des Leibes, so aber doch an die Ausstattung des Menschen. Nachdem das einstige Gewand für Adam verloren gegangen ist, erhält er zwar nicht das um der Demütigung willen von ihm selber gewählte, aber doch eines, das im Vergleich zum ersten minderen Wertes ist. Da der Lyoner Bischof zur Bestimmung des letzteren, das heißt, der infralapsarischen Situation des Menschen, wenige Zeilen später die Erklärung gibt, Gott habe Adam aus Barmherzigkeit vom Baum des Lebens ausgeschlossen, damit durch den Tod des Fleisches die Sünde absterbe[21], ist im ersten Gewand mit großer Wahrscheinlichkeit der Besitz des nicht durch den Tod geminderten Lebenshauches zu sehen.

Damit allein jedoch ist noch keine befriedigende Erklärung erreicht. Denn Irenäus spricht unbestreitbar vom Geist der Heiligkeit[22], der nach dem bisher sichtbar gewordenen Verständnis nicht mit dem Lebenshauch identifiziert werden kann. Da er überdies Wert darauf legt, Adams Bußfertigkeit zu betonen, und er im Verlust der Unsterblichkeit die Konsequenz der Sünde sieht, muß dem ersten Gewand ein personaler Charakter eignen. Es bleibt nur die Möglichkeit, es als eine besondere Begabung mit dem Heiligen Geist zu verstehen, welche die Fülle des Lebenshauchs einschließt, aber doch mehr als diese bedeutet[23].

Freilich gibt Irenäus die Unterscheidung nicht immer so deutlich zu erkennen. Ohne den Geist zu erwähnen, erklärt er in der Epideixis, Adam und Eva hätten sich vor dem Fall ihrer Nacktheit nicht geschämt, weil der Lebenshauch noch in seinem ganzen Ausmaß an

[21] 3,23,6 (SC 211,460); Sagnard 393 A 2 macht auf die Verwandtschaft mit Theophilus ad. Aut. 2,25f aufmerksam. Vgl. auch 3,23,1 (444ff).

[22] Ob man im Text »ab Spiri*tu sanc*titatis stolam« oder »ab Spiritu sanctita*tis sto*lam« zusammenziehen soll, ist ebensowenig zu entscheiden, wie es für das inhaltliche Verständnis von Bedeutung ist. Vgl. Orbe, Antropología 216 a 118. — Daß Irenäus sich beim vorliegenden Text an die Bemerkung eines Presbyter hält, kann nicht ausgeschlossen werden; mit Sagnard 393 A 3, dessen Verweis auf Theophilus, ad.Aut. 2,25, allerdings nicht sehr viel besagt, da keine echte Parallelität zu erkennen ist.

[23] Die hier vorgenommene Deutung habe ich im ganzen bei E. Klebba, Die Anthropologie des hl. Irenäus (Kirchengesch. Stud. 2,3), Münster 1894, S. 33f, bestätigt gefunden. Auch W.-D. Hauschild, aaO 213, führt 3,21,3 an, um die Vorstellung vom Verlust des Geistes bei Irenäus nachzuweisen. G. Joppich, aaO 95, verfällt m.E. zu sehr in das andere Extrem zu der von ihm kritisierten Position Klebbas, es habe sich »ausschließlich« um den Verlust übernatürlicher Gnadengeschenke gehandelt (aaO 95 A 70), wenn er dies nun völlig ausklammert und statt dessen nur von dem »Verlust der Unvergänglichkeit, die den Menschen in seiner leibseelischen Ganzheit umfassen sollte«, spricht. — Freilich wird man den Text von 3,21 nicht überfordern dürfen. Da Irenäus aber auch sonst vom Verlust der anfänglichen Begnadung spricht (s.o. A 4 und u. § 25 b.bb), bildet er keine merkwürdige Ausnahme.

ihnen wirksam war[24]. Was im vorherigen Text dem Heiligen Geist zugeordnet war, scheint hier sehr nahe mit dem Lebenshauch zusammenzurücken. Aber dennoch braucht beides sich nicht auszuschließen. Denn es ist nicht vom Hauch schlechthin, sondern von seinem Unentweihtsein und seiner vollen Entfaltung die Rede; und es ist möglich, daß Irenäus dabei auch an einen außerordentlichen Geistbesitz Adams gedacht hat.

Aufschluß über den Urstand vermittelt schließlich eine dritte Aussage, mit der der Lyoner Bischof unter Bezugnahme auf das Gleichnis vom verlorenen Sohn den großen Spannungsbogen der Geschichte Gottes mit dem Menschen beschreibt[25]. Das »Mastkalb« wird geschlachtet und das »erste Gewand« zum Geschenk gegeben, da die einstmals Getrennten zum Vater zurückkehren. Obwohl die beiden Ausdrücke ihre unmittelbare Erklärung in dem engen Anschluß an das lukanische Evangelium finden[26], erhalten sie doch zweifelsohne einen tieferen Sinn. Das geschlachtete Tier deutet auf den Opfertod Christi am Kreuz, und in der Übergabe des festlichen Kleids erkennt man das neue mit dem Heiligen Geist geschenkte Leben[27]. Da Irenäus aber die ganze Menschheitsgeschichte in das lukanische Gleichnis hineinträgt, wird man noch einen Schritt weiter gehen dürfen. Das »erste Gewand« ist nicht nur das Festkleid der neuen Begnadung durch den Geist; es enthält auch einen Hinweis auf die einstige Geistbegabung Adams, die im Neuen Bund aufgenommen und weitergeführt wird[28]. So knüpft die neutestamentliche Geistausgießung nicht nur an den Lebenshauch an, der das Geschöpf als solches auszeichnet, sondern auch schon an eine einstmals dem ersten Menschen zuteil gewordene Ausstattung, die in ihrer ursprünglichen Dynamik wiederhergestellt wird.

In der Frage nach dem ersten Wirken des Geistes in der Schöpfung kann nunmehr eine abschließende Beurteilung versucht werden. Zusammen mit dem göttlichen Wort setzt der Geist die Erschaffung des Menschen ins Werk. Aber er bleibt doch das besondere Geschenk Gottes an den Menschen. Er eignet ihm nicht von Natur

[24] Epid. 14 (SC 62,53f); vgl. Orbe, Antropología 216.

[25] 4,14,2 (SC 100,542—546).

[26] Lk 15,22 spricht von der πρώτη στολή, 15,23 vom μόσχος σιτευτός, 15,26 von der συμφωνία.

[27] Vgl. die sachliche Parallele in 5,1,1 (SC 153,20): «Suo igitur sanguine redimente nos Domino ... et effundente Spiritum Patris ...«

[28] A. Orbe, Antropología 218 A 126, hebt sich von P. Siniscalco, La parabola del Figlio Prodigo (Lk 15,11—32) in Ireneo (Studi in onore di A. Pincherle), Rom 1967, S. 547, ab, insofern er die stola prima nicht als die rückgewonnene similitudo schlechthin, sondern als den »grado excepcional de la ὁμοίωσις, en su primer orden y vigor« versteht. Seine Kritik an A. Rousseaus Interpretation (SC 100,234) ist m. E. jedoch nicht berechtigt, da Rousseau sicher den unmittelbaren Sinn des Textes wiedergibt.

aus. Adam hat ihn in dem Gewand der Heiligkeit erhalten, und in der infralapsarischen Geschichte ist er die Gabe, die der Menschheit in ihrer langen Entwicklung im Blick auf das Heilsgeschehen des Neuen Bundes und von ihm aus zuteil wird. Dabei kommt er nicht rein äußerlich zur Natur des Geschaffenen hinzu. Von den Händen Gottes gebildet, ist es von Beginn an offen für den Empfang des Geistes. Der Vollbesitz des Lebenshauchs und auch noch die durch die Sünde geminderte Lebendigkeit sind ein Verweis auf die Herrschaft des Heiligen Geistes, der das Geschöpf in die Lebensfülle des trinitarischen Gottes hineinnehmen soll[29].

b) Der Geist in der Schöpfung

Mit der Erklärung, Gott gebe sich nicht hinsichtlich seiner Größe, wohl aber seiner Liebe nach zu erkennen, da er durch das Wort und die Weisheit alles erschafft und das Geschaffene am Leben erhält[30], deutet Irenäus für den Geist eine Weise der Gegenwart in der Schöpfung an, die als weisheitliches Wirken bezeichnet werden

[29] Insofern in der vorstehenden Interpretation auf einen anfänglichen Geistbesitz erkannt worden ist, stimmt sie überein mit Klebba, aaO 33—43; F. Vernet DACL 7,2 2455; A. d'Alès, La doctrine de l'Esprit 512ff; Hauschild, aaO 213. Eigentümlich schwankend ist die Bemerkung von Bonwetsch, aaO 74: »Es war ein gewisses leicht verlierbares ›übernatürliches Gnadengeschenk‹, was an Geistanteil dem Menschen verliehen war, also nicht ein sein Wesen charakterisierender Besitz im eigentlichen Sinn; genau genommen doch nur die Anlage dafür und die Bestimmung dazu, hinausgehoben zu werden über seine Natur«. — Die gegenteilige Meinung wurde von Harnack I 588ff; H. Koch, Zur Lehre vom Urstand und der Erlösung bei Irenäus, Theol. Stud. u. Krit. 96/97 (1925f) 183—214; 188 und A. Slomkowski, Etat primitif de l'homme dans la tradition de l'église avant saint Augustin, Paris 1928, S. 44f, vertreten. Daß zwischen Geistgabe am Anfang und Wachstumsgedanken kein Widerspruch besteht, hat Klebba gegen Harnack überzeugend ausgeführt. Dabei darf freilich nicht übersehen werden, daß das Hauptinteresse des Irenäus sich auf die in der faktischen Heilsordnung von Gott ermöglichte Entwicklung des Menschen richtet, bei der der Geistbesitz am Ende steht. Die Reflexion auf den Urstand kann jedoch zeigen, daß ein Satz wie der von Koch, aaO 212: »Der Sündenfall und seine Folge, der Tod, brachten in den göttlichen Heils- und Weltplan keine Störung, sondern halfen zu seiner Verwirklichung ...«, in dieser Zuspitzung falsch ist. — Man kann mit Wingren, aaO 55 A 37, vom Geistverlust durch die Sünde sprechen, insofern damit der Verlust des »gradually developing life« gemeint sei, sollte aber damit nicht die Unterscheidung von Natur und Übernatur verwerfen. Denn Irenäus denkt zwar nicht in einem beziehungslosen Zweistufenschema, ist sich aber durchaus der Gnadenhaftigkeit der Geistbegabung bewußt. — Scharfsinnige Bemerkungen finden sich schließlich bei Orbe, Antropología 218 A 126,222ff.

[30] 3,24,2 (SC 211,476); vgl. 1,22,1 (H 1,189); 2,30,9 (367f); 3,8,3 (SC 211,94ff); 4,7,4 (SC 100,464); 4,20,1 (624ff); 4,20,2 (630); 4,20,4 (634); Epid. 5 (SC 62,35f); 10 (46ff).

kann. Das Geschaffene legt Zeugnis davon ab, und Gott gibt sich so als der eine und wahre, voll Güte sein Werk umsorgende Herr zu erfahren.

aa) Geist und Weisheit

Die Identität von Geist und Weisheit ist für den Bischof von Lyon keine Frage. Sie erscheint durchweg als selbstverständlich vorausgesetzt[31], ja, sie wird zum erstenmal in der kirchlichen Theologie systematisch durchgehalten, ohne daß, wie noch bei Theophilus von Antiochien und Justin, auch das Wort mit der Weisheit gleichgestellt wird[32].

Der Ursprung für eine solche Theologie, die sich auch in der valentinianischen Gnosis andeutet[33], ist noch nicht mit letzter Sicherheit geklärt. Man verweist auf den syrisch-palästinensischen Raum, wo eine Identifizierung sich durch den weiblichen Charakter der semitischen Ruah nahegelegt haben mag[34]. Schon bei Jesaia ist beides in dem »Geist der Weisheit« (Jes 11, 2) zusammengebunden, was Irenäus zu der Deutung führt, die Weisheit sei das oberste, alle anderen einschließende Kennzeichen des Geistes[35]. Und die jüdisch-hellenistische Weisheit Salomos nimmt eine ausdrückliche Gleichsetzung von Geist und Weisheit vor[36].

Aufschlußreich ist ein Zitat aus der Epideixis: »Gott ist ein vernünftiges Wesen, deswegen war die Schöpfung ein Werk der Vernunft (Logos); und Gott ist Geist, deswegen hat er durch den Geist

[31] 4,7,4 (SC 100,464); 4,20,1.3 (626.632); Epid. 5 (SC 62,35).

[32] S. Theophilus ad Aut. 1,7 (vgl. damit Epid. 5 mit derselben Textfassung von Ps 32 (33) 6); 2,15. Wort und Weisheit werden identifiziert in ad Aut. 1,3 und 2,10. Bei demselben Text, den Irenäus auf den Geist deutet (Spr. 8,2ff: adv. haer. 4,20,3), spricht Justin von dem λόγος τῆς σοφίας: Dial. 61,3ff (ed. Goodspeed 166f); vgl. Dial. 38,2 (134); 61,1 (166); 62,4 (168); 100,4 (215); 126,1 (256); 129,4 (251).

[33] Man denke an die gnostische Achamoth-Sophia; vgl. 1,4,1 (H 1,31ff); 1,5,3 (46). S. dazu A. Orbe, El Espiritu 312.520 u. ö.

[34] Lebreton II 570; Orbe, El Espiritu 520 und 517ff (mit der Erläuterung des Schemas: Gott-Geist-Christus, in dem der Geist als Mutter des Wortes erscheint). Vgl. auch Kretschmar, Le dévelopement 14. Die Arbeit von S. Hirsch, Die Vorstellung von einem weiblichen πνεῦμα ἅγιον, aaO, müßte nochmals in einem größeren Zusammenhang aufgenommen werden. Orbe, aaO 695ff, zeigt von adv. haer. 4,20,3 aus, daß Irenäus einer besonderen, weder mit Justin noch mit Theophilus vergleichbaren Tradition zugehört, die dann bei Tertullian wiederkehrt; s. auch seinen Exkurs VIII, Sophia und Hl. Geist, aaO 687—700.

[35] Irenäus zitiert den Text in Epid. 9 (SC 62,45); in 3,9,3 (SC 211,108) u. 3,17,3 (334).

[36] Weish. 7,7; vgl. 1,6; 7,22; 9,17; dazu U. Wilckens, TWNT 7,500 A 219 und W. Bieder, TWNT 6,369 A 188.

alles geordnet, wie der Prophet sagt: ›Durch das Wort des Herrn sind die Himmel geschaffen und durch seinen Geist all ihre Kraft‹ (Ps 33(32), 6). Da also das Wort schafft, das heißt, für das Fleisch wirkt und ihm ungeschuldet das Dasein schenkt, der Geist aber die verschiedenen Mächte formt und bildet, wird mit Recht und in voller Angemessenheit das Wort Sohn, der Geist aber Weisheit Gottes genannt.«[37]

Die Sinnhaftigkeit der Identität von Wort und Sohn liegt darin, daß es um die Erschaffung des Fleisches geht — eine Bemerkung, in der einschlußweise schon die Fleischwerdung des Sohnes sichtbar wird, durch die das vom Wort gesetzte Geschöpf selber zum Sohn werden soll. Möchte man analog hierzu erwarten, nun werde auch die Weisheit auf den Geist bezogen, so verfährt Irenäus, offenbar von dem Psalmvers geleitet, jetzt anders: Der Geist wird als Weisheit erwiesen, weil ihm die künstlerisch gestaltende Tätigkeit zukommt. Mit vollem Recht wird der Name auf ihn angewandt. Denn in der Vielfalt der Dinge wahrt er das eine Gefüge der göttlichen Schöpfung. Die Gleichsetzung weist auf die Besonderheit seines Wirkens hin, wie sie umgekehrt darin ihren Grund hat.

Kennzeichnend für den Geist als Weisheit ist die dyadische Verbindung mit dem Wort. Darum ist mit Irenäus an den Geist zu denken, sobald die Weisheit in der Dyas mit dem Sohn begegnet, während der Ausdruck für sich genommen nicht schon immer die dritte Person der Gottheit bezeichnen muß[38].

bb) Der himmlische Geistkosmos

Die Tätigkeit der Weisheit in Verbindung mit dem Sohn betrifft nach dem Willen des Vaters schlechthin das All, das heißt, alles, was zum Bereich des Geschaffenen gehört[39]. Das gilt auch für die geistigen Mächte, die Engel. Der Bischof von Lyon nimmt eine klare Trennung zwischen ihnen auf der einen und dem Sohn und Geist auf der anderen Seite vor. Als Geschöpfe stehen jene nicht auf einer Stufe mit ihnen. Sie sind die ihnen unterworfenen Mächte, die dann gleichfalls dem Lob und der Verherrlichung des

[37] Epid. 9 (SC 62,35f); Text mit Froidevaux.

[38] Die Dyas Verbum-Sapientia begegnet in 2,30,9 (H 1,368); 3,24,2 (SC 211,476); 4,7,4 (SC 100,464); 4,20,1 (626); 4,20,2 (630); 4,20,3 (632); 4,20,4 (634); Epid. 5 (SC 62,35f); 9 (45); 10 (46). Häufig ist von der Weisheit als Kunst Gottes die Rede (1,8,1; H 1,67; 2,11,1; 275; 2,25,1.2; 342f; 2,30,3.5; 363f; 3,25,3; SC 211,482; 4,16,1; SC 100,560; 4,20,9; 654; 4,26,1; 714; 4,38,3; 952; 5,17,1; SC 153,220; 5,18,1; 236ff; 5,20,1; 256; 5,36,3; 464), die auch auf den Menschen übergeht (3,4,2; SC 211,48; 3,20,2; 388; 3,22,1; 430; 5,2,3; SC 153,36; 5,3,2f; 48).

[39] S. das »omnia« in 1,22,1 (H 1,189); 2,30,9 (368); 4,7,4 (SC 100,464); 4,20,1 (626) etc.

Vaters dienen[40]. Das Abhängigkeitsverhältnis vorausgesetzt, kann ohne Gefahr von Mißverständnissen eine besondere Weise der Nähe des Geistes zu den Engelmächten ausgesagt werden, wie es in dem folgenden Text der Epideixis geschieht:
»Diese Welt ist von sieben Himmeln umgeben, in denen die zahlreichen Mächte wohnen, die Engel und Erzengel, die dem allmächtigen Gott und Schöpfer des Alls die Ehre geben, nicht als bedürfte er ihrer, sondern damit sie nicht untätig, ohne Nutzen und undankbar sind. Deshalb ist die innere Gegenwart des Geistes Gottes vielfach und wird von dem Propheten Jesaia in sieben Formen des Dienstes aufgezählt, die sich auf dem Sohn Gottes niedergelassen haben, das heißt, auf dem Wort bei seiner Ankunft als Mensch. Er sagt nämlich: ›Auf ihm wird ruhen der Geist Gottes, der Geist der Weisheit und des Verstandes, der Geist des Rates und der Stärke, (der Wissenschaft) und der Frömmigkeit; der Geist der Furcht Gottes wird ihn erfüllen‹ (Jes 11, 1). Also enthält der oberste Himmel, die Weisheit, die übrigen. Der zweite nach ihm ist der des Verstandes, der dritte der des Rates, der vierte von oben gerechnet der der Kraft, der fünfte der der Wissenschaft, der sechste der der Frömmigkeit und der siebte, das Firmament unserer Welt, ist erfüllt von der Furcht dieses Geistes, der die Himmel erleuchtet.«[41]
Durch die Verbindung mit den himmlischen Mächten erhält das Geistwirken eine kosmologische Dimension, tritt aber zugleich auch in seiner Ausrichtung auf den Menschen hervor. Mit anderen theologischen Zeugen vor allem aus dem Spätjudentum sowie mit der Gnosis teilt der Lyoner Bischof die Vorstellung von den sieben Himmeln[42]. Sie sind der Aufenthaltsbereich der Engel, die ihren Schöpfer verherrlichen. Weder ist ihr Dienst eine Leistung, auf die Gott angewiesen wäre, noch erfolgt er unter Zwang. In diesem ihren Lob nun zeigt sich die Gegenwart des Geistes. Hatte es schon vorher geheißen, daß ihm ihre Formung und Gestaltung zu verdanken ist[43], so erscheint er jetzt als der Grund für die ausgewogene Harmonie.
Mit der Behauptung einer inneren Gegenwart geht Irenäus noch

[40] S. nur 4,7,4 (SC 100,464); Epid. 5 (SC 62,36); 10 (46f).
[41] Epid. 9 (SC 62,44—46); Text mit Froidevaux. »Geist der Wissenschaft« ist zu ergänzen. Es muß versehentlich ausgefallen sein, da Irenäus von den sieben Gaben spricht und die Wissenschaft bei den Himmeln aufzählt. Vgl. Schluetz, aaO 53.
[42] S. 2,30,7 (H 1,366). Über die 7 Himmel nach der Gnosis, die freilich außerhalb des Pleroma liegen, s. 1,5,2 (H 1,44); 1,17,1 (165); 1,30,12 (238). Von den weiteren Zeugnissen sei nur auf die ascensio Isaiae 3,13 (ed. Flemming-Duensing 457, Hennecke-Schneemelcher 2) hingewiesen.
[43] Epid. 5 (SC 62,35f).

einen Schritt weiter. Immer unter der Voraussetzung der wesensmäßigen Unterschiedenheit gibt es offenbar eine Art Innewohnen, in jedem Fall aber eine besonders intensive Zuwendung des Geistes zu den Geistgeschöpfen, die ihre Aufgabe des Lobpreises Gottes erfüllen, so daß sich in dem Zusammenklang des himmlischen Kosmos der Reichtum der Geistesgaben zeigt.

Zwischen der Siebenzahl der geistbeseelten Engeldienste und den sieben Gaben des Geistes besteht ein Entsprechungsverhältnis, durch das dem Lyoner Bischof erst eine sichere theologische Aussage möglich wird. Von der kosmologischen Dimension des Geistes kann nur gesprochen werden, weil die in der Jesaia-Prophetie verheißenen Gaben wirklich in der menschlichen Geschichte greifbar geworden sind, weil sie auf dem Sohn Gottes bei seiner Ankunft als Mensch ruhen[44]. So erhält der von den Mächten im Geist ausgeübte Dienst eine klare Ausrichtung auf die mit der Menschwerdung des Sohnes sichtbar gewordene Geistfülle. Der himmlische Geistkosmos besteht nicht für sich. Er hat in Christus seine Mitte. Von der ersten umfassenden Gabe der Weisheit bis hin zur an die Erde grenzenden Furcht vor seinem machtvollen Wirken dient alles dazu, den Aufstieg in die Himmel zu ermöglichen. Das in ihnen erstrahlende Licht des Geistes scheint von dem menschgewordenen Wort aus über die ganze Erde, damit alles in die Harmonie des göttlichen Lobpreises miteinbezogen wird[45].

cc) Die weisheitliche Gestaltung der Schöpfung

Die Formung und Gestaltung des Engelkosmos hat eine Analogie in der übrigen Schöpfung, insofern diese seit jeher Zeugnis vom weisheitlichen Geist gibt. Seiner Kennzeichnung dienen die drei Verben: »ordnen — schmücken«, »anpassen« und »anordnen«[46].

Während der Bischof von Lyon dem götlichen Wort das »Machen« in der Ausführung des väterlichen Willens zuweist, sieht er beim Geist die Verbindung mit der Kreatur in seiner gestalterischen Funktion: Gott »hat alles durch das Wort gemacht und durch die Weisheit geordnet«[47]. Der Geist ist die Gestalt der wohlausgewogenen Ordnung in der Welt, die Gott nicht an einem außer-

[44] S. o. § 20 a.

[45] Irenäus sieht einen Typos hierfür in dem siebenarmigen Leuchter, der ständig im Heiligtum brennen soll (Ex 25,31—40 Lev 24,2—4): Epid. 9 (SC 62,46). In 5,20,1 (SC 153,256) überträgt er die Typologie auf die Kirche: »sie ist der siebenarmige Leuchter, der das Licht Christi trägt«. Die Kirche ist also das Zeichen der Gegenwart des mit Christus geschenkten Hl. Geistes, darin ein Abbild der 7 Himmel und der Weg des Aufstiegs zu Gott.

[46] ornare-aptare-disponere.

[47] 4,20,2 (SC 100,630): »omnia Verbo fecit et Sapientia adornavit«.

halb seiner liegenden Sein abzulesen braucht, sondern von sich selber hernehmen kann[48]. Als Form der Welt steht er in Beziehung zu allem, was gut aufeinander abgestimmt ist.

Den weisheitlichen Schmuck der Schöpfung beschreibt Irenäus mit eindrucksvollen Worten: »Welches größere, herrlichere, vernünftigere Werk«, fragt er seine Gegner, »... wollen sie vorweisen als die von dem geschaffenen Werke, der dies alles angeordnet hat? Welche Himmel haben sie gefestigt, welche Erde gegründet, welche Sterne hervorgebracht, welche Lichter angezündet, welche Bahnen haben sie den Sternen zugewiesen? Welchen Regen, welchen Frost, welchen Schnee haben sie, der Zeit und jeder Gegend angepaßt, der Erde zugeführt? Welche Hitze oder Trockenheit haben sie zum Ausgleich bewirkt? Welche Flüsse ließen sie fluten, oder welche Quellen haben sie hervorgebracht? Mit welchen Blumen oder Bäumen haben sie die Erde unter dem Himmel geschmückt? Welche Vielzahl von Lebewesen haben sie gebildet, vernünftige oder unvernünftige, alle mit einer Gestalt geschmückt? Und wer könnte all das Übrige im Einzelnen aufzählen, was durch die Macht Gottes begründet und seine Weisheit geleitet wird? Oder wer könnte die Größe der Weisheit des Schöpfergottes ergründen?«[49].

Da sich der Lyoner Bischof gegen eine Herabsetzung des Schöpfers zugunsten des unbekannten Gottes wendet, stellt er, ohne die trinitarische Dimension ausdrücklich zu betonen, die Weisheit als eine der Größe und Macht vergleichbare Eigenschaft Gottes vor. Da er aber sonst das Schmücken und Ordnen dem Geist zueignet, ihm, der mit vollem Recht den Namen »Weisheit« verdient[50], ist man berechtigt, in dem großen, in bewegter Rede gezeichneten Zusammenklang sein Werk zu erkennen. Sein ordnendes Walten erhält eine eindrucksvolle Illustration. Der Glanz der Schöpfung, ihre sinnvolle Einheit in der Mannigfaltigkeit der Dinge geben Zeugnis von ihm, der göttlichen Gestalt aller harmonischen Ordnung, die im Widerschein des Geschaffenen zu erkennen ist[51].

Die Kennzeichnung durch die beiden anderen Verben »anordnen« und »anpassen« liegt auf der gleichen Ebene. Weil Gott alles ent-

[48] 4,20,1 (SC 100,626): »exemplum factorum et figuram in mundo ornamentorum accipiens«; 4,20,1 (624): »fecit et adornavit« (mit dem armen. Text).

[49] 2,30,3 (H 1,362f); s. auch 2,30,1 (361): »se meliores pronuntiant illo Deo, qui caelos et terram et maria et omnia, quae in eis sunt, fecit et ornavit«.

[50] S. Epid. 5 (SC 62,36); 10 (46).

[51] Vgl. 2,7,5 (H 1,269): »aut de hominibus quidem aliquis permittit, a semetipsis utile aliquid ad vitam adinvenisse; ei autem Deo, qui mundum consummavit, non permittit, a semetipso fecisse speciem eorum, quae facta sunt, et adinventionem ornatae dispositionis«? sowie 2,25,1 (342): »magna cum sapientia et diligentia ad liquidum apta et ornata omnia a Deo facta sunt«.

sprechend angeordnet, verteilt und eingerichtet hat, ist das ausgewogene Ganze zustande gekommen[52]. Man kann mit Irenäus von einer »wohlgestalteten Anordnung« sprechen[53]. Gott hat die Welt so angelegt, daß sie ein Gefüge bildet, nicht aber in disparate Substanzen auseinanderfällt, sei es im Bereich der Natur, sei es in der Heilsveranstaltung vom Anfang bis hin zum Ziel der Teilgabe Gottes an sich selber[54]. Wenn der Lyoner Bischof nun erklärt, wie Gott durch sein Wort das All geschaffen habe, so sei »durch seine Weisheit alles angepaßt und angeordnet«[55], dann ist wieder der Bezug zum Geist hergestellt. Als der Weisheit des Vaters kommt ihm die wohlberechnete Anordnung zu. Er tritt als die in der Natur grundgelegte Bestimmung hervor, wie er sich, auf den gesamten Heilsplan bezogen, darin als wirkmächtig erweist, daß er den Menschen von Beginn an die Anordnungen Gottes nahebringt[56]. Ähnliches gilt für das Angepaßtsein des göttlichen Werkes, seine sinnvolle Einrichtung in bezug auf den Menschen. Es bleibt nicht auf die Schöpfung als solche beschränkt, sondern verweist schon auf die umfassende Heilsordnung, in der das Geschöpf verständnisvoll und im ernsthaften Eingehen auf die jeweilige Situation von der Weisheit Gottes begleitet wird[57]. Die sinnvolle Gestaltung des Ganzen ist so ein Hinweis auf den Geist, ein Zeichen seiner Gegenwart, die immer auf das Offenbarwerden im Neuen Bund hindrängt und nur von hier aus aussagbar ist.

Für die Frage nach dem Verhältnis des Gottesgeistes zur Schöpfung sind noch zwei Texte von Bedeutung. Im dritten Buch von adversus haereses heißt es, daß Gott »uns durch die Schöpfung ernährt, da er durch sein Wort alles befestigt und durch seine Weisheit alles zusammenfügt«[58]; und in Buch fünf erklärt Irenäus innerhalb der von der Eucharistie aus geführten Argumentation gegen die Leugner der Fleischesauferstehung: »... das Holz der Weinrebe bringt, in die Erde gesenkt, Frucht zu seiner Zeit; und das Weizenkorn,

[52] S. die Verben »disponere«, »aptare« in 2,30,3 (363f).
[53] 2,7,5 (H 1,269): »ornata dispositio«.
[54] Soweit die Heilsökonomie hier mit hineinspielt s. o. § 18 c.
[55] 2,30,9 (H 1,368): »omnia aptavit et disposuit Sapientia sua«. Der Bezug auf die Weisheit gilt freilich nicht ausschließlich; es heißt z.B. von Gott: »qui haec omnia disposuit« (2,30,3 (H 1,362), oder vom Wort: »gubernans et disponens omnia« (5,18,3 (SC 153,244).
[56] S. nur 4,33,1.7 (SC 100,802.818).
[57] S. 2,25,1 (H 1,342); 2,30,9 (368); 4,20,4 (SC 100,634) und 2,25,2 (H 1,343): »Quia autem varia et multa sunt quae facta sunt, et ad omnem quidem facturam bene aptata et consonantia; quantum autem spectat ad unumquodque eorum, sunt sibi invicem contraria et non convenientia; sicut citharae sonus per uniuscuiusque distantiam consonantem unam melodiam operatur ex multis et contrariis sonis subsistens«.
[58] 3,24,2 (SC 211,476).

das in die Erde fällt (vgl. Joh 12, 24) und sich auflöst, steht vielfältig auf durch den Geist Gottes, der alles umfaßt (Weish 1, 7)...«[59].

Auffallend sind die Bezugnahme auf den Vers aus dem Buch der Weisheit: »Der Geist des Herrn hat ja den Erdkreis erfüllt, er, der das All umfaßt, kennt jede Sprache«[60], und der mit dem Geist verbundene Hinweis auf die nahrungspendende Schöpfung. Dazu kommt im zweiten Text, daß Irenäus in einer sehr dichten theologischen Aussage die Annahme der Schöpfungswirklichkeit durch Christus in der Menschwerdung, im Leiden und in der eucharistischen Gegenwart erklärt. Er trifft weiterhin die Feststellung: »Und weil wir seine Glieder sind und durch die Schöpfung ernährt werden — er selber aber gewährt uns die Schöpfung, da er die Sonne aufgehen und den Regen nach seinem Willen fallen läßt (vgl. Mt 5,45) —, deshalb hat er den Kelch, der aus der Schöpfung stammt, zu seinem Blut erklärt, durch das unser Blut sich kräftigt, und das Brot der Schöpfung zu seinem Leib, an dem unsere Leiber sich stärken.«[61] Kommt nun diese von Christus angenommene Nahrung durch den Geist zustande, dann erhält seine Wirksamkeit einen tiefen Sinn. Indem er den in die Erde gesenkten Weizen zur Entfaltung bringt, besorgt er die Schöpfungselemente, die zur Aufnahme Christi fähig werden und damit zur Nahrung für die Unvergänglichkeit. Der Geist, der darin erkannt wird, daß die weisheitliche Gestaltung der Erde dem Menschen Nahrung schenkt, ist der Grund dafür, daß das Geschaffene zur Eucharistie im Dienste der Verherrlichung des Vaters wird.

Nicht nur in der äußerlichen Gestaltung des Kosmos, sondern auch bis ins Innere hinein zeigt sich nunmehr das Walten des Geistes. Er

[59] 5,2,3 (SC 153,36).

[60] »continet omnia« in 5,2,3 ist durch ein griechisches Fragment aus den Sacra Parallela als Übersetzung von τοῦ συνέχοντος τὰ πάντα ausgewiesen. Für »compingens omnia« in 3,24,2 — in 1,2,6 (H 1,23) übersetzt es das griechische Wort πλέκειν — fehlt eine entsprechend klare Parallele. Die von Sagnard 403 vorgeschlagenen Stellen: Weish. 8,1 (διοικεῖ τὰ πάντα), Weish. 7,27 (πάντα δύναται), ermöglichen kaum eine Verbindung zu compingere (zusammenschlagen, zusammenfügen). Dagegen ist ein inhaltlicher Bezug zu Weish. 1,7 (τὸ σύνεχον τὰ πάντα) gut denkbar. Die wörtliche Schriftparallele hat nunmehr wohl A. Rousseau, SC 210,393, herausgefunden, der auf das Buch der Sprüche hinweist: »Als er die Fundamente der Erde befestigte, war ich als ›*Werkmeister*‹ (ἁρμόζουσα) an seiner Seite« (Spr 8,30 LXX). Irenäus zitiert den Vers in 4,20,3 (SC 100,632); die lateinische Übersetzung schreibt hier »aptans«. Man vgl. aber mit Rousseau, aaO, 2,33,5 (H 1,380), wo das griechische Wort ἁρμονία durch »compago sive aptatio« wiedergegeben wird, sowie die Vg., die mit »componens« übersetzt. — Im hebräischen Text zieht man statt »Werkmeister« neuerdings eine Deutung im Sinne von »Liebling« vor.

[61] 5,2,2 (SC 153,32). Zur Übersetzung s. die Anm. von A. Rousseau, SC 152,211f.

umfaßt und durchwirkt das All und macht es zum Zeichen seiner Gegenwart[62].

Fragt man am Ende der irenäischen Überlegungen zur Beziehung von Geist und Schöpfung nach dem Ergebnis, dann zeigt sich die universale Dimension der neutestamentlichen Offenbarung. Die gesamte Schöpfung von Anfang an und in allen Bereichen findet in ihr ihre Mitte. Ihre kosmologischen Ausmaße machen es unmöglich, die Wirklichkeit in einem Ausscheidungsverfahren im Sinne der Gnosis auseinanderzudividieren. Denn die Schöpfung ist als ganze schon immer das Werk, das seinen Schöpfer offenbart und ansatzweise darauf angelegt ist, die Selbstmitteilung Gottes zu empfangen.

Viertes Kapitel: Die Entfaltung der Geistwirksamkeit in der Kirche

§ 23 Die Kirche als Stätte des Heiligen Geistes

Der Reichtum der neutestamentlichen Gnadengaben bestimmt die Zeit der Kirche. Der Bischof von Lyon ist der Überzeugung, daß in ihr zu erfahren ist, »daß die Fülle der Zeiten der Sohnschaft gekommen ist (vgl. Gal 4, 4f) und sich das Reich der Himmel genaht hat (vgl. Mt 3, 2; 4, 17) und in den Menschen wohnt (vgl. Lk 17, 21), die an den von der Jungfrau geborenen Emmanuel glauben (vgl. Jes 7, 14)«[1]. Der Mensch steht vor der großartigen Möglichkeit, in das von Gott eröffnete neue Leben einzutreten; und das bedeutet in vorzüglicher Weise eine Begegnung mit dem durch Christus geschenkten Heiligen Geist, der das Leben der Kirche begründet und das Werk der Neuschöpfung vornimmt.

a) Der Anspruch auf den Geist

aa) Geistfülle in der Kirche

Die nachösterliche Wirksamkeit des Heiligen Geistes zeigt sich zuerst in der Verkündigung der Apostel und Jünger Christi. Seit

[62] Damit ist eine rein »naturhaft« schöpfungsbezogene Auffassung des »surgit per Spiritum Dei« schon überwunden. Man hört mit, daß die Wirksamkeit des Heiligen Geistes die eucharistische Annahme der Schöpfung bis hin zur Fleischesauferstehung ins Werk setzt. — Über die hier außer acht gelassene Wendung: »deinde per sapientiam in usum hominis veniunt« (5,2,3; 36), s. A. Rousseau, SC 152,213ff, der m. E. zu Recht bemerkt, daß »Weisheit« hier die Kunstfertigkeit des Menschen, nicht aber den Heiligen Geist meint.

[1] 3,21,4 (SC 211,410).

dem Pfingsttag sind sie mit vollkommener Erkenntnis für die Predigt gerüstet[2]. Der Geist weist ihnen den Weg. Unter seiner Leitung erkennen sie, daß für die christliche Taufe die jüdische Beschneidung nicht mehr notwendig ist[3]. Durch Taufe und Handauflegung wird er von ihnen an die Gläubigen vermittelt und realisiert so an ihnen die Heilsmächtigkeit des Neuen Bundes[4].

Geistwirken, Geistmitteilung und Kirche bilden deshalb eine nicht auflösbare Einheit. Irenäus sagt, mit der Spendung des Geistes sei die konkrete geschichtliche Kirche geschaffen worden[5]. Zu ihr kommt es, weil der Geist Menschen in Besitz nimmt. Seine Macht läßt Kirche entstehen, erhält sie und setzt sie immer neu in der Zeit, da sie in ihr erfahren und weitergegeben wird. So ist für den Lyoner Bischof die Kirche der eigentliche Adressat der Geistspendung. Das nach der Menschwerdung ausgesandte »Geschenk des himmlischen Geistes«[6] ist eben »die Gnade des der Kirche zuwehenden Geistes«[7]; das »in den letzten Zeiten nach dem Willen des Vaters ausgegossene Geschenk des Geistes« die »prophetische Gnade ... der Kirche«[8]. Der Herr selber »hat den Geist Gottes ... der Kirche gegeben«[9], die sich jetzt für alle Zeit »derselben Gabe des Geistes« erfreuen darf[10].

Statt von der Kirche kann Irenäus auch vom »Menschengeschlecht«[11] oder »der ganzen Erde«[12] sprechen. Die Partikularität ist aufgehoben zugunsten der weltumspannenden Universalität, wie andererseits der Geist nicht diffus über die Erde ausgestreut ist, sondern sich in der geschichtlichen Verfaßtheit »dieser Kirche«[13] zu erkennen gibt. Auf dem ganzen Erdkreis blüht sie auf, weil der Geist keine Schranken kennt. »Überall«, schreibt der Lyoner Bischof, »ist die herrliche Kirche ..., denn überall finden sich Menschen, die den Geist aufnehmen«[14]. Ihr Leben ist im tiefsten das Geheimnis der sie stiftenden Gottesmacht. Es pflanzt sich fort, indem die Kirche es den Menschen mitteilt. »Dieses Geschenk Gottes

[2] 3,1,1 (SC 211,22); 3,7,2 (82ff); 3,12,1 (178); 3,12,5 (196); 3,21,4 (410); 4,35,2 (SC 100,864ff); Epid. 47 (SC 62,107).

[3] 3,12,15 (SC 211,246); vgl. 3,12,14 (244): »libertatis novum testamentum dabant his, qui nove in Deum per Spiritum sanctum credebant«.

[4] 1,23,1 (H 1,190); 3,17,2 (SC 211,332ff); 4,38,2 (SC 100,948ff); Epid. 41 (SC 62,96). Zum Thema Taufe-Geist-Handauflegung s. o. § 14 a A 5.

[5] Epid. 41 (SC 62,96).

[6] 3,11,8 (SC 211,168).

[7] 3,11,8 (SC 211,164).

[8] 3,11,9 (SC 211,170ff).

[9] 3,17,3 (SC 211,336).

[10] 5,20,1 (SC 153,254).

[11] 3,11,9 (SC 211,172); 3,17,2 (330).

[12] 3,11,8 (SC 211,168); 3,17,3 (336).

[13] Epid. 41 (SC 62,96).

[14] 4,36,2 (SC 100,886).

ist der Kirche gleichsam zur Belebung für das Geschöpf anvertraut, damit alle Glieder, die es empfangen, lebendig werden.«[15] Wie in einem Gefäß trägt sie in sich den Reichtum des Heiligen Geistes, schenkt ihn ihren Gliedern weiter und wird durch ihn fortwährend in strahlender Jugendfrische erhalten[16].
So ist die Kirche von ihrem Wesen her Geschenk, Gnade, auch da, wo sie selber gibt, nicht die letzte Geberin, sondern Zeichen des in ihr herrschenden Geistes. Die berühmte Gleichung: »Wo die Kirche ist, da ist auch der Geist Gottes; wo der Geist Gottes ist, da ist auch die Kirche und alle Gnade«[17], ist als Ausdruck des innersten Wesens der Kirche immer auch ein Hinweis auf ihre Selbstbezogenheit, nicht aber eine eigenmächtige Setzung, deren Wahrheit nur von Menschen verantwortet würde[18].

bb) Gegensatz zur Kirche der Geistsamen

Dem Bischof von Lyon begegnet in der Gnosis ein pneumatisches Selbstverständnis, aufgrund dessen man sich unüberbrückbar von der Klasse der Psychiker und erst recht von den Hylikern geschieden weiß. Sich im Besitz des von der Sophia eingesenkten Samens wähnend, halten die Gnostiker sich für die Erwählten der wahren Kirche. Ihr Geistsame stellt diese dar, die ihrerseits als Typos der oberen Äonenkirche begriffen wird[19]. Ihr gehört der pneumatische »Erstling« an — so die gnostische Ausdeutung von Rö 11, 16 —, während die sichtbare Kirche in der Welt für die große Masse der geistlosen Psychiker bestimmt ist[20]. Werden hier Glaube und gute Werke gefordert, damit man zum Lohn den Aufenthalt am Ort der Mitte erhält, so kann man sich dort einer vollkommenen Erkenntnis und eines naturhaften Geistbesitzes rühmen, mit dem sicheren Bewußtsein, daß der Same notwendig ins Pleroma eingehen wird[21].
Mit dem Unterfangen konfrontiert, der geschichtlich realen Kirche den Geist abzusprechen und statt dessen in mythologischer Erklärung die Erweckung und Befreiung von pneumatischen Samen aus der Welt zu behaupten, hebt Irenäus mit allem Nachdruck hervor, daß allein in der Kirche vom Heiligen Geist gesprochen werden kann, nicht in den Konventikeln einiger Erwählter, sondern in der seit den Aposteln bestehenden, durch den Geist gesetzten und

15 3,24,1 (SC 211,472).
16 Ebd.
17 3,24,1 (SC 211,474).
18 An das eben wiedergegebene Zitat schließt sich der Satz: »Spiritus autem veritas«; s. dazu u. § 24.
19 S. 1,5,6 (H 1,51) sowie 1,1,1 (10).
20 S. 1,8,3 (H 1,72f).
21 Vgl. 1,6,2—1,7,1 (H 1,53—59); 1,7,4 (64).

immer neu erhaltenen Gemeinschaft der Gläubigen, in der die ganze Erde an der Wiederherstellung der Menschheit teilnimmt. An die Stelle des Geistsamens der Achamoth tritt der Heilige Geist der christlichen Offenbarung, die im Christusereignis frei gewordene eschatologische Gabe für die Menschen. Der Anspruch der Gnosis erweist sich als ein Unternehmen auf eigene Rechnung, als hoffnungsloser Irrweg, der niemals zum Ziel führen kann. Statt vom Geist geführt ins Pleroma zu gelangen, erleiden sie, wie Irenäus mit gekonnter Ironie erklärt, das gleiche Geschick wie einst ihre Mutter Achamoth. Wie sie durch den Horos vom Pleroma zurückgestoßen worden sein soll, so hat auch ihre Kinder »der Geist nicht an dem Ort der Erquickung aufgenommen«. Es gibt nur die eine Chance für sie, daß sie sich der wahren Mutter, der Kirche, zuwenden, hier als legitime Kinder den Geist empfangen und in der Einheit mit Christus die von Gott bestimmte Vollendung anstreben[22].

b) Leib Christi und Geist

Wenn der Geist den Wesensgrund der Kirche bildet, dann stellt sich die Frage, welche Beziehung hier zu Christus besteht, mit anderen Worten, ob und wie die geistliche und die christologische Dimension der Kirche zusammengesehen werden.

Eine erste Bestimmung ergibt sich daraus, daß der in der Kirche waltende Geist der von Christus gegebene ist. Irenäus schreibt: »Dieses Geschenk hat der Herr vom Vater empfangen und selber denen gegeben, die an ihm teilhaben, indem er auf die ganze Erde seinen Geist sandte.«[23] Die Geistgabe besteht zusammen mit der Teilhabe an Christus. Immer an diese gebunden, dient sie der Erneuerung der Menschheit »zur Neuheit Christ«[24], bewirkt sie »die Gemeinschaft mit Christus«[25]. Der mit dem Geist gesalbte Gottessohn soll in der Kirche sichtbar werden, indem der Geist sie auf ihn hin erneuert. Darum ruft der Lyoner Bischof seinen gnostischen Gegnern zu, statt auf einen pneumatischen Samen zu vertrauen, sollten sie sich der Kirche zuwenden, damit »Christus in ihnen gestaltet werde«[26]. Das Pneumatikersein besteht nicht in einer

[22] 3,25,6f (SC 211,486ff) ein Text, der mit beinahe jedem Wort auf die gnostische Begrifflichkeit anspielt.

[23] 3,17,2 (SC 211,334).

[24] 3,17,1 (SC 211,330).

[25] 3,24,1 (SC 211,472); s. den Apparat zur Stelle und die Anm. von A. Rousseau, SC 210,392.

[26] 3,25,7 (SC 211,488ff): »formari Christum in eis et cognoscere eos Fabricatorem et Factorem huius universitatis«; Irenäus wendet die gnostische Idee von der formatio secundum agnitionem (die der formatio secundum substantiam folgt) ins Gegenteil. S. 1,4,1 (H 1,32); 1,4,5 (39).

Formung des Menschen nach dem Beispiel der Achamoth, sondern darin, daß durch den Geist Christus in den Menschen Gestalt gewinnt. Die Kirche als ganze soll, wie Irenäus im Anschluß an Rö 8, 29 formuliert, »dem Bild seines Sohnes angepaßt werden«[27], wie sie auch durch das ihr zukommende Geschenk der Sohnschaft konstituiert wird[28].

Man kann einen Schritt weiter gehen. Die Kirche wird bei Irenäus als Leib Christi bezeichnet[29]. In ihren Gliedern untersteht sie ihrem Haupt und ist dazu berufen, an der Herrlichkeit ihres Herrn teilzunehmen[30]. Hiermit kann sich eine Brautsymbolik verbinden, derzufolge die Kirche die ohne Verdienst Erwählte darstellt, die Christus als seinen Leib annimmt, da er ihr seine ungeschuldete Liebe schenkt[31].

Von besonderem Interesse für die vorliegende Fragestellung ist die bei Irenäus angedeutete Verbindung des Leibes Christi mit dem sakramentalen Geschehen der Eucharistie. In seiner Argumentation gegen die Leugner der Fleischesauferstehung erklärt er: »Wenn also der gemischte Kelch und das zubereitete Brot das Wort Gottes aufnehmen und die Eucharistie von Blut und Leib Christi werden, aus denen die Substanz unseres Fleisches Stärkung und Bestand erhält, wie leugnen sie dann, daß das Fleisch die Gabe Gottes, die das ewige Leben ist, aufnehmen kann; das Fleisch, das vom Blut und Leib Christi genährt wird und sein Glied ist, wie der selige Apostel im Brief an die Epheser sagt: ›Wir sind Glieder seines Leibes, von seinem Fleisch und von seinen Gebeinen‹ (Eph 5, 30)?«[32]
Die Gegner sollen ins Unrecht gesetzt werden: Wenn irdisches Brot und Wein von dieser Welt in der Eucharistie zum Leib und Blut

[27] 4,37,7 (SC 100,942).
[28] 3,6,1 (SC 211,66ff); 5,32,2 (SC 153,402).
[29] S. 4,33,7 (SC 100,816): »magnum et gloriosum corpus Christi«.
[30] S. dazu 3,16,6 (SC 211,314); 3,19,3 (382); 5,2,3 (SC 153,34); 5,6,2 (82); 5,14,1 (194); 5,18,2 (240).
[31] S. 5,2,3 (SC 153,34) mit dem Zitat von Eph 5,30 nach der Koine und dem westlichen Text. Irenäus zitiert noch Eph 5,23 (vgl. Eph 1,22; Kol 1,18): 3,16,6 (SC 211,314); 5,18,2 (SC 153,240); Kol 1,18: 3,19,3 (380); Eph 4,16: 4,32,1 (SC 100,798); 1 Kor 6,15: 5,6,2 (SC 153,82) sowie Kol 2,19: 5,14,4 (194). — Mit der vorgelegten Deutung gehen die Hinweise auf die Erwählung der unwürdigen Braut zusammen (4,20,12; SC 100,668—574; 4,21,3; 680—684). — Wingren, aaO 159f, betont bei Irenäus die Brauttypologie stärker als den Gedanken vom geistigen Leib des Auferstandenen. Er stellt damit aber m. E. Aussagen wie die über den »Leib der Wahrheit« (s. o. § 1 a A 11) zu schnell beiseite. — Das Urteil Wingrens (aaO 161): »The only holiness of the Church resides in the fact, that she is loved by Christ«, trifft für Irenäus zu (s. nur 4,20,12; SC 100,670); dabei gilt aber, daß es sich um eine reale Heiligkeit handelt, die das »magnum et gloriosum corpus Christi« (4,33,7; 816) auszeichnet.
[32] 5,2,3 (SC 153,34). Zum Bedeutungsgehalt von »Wort Gottes« s. den weiteren Text von 5,2,3 (36); vgl. 4,18,5 (SC 100,610).

Christi werden, wenn dadurch unser, zum Leibe Christi gehörender Leib genährt wird, dann kann der Leib nicht verworfen werden; er nimmt teil an der Einigung des Himmlischen mit dem Irdischen, das heißt, er gelangt zur Auferstehung[33]. Der Kern des Beweises liegt in zwei Punkten, in der Gegenwart von Leib und Blut Christi in der Eucharistie und in der Zugehörigkeit zu seinem Leib durch den Empfang der eucharistischen Gaben. Schärfer formuliert, weil die Christen durch die Eucharistie zum Leibe Christi werden, ist auch ihr menschliches Fleisch nicht vom Heil ausgeschlossen. Der Leib Christi gewinnt dadurch in der Kirche Gestalt, daß Christi Leib und Blut in der Eucharistie gegenwärtig sind. Das Herrenmahl ist die Gabe Christi, die die Kirche zu seinem Leib macht[34].

Hat Irenäus zwischen der Gegenwart Christi in seinem Leib und der Kirche als Geistwirklichkeit eine Vermittlung im Sinne der Anschauung, daß der Geist den Herrn Gestalt werden läßt, vorgenommen? Zwei Texte können vielleicht weiter führen.

In einem Wort der Epideixis deutet er bei der Auslegung der Prophetie über den Keltertreter (Gen 49, 10f) das »Blut der Traube« auf Christus, der in seinem Blut die Menschheit erlöst hat, und zieht dann die Parallele, daß wie der Wein den Menschen erfreut, so auch Christus »jene freudig macht, die ihn trinken, das heißt, die seinen Geist, ewige Freude, empfangen«[35]. Mit seiner Anspielung auf die Eucharistie[36] liefert Irenäus zugleich einen Hinweis auf das Wirken des Geistes. Der Empfang der Gaben, die Einigung mit dem Leib Christi, ist eine Begegnung mit dem Heiligen Geist, die, dem Bild vom Wein gemäß, als ewige Freude charakterisiert wird. Als Frucht der Erlösung erfüllt der Geist die Gläubigen und macht sie ihres ewigen Heiles gewiß.

In dem Abschnitt über das Wachstum des Menschen vom Kindheitsstadium bis zur Vollkommenheit und die ihm angepaßte Offenbarung heißt es, Christus habe sich aus Rücksicht auf das Geschöpf nicht in seiner Herrlichkeit, sondern als Mensch gezeigt; er habe ihm Milch und noch nicht die feste Speise (vgl. 1 Kor 3, 2) des Brotes gegeben: »durch eine solche Milchnahrung gewöhnt, das Wort Gottes zu essen und zu trinken, sollen wir das Brot der Unsterblichkeit, welches der Geist des Vaters ist, in uns bewahren können«[37]. Die Ankunft Christi als Mensch ist eine Gewöhnung daran,

[33] Vgl. die analoge Argumentation in 4,18,5 (SC 100,610ff).

[34] In dem eucharistischen Text 5,2,2 (SC 153,32) heißt es: »quoniam membra eius sumus ...«

[35] Epid. 57 (SC 62,120ff).

[36] Zum Beweis vgl. die Sätze aus adv. haer. 4,17,5 (SC 100,590ff); 4,18,4 (608—612) und 5,2,2f (SC 153,30—35).

[37] 4,38,1 (SC 100,946ff).

in der Eucharistie das Wort Gottes aufzunehmen. Die Rede vom vollkommenen Brot und die eucharistische Terminologie vom »Essen« und »Trinken« zeigen überdeutlich, daß Irenäus an das Herrenmahl denkt[38]. Hier gelangt man dazu, Christus über seine menschliche Erscheinung hinaus als Gott zu erkennen und Gemeinschaft mit ihm zu haben; und das heißt, vom Geist in Besitz genommen zu werden. Der Geistempfang ist das Ergebnis des mit der Menschwerdung neu einsetzenden Gewöhnungsprozesses. Er ist die mit dem Essen und Trinken des Wortes Gottes geschenkte Frucht. So kommt von der eucharistischen Gegenwart aus wiederum der Heilige Geist in den Blick. Vom Wort Gottes unterschieden, ist er die Macht, die im Ausgang von ihm ihre Wirksamkeit entfaltet. Sie erfüllt den, der fähig geworden ist, Gott in Christus aufzunehmen, mit der Hoffnung auf Erlösung[39].

Was folgt daraus für die Beziehung zwischen dem Leib Christi und dem Geist in der Kirche? Der Lyoner Bischof hat sich nicht ausdrücklich um eine Vermittlung der beiden Aussagereihen bemüht. Aber er gibt doch zu erkennen, daß beides zusammengehört. Die Kirche als Leib des Herrn ist die Kirche, in der der Heilige Geist lebendig ist. Von Christus gegeben, wird der Geist in seinem Leib erfahrbar. Umgekehrt besteht seine Tätigkeit darin, Christus in der Kirche aufzuerbauen und damit das Heil des Geschöpfes zu wirken.

[38] Das griechische Fragment aus den Sacra Parallela (SC 100,946) schreibt mit Joh 6,54.56 τρώγειν καὶ πίνειν.

[39] Da Irenäus in 4,38,1 (SC 100,946ff) Milch und feste Speise einander gegenüberstellt und damit die Menschheit und die Gottheit Christi (das vollkommene Brot) vergleicht, könnte man meinen, der Satz, man solle durch die Milchnahrung gewöhnt, das Wort Gottes zu essen und zu trinken, den Geist als das Brot der Unsterblichkeit in sich tragen können, identifiziere den Geist mit der Gottheit Christi. Andrerseits aber beginnt für Irenäus das Stadium der festen Speise schon mit dem *Essen* und *Trinken* des eucharistischen Brotes und Weines und dem darin erkannten göttlichen Wort. Der Geist ist dann die zweite Stufe dieses Stadiums; er gehört mit dem göttlichen Wort zusammen als die von ihm den Menschen vermittelte Gnade und wird deshalb das Brot der Unsterblichkeit genannt. Wären beide identisch, dann brauchte Irenäus nicht die Doppelheit von Wort und Geist zu erwähnen. — Die Deutung bestätigt sich, wenn man die im Text vorhandene Bezugnahme auf 1 Kor 3,2f (s. bes. 4,38,2; 948ff) erwägt. Denn die Handauflegung betrifft hier im Verständnis des Irenäus den von Christus unterschiedenen Geist. Gibt es im Paulustext die beiden Pole: Kenntnis des Menschgewordenen und Geistempfang, so legt Irenäus dies in dem Sinne aus, daß der Kenntnis des Menschgewordenen die Gemeinschaft mit dem Wort Gottes und der Geistempfang gegenüberstehen. Dieser erfolgt zuletzt, weil er die Heilszusage für den Menschen bedeutet; er ist aber eng mit dem göttlichen Wort verbunden, da er von ihm aus zuteil wird.

c) Das neue Gottesvolk

aa) Geistverlust für Israel und Berufung der Heidenwelt

Mit der Geistausgießung über die ganze Erde vollzieht sich die Ablösung des Alten Bundes, die Berufung der Heiden zur Gemeinschaft des Neuen Testaments. Für Israel bedeutet das den Verlust seiner einstigen Vorzugsstellung. Irenäus erklärt die neue Geistspendung mit den Worten: »Die Gnade dieses Geschenks sah Gideon voraus, jener Israelit, den Gott erwählt hat, um das Volk von der Fremdherrschaft zu befreien. Er änderte seine Bitte und zeigte prophetisch an dem Wollflies, auf dem nur zuerst der Tau gewesen war — was einen Typos des Volkes darstellte —, die künftige Trockenheit (vgl. Ri 6, 36—40); das heißt, sie würden nicht mehr von Gott den Heiligen Geist erhalten, wie es auch Jesaia sagt: ›Und den Wolken werde ich befehlen, nicht über sie zu regnen‹ (Jes 5, 6); dagegen würde auf der ganzen Erde der Tau sein, das ist der Geist, der auf den Herrn herabgestiegen ist ...«[40].
Der Geistentzug von Israel ist die andere Seite der Mitteilung an die ganze Welt. Das prophetische Zeichen findet Irenäus in der Geschichte des Richters Gideon und in dem Jesaia-Wort über das Ausbleiben des Regens für den Weinberg Israel. Gideon erbat sich von Gott das Zeichen für die Rettung Israels, der über Nacht fallende Tau möge auf die in der Tenne ausgebreitete Wolle kommen, den Boden ringsum aber trocken lassen. Die Bitte wurde ihm erfüllt. Doch warum änderte er seinen Wunsch und ersuchte Gott für die nächste Nacht um das Gegenteil? Das könnte eine Art Gegenprobe unter erschwerten Bedingungen sein. Aber Irenäus sieht hier den tieferen Sinn einer prophetischen Handlung: die zugesagte Hilfe gilt nicht mehr Israel, dem vom Tau getränkten Flies, sondern der Menschheit überhaupt. Sie empfängt jetzt den Tau, während dem alten Volk die befruchtende Feuchtigkeit versagt bleibt[41].
Ist Gideons Verhalten der prophetische Hinweis eines geistbegabten Mannes (vgl. Ri 6, 34) auf den Neuen Bund, so wird in dem Zitat aus Jesaia der Grund für die Trockenheit Israels erkennbar: die Fruchtlosigkeit des von seinem Schöpfer gehegten und gepflegten Weinbergs. Das gleiche Thema spricht der Lyoner Bischof bei

[40] 3,17,3 (SC 211,334).

[41] Innerhalb der Richterperikope bedeutet das zweite Wunder eine Steigerung, da das Trockenbleiben der neu geschorenen Wolle etwas weit Ungewöhnlicheres ist als ihr Feuchtwerden. — Die traditionsgeschichtlichen Bezüge der Perikope erläutert W. Richter, Traditionsgeschichtliche Untersuchungen zum Richterbuch (Bonner bibl. Beiträge 18), Bonn 1963, S. 210f.212—216. Dort auch weitere Literatur zum Gideonflies (aaO 214 A 243).

der Auslegung des Gleichnisses von den bösen Winzern (Mt 21, 33—46) an. Weil sie den Propheten, die Früchte der Gerechtigkeit von ihnen einforderten, keinen Glauben schenkten und zuletzt den menschgewordenen Gottessohn verwarfen, gehen die früheren Erben leer aus; der Weinberg wird anderen Bauern übergeben, die Kelter, das einstmalige »Gefäß für den prophetischen Geist«, über die ganze Erde hin ausgedehnt[42]. Da Israel in seinem Verhalten den ihm zugesagten Heiligen Geist nicht bewährt hat, erfolgt seine Ablösung durch die Kirche[43].

Die Idee vom Aufhören des Geistes für Israel begegnet bei Irenäus nicht zum erstenmal. Schon Justin schreibt in seinen Ausführungen zur Taufe Christi, die von Irenäus übernommen und weitergeführt worden sind[44], die Geistesgaben seien über den Messias gekommen, »weil sie auf ihm ruhen, das heißt, in ihm ihr Ziel finden sollten, damit es nicht mehr Propheten in eurem Volk gebe, wie es einstmals war ... Sie ruhten nun, das heißt, sie hörten auf, sobald jener kam, nach dem sie infolge dieses unter den Seinen in der Zeit verwirklichten Heilsplanes unter euch aufhören mußten, damit sie zu Geschenken würden, die er aus der Gnade der Kraft des Geistes an die Gläubigen austeilt, die er für würdig hält«[45].

Dem Juden Trypho gegenüber stellt Justin fest, daß mit dem Messias das Ende alles Früheren gekommen ist, da es in ihn einmündet und in ihm gipfelt, um neu über die Menschen kommen zu können. Dem Einwand seines Gesprächspartners, Christus könne nicht präexistenter Gott sein, habe er doch offenbar der messianischen Güter bedurft, begegnet er mit der Erklärung, die Herabkunft des Geistes sei nicht für Christus notwendig, sondern zeige das Aufhören und den Neubeginn seines Wirkens. Seine Fortnahme von Israel zugunsten der Kirche ist das Argument dafür, daß die Geistsalbung der präexistenten Gottheit des Sohnes keinen Abbruch tut. Justin kann hierbei an Vorstellungen der spätjüdischen Theologie anknüpfen, denen zufolge Israel nach dem Ende der Prophetie in den messianischen Zeiten die volle Wirksamkeit des Geistes erfahren wird[46].

[42] 4,36,2 (SC 100,882—886).

[43] Vgl. 4,18,3 (SC 100,604), wo Irenäus Jesaia 30,1 zitiert: »Fecistis, inquit, consilium non per me, et testamenta non per Spiritum meum.«

[44] S. o. § 20 a. aa A 13.

[45] Dial. 87,3—5 (ed. Goodspeed 200f).

[46] S. dazu die Texte bei Strack-Billerbeck II 127—134; R. Meyer, TWNT 6,817—820; K. Schluetz, aaO 20—24.43ff. Im Fragment II aus dem judenchristlichen Hebräerevangelium (ed. Vielhauer 107 Hennecke-Schneemelcher 1) heißt es: »Es geschah aber, als der Herr aus dem Wasser heraufgestiegen war, stieg die ganze Quelle des Heiligen Geistes auf ihn herab und ruhte auf ihm und sprach zu ihm: Mein Sohn, in allen Propheten erwartete ich dich, daß

Da Irenäus nun die Geistsalbung konsequent auf die Menschheit des Sohnes Gottes bezieht[47], wird noch eindeutiger als bei Justin die neutestamentliche Geistfülle für die Menschen sichtbar. Mit dem Anbruch der messianischen Zeit führt der Geist Gläubige aus der ganzen Welt zu dem neuen Gottesvolk zusammen. Er selber nimmt die Apostel an die Hand. Er weist ihnen den Weg in die Heidenwelt. In ihm erkennen sie die Neuheit der christlichen Taufe, die die jüdische Beschneidung für die Heiden nicht mehr notwendig macht[48]. Von ihm belehrt, teilen sie den Gläubigen den Geist mit, lassen sie überall die Kirche entstehen[49]. In der Geistspendung für die Heiden geschieht nunmehr die Erwählung des »Nicht-Volkes zum Volk, der Nicht-Geliebten zur Geliebten« (Rö 9, 25; Hos 2, 25 LXX), die Erweckung von Abrahamsöhnen aus Steinen statt aus den Reihen der ersten Nachkommen (Mt 3, 9; Lk 3, 8)[50], die Begnadigung der Unwürdigen zur Gemeinschaft mit dem Sohne Gottes[51]. Jetzt erfüllt sich die Prophetie des Jesaia, daß in der einstmals wasserlosen Wüste reiche Ströme fluten werden (Jes 43, 18—21), »Ströme des Heiligen Geistes, um das erwählte Geschlecht Gottes zu bewässern«[52].

bb) Das Neue Testament der Freiheit

Mit der durch den Geist geschehenden »Öffnung des Neuen Bundes«[53] für alle Völker ist die Freiheit vom früheren Gesetz angebrochen. Den Beschluß des Apostelkonzils zu Jerusalem kommentiert Irenäus mit dem Satz: »Sie gaben den Neuen Bund der Freiheit denen, die durch den Heiligen Geist neu an Gott glaubten.«[54] Da er sich in der nicht am alten Gesetz orientierten Heidenwelt als wirksam erweist, hat die verpflichtende Kraft des Früheren zu bestehen aufgehört. Durch den Geist entsteht Freiheit. In ihm sehen die Apostel, daß die ehemaligen Vorschriften in der Kirche

du kämest und ich in dir ruhte. Denn du bist meine Ruhe, du bist mein erstgeborener Sohn, der du herrscht in Ewigkeit«. — Zur Interpretation von Ps 74(73),9; 1 Makk 4,46; 9,27; 14,41 s. R. Meyer, aaO 814f.816f, der die Texte nicht einfachhin im Sinne eines Aufhörens der Prophetie in der nachexilischen Zeit verstehen will.

[47] S. o. § 20 a. bb.

[48] 3,12,15 (SC 211,246ff).

[49] Epid. 41 (SC 62,96).

[50] S. 3,9,1 (SC 211,100); Epid. 89 (SC 62,156f).

[51] 4,20,12 (SC 100,668—674).

[52] 4,33,14 (SC 100,842); vgl. Epid. 89 (SC 62,156f).

[53] 3,17,2 (SC 211,330).

[54] 3,12,14 (SC 211,244); vgl. 3,10,5 (134), Textbegründung durch A. Rousseau, SC 210,276f. Vgl. 3,10,2 (120): Zacharias »novello Spiritu adimpletus nove benedicebat Deum«.

aufgehoben sind. Der Lyoner Bischof gibt die Erklärung, sie hätten »den Heiden frei zu handeln erlaubt, indem sie uns dem Geist Gottes empfahlen«[55]. Der Geist ist ihnen die Gewähr für die Richtigkeit ihres Vorgehens, wie er sich zugleich der Heiden annimmt, um sie in der Bindung an den Sohn Gottes zu halten[56].
Damit ist aber für Irenäus noch nicht alles gesagt. Mit der Bemerkung, die Gruppe der Apostel um Jakobus habe zwar den vom Geist gewiesenen Weg für die nichtjüdische Welt anerkannt, selber aber die alten Bräuche beibehalten und so ihr Wissen um den einen Gott des Alten und Neuen Bundes kundgetan[57], weist er darauf hin, daß die neutestamentliche Freiheit von der Einheit und Unterschiedenheit der beiden Bünde aus zu bestimmen ist.
Freiheit durch den Geist heißt nicht vollständige Abschaffung des früher von Gott gegebenen Gesetzes. Denn dieses besteht nicht zuerst in einem Katalog von Regeln, die der Situation des alten Bundesvolkes angepaßt waren, von Zeremonialvorschriften und hinzugekommenen weiteren Traditionen[58], sondern ist vor allem das ursprüngliche, seit jeher gültige Gebot der Gottes- und Nächstenliebe. Schon die Patriarchen haben es befolgt, der Dekalog hat es aufgenommen, und zuletzt ist es von Christus erfüllt und vertieft worden[59]. Abgeschafft sind also die alttestamentlichen Typen in der Zeremonialordnung, die nur ein Schatten der künftigen Güter waren, ebenso wie die Beschneidung und andere zum Zeichen gegebene Vorschriften[60]. Ein Ende hat die das ursprüngliche Gesetz verfälschende Tradition, insonderheit das Gesetz der Pharisäer, gefunden[61]. Freiheit besteht gegenüber den für die Knechte notwendigen Banden, von dem Gesetz, welches einst ihre Begierden zügeln mußte[62]. Aufgehoben sind aber auch Konzessionen, die Gott um der menschlichen Unvollkommenheit willen etwa mit der Ehescheidung eingeräumt hat[63]. Hier schlägt die Freiheit sogleich in die größere Verpflichtung um. Wie Christus in den Antithesen der Bergpredigt gezeigt hat, ist sie alles andere als Bin-

[55] 3,12,15 (SC 211,248).
[56] Vgl. auch 3,4,2 (SC 211,46), wo Irenäus von den Barbarenvölkern sagt: »sine charta et atramento (vgl. 2 Kor 3,3) scriptam habentes per Spiritum in cordibus suis salutem«.
[57] 3,12,15 (SC 211,248); s. auch 3,10,5 (134); 3,12,14 (244).
[58] S. 4,11,4 (SC 100,508); 4,12,4f (516—522); 4,14,3 (546ff); 4,15,1f (548—558); 4,16,1f (558—564); 4,16,5 (570ff).
[59] S. 4,12,2f (SC 100,512—516); 4,13,1 (524ff); 4,13,4 (534—538); 4,15,1 (548); 4,16,4f (568—574).
[60] S. 4,11,4 (SC 100,506ff); 4,14,3 (546ff); 4,16,1f (558—564).
[61] S. 4,12,1.4f (SC 100,508—512.516—522).
[62] S. 4,13,2 (SC 100,528); 4,15,1 (548ff).
[63] S. 4,15,2 (SC 100,554—558).

dungslosigkeit[64]. Sie bedeutet freiwilligen Gehorsam in Liebe, heißt Dankbarkeit für die in reicherem Maße empfangenen Gaben und geht darum ineins mit der Bereitschaft zu einer neuen, ungeahnten Hingabe, welche die Gebote des ursprünglichen Gesetzes in ihrer Reinheit aufnimmt und zugleich überholt[65]. Das wahre Wesen der im Geist erfahrenen Freiheit besteht in der größeren Intensität. Sie schafft nicht einander ausschließende Gegensätze, sondern fügt sich in den einen Heilsplan Gottes vom Anfang bis zum Ende. Der eine Geist ergreift in beiden Bündnissen die Menschen. Mit seiner Neuspendung am Ende wird das Frühere aufgenommen, um dann aber auf einer höheren Ebene weitergeführt zu werden.

Wie sich die Freiheit vom Gesetz in der Aufnahme seines eigentlichen Inhalts bewährt, so bedeutet auch die Fortnahme des Geistes von Israel wohl den Verlust seiner Vorrangstellung, aber doch zugleich auch sein Aufgehobensein in der Kirche. Das Wirken des Geistes führt zur Kirche aus den beiden Völkern, aus Juden und Heiden. Schon die Jakobsgeschichte deutet darauf hin: »Weil Jakob aufgrund der großen Zahl seiner Söhne zu einem Propheten des Herrn wurde, mußte er notwendigerweise aus zwei Schwestern Söhne zeugen, wie Christus es aus den beiden Gesetzen ein und desselben Vaters getan hat; und das geschah auch aus zwei Mägden, um zu zeigen, daß Christus aus dem Fleische nach Freien und Sklaven Söhne Gottes vorgestellt hat, indem er allen das Geschenk des Geistes gab, der uns lebendig macht.«[66] Mit der Spendung des Heiligen Geistes findet die Einung der zwei Völker statt. Heiden und Juden kommen in ihm zusammen zu dem neuen Volk der Söhne und Töchter Gottes. Dabei aber stehen die Synagoge und die Kirche nicht auf dergleichen Ebene. Irenäus fährt fort: »Alles aber tat jener (Jakob) um der jüngeren Rachel willen, die gute Augen hatte (vgl. Gen 29, 17f); sie stellte im voraus die Kirche dar, für die Christus gelitten hat.«[67] Es gibt eine Vorrangstellung der jüngeren, erst später entstandenen Kirche. Nur im Blick auf sie und in ihr hat die ältere Schwester Anteil an der Verheißung.

Das besondere Kennzeichen der neuen Geistwirksamkeit bleibt dann die Aufnahme der heidnischen Völkerwelt. Sie führt zur Rückkehr des verlorenen Sohnes, für den das Mastkalb geschlachtet

[64] S. 4,13,1 (SC 100,524ff).

[65] S. 4,13,2f (SC 100,528—532); 4,13,4 (534ff); 4,16,4f (568—574); 4,28,2 (756ff); Epid. 96 (SC 62,163ff).

[66] 4,21,3 (SC 100,682ff). Der armen. Text (s. den App. z. St.) liest statt »beide Gesetze« »beide Völker«. In der Übersetzung »*zwei* Mägde« folge ich dem Armenischen. — Man vgl. hierzu die Auslegung der Lotgeschichte (Gen 19,31—38) in der Presbyterpredigt (4,31,1f; SC 100,788—794), wo von den beiden Synagogen die Rede ist, die den Geist empfangen.

[67] 4,21,3 (SC 100,684).

und das Festgewand bereitgehalten wird[68]. Das Recht der Erstgeburt geht auf die Kirche über[69]. Es geht in Erfüllung, was einst über Japhet gesprochen worden ist (Gen 9, 27), da mit der Berufung der Heiden Japhet in der Kirche die Wohnung im Hause seines älteren Bruders Sem erhält und das Erbe der Väter in Empfang nimmt[70]. Vor Israel nimmt die unbeschnittene Welt die erste Stelle ein und bildet zusammen mit den Gläubigen des Alten Bundes das eine Bauwerk Gottes, in dem die Rechtfertigung aus Glauben erfolgt[71].

Die so beschriebene Einung durch den Geist führt die ganze Welt zusammen. Er hat in den Worten des Lyoner Bischofs »die Macht, allen Völkern den Zutritt zum Leben zu eröffnen und den Neuen Bund aufzuschließen; deshalb sangen sie im Zusammenwehen aller Sprachen (vgl. Apg 2, 4) den Lobgesang für Gott, da der Geist die voneinander geschiedenen Stämme wieder zusammenführte und die Erstlingsgaben aller Völker dem Vater darbot«[72]. Wie das Pfingstgeschehen zeigt, hebt die Geistbegabung die unheilvolle Zerrissenheit der Menschheit auf. Das neue Gottesvolk übergreift die früheren Grenzen. Es bildet die im Geist geeinte Gemeinschaft, die im Kindschaftsverhältnis zu Gott in Eintracht und Frieden miteinander verbunden ist[73].

§ 24 Wahrheit und Verstehen durch den Heiligen Geist

Der Geist, der die Kirche auszeichnet, zeigt seine Wirksamkeit in vorzüglicher Weise darin, daß er sie zur Erkenntnis der Wahrheit führt und fortwährend in ihr erhält. Im Streit mit der Gnosis ist dies ein Thema von fundamentalem Interesse.

[68] S. 3,11,8 (SC 211,164ff): »Id vero quod est secundum Lucam, quoniam quidem sacerdotalis characteris est, a Zacharia sacerdote sacrificante Deo inchoavit. Iam enim saginatus parabatur vitulus qui pro inventione minoris filii inciperet mactari« (Lk 15,13.30.32); sowie 4,14,2 (SC 100,544) mit der o. § 22 a. bb mit A 26ff gegebenen Interpretation.

[69] S. 4,21,2 (SC 100,678) und 4,21,3 (680).

[70] S. 3,5,3 (SC 211,62); Epid. 21 (SC 62,63); 42 (98f). Schon Justin, Dial. 139 (ed. Goodspeed 261f), hatte Gen 9,27 in diesem Sinne gedeutet.

[71] 4,25,1 (SC 100,704ff): Christus »in unam fidem Abrahae colligens eos qui ex utroque testamento apti sunt in aedificationem Dei«; 4,25,2 (706ff); 3,10,2 (SC 211,120).

[72] 3,17,2 (SC 211,330ff); vgl. 4,9,2 (SC 100,480).

[73] S. dazu 1,10,2 (H 1,92ff); 4,34,3 (SC 100,850—854); 5,20,2 (SC 153,258); 5,33,4 (418ff); Epid. 61 (SC 62,126ff).

a) Der Geist der Wahrheit

Schon im ersten Satz seiner Widerlegung spricht Irenäus aus, es gehe seinen Gegnern gegenüber um nichts weniger als die Wahrheit. Sie, die die Gläubigen auf ihre Seite zu ziehen versuchen, wollen nach seinen Worten »wahrer als die Wahrheit selber — es ist lächerlich, das zu sagen — erscheinen«[1]. Das Zitat zeigt, mit welcher Selbstverständlichkeit Irenäus Anspruch auf die Wahrheit erhebt. Das in sich unmögliche Unterfangen, mehr als diese sein zu wollen — denn Wahrheit ist für ihn absolut und letztgültig —, bedeutet dasselbe, wie sich im Gegensatz zur Gemeinschaft der Kirche befinden. Da sie den »allein wahren und lebenspendenden Glauben«[2] verkündet, ist die Abkehr von ihrer Predigt zugleich eine Absage an die Wahrheit[3]; ebenso wie das Sich-Überzeugen-Lassen durch die auf dem Boden der Kirche unternommene Beweisführung nur eine Rückkehr zu jener ist[4]. Beides erscheint so ausschließlich aneinander gebunden, daß gesagt werden kann: Wer außerhalb der Wahrheit steht, befindet sich auch außerhalb der Kirche[5].

Eine solchermaßen ausgedrückte Gleichung wird möglich, weil der Geist am Werk ist. Er ist die Wahrheit. Seine Gegenwart macht die Kirche zu ihrer Heimstätte. Wo man ihre Verkündigung ablehnt, weist man ihn selber zurück, da man sich gegen die Belehrung durch ihn sträubt[6]. Der Geist erhält den Glauben der Kirche in seiner anfänglichen Frische; er bewahrt sie als das »Gefäß« für das ihr Anvertraute immer neu in ihrer ursprünglichen Jugend[7], als das kostbare Behältnis, in dem seit jeher die ganze Wahrheit aufgehoben ist, um den Gläubigen zum »Trank des Lebens« (vgl. Apk 22, 17) zu werden[8].

Dem gleichen Aussagegehalt kann die Bildrede vom Licht dienen. Wie das eine Sonnenlicht strahlt die kirchliche Verkündigung überall in der Welt. »Sie erleuchtet«, wie Irenäus sagt, »alle Menschen,

[1] 1 praef. (H 1,1ff), mit der lateinischen Übersetzung; vgl. 5,20,2 (SC 153,256).

[2] 3 praef. (SC 211,18).

[3] 1,23,3 (H 1,206); 1,27,4 (219); 5 praef. (SC 153,10ff) u. ö.

[4] 2,11,2 (H 1,275).

[5] 4,33,7 (SC 100,816): Der wahrhaft Geistliche richtet »omnes eos, qui sunt extra veritatem hoc est qui sunt extra ecclesiam«.

[6] 3,24,1 (SC 211,474): »... Spiritus autem veritas; quapropter qui non participant eum, neque a mamillis matris nutriuntur in vitam neque percipiunt de corpore Christi procedentem nitidissmum fontem (vgl. Joh 7,37f), sed ›effodiunt sibi lacus detritos‹ (Jer 2,13) de fossis terrenis et de caeno putidam bibunt aquam, effugientes fidem ecclesiae ne traducantur, reicientes vero Spiritum ut non erudiantur«.

[7] 3,24,1 (SC 211,472).

[8] 3,4,1 (SC 211,44).

die zur Erkenntnis der Wahrheit gelangen wollen«[9]. In der Vermittlung des »Lichtes Gottes« an sie ist die Kirche die Erfüllung des alttestamentlichen Bildes vom siebenarmigen Leuchter (Ex 25), da sie in ihren Lampen das »Licht Christi« trägt[10]. Ist nun der Leuchter im Heiligtum ein Typos für die vielfältige Wirksamkeit des Heiligen Geistes[11], dann tritt er wiederum als die Macht hervor, die das Licht der Wahrheit scheinen läßt. Von ihm gegeben, erfüllt es die Kirche, begründet es ihren Ausschließlichkeitsanspruch der häretischen Lehrmeinung gegenüber.
Im Heiligen Geist kommt es zur Erkenntnis der Wahrheit[12]. Ihre kritische Unterscheidung von den Übergriffen auf sie durch vorgebliche Pneumatiker oder sonstige Irrlehrer wird dem »wahrhaft geistlichen Schüler« (vgl. 1 Kor 2, 15) durch ihn möglich[13]. Und Irenäus weiß ihn als die von Gott zu erbittende Hilfe, die über den Leser seines Werkes kommen soll, damit er zur Erkenntnis des allein wahren Gottes gelangt[14].

b) Die Gnosis

Der Bischof von Lyon sieht sich in der Gnosis mit dem Anspruch auf ein der Kirche überlegenes Pneumatikertum konfrontiert, das nicht mehr an ihre Wahrheit gebunden ist. Mehr noch, im Besitz der »vollkommenen Erkenntnis«, glaubt man sich radikal von den unwissenden Psychikern unterschieden[15]. Man beruft sich auf eine Einsicht in das Geheimnis des Pleroma, und das heißt zutiefst ein Wissen um die Unverkennbarkeit des gnostischen Vorvaters — ein Vorgang, der im Äonenmythos bildhaft dargestellt ist, wenn nach dem Fall und der Befestigung der Sophia mit der Aussendung Christi und des Heiligen Geistes im Wissen um das Wesen des Pleromas Ruhe und Harmonie einkehren[16]. Möglich wird die vollkommene Erkenntnis durch den pneumatischen Samen, die Frucht der Achamoth, nachdem ihr mit der »Gestaltung der Erkenntnis nach« die Heilung ihrer Leiden geschenkt worden war[17].
Eine solcherart begründete Vollkommenheit kann keine festen Autoritäten anerkennen. Der Pneumatiker weiß sich in einer direk-

[9] 1,10,2 (H 1,93f). [10] 5,20,1 (SC 153,256).
[11] Epid. 9 (SC 62,44ff) mit der o. § 22 b. bb A 45 gebotenen Auslegung.
[12] 4,33,7f (SC 100,818) mit der Auslegung o. § 4 b.
[13] 4,33,1 (SC 100,802).
[14] S. das Gebet in 3,6,4 (SC 211,76): »... per Dominum nostrum Jesum Christum dominationem quoque dona Spiritus sancti; da omni legenti hanc scripturam agnoscere te quia solus es Deus et confirmari in te et absistere ab omni haeretica et quae est sine Deo et impia sententia«.
[15] 1,6,1f (H 1,53f); vgl. 1,21,2 (181f).
[16] 1,2,5f (H 1,20—23); vgl. 1,29,3 (224); 2,17,11 (312).
[17] 1,4,5 (H 1,39); 1,6,1—4 (51—58); 3,15,2 (SC 211,282).

ten, die Gnosis stiftenden Verbindung mit dem Pleroma, die er seinen Anhängern vermittelt, indem er die schlummernden Samen erweckt. In der Nachfolge berufen sich zwar Schüler auf ihn; aber sie sind nicht an ihn gebunden. Sie wollen, wie Irenäus bemerkt, »alle Lehrer sein«, insofern sie das Überkommene ihrer Gnosis entsprechend neu auslegen oder verändern[18].

Ihr Geistanspruch führt sie dazu, sich mit Jesus auf eine Stufe zu stellen, ja, sich bisweilen sogar als besser zu betrachten. In jedem Fall aber wird der psychische Jesus abgelehnt[19]. Dem entspricht das Verfahren, sich auf eine geheimnisvolle Offenbarung Christi zu berufen und unter seinen Worten auszuwählen, um dann besonders in den Parabeln Hinweise auf die verborgenen Lehren finden zu können[20]. Auch die Worte der Apostel erfahren eine selektive und allegorische Ausdeutung. Dazu nimmt man eine geheime, mündliche Weitergabe der Gnosis durch sie an. Sie soll neben der kirchlichen Überlieferung einhergehen, so daß diese für die Vollkommenen nicht mehr verbindlich ist[21].

So gewinnt der Pneumatiker den neutestamentlichen Schriften gegenüber eine große Freiheit. Er verzichtet nicht auf sie, im Gegenteil, er sucht seine Anschauungen aus ihnen herzuleiten[22]; er legt Wert auf Jesus, um sich von ihm her legitimieren zu können[23]. Tatsächlich aber stellt er sich über die Schriften, insofern er sie nach seinem Gutdünken qualifiziert[24] oder gar mit einer offenkundigen Scheidung die Schrift als ganze nicht mehr bestehen läßt[25]. Eine pneumatische Exegese auf der Suche nach dem in der Tiefe verborgenen Sinn ermöglicht es ihm, den Mythos mit der Schrift zu verbinden[26]. Das aber geschieht nach einer Methode, die nach

[18] 1,28,1 (H 1,219); über die gnostischen Lehrer s. 1,11,3 (102f); 1,13,1 (114f); 1,13,3 (177ff); 1,26,3 (214); 1,27,4 (219); 3,4,3 (SC 211,50ff); 5,20,1 (SC 153, 252ff); vgl. auch N. Brox, aaO 116—120.

[19] 2,32,1—3 (H 1,371—374); vgl. 1,6,1 (52f); 1,7,2 (60ff); 1,25,2 (205); 1,27,2 (216ff).

[20] S. bes. 1,3,1—6 (H 1,24—31) sowie 1,8,2 (68ff); 1,25,5 (209f); 2,27,1—3 (347ff); 3,2,2 (SC 211,28).

[21] 3,1,1 (SC 211,20ff); 3,2,2 (26ff); vgl. 1,3,4f (H 1,28ff); 1,8,2—6 (68—80); 3,7 (SC 211,80—88); s. auch Brox, aaO 120—127.127—133.

[22] 3,11,7 (SC 211,158): »tanta est autem circa evangelia haec firmitas, ut et ipsi haeretici testimonium reddant eis et ex ipsis egrediens unusquisque eorum conetur suam confirmare doctrinam«; s. dazu die Anm. von A. Rousseau, SC 210,238f; vgl. 3,12,12 (232).

[23] S. die in A 19 genannten Texte und bes. 1,7,1 (H 1,59); 4,35,2 (SC 100,864ff).

[24] 3,2,2 (SC 211,26ff); 3,5,1 (54ff); 3,11,7 (158ff); 3,11,9 (172ff); 3,12,12 (232ff).

[25] Dies geschieht bei Markion (1,27,2.4; H 1,217f.219; 3,11,7.9; SC 211,158.170; 3,12,12; 232ff) und bei den Ebioniten (1,26,2; H 1,212f; 3,11,7; SC 211,158; vgl. auch die Aloger von 3,11,9, s. o. § 13 b.

[26] S. die Beispiele, die Irenäus gibt: 1,3 (H 1,24—31); 1,8 (66—80); 3,5,1 (SC 211,54) und die Texte von A 20.

Irenäus willkürliche Adaptionen vornimmt und das Bild der Schrift zu einem Zerrbild macht[27]. Die Schrift ist nicht mehr die verbindliche Autorität. Statt dessen gewinnt mit der Interpretation eine Auslegung die Oberhand, die sich letztlich am gnostischen Mythos orientiert, der, wie er auch immer im Einzelnen variiert erscheint, als die entscheidende Offenbarung vorausgesetzt wird[28].

Besonders kraß ist der Umgang des Pneumatikers mit dem Alten Testament. Da er sich dem mit dem Psychischen betrauten Demiurgen prinzipiell überlegen glaubt, kann er es im wesentlichen nur als geistlos betrachten. Der alttestamentliche Schöpfer ist mit Unwissenheit geschlagen. Er kennt nicht das höhere geistige Prinzip des Pleromas. Die pneumatische Achamoth, auf deren Antrieb hin er tätig wird, bleibt ihm verborgen. Ohne es zu wissen, schafft er die Welt als ein Abbild des oberen Äonenkosmos. Er ahnt nicht, daß zugleich mit der Erschaffung des Menschen durch ihn in einige Auserwählte der pneumatische Same der Achamoth gelangt. Dieser Zustand kann nicht überwunden werden, ist doch auch am Ende dem Demiurgen nur der Ort der Mitte vorbehalten, ohne Aussicht darauf, die Grenze zum lichtvollen pleromatischen Sein zu überschreiten[29].

Der Vorwurf der Geistlosigkeit — bis hin zur radikalen Abschneidung des Alten Testaments durch Markion[30] — hat in gnostischen Kreisen eine subversive Umdeutung zur Folge. Man ergreift für die Widersacher des Demiurgen Partei und macht in einer Umkehrung, die sich schärfer kaum denken läßt, aus dem Brudermörder Kain den Prototyp des Pneumatikers, während man Abel und Seth die beiden anderen Klassen der Menschheit verkörpern läßt[31]. Weil

[27] 1,9 (H 1,80—89); vgl. 1,8,1 (66ff); 2,20—23 (321—333).

[28] Eine gute Orientierung hierüber vermittelt N. Brox, aaO 42—46. Er erklärt m. E. zutreffend: »Nicht der Gnostiker ist auf die Schrift angewiesen, sondern die Schrift bedarf seiner zur Erhellung ihres eigentlichen Sinnes« (45). — Eigene Schriften der Gnosis erwähnt Irenäus in 3,11,9 (SC 211,174); 1,20,1 (H 1,177f); 1,31,1 (241f).

[29] 1,5,3f.6 (H 1,45—49.50f); 1,7,4 (63f); 1,17,1 (164f).

[30] Zu Markion s. o. A 25 sowie § 15 b A 18 und § 16 A 3.

[31] 1,7,5 (H 1,64); nach dem bei Epiphanius wiedergegebenen griechischen Text ist Abel der Choiker, Seth der Psychiker. Die lateinische Übersetzung bezeichnet umgekehrt Seth als Choiker und Abel als Psychiker. — In 1,31,1(H 241) berichtet Irenäus von den Kainiten, die außer Kain noch Esau, Kore, die Sodomiten und andere Verfemte des AT zu den Pneumatikern rechnen. — Dem entspricht auch die Parteinahme für den Verräter Judas: 1,3,3 (H 1,26f). — Nach den Ophiten ist der Sündenfall als höhere Erkenntnis zu rühmen: 1,30,7f (H 1,233ff). — Nach Markion sind Kain, die Ägypter und die atl. Übeltäter durch Jesus erlöst worden, als er zur Hölle hinabfuhr: 1,27,3 (H 1,218); vgl. 4,27—31 (SC 100,728—794). — Ausführlich über den ganzen Komplex handelt N. Brox, aaO 46—56, der sich wiederholt auf H. Jonas I 218—223 bezieht.

sich an den vermeintlichen Verfemten des Alten Bundes der Gegensatz zum psychischen Demiurgen zeigt, stellt sich der Gnostiker auf ihre Seite. Daß dabei nicht mehr die Schrift selber redet, ja, ihre eigentliche Aussage ins Gegenteil gewendet wird, tut nichts zur Sache. Denn über der Autorität des Alten Testaments steht das höhere Wissen des Pneumatikers. Es gibt ihm die Freiheit, das Schriftzeugnis gegen seinen offen ausgedrückten Sinn zu kehren, um darin erst seinen eigentlichen Wahrheitsgehalt zu finden.

Weniger radikal scheinen die Valentinianer zu verfahren, wenn sie, ohne auf den krassen Umdeutungen zu insistieren, zwischen den Prophetensprüchen unterscheiden, so daß sie nicht sämtlich dem Demiurgen, sondern zu einem Teil auch der pneumatischen Achamoth zuzuschreiben wären[32]. Aber auch hier meldet sich das gleiche Selbstbewußtsein zu Wort. Denn die Gnosis bildet das Auswahlprinzip, nicht aber ein objektiv nachprüfbarer Maßstab; und der Lyoner Bischof stellt fest, sie werde in einer derart willkürlichen Weise gehandhabt, daß jeder einzelne Lehrmeister sich die ihm genehmen Schrifttexte nach Belieben aussuchen könne[33].

Irenäus hat demnach gegen nichts weniger als gegen einen Anspruch auf Geist zu kämpfen. Seiner eigenen Position, daß der Heilige Geist die Kirche in der Wahrheit bewahrt, tritt ein Geistverständnis gegenüber, das sich über die Bindungen der kirchlichen Überlieferung wie der Schrift hinwegsetzt, um von ihnen nur zu übernehmen, was sich im Sinne der vorgeblichen Gnosis verwerten läßt. Der Streit um die Wahrheit stellt sich als ein Kampf um den Geist dar. Die Entscheidung fällt zwischen einem Geist der nicht nachprüfbaren Erkenntnis eines Einzelnen und dem Geist, der ein Gegenüber zum Menschen bildet und ihn an eine objektivierbare Hinterlage bindet.

c) Geist und Schrift

Die vom Geist gewährte Wahrheit zeigt sich zuerst in dem unaufgebbaren Gebundensein an das maßgebliche Zeugnis der Offenbarung Gottes, die Schrift. Von ihr lebt die Kirche, wie auch umgekehrt die Schriften nicht ohne ihren Entfaltungsraum gedacht werden können. Irenäus bezeichnet das Evangelium als »Säule und Grundfeste der Kirche« (vgl. 1 Tim 3,15)[34]. Hierauf gegründet, erfüllt die Kirche die ihr von Gott zugewiesene Aufgabe. Sie kann

[32] 1,7,3 (H 1,62f); 4,35,2 (SC 100,864—868); s. auch o. § 21 a.

[33] 4,35,4 (SC 100,872—876).

[34] 3,11,8 (SC 211,160): das griechische Fragment liest statt στῦλος καὶ ἑδραίωμα (1 Tim 3,15) στῦλος δὲ καὶ στήριγμα. Der lateinische Text schreibt wie die Vulgata »columna et firmamentum«. Vgl. auch 3,1,1 (SC 211,20).

als »das Paradies in dieser Welt« beschrieben werden, in dem die Erlaubnis, von allen Früchten zu essen, und das Gebot, nicht vom Baum der Erkenntnis zu kosten, nunmehr bedeuten, daß man »jede Schrift des Herrn« nehmen darf, sich aber vor dem überheblichen Anspruch auf eigene Erkenntnis hüten muß. Deshalb erteilt Irenäus allen die eindringliche Mahnung, »sich zur Kirche zu flüchten, sich in ihrem Schoß erziehen und von den Schriften des Herrn ernähren zu lassen«[35]. Sie allein hat, wie der Lyoner Bischof sich durchweg nachzuweisen müht, das Zeugnis der Schriften von den Propheten des Alten Bundes bis hin zu den Aposteln auf ihrer Seite[36].

aa) Einheit

Die Schrift ist ein umschriebenes Ganzes, das nicht durch Streichungen oder Erweiterungen aufgehoben werden darf[37]. Neben dem Alten Testament existiert bereits das Neue als heilige Schrift; sie sind die »beiden göttlichen Schriften«. Irenäus zitiert aus ihm mit einer solchen Sicherheit, daß faktisch der neutestamentliche Kanon als im wesentlichen feste Größe vorliegt[38].
Sein besonderes Anliegen der Gnosis gegenüber, das nun auch gleich den Heiligen Geist ins Spiel bringt, ist der Nachweis der Einheit der Schrift. Den Wahrheitsanspruch eines echten Pneumatikers kann nur erheben, wer sie als ganze ernst nimmt und in ihrer großartigen Harmonie erkennt.
Was das Verhältnis von Altem und Neuem Testament betrifft, so handelt in beiden der eine Geist, weshalb Vergangenheit, Gegenwart und Zukunft ohne Widerspruch in dem einen Heilswerk Gottes zusammenklingen[39]. Vom Anfang bis zum Ende gewährleistet er bis in den Wortlaut der Texte hinein ihre umfassende Einheit. Aufschluß hierüber gibt Irenäus bei der Diskussion um die von der Septuaginta gebotene Version von Jes 7, 14. Zur abschlie-

[35] 5,20,2 (SC 153,258). Der Ausdruck »dominicae scripturae« begegnet noch in 2,30,6 (H 1,365) und 2,35,4 (387). Nach Seeberg I 198 A 2 und Bonwetsch, aaO 34, sind die atl. und ntl. Schriften gemeint.
[36] S. nur 3,24,1 (SC 211,470ff).
[37] Vgl. die Rede von dem einen Leib Christi (s. o. § 1 a A 11 und § 21 b. aa) und für das NT bes. 3,11,7 (SC 211,158ff); 3,11,9 (170—176).
[38] 3,19,2 (SC 211,376ff): »utraque scripturae divinae de eo (sc. Christo) testificantur«. Zum Kanon des Irenäus s. Bonwetsch, aaO 33—40. — Die Annahme, Irenäus habe in 4,20,2 (SC 100,628) Hermas zur Schrift gerechnet, bedarf, wie A. Rousseau überzeugend nachweist (SC 100,248ff), einer Korrektur. — Auf die Problematik der Kanonbildung ist hier nicht im einzelnen einzugehen. Es sei nur angemerkt, daß Irenäus keinen Anhalt für die Hypothese bietet, daß Markion und die Gnosis der entscheidende Grund für die Erstellung des Kanons gewesen wären.
[39] 4,33,1 (SC 100,802); 4,33,7 (818); 4,33,15 (844).

ßenden Begründung seiner Entscheidung für die Textfassung der griechischen Bibel führt er aus: »Denn ein und derselbe Geist Gottes, der in den Propheten verkündete, was es um die Ankunft des Herrn sei, hat bei den Alten gut übersetzt, was gut prophezeit gewesen ist. Er selber hat auch in den Aposteln angekündigt, daß die Fülle der Zeiten der Sohnschaft gekommen ist, daß sich das Reich der Himmel genaht hat und in den Menschen wohnt, die an ihn, den Emmanuel, glauben, der aus der Jungfrau geboren ist.«[40] Unter dem Beistand des Geistes ist die Septuaginta eine getreue Übersetzung ihrer Vorlage geworden, ebenso wie ihr Text durch die neutestamentliche Erfüllung bestätigt wird.

Die Berufung auf den Geist scheint nun aber hier so weit zu gehen, daß in seinem Namen eine offensichtlich falsche Exegese legitimiert wird. Haben die Gegner nicht das Recht auf ihrer Seite, insofern die hebräische Bibel tatsächlich dem Wort nach nicht von einer Jungfrau spricht? Dennoch erscheint eine differenziertere Beurteilung notwendig. Irenäus ist nämlich der Überzeugung, ohne jegliche gewaltsame Anpassung dem Wortlaut des Hebräischen zu entsprechen. Sein Appell an den Geist soll nicht eine vernünftige, an den Text gebundene Exegese ersetzen. Im Gegenteil, das eine ist die Voraussetzung des anderen. Wenn sich die Jesaia-Prophetie nicht in einer derart unvermittelten Weise auf die Erfüllung beziehen läßt, wie Irenäus es mit der kirchlichen Tradition tut, dann ist er im Detail zwar einem Irrtum erlegen, nicht aber in der Grundaussage, daß das Alte Testament offen ist für die Zukunft und vom Neuen her seine tiefste Sinngebung erhält. Eben diese wird vom Heiligen Geist gewährt, nicht aber eine auf mangelhaftem Verständnis beruhende Auslegung.

Indem der Geist in den verschiedenen Phasen der göttlichen Heilsökonomie am Werk ist, wird die Einheit der Schriften erkannt. Deshalb wird bei Irenäus die Reihenfolge: »Propheten, der Herr, Apostel«, zum bevorzugten Ausdruck für die beiden göttlichen Schriften, und zwar mit der bezeichnenden Eigenart, daß anstelle der Propheten auch der Heilige Geist genannt werden kann, der dann auch bei den Aposteln im Hintergrund steht, da er ihnen durch seine Erleuchtung die vollkommene Erkenntnis verleiht[41].

Was für die Schrift überhaupt gilt, hebt Irenäus mit dem gleichen Nachdruck für die vier Evangelien im besonderen hervor. Die Berufung lediglich auf Matthäus bei den Ebioniten, die Auswahl

[40] 3,21,4 (SC 211,408ff).

[41] 1,8,1 (H 1,66); 2,2,6 (257); 3,5,1 (SC 211,52ff); zur Gleichsetzung von Propheten und Geist s. 3,6,1 (SC 211,64); 3,9,1 (98); 3,11,8 (166ff); 4,1,1 (SC 100,392); vgl. 2,27,2 (H 1,348); 3,8,1 (SC 211,88); 3,10,6 (136). Zum Thema: Geist und Apostel s. die Texte o. § 21 a. aa A 2.

Markions aus Lukas, die Bevorzugung des Markusevangeliums in einer nicht näher bestimmbaren Gruppe und schließlich die maßlose Ausbeutung des vierten Evangeliums für ihre Zwecke durch die Valentinianer verbunden mit der Berufung auf weitere Schriften sind eine Herausforderung, der gegenüber das viergestaltige Evangelium ohne jegliche Abstriche oder Erweiterungen festgehalten wird[42]. In seiner großangelegten Begründung findet Irenäus Entsprechungen zur Vierzahl in den vier Regionen und Windrichtungen der Erde ebenso wie in den vier Menschheitsbündnissen der Heilsgeschichte. Was aber hier in erster Linie interessiert, ist der in diesem Zusammenhang gegebene Hinweis auf den Geist. Irenäus sagt, das »Evangelium und der Lebensgeist« würden das Fundament der Kirche bilden, und bezieht beides noch näher aufeinander in dem Satz, die vier Evangelien seien die Grundfesten, die über die ganze Erde hin »Unvergänglichkeit wehen und den Menschen beleben«. Wie aus den Himmelsrichtungen der Wind so weht aus den Evangelien der Geist. Sie sind das »viergestaltige Evangelium, das von dem einen Geist umfaßt wird« (vgl. Weish 1, 7)[43]. Der Geist ist die Frucht der vom Evangelium ausgehenden Belebung und zugleich der Inbegriff seiner Einheit. Ein und derselbe Geist schließt die Evangelien zusammen, wie er sie in ihrer vierfachen Entfaltung begründet. Deswegen bedeutet die Auflösung dieser Einheit eine Verweigerung seiner Wirksamkeit gegenüber. Man stößt in Wahrheit den Heiligen Geist zurück und beraubt sich des von ihm geschenkten Lebens[44].

bb) Vollkommenheit

Für die solchermaßen bestimmten Schriften trifft die von der Gnosis reklamierte Auszeichnung zu. Sie sind »vollkommen, weil

[42] S. hierzu 3,11,7—9 (SC 211,158—176). Harvey II 46 A 1 schließt nicht aus, daß es sich bei denen, die das Markusevangelium bevorzugen, um Ophiten handeln könnte. Sagnard 193 A 1 glaubt, Irenäus habe sie nur der Ausgewogenheit halber hinzugenommen.

[43] 3,11,8 (SC 211,160).

[44] Ich kann Th. Rüsch, aaO 96, nicht Recht geben, wenn er in der Argumentation des Irenäus eine »höchst sonderbare Begründung« für das Wirken des Geistes in den Evangelien sieht. Seine starken Worte »abwegig«, »absonderliche Allegorie« (aaO 97) sind nicht gerechtfertigt, zumal er Irenäus falsch versteht. Denn dieser hat nicht »eine historische Erscheinung als ein pneumatisches Ereignis zu begründen« versucht, sondern ist von den sich darbietenden Fakten, den vier Winden, den vier Evangelien, den vier Bündnissen ausgegangen, um den großen Zusammenklang aufzuzeigen. Das Begründende ist nicht der »Glaube an die mystische Vierzahl« (aaO 97), sondern die Übereinstimmung der Tatsachen des historisch gewachsenen Evangeliums, der Heilsgeschichte und des Kosmos. — Vgl. Bonwetsch, aaO 37ff, und Sagnard 193ff A 2.

sie vom Worte Gottes und seinem Geist gesprochen sind«[45]. Irenäus nennt sie »göttlich«[46], erklärt sie in ihrer Gesamtheit für »geistig«[47] und äußert anläßlich der Legende über die Entstehung der Septuaginta die Meinung, an der gleichlautenden Übersetzung der Siebzig könne die Welt erkennen, »daß die Schriften durch die Inspiration Gottes übersetzt worden sind«[48].

Das letztere wird nicht im Sinne einer für sich bestehenden Inspiration der Septuaginta zu deuten sein, als ginge sie über das Original hinaus oder könnte gar einen Widerspruch zu ihm bilden. Denn die griechische Bibel ist für Irenäus eine unter dem Beistand des Geistes erfolgte zuverlässige Übersetzung des hebräischen Textes. Muß das nachprüfbare Kriterium der Zuverlässigkeit eingeschränkt werden, dann bleibt es von dem Ansatz her möglich, die Tätigkeit des Geistes bei der Erstellung der Septuaginta als ein Eingehen in die damalige Situation und auch als unmittelbare Vorbereitung auf den Neuen Bund zu erklären, ohne daß damit das Original abgewertet oder überflüssig gemacht wäre[49].

Für das Neue Testament speziell macht Irenäus eine Reihe von Angaben über die Wirksamkeit des Geistes. Dieser hat den Aposteln die vollkommene Erkenntnis geschenkt, aufgrund derer sie das Evangelium verfassen konnten[50]. Er spricht in ihm, wenn er im Gruß Elisabeths an Maria allen kund tut, daß die Verheißung Gottes in Erfüllung gegangen ist[51]. Schon im Blick auf künftige Häresien formuliert er den Text des Evangeliums eindeutig, um die Lehre zu sichern[52]. Und er läßt die Apostel in ihrem gesamten Schrifttum die Zukunft voraussehen, indem er durch sie anzeigt, worin der wahre Glaube besteht[53].

Über die Registrierung dieser Aussagen hinaus nach einer theologischen Reflexion auf die Schriftinspiration zu suchen, verspricht wenig Erfolg. Der Bischof von Lyon begnügt sich damit, den gött-

[45] 2,28,2 (H 1,349): »a Verbo Dei et Spiritu eius dictae«.

[46] 2,25,4 (H 2,388); 3,19,2 (SC 211,378); 3,21,2 (404).

[47] 2,28,3 (H 1,351): »universis scripturis spiritalibus existentibus«.

[48] 3,21,2 (SC 211,404).

[49] Sagnard 432f wollte unter Berufung auf P. Benoît, La Septante est-elle inspirée? (Vom Wort des Lebens, Festschrift für Max Meinertz zur Vollendung des 70. Lebensjahres), Münster 1951, S. 41—49, in bestimmten, vom NT aufgenommenen Texten der LXX einen Offenbarungsfortschritt sehen, so daß unter dem Beistand des Geistes die Offenbarung vom hebräischen AT bis hin zum NT eine große Einheit bilden würde.

[50] 3,1,1 (SC 211,22); vgl. 3,12,5 (196); 4,35,2 (SC 100,864).

[51] 3,21,5 (SC 211,416).

[52] 3,16,2 (SC 211,294); vgl. 3,16,5 (308).

[53] 4 praef. 3 (SC 100,386): »Spiritu providentes eos, qui seducturi erant sempliciores«; 3,7,2 (SC 211,84); 3,16,1 (290); 3,16,9 (326); 4,8,1 (SC 100,464); 5,30,4 (SC 153,384).

lichen Charakter der Schriften zu betonen, ohne damit die menschliche Autorschaft aufheben zu wollen[54]. Gerade in dieser Eigenart sind sie dem Geist Gottes verdankt. Indem er die Verfasser bewegt, macht er sie zu Zeugen des göttlichen Heilsplanes mit den Menschen. Welche Schriften zu dem inspirierten Ganzen gehören, wird von Irenäus nicht eigens begründet. Es steht für ihn als fragloses Faktum fest, als die Reihe der in der Kirche überlieferten Schriften, an der man seitens der Häresie Manipulationen vorzunehmen sucht. Ihre Geistgewirktheit ist nicht nur der Grund für ihren verpflichtenden Charakter. Sie ist auch die oberste Voraussetzung dafür, daß aus ihnen die Erkenntnis der Wahrheit gewonnen werden kann.

cc) Auslegung

Die Schrift ist nach Irenäus grundsätzlich als umfassende Einheit zu verstehen. Wenn es in ihrem geistlichen Gefüge schwer verständliche oder unklare Stellen gibt, dann hat der Mensch sich in Ehrfurcht vor dem Wort Gottes in sein Unwissen zu fügen. Dafür wird er im Ausgang von den klar ausgedrückten Lehren den wunderbaren Einklang der Offenbarung wahrnehmen lernen. An die Stelle des Anspruchs, selber das maßgebliche Deuteprinzip zu sein, tritt das bescheidene Hintansetzen der eigenen Person in der Bereitschaft, untergeordnete Fragen um des einen Ganzen der göttlichen Offenbarung willen zurückzustellen[55].

»Der Mensch soll es sein, der fragt, und der Geist gibt die Antwort«, bemerkt Irenäus zur Interpretation des Apostels Paulus. Wer ihn richtig liest und das »Ungestüm des in ihm wirkenden Geistes« beachtet, wird in seinen Worten genau die kirchliche Predigt bestätigt finden[56]. So also führt der Geist zu einen sachentsprechenden Verständnis, indem er dem, der sich innerlich bereit zeigt, die rechte Antwort vermittelt.

Dabei ist zu beachten, daß eine wirklich vom Geist geleitete Auslegung für Irenäus objektivierbar und nachprüfbar ist. Er erteilt den allegorischen wie den auf Parabeln gründenden Deutungen

[54] So sprechen etwa: Paulus (3,16,9; SC 211,322ff), die Apostel (3,16,1; 288) oder im AT David (3,5,1; 52); Jesaia (3,6,2; 70) etc.

[55] S. dazu 2,28,2 (H 1,349) und 2,28,3 (351ff).

[56] 3,7,1f (SC 211,80—84). Irenäus irrt in der Einzelexegese, wenn er in dem Satz: »Der Gott dieser Welt hat den Sinn der Ungläubigen verblendet« (2 Kor 4,4), anders absetzen möchte: »Gott hat den Sinn der Ungläubigen dieser Welt verblendet«; im Prinzip behält er freilich Recht, insofern Paulus nicht vom Demiurgen spricht.

seiner Gegner eine unmißverständliche Absage[57]. Der Willkür des häretischen Umgangs mit der Schrift will er durch eine exakte, um den Wortsinn bemühte Exegese entgegentreten, da nur so die Klarheit des Gotteswortes sichtbar werden kann[58]. Wenn er dann auch selber die allegorische Deutung anwendet, dann nicht, um die Schrift mittels eines fremden Maßstabs gegen ihren Sinn zu kehren, sondern einzig nach dem methodischen Grundsatz, daß von den klar ausgesprochenen Wahrheiten Licht auf die mehrdeutigen Texte fällt[59].

Schriftauslegung ist bei dem Bischof von Lyon schon immer eine Beweisführung auf dem Boden der kirchlichen Lehre. Einerseits hält er die Bibel in sich für voll aussagekräftig und macht sie zum Feld der Auseinandersetzung mit der Häresie. Auf der anderen Seite steht sie ganz im Raum der Kirche, befindet sie sich in völligem Einklang mit ihrer Glaubensregel[60]. Beides geht ohne jeden Widerspruch zusammen. Ob man aus der Schrift »allein« argumentiert oder die klare Schriftlehre mit Hilfe der Glaubensregel gewinnt, es ist immer die eine Wahrheit, die sich ungetrübt zu erkennen gibt und von der die Kirche lebt[61].

[57] S. 3,12,11 (SC 211,228ff); 5,35,1 (SC 153,436); 5,35,2 (450) sowie die Auseinandersetzung mit der gnostischen Exegese in 1,3 (H 1,24—31); 1,8 (66—80); 1,9 (80—89); 1,15 (144—156); 2,27 (214—219).

[58] 2,22 (H 1,326—332); 2,23 (332f); 2,24 (332—342); 3,8 (SC 211,88—96); 3,21,5 (414ff); Epid. 36 (SC 62,89ff).

[59] S. dazu 2,27,1—3 (H 1,347ff); 2,28,3 (352) sowie 1,9,4 (88); 1,10,3 (95); 2,10,1 (273).
Beispiele für die allegorische Auslegung bei Irenäus sind: 3,17,3 (SC 211, 334ff); 4,16,1 (SC 100,558—562); 4,20,12 (668—674); 4,21,2f (678—688). — Harnacks Urteil (I 571f), Irenäus habe selber die Methode der Gnosis geübt, kann nicht aufrecht erhalten werden. Denn Irenäus will die dunklen Stellen der Schrift nicht an einem fremden Maßstab messen, sondern eben an der sonst aus der Schrift zu gewinnenden Lehre. So schon Bonwetsch, aaO 43. Brox, aaO 86 A 113, bemerkt zur Allegorie: »Sie steht im entscheidenden Fall als Literarsinn und will im hermeneutischen Sinn von Irenäus nie als Allegorie verstanden sein.«

[60] 1,9,4 (H 1,88); 1,3,6 (31); 4,26,4 (SC 100,728); 4,32,1 (798); 4,33,8 (820); 5,20,2 (SC 153,258).

[61] N. Brox, aaO 96, schreibt m. E. zutreffend, daß beide Positionen bei Irenäus nicht miteinander ausgeglichen worden seien und daß die Suffizienz der Schrift eine theoretische Aussage sei. »Faktisch ist seine hermeneutische Orientierung die ›wahre Gnosis‹ der kirchlichen Glaubensregel« (aaO 98). — Die formale Parallelität zur Gnosis wird dann aber dadurch aufgehoben, daß die Überlieferung bei Irenäus nicht gegen die Schrift gestellt wird, sondern lediglich ihre klaren Lehren ans Licht bringen hilft, — Zum Verhältnis von Schrift und Glaubensregel s. auch o. § 3 mit A 11.

d) Geist und Überlieferung

Welche Bedeutung kommt für die vom Geist gewährte Wahrheit der Überlieferung zu? Der Bischof von Lyon weist nachdrücklich auf sie hin mit der bewegten Mahnung, »was zur Kirche gehört, mit größtem Eifer zu lieben und die Überlieferung der Wahrheit festzuhalten«[62]. Anders als bei seinen Gegnern, die in ihrer Uneinigkeit ein beredtes Bild von sich selber abgeben, weil sie auf immer neuen Wegen von der Wahrheit abweichen, sieht er »den Weg derer, die zur Kirche gehören, über die ganze Welt hin verlaufen, da er die unverbrüchliche Überlieferung von den Aposteln besitzt und uns das Bild von ein und demselben Glauben bei allen bietet«[63]. Er erkennt die Wahrheit in der Verkündigung der Kirche, »welche die Propheten angekündigt haben . . ., die Christus zur Vollkommenheit gebracht hat, die die Apostel überliefert haben, von denen die Kirche sie empfängt, über die ganze Welt hin allein treu bewahrt und ihren Kindern überliefert«[64].

Alle drei Zitate zeigen, welch großes Gewicht der Überlieferung beigemessen wird. Sie ermöglicht die Verbindung mit dem Ursprung und die Ausbreitung der Kirche in Raum und Zeit. Von »Überlieferung« kann gesprochen werden, wenn die Übergabe der Evangelien und Schriften der Apostel an die Kirche gekennzeichnet werden soll[65]. Dann aber meint der Ausdruck vor allem die Lehrverkündigung in einem umfassenden Sinn, und da besonders ihre mündliche, auf lebendigen Personen beruhende Weitergabe. Sie kann von der Schrift unterschieden werden, steht aber nicht in Konkurrenz zu ihr. Denn sie bildet die Voraussetzung dafür, daß die Kirche sich auf jene berufen und der Gnosis gegenüber ihren wirklichen Sinn zur Geltung bringen kann[66].

[62] 3,4,1 (SC 211,44).

[63] 5,20,1 (SC 153,254).

[64] 5 praef. (SC 153,10) mit der Anm. von Rousseau, SC 152,197.

[65] 1,27,2 (H 1,218): »hi qui Evangelium tradiderunt Apostoli«; 3,21,3 (SC 211, 408): »interpretatio (sc. LXX seniorum) consonat Apostolorum traditioni«; 3,14,2 (SC 211,266): »nemini invidentes, quae didicerant ipsi a Domino, haec omnibus tradebant«; vgl. 1,8,1 (H 1,66); 1,30,9 (368); 3,1,1 (SC 211,20); 3,10,6 (138); 3,11,9 (174); 4,37,7 (SC 100,940).

[66] In 3,2—5,1 (SC 211,24—56) weist Irenäus den Anspruch der Gnosis auf eine geheime Tradition, kraft derer die Autorität der Evangelien aufgehoben wäre, zurück und führt dagegen den Nachweis, daß die apostolische Tradition in der Kirche ist und daß deshalb die Argumentation aus der Schrift wirkliche Beweiskraft haben kann: »traditione igitur, quae est ab Apostolis, sic se habente in ecclesia et permanente apud nos, revertamur ad eam, quae est ex scripturis ostensionem eorum, qui Evangelium conscripserunt Apostolorum . . .« (3,5,1; SC 211,52). Außer diesem zentralen Komplex vgl. noch 1,10,2 (H 1,92ff); 2,9,1 (272); 2,22,5 (331).

aa) Gewährung durch den Geist

Bei der lebendigen Überlieferung kommt der Heilige Geist damit in den Blick, daß sie in ihm beginnt, da er durch den Stand der vollkommenen Erkenntnis den Aposteln die Verkündigung der Wahrheit möglich macht[67], die dann von ihnen weitergegeben wird. Anders aber als bei der Geheimtradition des gnostischen Pneumatikers erfolgt die apostolische Überlieferung in der Sukzession der Presbyter und Vorsteher der Kirchen. Gegenüber den nachweislich später aufgetauchten Häuptern der Häresie betont Irenäus ihre lückenlose Folge über die Presbyter, die die Apostel selber noch gekannt haben, bis hin zu den Bischöfen der von diesen gegründeten Kirchen[68]. Hier wird offenkundig für alle Welt die Bindung an die Apostel sichtbar. Selbst unter der Annahme, sie hätten bestimmte Wahrheiten nur einem auserwählten Kreis von Vollkommenen mitgeteilt, müßten doch gerade die davon betroffen sein, die sie als ihre Nachfolger einsetzten und denen sie ihre Lehrvollmacht überantwortet haben[69]. So bleibt die Verkündigung immer die gleiche: Von den Aposteln bis zur kirchlichen Gegenwart ist sie »bewahrt und in Wahrheit überliefert«[70].

Daß der Vorgang der Überlieferung vom Heiligen Geist getragen wird, kommt in einer kurzen Nebenbemerkung zum Vorschein. Irenäus erwägt die Möglichkeit, wie es um die Wahrheit in der Kirche stünde, hätten die Apostel keine schriftlichen Mitteilungen hinterlassen, und erklärt, in diesem Fall würde man sich einfach an die den Vorstehern der Einzelkirchen anvertraute »Ordnung der Überlieferung« zu halten haben. Als Beispiel nennt er die vielen fremden Völker, welche »an Christus glauben und ohne Papier und Tinte das Heil durch den Geist in ihren Herzen geschrieben haben (vgl. 2 Kor 3, 3) und die alte Überlieferung sorgsam bewahren«[71]. Der Geist führt die Menschen aus allen Gebieten der Welt nicht nur zum Evangelium des Neuen Bundes, er erhält sie in ihren Kirchen auch in der Treue zur apostolischen Tradition und macht sie, die keine Ansprüche auf Kultur und Bildung erheben können, ihres Glaubens wegen zu Menschen von höchster Weisheit[72]. Er trägt durch sein Wirken in den Kirchen Sorge dafür, daß sie immer der Wahrheit ihres Ursprungs verpflichtet bleiben.

[67] 3,1,1 (SC 211,22); 3,12,1.5 (178.196); 4,35,2 (SC 100,864); Epid. 41 (SC 62,96).
[68] S. 2,22,5 (H 1,331); 3,2,2 (SC 211,26); 3,4,3 (50ff); 4,38,8 (SC 100,818ff); 5,20,1 (SC 153,252ff).
[69] 3,3,1 (SC 211,30).
[70] 3,3,3 (SC 211,38).
[71] 3,4,1f (SC 211,46); vgl. A. Rousseau, SC 210,240f.
[72] 3,4,2 (SC 211,48): »perquam sapientissimi«.

bb) Bindung an die Kirche

Die Überlieferung ist in allen Einzelkirchen der Katholika zu finden, wo sie in der amtlichen Sukzession empfangen und weitergegeben wird[73]. Für den Fall aber, daß »über irgendeine kleine Frage« ein Streit entsteht, gibt der Bischof von Lyon den Rat, »auf die ältesten Kirchen zurückzugehen, in denen die Apostel gelebt haben, und von ihnen für die vorliegende Frage das zu übernehmen, was gewiß und in der Sache zuverlässig ist«[74]. Zu den durch die Unmittelbarkeit zur apostolischen Tradition ausgezeichneten Kirchen gehört Rom, mit dem seiner Gründung durch die Apostel Petrus und Paulus wegen jede Kirche übereinstimmen muß — Irenäus führt die lückenlose Liste der Sukzessionen an oberster Stelle an[75] —; aber er kann auch die durch Polykarp geprägte Kirche von Smyrna[76] sowie die Kirche von Ephesus, in der sich der Apostel Johannes aufgehalten hat[77], als unverbrüchliche Zeugen der apostolischen Überlieferung benennen.

Ein Text verdient besondere Aufmerksamkeit. Im vierten Buch schreibt Irenäus, nachdem er zum Entdecken der Offenbarung Christi im Alten Testament aufgerufen hat: »Deshalb muß man auf die Presbyter hören, die in der Kirche sind: sie haben, wie wir gezeigt haben, die Sukzession von den Aposteln und haben mit der Sukzession im Bischofsamt das sichere Charisma der Wahrheit nach dem Wohlgefallen des Vaters empfangen. Die übrigen aber, die sich von der ursprünglichen Sukzession trennen, wie auch immer sie sich zusammenfinden, muß man mit Mißtrauen behandeln, als Häretiker und schlechte Lehrer, als Schismatiker voller Stolz und

[73] 3,3,2 (SC 211,32); 5,20,1 (SC 153,254).
[74] 3,4,1 (SC 211,44ff); zum Text s. A. Rousseau, SC 210,240.
[75] S. 3,3,2f (SC 211,32—38). Auf die große Diskussion um den Text einzugehen ist hier nicht der Ort. Es sei verwiesen auf Bonwetsch, aaO 120—123 A 1, der die ältere Literatur aufführt; auf die Anmerkung von Sagnard, 103—107 und seinen Exkurs, 414—424, der auf die Literatur aus den dreißiger und vierziger Jahren bezug nimmt; dann auf B. Botte, A propos de l'Adversus haereses III 3,2 de saint Irénée, Irênikon 30 (1957) 156—163; P. Nautin, Irénée ›Adversus haereses‹ 3,2,2. Eglise de Rome ou Eglise universelle? RHR 151 (1957) 37—78; K. Baus, HKG I 400; R. P. C. Hanson, ›Poteniorem principalitatem‹ in Irenaeus Adversus Haereses 3,3,1 (Stud. Patr. 3 = TU 78), Berlin 1961, S. 366—369; N. Brox, aaO 140—143. Die jüngste Erörterung bietet A. Rousseau, SC 210,223—236. Ganz vom irenäischen Text und seiner Gedankenführung herkommend, legt er die ebenso eindrucksvolle wie überzeugende Beweisführung vor, daß die Verbindung mit der Kirche von Rom der Ausweis für die Apostolizität der Kirche ist, und findet auch eine befriedigende Erklärung für die Wendung: »*ab* his qui sunt undique«, die er als mißverstandene Wiedergabe eines griechischen τοῖς πανταχόθεν (= »für die von überall her«), versteht.
[76] 3,3,4 (SC 211,38—44).
[77] 3,3,4 (SC 211,44).

Selbstgefälligkeit oder schließlich als Heuchler, die nur auf Gewinn und leeren Ruhm aus sind.«[78]
Die sichere Gewähr für das Verbleiben in der Wahrheit ist die Sukzession in der Bindung an die von den Aposteln überkommene Lehre. Wer stattdessen auf eigene Rechnung handelt, schneidet sich selber von dem lebendigen Strang ab. Er entlarvt sich als ein Mensch, der seine eigene Person zum entscheidenden Bezugspunkt macht, und das heißt für Irenäus, daß schlechte, selbstsüchtige Interessen an die Stelle der ausgeschlagenen Bindung treten.
Interessant ist nun aber der Hinweis auf ein besonderes, in der amtlichen Sukzession empfangenes »Charisma der Wahrheit«. Die Wortbildung weist auf den Heiligen Geist hin. Irenäus nennt ein eigenes Charisma, durch welches zusammen mit den übrigen Gaben seine Wirksamkeit im Neuen Bund gekennzeichnet ist[79]. Eine solche Gabe ist der freien Verfügbarkeit des Menschen entzogen. Sie kann nur als fortwährende Verpflichtung zu einem demütigen Gehorsam begriffen werden[80]. Mit ihr erfüllt der Geist, so wie er einst in den Aposteln den Beginn der Überlieferung gewirkt hat, jetzt die auf sie zurückgehenden Bischöfe, um die Weitergabe der Wahrheit zu sichern. Wenn auch der Geist hier im Gegenüber zum gnostischen Pneumatikertum eng an das Amt gebunden scheint, ist er doch nicht einfach mit ihm identisch. Das Amt darf sich lediglich seines Charismas bedienen, damit die Bindung der Kirche an die apostolische Tradtion gewährleistet ist[81].
Was aber macht dann den eigentlichen Inhalt des Charisma der Wahrheit aus? Da der Lyoner Bischof es zusammen mit der Sukzession erwähnt, ist es wesentlich von der Überlieferungsvermittlung her zu verstehen. Die Vorsteher der Kirchen sind die vom Ursprung her legitimierten Träger der Lehrüberlieferung. Ihre Verkündigung verdient den Glaubensgehorsam der Gemeinden, weil die von den Aposteln ausgeübte Lehrvollmacht an sie übergegangen ist[82]. Gleich, ob ihnen große oder nur bescheidene Wortgewalt zur Verfügung steht, erfolgen die zuverlässige Überlieferung und Predigt durch sie. Denn sie verkünden nicht sich, sondern die ihnen überantwortete Wahrheit, die größer ist als sie[83]. So

[78] 4,26,2 (SC 100,718); die Übersetzung: »wie auch immer sie sich zusammenfinden«, folgt dem Armenischen; s. die Anm. von A. Rousseau, SC 100,262.

[79] Zu den Charismen vgl. 3,11,9 (SC 211,172); 4,20,4.6 (SC 100,634.642); 5,6,1 (SC 153,74); 5,22,2 (282) und die Ausführungen o. § 13 a und b.

[80] 5,22,2 (SC 153,282).

[81] N. Brox, Charisma veritatis certum. Zu Irenäus adversus haereses 4,26,2, ZKG 75 (1964) 327—331; 331, spricht vom Amt als einem »›Mittel‹« des Geistes.

[82] S. 3,3,1 (SC 211,30): »... locum magisterii tradentes«. Vgl. dazu die Anm. von A. Rousseau, SC 210,222f.

[83] 1,10,2 (H 1,94).

bestimmt sich das Charisma der Wahrheit als die Begabung mit der Erkenntnis der rechten Überlieferung. Es ist die Ausrüstung zu ihrer Predigt und Weitergabe. Ohne an die Stelle der Wahrheit selber zu treten, bedeutet es die Fähigkeit, in der Bindung an sie zu verbleiben und sie von der Häresie unterscheiden zu können[84].

Das vom Geist gewährte Charisma ist also nicht im Sinne eines ›Sukzessionsmechanismus‹ zu begreifen. Irenäus legt zwar im Blick auf die Gnosis Wert auf die ununterbrochene, überprüfbare Nachfolge, aber Überlieferung der Wahrheit bedeutet doch wesentlich die Identität mit ihrem Inhalt. Ihm ist das Charisma der Wahrheit untergeordnet, an ihn ist es geknüpft, an ihm hat es sich auszuweisen. Es ist deshalb kein Zufall, wenn er die den Bischöfen gegebene Befähigung im Zusammenhang mit der Interpretation der Schrift erwähnt. Denn hier wird die Wahrheit inhaltlich nachgewiesen. Das Charisma bewährt sich an ihrer Auslegung, indem es die Schriftlehre zur Entfaltung bringt. Ja, man kann sagen, daß die Schrift erst zum hervorragenden Zeugnis der Wahrheit werden kann, weil das Charisma der Wahrheit die Kirche in der apostolischen Überlieferung erhält[85].

Die Aussagen über die vom Geist gewährte Treue zur Tradition sollen mit einem letzten Text, den Sätzen, die sich an die Glaubensformel im vierten Buch adversus haereses schließen, abgerundet werden. Der Lyoner Bischof erläutert die im Geist Gottes zustande kommende »wahre Erkenntnis« mit den Worten: »Sie ist die Lehre der Apostel, die Einrichtung der Kirche seit alters her in der ganzen Welt und das Merkmal des Leibes Christi in den Sukzessionen der Bischöfe, denen jene die Kirche an jedem einzelnen Ort übergeben haben. Sie ist die bis zu uns gelangte Bewahrung der Schriften ohne Falsch, eine vollständige Behandlung, die keine Hinzufügung oder Kürzung erleidet, eine Lektüre ohne Verfälschung und eine richtige, sorgfältige Auslegung nach den Schriften, ohne Gefahr und ohne Blasphemie ...«[86].

In der Zuordnung zum Heiligen Geist bringt Irenäus die Lehre der Apostel, die Verfaßtheit der Kirche seit jeher, die Sukzession und das Verständnis der Schrift in eine Reihe. Er gibt zu erkennen, daß die vom Geist getragene Wahrheit eine ist, als die Verkündigung der Apostel, die Überlieferung der Kirche und der Inhalt der Schriften. Hier besteht kein Gegensatz, hier ist nichts voneinander

[84] N. Brox, aaO, formuliert in der Auseinandersetzung mit K. Müller, ZNW 23 (1924) 216—222: »Kriterium und Befähigung zur Lehrverkündigung«.

[85] Brox, aaO 327f, sagt m. E. zu Recht, daß »der formaljuristische Beweis der Sukzession ... die letzte Station im Beweisgang des Irenäus« ist. — Vgl. o. A 66.

[86] 4,33,8 (SC 100,818ff).

zu lösen, wenn man nicht in eine häretische Einseitigkeit verfallen will. Wahre Erkenntnis im Geist bedeutet ebenso sehr Treue zur Tradition wie Bindung an das Alte und Neue Testament. Mit diesem Aufweis die große, überzeugende Einheit der kirchlichen Wahrheit darzustellen, ist das Anliegen des Lyoner Bischofs im Streit mit denen, die sich für ihn so offenkundig von ihr entfernt haben.

§ 25 Die Erneuerung des Menschen durch den Heiligen Geist

Die Auseinandersetzung mit der Gnosis wird von Irenäus mit solchem inneren Engagement betrieben, weil nichts weniger als das Heil des Menschen auf dem Spiel steht. Er ist der festen Überzeugung, daß seine Gegner von »der göttlichen Wesenheit, der Güte Gottes und der pneumatischen Kraft gänzlich getrennt«[1] sind. Gerade die von ihnen beanspruchte Wesensgleichheit mit dem Göttlichen geht ihnen völlig ab. Ihrer überzogenen, nicht einlösbaren Selbsteinschätzung zufolge des Appells an die Güte Gottes beraubt, erliegen sie dem Einfluß des Bösen. Die vermeintlichen Pneumatiker gleichen ihrer einstmals aus der göttlichen Fülle verstoßenen Mutter: Haltlos und ihrer Unwissenheit ausgeliefert irren sie in der Welt der Schatten umher. »Denn der Geist hat sie«, wie Irenäus feststellt, »nicht in die Stätte der Erquickung aufgenommen«[2].
Sätze wie diese führen zum Kern der irenäischen Pneumatologie, zum Thema der Gestaltung des Menschen durch den Geist Gottes. Sie wird von den gegnerischen Pneumatikern verfehlt. Der Geist, der das Geschöpf »zur Neuheit Christi erneuert«, der den »Eintritt zum Leben« eröffnet[3], gelangt an ihnen nicht zur Entfaltung.

a) Vollkommener Mensch und gnostischer Pneumatiker

aa) Leib, Seele, Geist

Ein Hauptanliegen muß die Bestimmung des Verhältnisses von Geist und Mensch sein. Sie geschieht mit dem Satz: »Der vollkommene Mensch besteht aus Fleisch, Seele und Geist.«[4] Seine Interpretation läßt die Hauptelemente der irenäischen Antwort auf die Bedrohung durch die gnostische Lehre sichtbar werden.
Die erste Frage, was hier unter dem Wort »Geist« zu verstehen ist, führt zu der im weiteren Kontext gegebenen Erklärung: »Das eine

[1] 2,31,3 (H 1,371).
[2] 3,25,6 (SC 211,488).
[3] 3,17,1.2 (SC 211,330).
[4] 5,9,1 (SC 153,106).

erlöst und gestaltet, das ist der Geist; das andere wird erlöst und geformt, das ist das Fleisch; das andere schließlich liegt zwischen beiden, das ist die Seele ... Wer also das, was erlöst und zum Leben formt, nicht hat, wird folgerichtig ›Fleisch und Blut‹ (1 Kor 15, 50) genannt werden, da er nicht den Geist Gottes in sich hat.«[5]
Ohne schon alle Aspekte des Textes anheben zu müssen, kann gesagt werden, daß »Geist« als der zum Menschen hinzukommende Geist Gottes definiert wird. Irenäus spricht nicht von einer menschlichen Anlage, sondern von Gott, der auf sein Geschöpf einwirkt, seiner aktiven Macht, die Erlösung schenkt.
Wenige Seiten vorher heißt es: »Der vollkommene Mensch ist die Vermischung und Einigung der Seele, welche den Geist des Vaters empfangen hat, und des mit ihr vermischten Fleisches.«[6] Und der Lyoner Bischof erwähnt in dem großen Zusammenhang seiner Argumentation immer wieder den »Geist des Vaters«, den »göttlichen Geist« sowie den »Heiligen Geist«[7], so daß ohne Zweifel der den Vollkommenen auszeichnende Geist eben als der transzendente Gottesgeist zu bestimmen ist, als die Gabe, welche im Christusereignis neu über die Menschheit ausgegossen wird[8].
Dabei ist nicht zu übersehen, wie über die vorgenommene Aneinanderreihung hinaus der Geist sehr eng an den Menschen geschlossen wird. Worte wie »Vermischung« und »Einigung« deuten auf ein wirkliches Eingehen hin. Ja, Irenäus kann sogar von den »drei (Stücken), aus denen ... der vollkommene Mensch besteht«, sprechen[9]. Dennoch aber geht der Geist nicht im Menschen auf. Selbst eine scheinbar so eindeutige Bemerkung, der Geist sei ein »Teil« des Vollkommenen, erfährt sofort eine bedeutsame Differenzierung, insofern der Lyoner Bischof mit ihr auf den Geist in Verbindung mit der Seele hinweist[10], aber wenige Zeilen später Leib und Seele als Bestandteile aufführt, beim Geist dann jedoch nicht fortfährt, er sei ein den ersten beiden analoger Teil, sondern ihn auf

[5] 5,9,1 (SC 153,106ff). Der Text leitet die Debatte um den von der Gnosis ins Feld geführten Satz: »Nicht Fleisch und Blut können das Himmelreich erben« (1 Kor 15,50), ein, die Irenäus über lange Kapitel hin führt (5,9,1—5,14,4; 106—194).

[6] 5,6,1 (SC 153,72); vgl. die Anm. von A. Rousseau, SC 152,226f.

[7] 5,1,1 (SC 153,20): »Spiritus Patris«; 5,8,3 (104): »divinus Spiritus«; 5,12,3 (150): »Spiritus sanctus«.

[8] S. 5,1,1 (SC 153,20): »suo igitur sanguine redimente nos Domino ... et effundente Spiritum Patris . . .«

[9] 5,9,1 (SC 153,106).

[10] 5,6,1 (SC 153,72): »anima autem et Spiritus pars hominis esse possunt«. Die armenische Lesart »partes« — der Vossianus und der Arundelianus lesen »pares« — ist wenig wahrscheinlich angesichts des strikten Parallelismus zum vorhergehenden Satz: »... sed non pars hominis«. Vgl. A. Rousseau, SC 152, 227f.

den vollkommenen Menschen überhaupt bezieht[11]. In feinen, nur schwer aufspürbaren Nuancierungen bleibt Irenäus dem Gedanken der Transzendenz des Geistes treu. Gerade in der engen Bindung an das Geschöpf ist er der nicht mit ihm zu verrechnende Gott.

Für das bisher angehobene Verständnis beruft Irenäus sich auf das Pauluswort: »Der Gott des Friedens aber heilige euch, auf daß ihr vollkommen seid und daß euer Geist, eure Seele und euer Leib vollständig und untadelig bewahrt bleiben für die Ankunft des Herrn Jesus Christus« (1 Thess 5, 23). Er erklärt: »Und welchen Grund sollte er (Paulus) also haben, für diese drei, das heißt, für die Seele, den Leib und den Geist, das vollständige Bewahrtwerden für die Ankunft des Herrn zu erbitten, wenn er nicht um die Wiederzusammenführung und Einheit der drei sowie um das eine Heil für sie gewußt hätte?«[12]

Was der Lyoner Bischof hier unter »Geist« versteht, ist nach dem dargelegten Zusammenhang eindeutig: Es ist der dem Menschen mitgeteilte Geist. Auch wenn von dem einen Heil für Seele, Leib und Geist gesprochen wird, ist nicht an eine zu erlösende menschliche Eigenschaft, sondern an die innerlich mit dem Geschöpf verbundene Geistgabe zu denken, die es, wie es anschließend heißt, beständig zu bewahren hat[13]. Demnach wird die paulinische Dreiheit nicht im Sinne von einander gleichwertigen Konstitutiva aufgefaßt. Der Geist ist der dem Menschen einwohnende und doch transzendente Heilige Geist Gottes[14]. Von einer Trichotomie im anthropologischen Denken des Bischofs von Lyon zu sprechen, erscheint deshalb nicht angebracht, insofern damit eine menschliche Dreiteilung oder Dreieinheit ausgedrückt werden soll. Die Redeweise ist möglich, wenn sie die Unmittelbarkeit des Geistes zum Vollkommenen anzeigen will, ohne aber beides ineinander

[11] Ich bin hier wieder dem Textgespür von Rousseau verpflichtet (SC 152,228f), der die angezogene Stelle 5,6,1 (SC 153,76ff) hervorgehoben hat. — Zum Verständnis der Argumentation, auf die noch zurückzukommen sein wird, sei vorerst nur notiert, daß es Irenäus darum zu tun ist, die Einheit des homo perfectus zu betonen, zu dem also wesentlich außer dem Geist die Seele und der Leib gehören.

[12] 5,6,1 (SC 153,78). Das Zitat von 1 Thess 5,23 habe ich mit der lateinischen Irenäusübersetzung wiedergegeben: »Deus autem pacis sanctificet vos perfectos«. Sie bietet den charakteristischen Ausdruck »vollkommen«, der gerade im Kampf mit der Gnosis auf dem Spiel stand. Das NT liest »ὁλοτελεῖς — per omnia«; ihm folgt das Armenische. — Für die Übersetzung: »das vollständige Bewahrtwerden«, s. die Anm. von Rousseau, SC 152,234.

[13] S. 5,6,1 (SC 153,80).

[14] Wie 1 Thess 5,23 im paulinischen Sinn zu deuten ist, ist eine andere Frage. Könnte Paulus an den oberen Teil der Seele denken (vgl. 1 Kor 2,11; 2 Kor 2,13 mit d'Alès, L'Esprit 506), so hat Irenäus den Text jedoch zweifelsohne in dem dargelegten Sinn verstanden.

aufgehen zu lassen oder einen menschlichen Geist vom Heiligen Geist zu unterscheiden[15].

Das so gewonnene Ergebnis erhält eine zusätzliche Bestätigung dadurch, daß Irenäus den Menschen eine »Mischung von Seele und Leib« nennt[16]. Sie und nicht mehr machen sein eigentliches Wesen aus. Die gnostische Auffassung, nach der die Seelen an den Ort der Mitte gelangen, während die Leiber im Weltenbrand untergehen, muß sich fragen lassen, was denn in diesem Fall noch vom Menschen übrig bleibe; und der Lyoner Bischof hat die schlagende Antwort parat: »Nichts wird mehr vom Menschen übrig bleiben, was ins Pleroma eingehen könnte.«[17] Hier bleibt kein Raum mehr für einen »Geist«. Der natürliche Stand des Geschöpfes ist eindeutig durch die Einheit von Seele und Leib bestimmt, zu welchen der Geist erst hinzugegeben werden muß, um die vom Menschen aus nicht erreichbare Verbindung mit Gott herzustellen[18].

[15] Aus diesem Grund wird mit A. Rousseau bei den fraglichen Stellen Spiritus-Πνεῦμα als groß geschrieben vorausgesetzt. — Als für Irenäus nicht zutreffend erscheint dann die Deutung von A. Orbe, Antropología 17—20, nach der von einer »unión del cuerpo, alma y espíritu« (aaO 20) zu sprechen wäre. Sein Erklärungsversuch, Irenäus habe mit dieser Trichotomie die Vulgarphilosophie mit der Schrift vermittelt, ist an dem Lyoner Bischof nicht zu verifizieren. Demnach bedarf das Urteil, die gnostische wie die irenäische Konzeption »discurren a base de la tricotomía paulina (1 Thes 5,23): cuerpo, alma, espíritu« (aaO 74), einer Revision, insofern »Geist« bei Irenäus nicht eine, wenn auch von Gott gegebene, menschliche Anlage meint. — A. d'Alès, L'Esprit 527f, wendet sich m. E. zu Recht gegen eine substantielle Verbindung des Hl. Geistes mit dem Menschen, nach der er ein wirklicher Bestandteil wäre (gegen Koerber und Dorner, bei d'Alès ebd. A 79); aber er trägt mit der Unterscheidung von dem donum creatum und der causa increata ein fremdes Denkschema an Irenäus heran und kommt dann doch zur Annahme eines übernatürlichen Gnadengeschenks, das vom göttlichen Geist zu unterscheiden wäre: »l'esprit n'est ... rien d'autre que le don de la grace déposé en lui par l'Esprit divin« (aaO 532). — Nach wie vor gültig bleibt im Prinzip die Feststellung Klebbas (aaO 164): »Wenn aber bei Irenäus unsere Substanz als eine Vereinigung von Seele und Fleisch bezeichnet wird, die noch den Geist aufnimmt, um den Menschen geistig zu machen, dann ist deutlich die Zweiteilung des Menschen gelehrt, neben der das dritte nun als Akzidens besteht«. — G. Wingrens Meinung (aaO 154 A 27), das trichotomische Schema treffe für Irenäus zu, insofern es mit der Wachstumsidee verbunden werde; wirkliche Menschwerdung und Geistempfang seien gleichbedeutend, läßt sich unter der Bedingung rechtfertigen, daß der Geist die transzendente Macht bleibt, die dem Menschen innerlich wird, ohne jedoch zu einer Anlage von ihm zu werden. — Joppich, aaO 52, kann zugestimmt werden, wenn er urteilt, Irenäus betone »einen gewissen übernatürlichen Trichotomismus, der im Besitz des Hl. Geistes besteht«.

[16] 4 praef. 4 (SC 100,390); vgl. Epid. 2 (SC 62,29); s. dazu die weiteren Texte o. § 22 a. aa A 9.

[17] 2,29,3 (H 1,361).

[18] S. 5,1,1 (SC 153,20): »Suo igitur sanguine redimente nos Domino, et dante ani-

Nachdem hiermit eine sichere Spur erreicht ist, kann zur Interpretation von zwei weiteren, in diesem Zusammenhang bedeutsamen Texten geschritten werden. In dem großen Kapitel des dritten Buches über die Rekapitulation ist der Satz zu lesen: »Daß wir Leib sind, der von der Erde genommen ist, und Seele, die von Gott den Geist empfängt, wird ein jeder zugestehen.«[19] Die Möglichkeit, in dem als allgemein anerkannt vorausgesetzten Wort einen menschlichen Geist angesprochen zu sehen, hat wenig Wahrscheinlichkeit für sich, da von der Gabe Gottes die Rede ist und der Geist nicht in einer Reihe mit Leib und Seele, sondern als deren Komplement erscheint. Weiter spricht Irenäus in der nachfolgenden Erklärung von der Rekapitulation des Menschen durch das göttliche Wort. Er erwähnt die Annahme des menschlichen Leibes, weiß aber nichts von einem Geist, der von Christus rekapituliert worden wäre. Dafür aber erscheint im Zitat von Röm 1,3f der »Geist der Heiligung«, so daß es fast als sicher gelten kann, daß der im Text genannte Geist den Heiligen Geist meint, nicht aber eine natürliche Anlage des Geschöpfes oder sonst einen Teil seiner selbst[20].
Wie steht es dann um die folgende Formulierung? »Alle zum Leben Eingeschriebenen werden auferstehn und ihre eigenen Leiber, ihre eigenen Seelen und ihre eigenen Geister haben, in denen sie Gott gefielen. Die aber der Strafe würdig sind, werden ihr verfallen und ihre eigenen Seelen und ihre eigenen Leiber haben, in denen sie sich von der Gnade Gottes entfernt haben.«[21]
Zuerst zeigt sich wieder, daß dem Menschen als solchem nur Leib und Seele zukommen: Mit ihnen bleibt auf sich selber gestellt zurück, wer das Ziel verfehlt. Die anderen dagegen gelangen zusätzlich zu ihrer geschöpflichen Verfaßtheit mit ihren »Geistern« zu dem von Gott verheißenen Leben. Irenäus wägt seine Worte. Nicht die Geister erhalten das Leben, sondern die Menschen kommen mit den für die Begnadeten charakteristischen Kennzeichen zur Auferstehung[22]. Sie sind demnach nicht ohne weiteres als Bestandteil zu fassen. Es erscheint auch nicht unmöglich, von ihnen aus eine Verbindung zum Heiligen Geist herzustellen, da mit ihnen das gegeben ist, was zum Leben führt. Wenn hier im Unterschied zu den übrigen Texten die Mehrzahl gebraucht wird, dann deshalb,

mam suam pro nostra anima et carnem suam pro nostris carnibus, et effundente Spiritum Patris in adunitionem et communionem Dei et hominum . . .«

19 3,22,1 (SC 211,432); so auch A. Rousseau, SC 210,367f.

20 A. Orbes Deutung (Antropología 76f), nach der für »Spiritus« »afflatus« zu lesen sei, ist nicht glaubhaft zu machen. Sie beruht auf seiner These, schon am Anfang sei der Erde Geist mitgeteilt worden, und hat am Text selber keinen Anhalt. S. dazu u. A. 29.

21 2,33,5 (H 1,380). Die Übersetzung folgt dem griechischen Fragment.

22 So auch d'Alès, L'Esprit 532, und Klebba, aaO 181. Vgl. 5,6,1 (SC 153,78).

weil die Unmittelbarkeit zu jedem Einzelnen wie die einem jeden aufgegebene Bewährung des in ihm wohnenden Heiligen Geistes ausgedrückt werden sollen. Ohne schon eine theologische Begrifflichkeit, welche das Gnadengeschenk vom Geist selber unterscheidet, an den Text legen zu müssen[23], kann man sagen, daß er wie die anderen auf den Gottesgeist hinweist, ihn aber besonders unter dem Aspekt des Geschenktsein und der Verpflichtung vorstellt[24].

Bei der so beschriebenen Wirksamkeit des Geistes hat sich gezeigt, daß er sich mit der Seele und über diese mit dem menschlichen Leib verbindet. Als die Seite, der Gott mit der Teilhabe am Leben die Fortdauer geschenkt hat[25], kann die Seele sich dem Geist öffnen. Sie steht, wie Irenäus formuliert, »zwischen diesen beiden«, das heißt, zwischen Leib und Geist[26]. An ihr ist es, sich nicht von jenem herunterziehen, sondern von diesem ergreifen zu lassen. Sie ist die erste mögliche Empfängerin des Gottesgeistes[27]. Da sie nun ihrerseits mit dem Leib verbunden ist, ihn bewegt und belebt, wird mit ihr der ganze Mensch vom Geist in Besitz genommen[28]. Der wahrhaft Vollkommene kann entstehen; und in der Gemeinschaft mit dem Heiligen Geist bewahrheitet sich das Pauluswort: »der zweite Adam ist zum lebenspendenden Geist« geworden (vgl. 1 Kor 15, 45)[29].
Bevor jedoch im Verfolg dieser und weiterer Erklärungen das neue Leben im Geist in den Blick genommen werden kann, müssen der antignostische Akzent der irenäischen Geist-Anthropologie und in einem danach folgenden Schritt ihr großer heilsgeschichtlicher Zusammenhang hervorgehoben werden.

bb) Gegensatz zur Gnosis

Bei der Bestimmung des vollkommenen Menschen hat Irenäus durchweg die gnostische Gegenposition vor Augen. Hier nämlich

[23] Gegen d'Alès, L'Esprit 520—538; 532.
[24] Zur Bewährung des Geistes s. u. § 25 c.
[25] 2,34,4 (H 1,383).
[26] 5,9,1 (SC 153,106).
[27] 5,9,1 (SC 153,108); 5,6,1 (72); 3,22,1 (SC 211,432).
[28] S. bes. 5,6,1 (SC 153,72); 5,9,1 (106); 2,23,4 (H 1,379); 2,34 (381ff). In 5,3,2 (SC 153,48) wird das Blut als »copulatio animae et corporis« bezeichnet.
[29] 5,12,2 (SC 153,148). A. Orbe, Antropología 76, kann für den homo perfectus die Mischung des Geistes mit der Seele und über sie mit dem Fleisch nicht bestreiten. Er will dann aber doch aufgrund von Epid. 11 (SC 62,48f) daran festhalten, daß bereits im Stadium vor der Erschaffung des menschlichen Leibes eine »mixis de materia y espíritu« (aaO 73) stattgefunden habe. Ihr sei als zweites Stadium die Erschaffung des inneren und äußeren Menschen und dann als drittes der Lebenshauch mit der Seele gefolgt (aaO 73f). Die von der

glaubt man, die vollkommene Erkenntnis zu besitzen[30], und hebt man sich dadurch von dem seelischen Demiurgen wie von der großen Masse ab, denen man keinen Anteil an der pneumatischen Vollkommenheit zubilligen will[31]. Wie der Lyoner Bischof dem gnostischen Pneumatiker den »wahrhaft geistlichen Schüler« entgegensetzt[32], so überläßt er seinen Gegnern auch nicht die von ihnen beanspruchte Vollkommenheit, sondern nimmt sie, indem er ihr wahres Wesen definiert, für die Gläubigen der Kirche in Besitz.

Der Vergleich läßt zunächst eine eigentümliche Parallelität hervortreten. Die irenäische Dreiheit von Leib, Seele und Geist entspricht genau der gnostischen Lehre von den drei Naturen. Von der Sophia-Achamoth abgeleitet, soll aus ihrem Leiden und ihrer Not in der außerpleromatischen Welt das Materielle entstanden sein; ihre reumütige Hinwendung zum verlorenen Ursprung hat dann zum Psychischen geführt; und schließlich hat sie aufgrund der Herablassung des Erlösers das Pneumatische geboren[33]. Seither machen diese drei Genera die Wirklichkeit aus. Aus ihnen besteht der Mensch, insofern er von dem Demiurgen den materiellen Leib wie die Seele erhalten, von seiner Mutter Achamoth aber den pneumatischen Samen eingesenkt bekommen hat[34].

Dabei handelt es sich, wie Irenäus bemerkt, nicht mehr um eigentliche Bestandteile des Individuums, sondern schon um drei Gattungen[35]. Der Same ist zwar in die Seele und über sie in den Leib eingesät, aber das nicht, um beide durch die Verbindung mit ihm zu heiligen; im Gegenteil, er soll aus ihnen herauswachsen und sie hinter sich lassen. Das Pneumatische soll sich in der Gemeinschaft mit dem Psychischen als »Salz und Licht der Welt« (Mt 5, 13f) bewähren und in dieser Erziehung heranreifen, bis der gesamte Same

Gnosis geforderte »infusion del espíritu en el alma« (aaO 74) sei demnach überflüssig, da schon in der anfänglichen Mischung die Gemeinschaft von Geist und Materie grundgelegt sei. — Nun scheint aber, abgesehen davon, daß die Anschauung von einem »spiritus« bei Irenäus nicht zu belegen ist (s. A 15), der Text von Epid. 11 eine zu schmale Basis für die weitreichenden Folgerungen Orbes (vgl. noch aaO 58ff) zu sein. Dagegen sind die über das Wirken des Heiligen Geistes am Menschen herangezogenen Texte eindeutig und ergeben eine klare Anschauung.

30 S. 1,6,1 (H 1,53); 1,21,2 (181); 2,17,11 (312).

31 S. dazu 1,5,6 (H 1,51); 1,6,3 (55); 1,6,4 (58); 1,8,4 (75) mit 3,2,1 (SC 211,26); 1,13,6 (123); 1,31,2 (242); 2,9,2 (272); 2,18,6 (315); 2,19,3 (318); 2,19,6 (319); 2,26,1 (345); 3,3,1 (SC 211,30).

32 4,33,1—8 (SC 100,802—820).

33 S. 1,4,5—1,5,1 (H 1,39—42) und 2,29,3 (360).

34 1,5,5f (H 1,49ff). Zur Differenzierung von imago und similitudo s. u. § 25b.cc.

35 1,7,5 (H 1,65): »ut ostendant ex his tres naturas, iam non secundum unumquemque, sed secundum genus«.

nach seiner Vollendung zusammen mit Achamoth ins Pleroma eingehen kan[36]. Seele und Leib bilden für den Vollkommenen nur ein Durchgangsstadium auf dem Weg zum Pleroma, während der Psychiker mit seiner Seele an den Ort der Mitte gewiesen, der materielle Mensch für die Vernichtung bestimmt ist[37].

Die unvereinbare Gegensätzlichkeit innerhalb der gnostischen Dreiheit gründet auf dem von Irenäus wiedergegebenen Grundsatz, »daß Ähnliches zu Ähnlichem gelangt« oder »daß ein jeder in die seinem Wesen ähnliche Substanz zurückkehrt«[38]. Leib, Seele, Geist sind schon von ihrem Ursprung her auf geschiedene Substanzen zurückzuführen. Nach dem »Bild« des Demiurgen geschaffen — anders als beim »Gleichnis« kann ein Bild-Abbild-Verhältnis im Sinne der Gnosis zwischen gegensätzlichen Bereichen bestehen[39] —, ist der Leib der materiellen Substanz wesensgleich (»ähnlich« = Gleichnis), kehrt also notwendig wieder zu ihr zurück. Analog dazu steht es mit der nach dem »Gleichnis« des Schöpfers gewordenen Seele. Ihm wesensgleich, bleibt sie immer dem Bereich des Psychischen verhaftet[40]. Der nach dem »Gleichnis« der Engel in der Begleitung des Erlösers entstandene pneumatische Same schließlich bleibt wesensmäßig mit seinem pleromatischen Ursprung verbunden[41]. Die Ähnlichkeit der Substanz verschafft ihm die vollkommene Erkenntnis und führt notwendig zur Rückkehr in die Fülle des Pleroma[42]. Wie also nach den Worten des Lyoner Bischofs »dem Wesen und der Substanz nach drei Genera von der Mutter ausgegangen sein sollen«[43], so können sie nie zusammenkommen. In ihrer Trennung voneinander lassen sie die Welt als den Bereich von sich gegenseitig ausschließenden Gegensätzen bestehen.

Irenäus erkennt scharfsichtig die Konsequenz einer derartigen Teilung. Ihr zufolge ist »Gott der Sklave dieser Notwendigkeit, so daß er dem Sterblichen nicht die Unsterblichkeit verleihen oder dem Vergänglichen die Unvergänglichkeit schenken kann«[44]. Da

[36] S. bes. 1,5,6—1,6,1 (H 1,50ff); 1,6,4—1,7,1 (58); 2,19,1 (316); 2,19,4 (318); 2,19,6 (319). Vgl. Sagnard, La Gnose 397—405.

[37] 1,7,1 (H 1,58f); 1,7,4 (63f); 2,29,1 (358f).

[38] 2,14,4 (H 1,295): »secedere unumquemque in similem naturae suae substantiam«; 2,39,1 (359): »dicentes similia ad similia congregari«.

[39] 2,7,1—6 (H 1,265—270).

[40] 1,5,5 (H 1,49); und 2,29,1 (359).

[41] 2,19,6 (H 1,319) und 2,29,1 (359).

[42] 2,19,2 (H 1,317): »propter seminis substantiam agnoscere spirituale pleroma«; 1,6,2 (54): »eo quod sint naturaliter spirituales, omnimodo salvari dicunt«; 1,6,4 (57): »semetipsos autem proprie possidere (sc. gratiam), desursum ... descendentem habere gratiam et propterea adici eis«; 1,6,5 (58): »non operatio in pleroma ducit, sed semen«.

[43] 2,29,3 (H 1,360).

[44] 2,14,4 (H 1,294f).

die Natur der drei Substanzen stärker sein soll als der Wille Gottes, beraubt ihn die Gnosis seiner Freiheit und Allmacht. Ihr Denkschema läßt nur die Alternative zwischen einem ohnmächtigen Gott oder einem mißgünstigen Wesen offen, das den schwachen, auf Hilfe angewiesenen Menschen seinem Geschick überläßt[45].
Gott wird aber auch dadurch in seiner Freiheit beschnitten, daß der Same ein naturhaftes Recht auf Erlösung geben soll. Der Lyoner Bischof formuliert diese andere Seite nicht mit dem gleichen Nachdruck wie die erste, da es ihm vorzüglich um die Rettung der abgespaltenen menschlichen Verfaßtheit von Seele und Leib geht. Er läßt es aber den vorgeblichen Pneumatikern gegenüber nicht an Deutlichkeit fehlen, wenn er davor warnt, statt in beständiger Dankbarkeit vor Gott zu stehen, sich von Natur aus als ihm ähnlich zu betrachten[46], wenn er den Gnostikern vorwirft, sie stellten sich mit ihrem wesenhaften Pneumatikertum über Gott[47], und ihnen schließlich erklärt, mit einem solchen Anspruch stünden sie ihrem eigenem Heil im Wege[48].
Die in der gnostischen Geist-Anthropologie postulierte Ähnlichkeit mit dem Göttlichen fällt in den Augen des Bischofs von Lyon in sich selber zusammen, sobald man die Widersprüchlichkeit der Samenlehre bloßlegt. Er hat gleich zu Anfang seiner kritischen Beleuchtung die schlagende Antwort bereit: »Bei ihm (dem Schöpfer) ist gerechterweise ihr Same unbekannt, da er weder irgendeine nützliche Eigenschaft, noch irgendeine tätige Wesenheit besitzt und überhaupt gar nicht existiert.«[49] Ein Geist im Sinne der Gnosis wird schlichtweg geleugnet; sich auf ihn berufen heißt genausoviel, wie sich auf ein Nichts beziehen.
Damit ist die Sache aber nicht erledigt. Irenäus unterzieht sich durchaus der Mühe der Einzelargumentation. Die Gegner werden auf den Widerspruch hingewiesen, daß der Same als ganzer über den Demiurgen (durch das Wirken der Achamoth) an die Einzelmenschen vermittelt wird, daß er denen, die nur einen Teil von ihm erhalten, die vollkommene Erkenntnis gewährt, den Schöpfer dagegen gänzlich im Stande der Unwissenheit beläßt[50]. Dann legt der Lyoner Bischof den Finger auf das Problem der Gestaltung und des Heranwachsens des Samens. Wie soll er den Engeln des Erlösers wesensgleich sein, wenn er in seinem ersten Stadium ein form-

45 5,4,1f (SC 153,54—60) und 5,5,2 (68—72).
46 3,20,1 (SC 211,386): »quasi naturaliter similis esset Deo«.
47 Vgl. 2,30 (H 1,361—368).
48 1,22,1 (H 1,189); 2,31,3 (371); 3,25,6 (SC 211,486ff).
49 2,19,2 (H 1,317). Zur Auseinandersetzung mit der gnostischen Samenlehre s. das ganze Kapitel 2,19 (316—321), auf das ich mich im folgenden beziehe, ohne dabei sämtliche Einzelargumente zu referieren.
50 2,19,3 (H 1,317f).

loses Etwas darstellt? Müssen dann nicht auch seine Urbilder als unvollkommen angesehen werden?[51] Die Frage verschärft sich bei der weiteren Überprüfung der Lehre von der Erziehung des Samens. Denn dieser wird in die materielle Welt eingesenkt, um hier seine Bildung zu erhalten. Durch das entgegengesetzte, unähnliche Element gelangt er zur Vollkommenheit, während die pneumatische Lichtfülle als Ursache seiner Ungestaltetheit dasteht. Der Same kann demnach nicht den Begleitern des Erlösers, sondern nur dem Irdischen gleichen. »Wenn dieser Same hier gefestigt und gestaltet wird, dann wird er die Gestalt des Menschen, nicht aber die von Engeln haben.«[52] Was der Materie zu seiner Gestaltwerdung bedarf, kann nicht als etwas Geistiges verstanden werden. Denn es besteht doch gerade das umgekehrte Verhältnis, nach dem »das Fleisch das Geistige nötig hat, wenn es erlöst werden soll, damit es in ihm geheiligt und verherrlicht werde und damit das Sterbliche von der Unsterblichkeit verschlungen werde« (vgl. 1 Kor 15, 54)[53].

Der letzte Satz führt von der Bestreitung wieder in die Mitte der irenäischen Anthropologie. Wenn der die Wesensgleichheit begründende Geistsame der Gnostiker in seiner Schwäche das von ihm Geschiedene nicht beeinflussen kann, ja, wenn er umgekehrt erst von ihm geformt werden muß und sich so als etwas Ungeistiges erweist, dann kann von dem Geist gesprochen werden, in welchem Gott seine lebenschenkende Macht zeigt, da er die Gräben überwindet und das scheinbar Getrennte an sich bindet. Die gnostische Dreiheit von Geist-Same, Seele, Leib ist durch die in Wahrheit erst heilbringende Einheit von Geist, Seele und Leib zu ersetzen, bei der der Geist nicht eine wesensmäßige Verwandtschaft eines Teils des Menschen mit dem Göttlichen bedeutet, sondern die nicht verfügbare Herablassung Gottes, welche die Menschheit heiligt und schließlich zu ihm erhebt.

Die Ersetzung des Geistsamens durch den Heiligen Geist ermöglicht demnach die Wesensaussagen einer christlichen Anthropologie im Sinne des Lyoner Bischofs. Weil Gott über die Menschen kommt, und nicht ein an die Trennung von Substanzen gebundener Same in ihnen wohnt, ereignet sich die »Gemeinschaft und Einheit ... von Fleisch und Geist«[54]. Der vollkommene Mensch kann als die »Vermischung und Einigung«[55] der drei Stücke beschrieben werden, von denen man Leib und Seele nicht abziehen darf, weil sonst

[51] 2,19,1 (H 1,316f).
[52] 2,19,6 (H 1,319); zum Vorhergehenden s. 2,19,4f (318f).
[53] 2,19,6 (H 1,320).
[54] 4,18,5 (SC 100,610).
[55] 5,6,1 (SC 153,72).

nichts mehr vom Menschen übrig bliebe[56]. Jetzt wird die Aussage möglich, daß der Geist im Leib als seinem Tempel Wohnung nimmt[57] und das von seinem Wesen her nicht dazu Fähige in die göttliche Lebendigkeit miteinbezieht[58]. Das große Anliegen der irenäischen Theologie, das Heil des Geschöpfes zu sichern, wird durch die der Gnosis entgegengestellte Einheit von Geist, Seele und Leib erreicht[59].

b) Neuschöpfung nach dem Bild und Gleichnis

aa) Gleichnis zum Bild des Sohnes durch den Geist

Bei der Beschreibung des vollkommenen Menschen ist zu lesen: »Wenn aber dieser Geist sich in der Vermischung mit der Seele dem Geschöpf vereint, dann ist aufgrund der Ausgießung des Geistes der geistliche und vollkommene Mensch entstanden; und dieser ist es, der nach dem Bild und Gleichnis Gottes gemacht worden ist.«[60] Irenäus verbindet die Neuwerdung durch den Geist mit dem Gedankenkreis von der Bild- und Gleichnis-Werdung des Geschöpfs. Im wahrhaft Vollkommenen verwirklicht sich das am Anfang gesprochene Schöpfungswort. Der neu ausgegossene Geist, der nicht wie der Same in der Sonderung der Substanzen verbleibt, sondern die Macht hat, den Menschen umzuformen, führt die Erschaffung nach dem Bild und Gleichnis Gottes herbei.

Um die Beziehung schärfer fassen zu können, wird es nötig sein, den gesamten Anschauungskreis in den Blick zu nehmen und die mit ihm aufgegebenen Fragen abzustecken.

Der Bischof von Lyon beschreibt mit dem fraglichen Theologoumenon das Schöpfungsziel, das die Geschichte der ganzen Mensch-

[56] 2,29,3 (H 1,361).
[57] 5,6,2 (SC 153,80).
[58] 5,6,2 (SC 153,84); 5,9,4 (116—122). Für das Weitere s. u. die Ausführungen über die Auferstehung, § 25 d.
[59] A. Rousseau, SC 152,227, kennzeichnet die irenäische Anthropologie zu Recht damit, daß der Angelpunkt der Gedankenführung von 5,6—14 die Zugehörigkeit des Leibes zum vollkommenen Menschen ist, daß Irenäus also nicht zuerst auf der Notwendigkeit des Gottesgeistes für die übernatürliche Berufung des Menschen insistiert. In der hier vorgelegten Analyse sollte die Reihenfolge nicht umgekehrt werden. Da sie jedoch speziell den pneumatologischen Themata verpflichtet ist, mußte das Wirken des Geistes im Vordergrund stehen, und es dürfte deutlich geworden sein, wie sehr die richtige Bestimmung des einen das andere bedingt. — Der Gedanke der salus carnis steht, der Zielsetzung der Arbeit entsprechend, bei Joppich im Mittelpunkt; s. bes. aaO 33—37; 114—134.
[60] 5,6,1 (SC 153,76).

Weltzeit hindurch gültig, bis es sich in den »letzten Zeiten« verwirklicht, damit der Mensch schließlich in der Anschauung Gottes ganz nah an seinen Schöpfer herangebracht wird[61]. Zu seiner Ausführung bedient sich Gott seiner »Hände«, des Sohnes und des Geistes. Gott spricht zu ihnen am Anfang; sie lassen die ganze weitere Zeit nicht von dem ab, der bereit ist, sich ihrem Wirken anzuvertrauen, und führen so Gottes Werk bis zu seinem Ziel[62].
Der Schlüssel für die Bild- und Gleichnis-Werdung ist das Christusereignis. Hier wird ihr wahrer Sinn offenbar. Sie zu erreichen heißt, daß »das Geschöpf dem Sohne gleichgestaltet und eines Leibes mit ihm wird«[63]. In der Entsprechung zu Christus besteht die Gestaltung des Menschen nach dem Bild und Gleichnis Gottes.
Genauere Aufschlüsse ergeben sich aus der Vorstellung zweier Texte. In der Epideixis heißt es: »... ›nach dem Bild Gottes ist der Mensch gemacht‹ (Gen 9, 6 LXX); und das Bild Gottes ist der Sohn, nach dessen Bild der Mensch geworden ist; deshalb ist er in den letzten Zeiten erschienen, um zu zeigen, daß das Bild ihm ähnlich war.«[64] Hiermit ist das Wort aus dem vierten Buch adversus haereses zu verbinden, welche die in der Heilung des Blindgeborenen (Joh 9) offenbare Wirksamkeit des Sohnes erläutert: »Das aber hat sich als wahr erwiesen, als das Wort Gottes Mensch geworden ist, indem es sich dem Menschen und den Menschen sich selber ähnlich machte, damit durch die Ähnlichkeit mit dem Sohn der Mensch dem Vater kostbar würde. Denn in den vergangenen Zeiten wurde wohl gesagt, der Mensch sei nach dem Bild Gottes gemacht worden; es wurde aber nicht gezeigt, denn das Wort, nach dessen Bild der Mensch gemacht worden war, war noch unsichtbar. Deshalb aber ging auch die Ähnlichkeit leicht verloren. Als aber das Wort Fleisch geworden ist, hat es beides befestigt: Es hat das wahre Bild gezeigt, indem es selber das wurde, was das Bild von ihm war; und es hat die Ähnlichkeit wieder gesichert, indem es den

[61] Für diese zunächst globale Bestimmung s. 4,38,3 (SC 100,952—956); 4,38,4 (960); 5,1,3 (SC 153,26); 5,8,1 (96); 5,36,3 (466).

[62] S. bes. 4 praef. (SC 100,390); 4,20,1 (626); 4,39,2 (968); 5,1,3 (SC 153,26); 5,16,1 (214); 5,28,4 (360) sowie o. § 18 a A 11.

[63] 5,36,3 (SC 153,466): »plasma eius conformatum et concorporatum Filio perficitur ... fiens secundum imaginem et similitudinem Dei«; 5,6,1 (72): »glorificabitur autem Deus in suo plasmate conforme illud et consequens suo puero adaptans. Per manus enim Patris, hoc est per Filium et Spiritum, fit homo secundum imaginem et (ex. armen.) similitudinem Dei«.

[64] Epid. 22 (SC 62,64f). Mit der Eingangswendung: »nach dem Bild Gottes«, schließt sich Irenäus an Gen 9,1—6 an; ergibt den Vers 6 nach der LXX wieder: »Wer Menschenblut vergießt, dessen Blut soll vergossen werden, ὅτι ἐν εἰκόνι θεοῦ ἐποίησα τὸν ἄνθρωπον. Bei Froidevaux, SC 62,64 ist der Satz nicht als Schriftzitat gekennzeichnet.

Menschen durch das sichtbare Wort dem unsichtbaren Vater ähnlich machte.«[65]
Beide Zitate formulieren eine überlegte, ausgewogene Anschauung. Das Bild Gottes ist der Sohn. Selber zur Sohnschaft bestimmt, ist der Mensch nach seinem Bild geschaffen. Der sichtbare Beweis hierfür ist die Menschwerdung, da Christus sich als der wahre Mensch, als die vollkommene Gestalt des auf ihn bezogenen Abbildes offenbart[66]. Für diese Beziehung nun steht das Wort »Gleichnis« (Ähnlichkeit). Alles kommt auf die Ähnlichkeit des Menschen mit dem ihm zugedachten Bild an. Ohne das Gleichnis, das heißt, die Übereinstimmung mit dem Vorbild kann sich die Bestimmung zum Bilde Gottes nicht verwirklichen. Indem das göttliche Wort selber als Mensch unter die Menschen kommt, zeigt es das wahre Bild und die Ähnlichkeit des Geschöpfes mit ihm. Was vorher hatte verloren gehen können, weil das Urbild noch nicht sichtbar geworden war, wird jetzt neu hergestellt, die Bindung an den Sohn in der Ähnlichkeit zum Bild. Irenäus kann demnach sagen, daß in der Menschwerdung beides, das Bild wie das Gleichnis, bekräftigt wird; das erstere dadurch, daß Christus als das wahre Bild hervortritt, das Gleichnis durch die von ihm hergestellte Beziehung, die den Menschen in der Ähnlichkeit mit dem Sohn dem Vater kostbar werden läßt. Als zwei Aspekte eines Geschehens sind Bild und Gleichnis unterschieden und darin eng aufeinander bezogen. Indem das Geschöpf seinem Urbild ähnlich wird, indem die Beziehung zum Inkarnierten zustande kommt, verwirklicht sich die Bildhaftigkeit. Das kann geschehen, weil der Sohn selber das menschliche Abbild aufgenommen und die Beziehung zu sich, dem Urbild, in der Ähnlichkeit ermöglicht hat.
Besteht zwischen Bild und Gleichnis eine unlösbare Verbindung, dann nimmt es nicht Wunder, wenn der Lyoner Bischof in der Regel beides nebeneinander anführt, ohne das Bezugsverhältnis genauer anzugeben. Er erklärt, der Inkarnierte habe in sich die Menschheitsentwicklung zusammengefaßt (rekapituliert), »damit wir, was wir in Adam verloren haben, das heißt, nach dem Bild und Gleichnis Gottes zu sein, in Christus Jesus zurückerhielten«[67]. Beides wird, wenn man einmal noch vom Anfangsstadium absieht, in Christus erreicht, da das Schöpfungswort in seinem vollen Sinn offenbar wird, als die Berufung zur Sohnschaft, die nur vom Menschgewordenen aus erlangt werden kann. Er ist es, der »den

[65] 5,16,2 (SC 53,216).
[66] Auf die kenntnisreichen Ausführungen zur imago-Vorstellung bei A. Orbe, Antropología 89—117, kann hier nicht näher eingegangen werden.
[67] 3,18,1 (SC 211,342ff); vgl. 3,23,1 (444); 3,23,2 (448); 5,2,1 (SC 153,28); Epid. 32 (SC 62,82f).

Menschen nach dem Bild und Gleichnis Gottes vollendet«[68]. Und Irenäus spricht denn auch regelmäßig von dieser Doppelheit, wenn die von Gott gewährte Vollendung ausgesagt werden soll[69].
Um die Zweieinheit weiter aufzustellen, kann man zuerst auf eine Äußerung hinweisen, die wieder in Verbindung mit dem Rekapitulationsgedanken steht. Irenäus vergleicht den ersten mit dem zweiten Adam, da er die Annahme wirklichen menschlichen Fleisches durch Christus hervorheben will. »Hätte nämlich jener von der Erde und durch die Hand und Kunst Gottes seine Gestaltung und sein Wesen erhalten, dieser aber nicht durch Maria und die Kunst Gottes, dann hat er nicht mehr die Ähnlichkeit zu dem Menschen gewahrt, der nach seinem eigenen Bild und seinem Gleichnis geschaffen ist; und die Kunst Gottes wird als unbeständig erscheinen, da sie nichts hat, an dem sie ihre Weisheit zeigen kann.«[70]
Die kunstvolle Kontinuität Gottes zeigt sich an dem Fleisch. Adam hat es von der Erde bekommen, Christus hat es aufgenommen, da er wirklich Mensch geworden ist. Um dies zu erhärten, knüpft der Lyoner Bischof an das Wort von Gen 1, 26 an. Es bewahrheitet sich als Aussage über die Erschaffung nach dem Bild des Menschgewordenen und nach dem Gleichnis (Ähnlichkeit), weil Christus in der Inkarnation dem Menschen ähnlich geworden ist. Weil das »Gleichnis« des Schöpfungsworts in der Gleichwerdung des Sohnes mit dem Geschöpf erfüllt wird, erweist es sich als die dem Menschen zugedachte Beziehung zu Christus.
Der nächste Text findet sich bei der Schilderung des vollkommenen Menschen. Nachdem Irenäus erklärt hat, dieser werde durch den Geistempfang zu dem nach dem Bild und Gleichnis Geschaffenen, fährt er fort: »Wenn aber der Seele der Geist fehlt, dann wird ein solcher Mensch, da er in Wahrheit psychisch und fleischlich verbleibt, unvollkommen sein. Er hat zwar das Bild in seinem Geschöpfsein, empfängt aber nicht das Gleichnis (Ähnlichkeit) durch den Geist. Ebenso ist er unvollkommen, wenn man das Bild fortnimmt und das Geschöpfsein verachtet. Man hat dann nicht mehr vom Menschen zu reden, sondern von irgendeinem Teil des Menschen ... oder von etwas anderem als dem Menschen.«[71]
Einen sicheren Ausgangspunkt für die Interpretation dieser Sätze, die nun auch die Rolle des Heiligen Geistes bei der Bild- und

[68] 5,21,2 (SC 153,266).
[69] So in 4,38,3 (SC 100,954); 4,38,4 (960); 5,1,3 (SC 153,28); 5,6,1 (72) cum armen.; 5,6,1 (76); 5,8,1 (96); 5,10,1 (126); 5,15,4 (210); 5,16,1 (214); 5,28,4 (360); 5,36,3 (466); Epid. 97 (SC 62,167).
[70] 3,22,1 (SC 211,430); »Maria« ist eine von Rousseau (SC 210,363—367) übernommene, vom Textzusammenhang her fast notwendige Konjektur.
[71] 5,6,1 (SC 153,76).

Gleichnis-Werdung erklären, bietet das von Irenäus verfolgte Ziel, im Gegenüber zur Gnosis den wahrhaft Vollkommenen als die Einheit des Geistes mit dem Geschöpf aus Seele und Leib zu bestimmen[72]. Zu ihr kommt es, weil der Heilige Geist wirksam wird, genauer, weil er die Ähnlichkeit schenkt. Irenäus sagt unmißverständlich, der Mensch werde durch den Geist zum Gleichnis. Zu wessen Gleichnis aber? Nach dem bisher angehobenen Verständnis ist nur die Antwort möglich, daß die Ähnlichkeit zum Sohn hergestellt wird, dem angenähert zu werden, das durch die Menschwerdung ermöglichte Ziel des Menschen ist, so daß in der Ähnlichkeit mit Christus die Erschaffung nach dem Bild erreicht ist[73]. Aber sagt Irenäus hier nicht das Gegenteil? Das Bild bleibt zurück, wenn die Ähnlichkeit nicht zustande kommt. Als Charakteristikum des Menschen ist es weniger als das durch den Geist ermöglichte Gleichnis. Stehen sich demnach Natur und Übernatur gegenüber, die auf die Doppelheit von Bild und Gleichnis zu verteilen wären? Eine Lösung führt über die Frage, was das in der menschlichen Geschöpflichkeit getragene Bild beinhaltet. Sicher meint es die Abbildhaftigkeit zum Sohn Gottes; diese besteht, wie die Inkarnation zeigt, auch in der echten Leiblichkeit. Wenn aber Irenäus sonst schreibt, der Mensch erhalte in Christus das Nach-dem-Bild-und-Gleichnis-Sein zurück[74], wenn es heißt, daß Christus das Bild »befestigt« hat, als er sich als das wahre Bild, dessen Abbild das Geschöpf ist, zu erkennen gab[75], dann ist das dem Menschen schöpfungsmäßig zugeeignete Abbild noch nicht das vollkommene Bild, auf das hin er erschaffen ist. Es lebt ganz von der Erfüllung in Christus, wird aber gerade durch sie nicht zerstört, sondern als die von Gott gesetzte Geschöpflichkeit aufgenommen. Also bedeutet das Werden nach dem Bild und Gleichnis nicht, daß dem mit der Schöpfung gegebenen und durchgehaltenen Bild-Sein das Gleichnis hinzugefügt würde. Nein, auch das Bild muß realisiert werden, indem es durch die Gabe der Ähnlichkeit dem Urbild angeglichen wird. Der Satz von der Schöpfung nach dem Bild und Gleichnis läßt sich somit nicht nach dem Schema von Natur und Übernatur aufteilen. Er bezeichnet den einen Vorgang der Schöpfung und Neuschöpfung in Christus, bei dem schließlich in der Ähnlichkeit zum Sohn das vollkommene Bild im Menschen Gestalt annimmt. Will man eine Unterscheidung anlegen, dann in dem Sinne, daß mit der Bestimmung zum Bild und Gleichnis, das heißt, zur Ähnlichkeit dem vollkommenen Bild gegenüber, die menschliche Natur von der Gnade Gottes übergriffen wird, ohne dabei vernichtet zu

[72] S. dazu o. § 25 a.aa.
[73] S. bes. 5,16,2 (SC 153,216) und die o. bei A 65 gegebene Erläuterung.
[74] S. etwa 3,18,1 (SC 211,342ff).

werden. Sie kann mit dem Lyoner Bischof auch als Bild bezeichnet werden, aber als Bild, dessen wahres Bild-Sein erst durch die Gnade, durch die Ähnlichkeit zum vollkommenen Bild also, erreicht wird[76].
Mit diesen Überlegungen ist ein wichtiges Ergebnis erzielt: Jetzt kann gesagt werden, daß im Vorgang der Bild- und Gleichnis-Werdung der Heilige Geist das Gleichnis zum Bild bewirkt. Indem er im Christusereignis und von ihm aus über die Schöpfung kommt, gewinnt der Sohn Gottes Gestalt. Die am Anfang an Sohn und Geist gerichtete Aufforderung geht in Erfüllung, da der Mensch durch den Heiligen Geist nach dem Bilde Christi geformt wird.

bb) Beziehung zum Anfang

Nach der Bestimmung des Zueinanders von Bild und Gleichnis müssen die bisher ausgeklammerten Vorstellungen über den anfänglichen Status hervorgehoben werden. Es wird zu prüfen sein, wie sich die gewonnenen Unterscheidungen bewähren.
Wenn der Lyoner Bischof sagt, im Christusgeschehen werde das in Adam verlorene Bild- und Gleichnis-Sein geschenkt, wenn Christus

[75] 5,16,2 (SC 153,216).

[76] Diese Deutung wendet sich gegen eine scharfe Abgrenzung von imago und similitudo im Sinne von Natur und Übernatur, wie sie etwa Klebba, aaO 24ff, vornimmt, dessen Erklärung, die Befestigung des Bildes (5,16,2: 216) bedeute die Wiederherstellung der dona praeternaturalia (aaO 25f), nicht überzeugen kann, da für Irenäus die wahre imago schon in die Ordnung der Übernatur gehört. — G. Joppich, aaO 91 A 51, beachtet nicht, daß 5,16,2 über die Befestigung des Bildes redet, und spricht darum zu undifferenziert vom Bewahrtbleiben der imago und dem Verlust der similitudo. — Auch P. Schwanz, Imago Dei als christologisch-anthropologisches Problem in der Geschichte der alten Kirche von Paulus bis Clemens von Alexandrien (Arbeiten z. Kirchengesch. u. Religionswiss. 2), Halle 1970, muß sich an seiner Irenäusdeutung (aaO 117—143) Kritik gefallen lassen, insofern er die Unterscheidung in dem genannten Sinn durchgängig voraussetzt (bes. 120.139—143), sich nicht die Mühe macht, dem Gedanken der Erneuerung des Bildes weiter nachzugehen (120), dann aber das scharfe Urteil fällt: »Diese Vorstellung von dem Übereinander von Natur und Übernatur ist der eigentliche Fehler in der Unterscheidung der beiden Begriffe Eikon und Homoiosis bei Irenäus. Diese Anschauung ist bereits die katholische, und wie die katholische ist sie zu kritisieren ...« (aaO 142; vgl. 172). Unabhängig von der Frage, ob Schwanz mit der selbstsicheren Bestimmung der ›katholischen‹ Auffassung im Recht ist — hier dürfte es mit dem nicht weiter interpretierten Verweis (aaO 142) auf G. Söhngen, Die biblische Lehre von der Gottebenbildlichkeit des Menschen (in: Pro veritate. Ein theologischer Dialog. Festgabe für Erzbischof L. Jaeger und Bischof W. Stählin, hrsg. v. E. Schlink und H. Volk, Münster-Kassel 1963, S.23—57), und dem Hinweis auf Urteile protestantischer Forscher (aaO 11) nicht getan sein —, kann doch bei Irenäus gerade nicht von einem Übereinander von Natur und Übernatur die Rede sein. — Das wird m.E. richtig gesehen von G. Wingren, aaO 157ff, der die Trennung zurückweist.

mit der Wiederherstellung die Rückkehr zum Anfang ermöglicht hat[77], dann muß der Mensch am Anfang nach dem Bild und Gleichnis Gottes geschaffen worden sein. Es fehlt denn auch nicht an Äußerungen, welche dies positiv zum Ausdruck bringen[78]. Hier stellt sich jedoch die Frage, ob dann mit dem neutestamentlichen Heilsereignis nicht nur die Wiederherstellung eines ursprünglichen menschlichen Naturzustandes erfolgt sei.

Der Weg zu einer Antwort eröffnet sich über einen Text des vierten Buches adversus haereses innerhalb des Kapitels über das Heranreifen zur Vollkommenheit. Im Blick auf die Gegner, die sich mit Gott auf eine Stufe stellen wollen, bevor sie ihr Menschsein akzeptiert haben, führt Irenäus aus: »Es heißt: ›Ich habe gesagt, ihr seid Götter und Söhne des Höchsten allesamt‹ (Ps 82(81), 6). Da wir aber die Macht der Gottheit nicht tragen konnten, fügte er hinzu: ›Ihr aber werdet wie Menschen sterben‹ (Ps 82(81), 6). So erklärte er beides: einmal die Wohltat seines Geschenks und zum anderen unsere Schwäche samt unserer Willensfreiheit. In seiner Wohltätigkeit nämlich gab er gütig das Gute und machte die mit dem freien Willen begabten Menschen sich ähnlich. In seiner Vorsehung aber wußte er um die Schwäche der Menschen und die daraus entstehenden Folgen. In seiner Liebe aber und seiner Macht wird er das Wesen der geschaffenen Natur überwinden. Zuerst aber mußte die Natur erscheinen, dann mußte sie besiegt und das Sterbliche vom Unsterblichen, das Vergängliche vom Unvergänglichen verschlungen und der Mensch nach dem Bild und Gleichnis (Ähnlichkeit) Gottes werden, nachdem er die Kenntnis von Gut und Böse erlangt hatte.«[79]

Eine klare Unterscheidung ist zu erkennen. Auf der einen Seite steht die geschaffene Natur. Sie ist von sich aus nicht imstande, Unsterblichkeit und Unvergänglichkeit zu erlangen. Auf der anderen Seite ist Gott in seiner Güte und Liebe, mit denen er die Schwäche der geschöpflichen Natur überwindet und sie zum Bild und Gleichnis führt.

Bild und Gleichnis gehören demnach nicht der geschöpflichen, son-

[77] 3,18,1 (SC 211,342ff): »ut quod perdideramus in Adam, id est, secundum imaginem et similitudinem esse Dei, hoc in Christo Jesu reciperemus«; 5,2,1 (SC 153,28): »restaurans suo plasmati, quod dictum est in principio, factum esse hominem secundum imaginem et similitudinem Dei«; 5,10,1 (126): »in pristinam veniunt homnis naturam, eam quae secundum imaginem et similitudinem facta est Dei«; 5,16,2 (216): »similitudinem firmans restituit«.

[78] 3,22,1 (SC 211,430): Adam, »qui factus est secundum imaginem ipsius et similitudinem«; 5,12,4 (SC 153,156): Adam, »qui in initio secundum imaginem factus est Dei«; vgl. 3,23,1 (SC 211,444); 3,23,2 (448); 4 praef (SC 100,390); 4,20,1 (626); Epid. 11 (SC 62,48ff).

[79] 4,38,4 (SC 100,958ff).

dern der Gnadenordnung an. Daß die Differenzierung konsequent durchgehalten ist, zeigt die Kennzeichnung der einzelnen Stadien der Menschheitsentwicklung. Am Anfang stehen freie, Gott ähnliche (Gleichnis) Menschen, man kann auch sagen, steht die Erschaffung nach dem Bild und Gleichnis[80]. Fern davon, zur Natur des Menschen zu gehören, ist sie der »Wohltätigkeit« Gottes, die »gütig das Gute gab«, zu verdanken. Das Versagen des mit dem freien Willen Begabten führt zum Rückfall auf die »geschaffene Natur«. Er verliert das Geschenk der Ähnlichkeit, das als das Gleichnis zum Bild zu sehen ist[81], so daß mit der Ähnlichkeit auch das wahre Bild verloren geht[82]. Da das Gleichnis eine besondere Beziehung zum Heiligen Geist hat, insofern er mit ihm den Menschen nach dem Bild (Christus) werden läßt, bedeutet der Sündenfall den Verlust des Geistes[83]. Was dem Menschen bleibt, ist seine Natur. Man kann sie als »Bild« bezeichnen, muß dabei aber gewärtig sein, daß es sich nicht mehr um das anfängliche Nach-dem-Bild-Sein, sondern um eine abgeschwächte Weise handelt, die in der Beziehung zum Menschgewordenen zwar, was das Leibliche anbetrifft, nicht zerstört, aber doch erneuert und so gleichfalls wiederhergestellt wird[84].

Dieser durch sein Versagen auf sich selber gestellte Mensch kann nicht an die Seite Gottes treten, ehe die wiedereingeführte Kluft zwischen ihm und dem Ungeschaffenen durch die erneute Zuwendung Gottes überwunden wird. Er kann nach der an anderer Stelle von dem Lyoner Bischof gegebenen Interpretation von 1 Kor 15, 45f als der seelische bezeichnet werden, der von dem geistlichen Menschen abgelöst werden muß, damit Adam am Ende nach dem Bild und Gleichnis Gottes wird[85].

Bedeutet die Wiederherstellung durch Christus nicht die Rückgabe eines ursprünglichen Naturzustandes, sondern die Aufnahme einer über das Geschöpfsein hinaus geschenkten »übernatürlichen« Begabung am Anfang, dann muß mit Irenäus aber gleich das weitere gesagt werden, daß auch das anfängliche Nach-dem-Bild-und-Gleichnis-Sein auf Wachstum und Entwicklung hin bis zur Errei-

[80] S. A 77 und 78.

[81] Der Text spricht dann also von Adam nach dem Fall; gegen Bonwetsch, aaO 74; vgl. 5,16,2 (SC 153,216): »similitudinem facile amisit«.

[82] S. die Texte von A 77.

[83] S. 5,6,1 (SC 153,76) und die Ausführungen o. § 25 b.aa. Zum anfänglichen Geistbesitz s. o. § 22 a.bb.

[84] S. dazu o. § 25 b.aa mit A 76.

[85] 5,1,3 (SC 153,26ff). Daß hier vom Stadium nach dem Sündenfall die Rede ist, zeigt die gleich darauf folgende Bemerkung: »*restaurans* suo plasmati quod dictum est in principio, factum esse hominem secundum imaginem et similitudinem Dei« (5,2,1; 28).

chung des vollkommenen Zustands angelegt war[86]. Nicht nur in der faktischen Heilsordnung, auch nach der ersten Bestimmung Gottes stehen Bild und Gleichnis am Ende des dem Menschen zugedachten Entwicklungsprozesses. Sie sind nie als ein für sich bestehender, wenn auch gnadenhafter Zustand, zu denken, sondern bleiben auf den Sohn Gottes bezogen, der erst die Aussage über die Erschaffung nach dem Bild und Gleichnis ermöglicht[87]. Er stellt im neutestamentlichen Heilsereignis zusammen mit dem Geist die durch die Verfehlung abgebrochene Entwicklung wieder her und hebt sie zugleich auf eine neue Stufe, da der zur Erkenntnis von Gut und Böse gekommene Mensch (vgl. Gen 3, 5. 22) sich seinem Urbild zuwenden kann und die Schwäche der Natur von der Macht Gottes überwunden wird[88].

So wahrt der Bischof von Lyon in der Bindung an das Heilsgeschehen der letzten Zeiten sowohl die Gnadenhaftigkeit als auch die Zukunftsausrichtung der Erschaffung nach dem Bild und Gleichnis. Indem er im Entwicklungsgedanken das Ende mit dem Anfang zusammenführt, kann er in theologischer Rede die Einheit des in Christus sichtbar gewordenen göttlichen Heilswerks ebenso wie die Einheit des zum Heil gerufenen Menschen zum Ausdruck bringen und damit der Lehre seiner Gegner eine wirkungsvolle Absage erteilen[89].

[86] S. dazu die bei der Rekapitulation (o. § 18 c A 38) und die zum anfänglichen Geistbesitz (o. § 22 a.bb A 29) gegebenen Erläuterungen sowie die Texte u. A 88.

[87] Es ist auffällig, daß die Aussagen über die Erschaffung Adams nach dem Bild und Gleichnis mit großer Regelmäßigkeit von der Menschwerdung des Sohnes aus gemacht werden. S. die Texte von A 77 und 78.

[88] Außer 4,38,4 (SC 100,960) s. noch 5,1,1 (SC 153,16ff); 5,1,3 (26); 5,8,1 (94ff); 5,16,1f (214ff); 5,21,2 (266); 5,28,4 (360); 5,36,3 (466); Epid. 97 (SC 62,167).

[89] Klebbas Bestimmung des »Urzustandes« hat sich vor allem gegen die gegenteilige Position von Harnacks (I 588—596) gerichtet. Da hier nicht die gesamte Anthropologie des Irenäus zu entwickeln war, braucht die Debatte im einzelnen nicht weiter aufgenommen zu werden. — P. Schwanz, aaO 143, gibt sich sehr sicher mit der Behauptung »der Zusammenstellung falscher Deutungen der Gottebenbildlichkeitslehre des Irenäus bei Klebba«, wie er auch den »Fehler« (aaO 133 u.ö.) des Lyoner Bischofs darin sehen will, daß er mit dem Gedanken der Wiederherstellung des Verlorenen die similitudo als »eine dem Menschen ursprünglich schöpfungsmäßig zugeeignete Größe« (aaO 137) verstanden habe, daß er anders als Paulus und Johannes dem Menschen »die Gottähnlichkeit in sich selbst ohne die beständige Bezogenheit auf Christus« (aaO 138) zugesprochen habe, so daß trotz der Unterscheidung von Bild und Gleichnis »nun doch alles schief in der Anthropologie« (aaO 141f) werde und er »schließlich das Eindringen gnostischer Vorstellungen gerade durch das unpaulinische Verständnis der Schöpfung nicht verhindern« (aaO 142) habe können. — Um den hohen Anspruch seiner Kritik einlösen zu können, hätte Schwanz jedoch gerade der Rekapitulation, die die unverzichtbare Bindung von Bild und Gleichnis an Christus sichtbar macht, eine verständnisvollere

cc) Die Gnosis

Irenäus berichtet, daß das Begriffspaar vom Bild und Gleichnis auch in der Gnosis Verwendung gefunden hat. Man hält dafür, der Demiurg habe aus der (unsichtbaren) Materie den choischen Menschen geschaffen und in ihn die psychische Wesenheit eingehaucht: »Und dieser soll der nach dem Bild und Gleichnis Geschaffene sein; dem Bilde nach soll er hylisch sein, Gott zwar sehr nahe, aber nicht eines Wesens mit ihm; dem Gleichnis nach soll er psychisch sein, weshalb sein Wesen auch Geist des Lebens genannt wird, da er geistlichem Ausfluß entstammen soll.«[90]

Der Demiurg schafft also die hylische wie die psychische Substanz. Die letzere wird »Geist des Lebens« genannt, nicht als wäre schon an das dritte, pneumatische Genus zu denken — dieses wird ja ohne Wissen des Demiurgen nur einigen Auserwählten vermittelt —, wohl aber, weil der Demiurg eine Abspaltung der pneumatischen Achamoth bildet[91]. Was hier jedoch vor allem interessiert, ist die Aufteilung von Bild und Gleichnis. Beide werden streng unterschieden, insofern das erstere keine Wesensgleichheit aussagt, also zwischen Gegensätzen bestehen kann, dergestalt, daß der psychische Demiurg das substanzmäßig Getrennte zum Bild seiner selbst machen kann; das Gleichnis dagegen verbleibt innerhalb derselben Substanz, entspricht es doch ganz der psychischen Wesenheit des Schöpfers und bedeutet es deshalb Homoousie.

Von diesem Ansatz aus kann im Sinne der Gnosis vom Gleichnis

Interpretation geben müssen, als er es auf den Seiten 133f tut. Nicht bewiesen, ja, wie die Auslegung von 4,38,3 gezeigt hat, widerlegbar, ist die Behauptung von Schwanz, die similitudo bei Adam könne nicht als »etwas Verschiedenes, sondern etwas Unterschiedenes« aufgefaßt werden (aaO 134). Denn sie gehört nach 4,38,3 gerade nicht zur Natur, sondern ist eine der Gnade Gottes verdankte Ausstattung, die — wie Schwanz dann richtig sagt — auf die »endgültige Vollkommenheit« angelegt ist (aaO 133f). — Nach all dem entspricht Klebbas Interpretation trotz der in manchen Fällen vielleicht überzogenen Terminologie dem Denken des Lyoner Bischofs besser, als es P. Schwanz in seiner verengten Perspektive gelingt.

[90] 1,5,5 (H 1,49).

[91] S. 1,5,6 (H 1,51); 1,7,3 (62); über die Erschaffung des Demiurgen s. 1,5,1 (41ff). — Die Excerpta 50,1 sprechen nicht vom πνεῦμα ζωῆς, sondern von der πνοὴ ζωῆς. W.-D. Hauschild, aaO 266, glaubt, den Widerspruch zum valentinianischen Denken, daß der Demiurg mit dem Pneuma in Verbindung gebracht wird, damit erklären zu können, daß noch eine von der Gnosis uminterpretierte »Quelle« sichtbar werde, die von Ptolemäus dahingehend korrigiert worden sei, daß der Hauch des Demiurgen nicht identisch mit dem Pneumatischen wäre, sondern lediglich das ihm fremde Pneuma hätte vermitteln können. — Davon, daß »bei den Psychikern ... der Geistsame eine ›zur Benutzung‹ verliehene Gnade ist ...« (Schwanz aaO 121), wird bei Irenäus und in den Excerpta nicht gesprochen. Der Same ist eine vom Psychischen getrennte Substanz, an der dieses keinen Anteil hat.

(Homoousie) immer dann gesprochen werden, wenn man innerhalb der Kategorien der jeweiligen Genera verbleibt. Das Psychische ist nach dem Gleichnis des Demiurgen, der Geistsame nach dem der Engel des Erlösers, der Leib endlich nach dem Gleichnis des Materiellen geworden. Da das Gleichnis nur zwischen Gleichem besteht, kann es die Gegensätze nicht überwinden. Das Bild hingegen steht zwischen den Substanzen — der dem Materiellen wesensgleiche Leib ist nach dem Bild des psychischen Demiurgen —, aber es kommt ihm doch keine eigentliche Bedeutung zu. Denn es ist nicht fähig, das wesensmäßig Geschiedene zusammenzubringen, bleibt doch der gnostische Grundsatz gültig, daß das Gleiche notwendig zum Gleichen zurückkehrt. Das Bild ist in alldem nicht mehr als ein leerer Schatten, der keine echte Beziehung ermöglicht[92].

Der Gegensatz zur irenäischen Anschauung ist offenkundig. Jetzt zeigt sich, warum Irenäus auf der Zweieinheit von Bild und Gleichnis insistiert. Für ihn gehört beides unauflösbar zusammen. Es läßt sich nicht in ein Minderwertiges und allein Interessantes auflösen, ja, das Gleichnis durch den Geist begründet gerade die Beziehung zum Bild, zu Christus. Das von der Gnosis abgewertete Nach-dem-Bild-Sein wird zum Ziel des Menschen; und das Gleichnis verbleibt nicht mehr in der wesensmäßigen Bindung an eine Substanz; es hat, indem es die Annäherung an das vollkommene Bild ermöglicht, die Kraft, das dem Wesen nach voneinander Geschiedene zusammenzubringen[93].

Damit verbindet sich dann die Kritik an der pneumatischen Ähnlichkeit (Gleichnis) als einer naturhaften Verbindung mit dem Göttlichen. So zu denken heißt, den Unterschied zwischen Gott und Mensch aufheben und nicht bereit sein, die von seiner Güte geschenkte Entwicklung bis hin zum Bild und Gleichnis abzuwarten[94]. Wer sich von Natur aus für Gott ähnlich hält, weist die Liebe Gottes zurück, durch die allein die Schwäche des gefallenen Menschen überwunden werden kann, indem der Mensch nach den Worten des Lyoner Bischofs »durch den Sohn Gottes die durch ihn erfolgte Adoption empfängt« und er zur Ähnlichkeit mit ihm berufen wird, um ihm schließlich »ganz ähnlich« sein zu können[95].

[92] S. dazu 2,29,1 (H 1,358f); 2,19 (316—321); 1,4,5 (41) sowie A. Orbe, Antropología 118—126.

[93] Eine präzise Gegenüberstellung nimmt Orbe, aaO 118—122, vor.

[94] 4,38,4 (SC 100,956ff): »irrationales igitur omni modo, qui non exspectant tempus augmenti ... antequam fiant homines iam volunt similes esse factori Deo«.

[95] 3,20,2 (SC 211,390).

dd) Sohnwerdung

Die Kritik an der Gnosis führt wieder zu der Erkenntnis, daß das wirkliche Gleichnis streng an Christus gebunden ist: Als Gleichwerdung mit ihm ist es das Gnadengeschenk der göttlichen Liebe. Irenäus schreibt in einem Argument gegen ebionitische Kreise, die den Sohn Gottes mit dem Geschöpf auf eine Stufe stellen wollen: »Wer soll denn aber besser und hervorragender als der nach dem Gleichnis Gottes geschaffene Mensch sein, wenn nicht der Sohn Gottes, nach dessen Gleichnis der Mensch geschaffen worden ist? Und deshalb hat am Ende der Sohn Gottes selber die Ähnlichkeit (Gleichnis) gezeigt, indem er Mensch wurde und die alte Schöpfung in sich selber aufnahm.«[96] Nur in der Beziehung zu Christus, dem Urbild der Schöpfung, hat das Gleichnis seinen Wert. Weil er an oberster Stelle steht, kann das Geschöpf von Beginn an seine Sinngebung in der Angleichung an ihn erhalten.

Von hier aus erweist sich der Gedanke der Sohnschaft als ein Komplement der Aussagen über die Ähnlichkeit. Er ist bis zu einem gewissen Grade austauschbar mit ihnen[97]; und es ist kein Zufall, wenn der Heilige Geist, der das Gleichnis zum Sohn bewirkt, auch als die Gabe der Sohnschaft in Erscheinung tritt.

In dem Wort der Epideixis: »In uns allen ist der Geist, der Abba Vater ruft (vgl. Rö 8, 15; Gal 4, 6) und den Menschen zum Gleichnis Gottes gestaltet«[98], wird beides zusammengeschlossen. Der Geist der Sohnschaft ermöglicht die Christuswerdung. Er ist die vom Herrn ausgehende Gabe. Sie führt das Geschöpf zu ihm und stellt es in der Bindung an ihn dem Vater vor[99]. Damit vollzieht sich die Berufung zum Sohne Gottes. Der heilige Tausch kann stattfinden, demzufolge der Sohn »zum Menschensohn wurde, damit der Mensch zum Gottessohn werde«[100]. Ja, man kann jetzt gar das hinfällige Geschöpf als »Gott« zu bezeichnen wagen[101].

Bei der Gleichwerdung mit dem Sohn, der Bild- und Gleichnis-Werdung des Menschen durch den Geist besteht bei all dem eine enge Wechselbeziehung zwischen dem Einzelnen und der kirchlichen Gemeinschaft. Wie der Heilige Geist der Kirche als ganzer gegeben ist, so wird sie von seiner Gestaltung betroffen. Irenäus

[96] 4,33,4 (SC 100,812).
[97] Man vgl. nur 3,20,1—2 (SC 211,382—392); auch in 4,33,4 (SC 100,812) ist kurz zuvor von der Adoption die Rede.
[98] Epid. 5 (SC 62,37).
[99] S. 3,17,1 (SC 211,330); 3,17,2 (334); 3,19,1 (372ff); 4,1,1 (SC 100,392); 5,8,1 (SC 153,94); 5,12,2 (146); 5,19,2 (240).
[100] 3,10,2 (SC 211,118); vgl. 2,11,1 (H 1,275); 3,6,1 (66ff); 3,6,2 (68ff); 3,16,3 (298); 3,18,7 (366); 3,19,1 (372); 5 praef. (SC 153,14); 5,36,3 (466).
[101] 3,6,1 (SC 211,66ff); 4 praef 4 (SC 100,390); 4,1,1 (392); 4,38,4 (958); 4,39,2 (964).

sagt über die Empfänger der Sohnschaft: »Diese aber sind die Kirche, denn sie ist die Versammlung Gottes (vgl. Ps 82(81), 1), die Gott, das heißt, der Sohn, durch sich selber gesammelt hat.«[102] Sie hat als der Same Abrahams durch Christus die Adoption empfangen[103]. Das gleiche gilt für die Gestaltwerdung Christi. Sie betrifft jeden Christen und damit zugleich die ihn tragende, von ihm getragene Gemeinde der Gläubigen. »Gott hat alles im voraus zur Vollendung des Menschen und zur Verwirklichung und zum Offenbarwerden seiner Heilsanordnungen bestimmt, damit seine Güte sichtbar werde, sich seine Gerechtigkeit erfülle und die Kirche der Gestalt des Bildes seines Sohnes angepaßt werde (vgl. Rö 8, 29) und damit in all dem endlich einmal der Mensch reif werde, Gott zu sehen und zu ergreifen.«[104] Daß das Bild Christi sich in ihr ver-verwirkliche, ist die Sehnsucht der Kirche. Denn so erst kann die durch die Gemeinschaft mit dem Sohn und seine Liebe geheiligte Braut[105] ihrem Herrn entsprechen. Dies wird erreicht sein, wenn das in den letzten Zeiten gegebene Angeld des Geistes in den vollen Besitz eingelöst wird, wenn endlich der lange Prozeß der Gestaltung zum Abschluß gelangt ist. Die Gewähr dafür ist sein jetziges Wirken unter den Menschen. »Wenn nämlich«, erklärt Irenäus, »schon das den Menschen umfassende Unterpfand ihn ›Abba Vater‹ rufen läßt, was wird dann die gesamte Gnade des Geistes machen, die den Menschen einst von Gott gegeben wird? Sie wird uns ihm ähnlich machen und den Willen des Vaters erfüllen, denn sie wird den Menschen nach dem Bild und Gleichnis Gottes machen«[106].

c) Leben im Geist

Die Neuwerdung des Geschöpfs durch den Heiligen Geist und seine Gestaltung nach dem Bild und Gleichnis Gottes gelangen im Leben des Christen zur Reife. Hier zeigen sich unmittelbar die Konsequenzen der bisher getroffenen theologischen Entscheidungen.

Wenn die Gnosis den Geist zu einer dem Pneumatiker wesensverwandten Substanz macht, ihn strikt vom Psychischen und Materiellen scheidet und den so getrennten Substanzen die Rückkehr zum jeweiligen Ursprung zuschreibt, dann hat das eine Lebenspraxis zur Folge, die in krassem Widerspruch zu den von dem Lyoner Bischof gesehenen Forderungen des christlichen Glaubens steht. Im

102 3,6,1 (SC 211,66ff); s. auch A. Rousseau, SC 210,252f.
103 5,32,2 (SC 153,402).
104 4,37,7 (SC 100,942).
105 So 4,20,12 (SC 100,670) und 4,21,3 (684); vgl. o. § 23 b A 31.
106 5,8,1 (SC 153,94ff); zur Übersetzung s. die Anm. von A. Rousseau, SC 152, 243f.

Vertrauen auf seinen Geistsamen glaubt sich der Gnostiker der für ihn indifferenten Welt des Psychischen und Materiellen überlegen. Wie Gold auch im Schmutz sein Wesen bewahrt, so verliert er seine geistliche Substanz nicht durch Handlungen, die den materiellen Bereich betreffen[107]. Irenäus schlägt seine Gegner nicht sämtlich über einen Leisten. Einigen gesteht er zu, sie würden sich um einen guten Wandel bemühen[108]. Im allgemeinen aber erkennt er bei ihnen eine Lebensführung, die sich über die christlichen Gebote hinwegsetzt, ja, bei den »Vollkommensten von ihnen«, wie er sie nennt, soweit geht, daß man in der Überzeugung der Rückkehr von Geist zu Geist und Fleisch zu Fleisch eine zügellose Freiheit, besonders in Fragen der Sexualität, für sich in Anspruch nimmt[109] und nach dem Prinzip, man müsse alles, auch das Schlechteste, durchprobieren, sich mehr des Umgangs mit schändlichen als mit guten Werken befleißigt[110].

Was man aufgrund des Geistes für sich selber als erlaubt betrachtet, lehnt man dagegen für die psychische Masse der kirchlichen Gläubigen ab. Hier sind guter Wandel, Enthaltsamkeit und »Köhlerglaube« (fides nuda) vonnöten, damit sie das ihr gesetzte Ziel, den Ort der Mitte, erreichen kann[111].

Genau an diesem Punkt setzt die beißende Kritik des Bischofs von Lyon an. Denn soll der Grundsatz Gleiches zu Gleichem wirklich gelten, muß doch auch das Psychische aufgrund seines Wesens zum Ort der Mitte gelangen, gleich ob es sich bewährt hat oder nicht. Wird es aber nicht seines Wesens, sondern des Glaubens und der Werke wegen gerettet, mit welchem Recht gibt man dann dem materiellen Leib, in dem die Werke der Gerechtigkeit getan werden, keine Chance?[112] Es bleibt demnach nur die Alternative einer Erlösung von Natur aus und einer Rettung durch die Gnade Gottes, zu der man durch Glauben und tätige Liebe findet. Da das erstere

107 S. 1,6,1f (H 1,53ff).

108 3,15,2 (SC 211,282): »Sunt autem apud eos qui dicunt, opportere bonam conversationem assequi eum hominem, qui sit desuper adveniens; propter hoc et fingunt quodam supercilio gravitatem«. — Das würde mit dem Brief des Ptolemäus an Flora übereinstimmen, der sich an der Ethik der Bergpredigt orientiert zeigt. Bei Epiphanius Pan. 33,3,1—7. Leicht zugänglich in: Die Gnosis I 205—213.

109 S. dazu 1,6,3f (H 1,55—58). Da Irenäus von οἱ τελειώτατοι spricht, brauchen durch den hier beschriebenen Wandel nicht die Valentinianer generell gekennzeichnet zu sein. Immerhin erscheint die Unterordnung unter einen gemeinsamen Nenner gerechtfertigt, insofern der Libertinismus eine Konsequenz des gnostischen Grundansatzes ist.

110 2,32,1ff (H 1,371—374); zur Moral der Gnosis vgl. noch 1,13,6f (123—127); 1,23,3f (192—195); 1,25,3f (206—210); 2,31,3 (371f).

111 1,6,2 (H 1,53f; 1,6,4 (56ff).

112 2,29,1f (H 1,359f).

schon von der Gnosis nicht durchgehalten wird und überdies zutiefst der christlichen Offenbarung widerspricht, kann nur die Erlösung durch Gottes Liebe erhofft werden; und das bedeutet die Hineinnahme des ganzen Menschen mit Seele und Leib in die Bewährung. Eine Moral im Sinne der Gnosis, die das Außerpneumatische für indifferent erklärt, verfehlt den Sinn christlicher Existenz. An ihre Stelle muß ein vom Menschen bewährtes Leben im Geist treten, in der Hoffnung, daß dieser an ihm seine Mächtigkeit offenbart.

Irenäus faßt den Gehalt eines solchen Christenlebens in dem Satz zusammen: »Vollkommen sind also, die den Geist Gottes beständig in sich haben und ihre Seelen und Leiber ohne Tadel bewahrt haben, das heißt, die Gott gegenüber den Glauben wahren und dem Nächsten gegenüber Gerechtigkeit üben.«[113] Statt einen naturhaften pneumatischen Samen zur Vollkommenheit heranreifen zu lassen, kommt alles darauf an, die Gabe des Geistes am Leben zu erhalten. Das geschieht durch den von der Gnosis herabgesetzten Glauben sowie durch Werke der Nächstenliebe.

Daß der Heilige Geist auch nach der Begnadigung nicht zum unverlierbaren Besitzstand des Menschen gehört, wird von Irenäus wiederholt ausgesprochen. Im Zusammenhang der Auslegung des Gleichnisses vom Hochzeitsmahl gibt er zu lesen: »Weiterhin hat er (der Herr) uns gezeigt, daß wir über unsere Berufung hinaus mit Werken der Gerechtigkeit geschmückt sein müssen, damit über uns der Geist Gottes ruht. Das nämlich ist das hochzeitliche Gewand ... Wer aber wohl zum Mahl Gottes berufen ist, seines schlechten Wandels wegen aber keinen Anteil am Heiligen Geist hat, wird, wie es heißt, ›nach draußen in die Finsternis hinausgeworfen‹ (Mt 22, 13).«[114]

Berufung und Geist sind zweierlei. Die erstere ist nichts wert ohne das Festgewand, welches von der Seite des Menschen in einem gerechten Leben bereitgestellt wird. Ähnlich heißt es zu dem Satz aus dem Korintherbrief, der Apostel habe seiner Gemeinde nur Milch und noch nicht feste Speise gegeben (1 Kor 3, 2f), Paulus weise mit dem letzteren auf den Geist hin, der ihrer unvollkommenen Lebensführung halber noch nicht auf den Korinthern habe ruhen können[115]. Wenn Irenäus auch nicht ausdrücklich den Verlust des bereits empfangenen Geistes in den Blick nimmt, sondern an die noch fehlende Würdigkeit für ihn denkt, zeigt er doch wieder die Notwendigkeit der menschlichen Qualifikation an, ohne welche

[113] 5,6,1 (SC 153,80).
[114] 4,36,6 (SC 100,902). Die Übersetzung »keinen Anteil am Hl. Geist« folgt dem Armenischen. Vgl. die Anm. von A. Rousseau, SC 100,280.
[115] 4,38,2 (SC 100,948).

keine Vereinigung mit dem Heiligen Geist möglich ist. Er erklärt des weiteren, man müsse dem »Rat des Geistes« folgen[116], und sagt, der Apostel Paulus mahne »uns«, mit dem Geist nicht das Leben zu verlieren[117], womit zweifelsohne die Möglichkeit einer nachträglichen Fortnahme angesprochen ist[118]. Schließlich spricht der Lyoner Bischof davon, daß dem Geist vom Menschen ein reines Behältnis angeboten werden muß, in welchem er sich wie der Bräutigam an der Braut erfreuen kann, um sie ganz in Besitz zu nehmen[119]. Immer also besteht zwischen Heiligem Geist und Geschöpf eine an die unverzichtbare Bedingung geknüpfte Relation, daß es die Gabe Gottes in seinem Leben bewährt.

Das hiermit skizzierte Verhältnis erscheint freilich nie als ein rein formales, losgelöst von seinen inhaltlichen Momenten. An oberster Stelle steht der Glaube: »Die aber Gott fürchten, an die Ankunft seines Sohnes glauben und durch den Glauben den Geist Gottes in ihren Herzen wohnen lassen, solche Menschen werden mit Recht rein, geistlich und für Gott lebend genannt, da sie den Geist des Vaters haben, der den Menschen reinigt und zum Leben Gottes erhebt.«[120] Durch den Glauben kommt die Beziehung zum Geist zustande, wird sie bewahrt und vertieft. Ein Leben im Geist als ein Leben in gläubiger Hingabe an Gott zieht sofort die Bewährung in tätiger Liebe nach sich. Der Lyoner Bischof charakterisiert die gegenwärtige Zeit als die Epoche, in der von Christus berufen werden, »die an ihn glauben und dem Herrn angenehm werden«[121]; er bezeichnet als rein und damit des Geistes würdig, »die durch den Glauben sicher ihren Weg zum Vater und zum Sohn nehmen ... und die Aussprüche des Herrn Tag und Nacht meditieren (vgl. Ps 1,2; 119(118), 148), um mit guten Werken geschmückt zu sein«[122]; er erklärt, Paulus mahne uns, »durch den Glauben und einen keuschen Wandel den Geist Gottes zu bewahren«[123], und erkennt schließlich in dem einwohnenden Geist »das lebendige Wasser, welches der Herr jenen gewährt, die recht an ihn glauben und ihn lieben«[124]. Die unlösbare Verbindung von Glaube und Liebe ist

[116] 5,8,2 (SC 153,96); vgl. aus der Presbyterpredigt 4,27,1 (SC 100,730) und Epid. 6 (SC 62,40).
[117] 5,9,4 (SC 153,120).
[118] So auch Klebba, aaO 180f.
[119] 5,9,4 (SC 153,116); vgl. 5,6,2 (80).
[120] 5,9,2 (SC 153,108ff).
[121] 2,22,2 (H 1,327).
[122] 5,8,3 (SC 153,100).
[123] 5,9,3 (SC 153,114); vgl. auch 2,29,1 (H 1,359), wo fides und operatio zusammenstehen.
[124] 5,18,2 (SC 153,240).

damit eindrucksvoll unter Beweis gestellt. In der Sicht des Irenäus kann es das eine nicht ohne das andere geben. Wie der Glaube das Zeugnis der Liebe einfordert, so besteht auch dieses nie für sich, sondern verweist auf die umfassende Bindung des Menschen an seinen Herrn[125].

Wenn nach dieser Feststellung nun vom Frucht-Bringen die Rede sein soll, dann muß am Beginn der großartige Text aus dem Kapitel über die auf Christus ruhende Geistfülle stehen. Irenäus beschreibt die unerhörte, durchdringende Macht des himmlischen über die Kirche gekommenen Taues:

»Auf die ganze Erde hat er vom Himmel her den Parakleten (Joh 14, 16. 26; 15, 26; 16, 7) gesandt, dorthin, wo auch nach dem Wort des Herrn ›der Teufel wie ein Blitz hinabgefahren ist‹ (Lk 10, 18). Deshalb tut uns der Tau (vgl. Ri 6, 36—40) Gottes not, damit wir nicht verbrennen und unfruchtbar bleiben, und damit dort, wo wir einen Ankläger haben (vgl. Apk 12, 10), wir auch einen Beistand (Paraklet) finden. Denn der Herr hat seinen unter die Räuber gefallenen Menschen, dessen er sich selber erbarmt hat und dem er seine Wunden verbunden hat (vgl. Lk 10, 33f), dem Heiligen Geist empfohlen. Und er hat zwei königliche Denare (vgl. Lk 10, 35) ausgegeben, damit wir Menschen durch den Geist mit dem Empfang des Bildes und der Inschrift von Vater und Sohn den uns anvertrauten Denar Frucht bringen lassen und ihn vervielfacht dem Herrn zurückgeben (vgl. Mt 25, 14—30).«[126]

Wie die zahlreichen Hinweise auf die Schrift zeigen, hat Irenäus ein kunstvolles Gewebe aus biblischen Bildern angefertigt. Der Geist erscheint als Tau, als die schützende, befruchtende Feuchtigkeit gegen die sengende Hitze des Bösen, die alles Leben auszulöschen droht. Er ist der Gegenspieler des Verklägers. Er nimmt die ihm Anvertrauten als ein Anwalt vor ungerechten Vorwürfen in Schutz. Er ist schließlich der Wirt des Gleichnisses vom barmherzi-

[125] Dies muß gegen die einseitige und deshalb falsche Beurteilung des Lyoner Bischofs durch P. Schwanz gesagt werden: »Der Glaubensbegriff ist nicht mehr ethisch ausgerichtet, sondern geht völlig in der Ethik auf« (aaO 137). Schwanz' Behauptung ist in der als unzutreffend erwiesenen These bgeründet, daß bei Irenäus die Gottähnlichkeit zur Natur des Menschen werde. Bezeichnend für Schwanz' Verfahren ist die Deutung von 5,6,1 (SC 153,80): »Perfecti igitur, qui et Spiritum semper perseverantem habent Dei et animas et corpora sine querela servaverint, hoc est illam, quae est ad Deum fidem servantes et illam, quae ad proximum est iustitiam custodientes«. Irenäus sagt nicht: »den Glauben ›bewahren‹ bedeutet, ›Seelen und Leiber ohne Tadel bewahren‹« (Schwanz aaO 137), sondern: den Geist (zusammen mit Seele und Leib) bewahren, heißt Glaube und Gerechtigkeit üben. — Zutreffend stellt dagegen W.-D. Hauschild, aaO 211, fest, daß gerade mit der Betonung der Ethik »eine Korrektur von der paulinischen Pneumatologie her« erfolge.

[126] 3,17,3 (SC 211,336).

gen Samaritan, dem der verwundete Mensch übergeben wird, nachdem er Erbarmen bei Christus gefunden hat und mit dem Wichtigsten versorgt worden ist. Und wie dem Wirt die zwei Denare übergeben worden sind, so soll der Mensch durch den Geist mit den beiden Münzen, die auf den Vater und den Sohn ausgestellt sind, zur vollkommenen Genesung heranreifen. Er soll ihren Wert nicht vergeuden, sondern sie mit Gewinn beim Geber einlösen.

Nicht weil der Mensch von sich aus fähig wäre, die in Christus erfolgte Heilung zu bewähren, wird ihm der Geist gegeben. Nein, umgekehrt, weil er der beschützenden Vorsorge des Geistes anvertraut ist, kann er in seiner Genesung voranschreiten. Er kann sich vom Geist führen lassen, um in eigener Wirksamkeit im Sinne seiner Wiederherstellung tätig zu werden. Die Fruchtbarkeit ist nicht so sehr sein Verdienst als vielmehr die durch den Heiligen Geist ermöglichte dankbare Antwort auf das Heilshandeln Gottes, wobei der Geist die Führung übernimmt und sich als Beistand den neuen Gefährdungen gegenüber erweist[127].

Weiterhin wird in schöner Eindringlichkeit deutlich, daß ein Leben im Geist nicht irgendeinem beliebigen Vollkommenheitsideal entspricht. Es steht in der unaufgebbaren Bindung an Gott. Das dem Menschen durch den Geist anvertraute Gut ist auf den Vater und den Sohn bezogen. Ihnen bleibt er in der Aufgabe, den Kredit zu bewähren, beständig verpflichtet, da das Werk des Geistes in der Heilsordnung des trinitarischen Gottes zur Ausführung kommt[128].

Wie sieht dann die vom Heiligen Geist geschenkte Fruchtbarkeit aus? Die reichsten Mitteilungen darüber finden sich bei der Diskussion um das Pauluswort: »Fleisch und Blut können das Reich Gottes nicht erben« (1 Kor 15, 50). Berufen sich die Gegner auf den Satz, um mit ihm den Untergang der materiellen und psychischen Substanz zu beweisen, so führt Irenäus in langen Kapiteln den Nachweis, Paulus habe, fern davon, die menschliche Leiblichkeit zu verwerfen, die Forderung aufgestellt, das Fleisch in den Dienst des Geistes nehmen und von seinen Antrieben beherrschen zu lassen,

[127] Als schöne Parallele kann die Mahnung von 4,39,2 (SC 100,966) angeführt werden, bei der sowohl die »Feuchtigkeit« als auch die »Finger« auf die Wirksamkeit des Geistes hindeuten: »Praesta autem ei cor tuum molle et tractabile et custodi figuram, qua te figuravit artifex, habens in teipso humorem, ne induratus amittas vestigia digitorum eius«.

[128] Man vgl. hierzu die Auslegung des Gleichnisses von den Arbeitern im Weinberg (4,36,7; SC 100,910ff), wo der Geist mit dem Verwalter verglichen wird, der die Denare austeilt, die hier als »imago« und »inscriptio regis« erläutert werden, die zur Erkenntnis des Sohnes Gottes und damit zur Unsterblichkeit führt

statt den Regungen des in der Tat schwachen Fleisches zu folgen[129]. Der wahre Sinn des Paulusworts zeigt sich auf dem Feld der christlichen Ethik; und hier wird es gerade zum Beweismittel gegen eine gnostische Moral, nach der der Bereich des Leiblichen als indifferent zu gelten hätte. Das Fleisch ist der »Rettung« und »Formung« fähig, wenn die menschliche Seele, die ja den Leib zu steuern hat, nicht seinen Wünschen nachgibt, sondern dem Heiligen Geist nachfolgt und in dieser Grundoption den Leib nach sich zieht[130]. Dadurch kann die Schwachheit des immer zu unkontrollierten Begierden neigenden Fleisches überwunden werden[131]. Fleisch und Geist sind tatsächlich Gegensätze, zwischen denen man wie zwischen Leben und Tod wählen muß. Das aber bedeutet die Verpflichtung, das erstere zum Diener des Geistes, zum Feld der Bewährung und des Fruchtbringens zu machen, nicht hingegen seine schlechthinnige Verwerfung[132].

So treten dann die Werke des auf sich gestellten Fleisches und die im Fleisch vollbrachten Taten des Geistes in den Wettstreit. Sind die ersteren gekennzeichnet durch Nachgiebigkeit den Begierden und Lüsten gegenüber, durch Zügellosigkeit und jegliche Schlechtigkeit, wie Paulus sie aufzählt[133], so zeigt sich der Geist in der Bereitschaft der Hingabe für Gott bis zum Martyrium, in den Taten der Liebe, im keuschen Wandel und überhaupt in dem willigen Einsatz zu jedwedem guten Werk[134]. Dies ist der Weg, auf dem der Geist zur Entfaltung kommt. Er nimmt den ganzen Menschen in seinen Dienst, indem er die Bewährung in einem Leben fordert, das in keinem Bereich aus seiner Verpflichtung entlassen ist und so die Chance hat, sich als ein wirklich menschliches zu entwickeln.

d) Auferstehung und Vollendung

Die Neuwerdung des Menschen durch den Heiligen Geist ist ein Prozeß. Er findet sein Ende mit der Auferstehung und der endgültigen Vervollkommnung. Daß es hierzu kommen kann, ist das Ziel der gesamten Auseinandersetzung des Lyoner Bischofs mit der Gnosis und aller Erklärungen über das Leben im Geist.

Bei dem Versuch, genauer zu bestimmen, wie sich Gegenwart und Zukunft, die in der Kirche erfahrene Geistwirksamkeit und die

[129] S. den ganzen Abschnitt 5,9—14 (SC 153,106—194); vgl. dazu Joppich, aaO 119—122.
[130] 5,9,1 (SC 153,106ff).
[131] 5,9,2 (SC 153,110).
[132] 5,10,1 (SC 153,124); 5,11,1 (136); 5,12,1 (140); 5,12,3 (150).
[133] S. bes. 5,8,3 (SC 153,104); 5,9,1 (108); 5,11,1 (132ff).
[134] 5,9,2 (SC 153,110ff); 5,9,3 (114); 5,11,1 (134) u.ö.

letzte Umgestaltung durch ihn, zueinander verhalten, ist davon auszugehen, daß der entscheidende Schnitt beim Heilsereignis der letzten Zeiten liegt. Die Wende vom Animalischen zum Geistlichen, von der Vergänglichkeit zur Unvergänglichkeit, vom Tod zum Leben tritt mit der im Christusereignis erfolgten Neuausgießung des Heiligen Geistes ein[135]. Was dann noch kommt, ist Entfaltung, Bekräftigung, volle Auswirkung des neutestamentlichen Heiles, nicht aber etwas nochmals so einschneidend Neues, wie es mit Christus und der Spendung des Geistes in die Welt getreten ist. Man kann von dem großen Prozeß des Heilsplans vom Anfang bis zum Ende sprechen; aber das Ende beginnt schon im Heilsgeschehen der letzten Zeiten; und was noch aussteht, liegt nicht auf der gleichen Linie wie die frühere Entwicklung[136].

Ohne Frage bedeutet deshalb für Irenäus schon der gegenwärtige Geistbesitz Leben und Unvergänglichkeit. Er »macht uns geistig, und das Sterbliche wird von der Unsterblichkeit verschlungen«[137]. Durch den Geist wird das Geschöpf lebendig und wird es von seiner Hinfälligkeit befreit[138], wie auch die Annahme zur Sohnschaft schon Unsterblichkeit und Leben heißt[139].

Die Ausrichtung auf die Zukunft ist darin zu erkennen, daß der Geist immer auf sie hin gegeben ist. Sein anfängliches Wirken dient in den Worten des Irenäus der »Zurüstung und Vorbereitung auf die Unvergänglichkeit, indem wir uns allmählich daran gewöhnen, Gott zu ergreifen und zu tragen«[140]. Der Geist setzt erneut, und

[135] 5,1,3 (SC 153,26); 5,8,1 (92ff); 5,12,2 (146); 5,12,3 (150); vgl. o. § 18 b und § 20.

[136] S. o. § 18 b mit A 16 und A 27. — P. Schwanz, aaO 135, geht m. E. von falschen Voraussetzungen aus, wenn er schreibt: »Indem der göttliche Geist auf die menschliche Natur bezogen wird, geht es nicht mehr an, von einer nur quantitativen Steigerung (wie Schwanz sie bei Paulus und Johannes für gegeben hält, Anm. d. Verf.) zu sprechen. Die Zukunft bringt gegenüber der Gegenwart etwas vollkommen, also qualitativ Neues«. — Bleibe dahingestellt, ob die Scheidung qualitativ-quantitativ glücklich ist, so muß doch gesagt werden, daß der Geist auch in der Beziehung auf die menschliche Natur nicht zu ihr selber wird, daß also Gegenwart und Zukunft gleichermaßen ausgezeichnet sind durch den ›qualitativ‹ neuen Geist, der Unterschied also im Grade der Intensität liegt.

[137] 5,8,1 (SC 153,92ff).

[138] 5,9,1 (SC 153,108): »Spiritum, qui vivificat hominem«; 5,9,2 (112): »vivens quidem propter participationem Spiritus«; vgl. 3,11,8 (SC 211,160); 5,1,1 (20); 5,9,2 (110); Epid. 6 (SC 62,40).

[139] 2,11,1 (H 1,275): »adoptio filiorum, quae est aeterna vita«; 3,18,7 (SC 211, 364): »et nisis homo counitus fuisset Deo, non potuisset particeps fieri incorruptibilitatis«. Vgl. 3,19,1 (SC 211,374).

[140] 5,8,1 (SC 153,92). Die Übersetzung »Zurüstung« folgt dem Armenischen; s. die Anm. v. Rousseau, SC 152,242. S. auch 5,9,2 (SC 153,110): »emundat

zwar auf höhere Stufe, den Gewöhnungsprozeß in Gang, mit dem das Geschöpf in die Nähe Gottes gelangen soll. Er macht, wie es an anderer Stelle heißt, »das Fleisch reif und fähig zum Empfang der Unvergänglichkeit«[141]. Die christliche Gegenwart wird so zur Zeit des langsamen Heranreifens auf die Ewigkeit hin. In ihr ergreift die Gnade Gottes vom Menschen Besitz, nimmt ihn in seiner Geschöpflichkeit an, macht ihn zum lebendigen Zeugnis der göttlichen Liebe und führt ihn dadurch seinem Ziel entgegen[142].

Es liegt in der Linie dieser Anschauung, wenn dann die Auferstehung der Gläubigen dem Heiligen Geist zukommt. Wie er im Leben der Christen das schwache Fleisch gestaltet, so zeigt er am Ende seine Macht in der Erweckung des Fleisches vom Tode zu ewiger Fortdauer. Der Bischof von Lyon schreibt: »Das Fleisch an sich, das heißt, für sich allein, kann das Reich Gottes nicht erben. Es kann aber vom Geist für das Reich ins Erbe genommen werden. Der Lebende nämlich erbt, was zum Toten gehört ... Wer ist also der Lebende? Der Geist Gottes. Wer aber sind die Toten? Die Glieder des Menschen, die sich in der Erde auflösen. Sie werden vom Geist in Besitz genommen, indem sie in das Reich der Himmel übertragen werden.«[143] Im Geist wird der Leib wieder ins Leben gerufen, in ein Leben, das jetzt ganz von ihm gewährleistet ist[144]. Hieran schließt sich gleich eine weitere Erklärung. Zum Pauluswort: »Gesät wird ein seelischer Leib, auferweckt ein geistlicher Leib« (1 Kor 15, 44), heißt es: »Zweifellos hat er gelehrt, daß weder von der Seele noch vom Leib die Rede ist, sondern von den toten Leibern. Diese nämlich sind die seelischen, das heißt, die an der Seele teilhabenden Leiber. Wenn sie die Seele verlieren, sterben sie. Dann erstehen sie durch den Geist auf und werden geistliche Leiber, so daß sie durch den Geist ein immerwährendes Leben haben.«[145]

Der Heilige Geist befreit die von der Seele verlassenen menschlichen Leiber aus dem Zustand ihres Aufgelöstseins. Er macht sie in neuer, ungeahnter Weise lebendig. Denn nicht die Seele ist gestorben. Zwar nicht von Natur aus unsterblich, aber doch von

hominem et sublevat in vitam Dei«; 5,9,3 (112): »Igitur caro sine Spiritu Dei mortua est, non habens vitam, regnum Dei possidere non potens«; sowie 3,17,2 (SC 211,332ff); 4,36,4 (SC 100,892); 4,38,1 (948). Zum Thema der Gewöhnung s.o. § 18 c A 38.

[141] 5,12,4 (SC 153,154).

[142] Man denke an die Texte, in denen Irenäus von der Eucharistie als der dem Menschen in seiner Leiblichkeit geschenkten Nahrung für die Unvergänglichkeit spricht: 4,18,5 (SC 100,610); 5,2,2f (SC 153,30—38).

[143] 5,9,4 (SC 153,118ff).

[144] 5,13,4 (SC 153,176): »si ergo nunc corda carnalia capacia Spiritus fiunt, quid mirum si in resurrectione eam, quae a Spiritu datur capiunt vitam«.

[145] 5,7,2 (SC 153,90).

Gott mit dem Geschenk der Fortdauer begabt[146], ruht sie nach dem Tode des Menschen, bis sie bei der Auferstehung wieder ihren Leib empfängt[147], bis der Geist die Macht Gottes an dem vergänglichen Fleisch der Kreatur zur Vollendung gebracht hat[148].

Dieser vom Geist belebte Leib ist, wie Irenäus betont, seiner Substanz nach mit dem am Anfang von Gott geschaffenen identisch. Denn in dem Willen des einen Gottes sind Schöpfung und Erlösung beschlossen[149]. Aber der Leib ändert doch seine Qualität, da er zum geistlichen Leib wird, und das heißt: ganz zum Mittel des Heiligen Geistes geworden, kennt er die Anfälligkeit nicht mehr, die ihn in seinem irdischen Leben bedroht hatte.

Was bis jetzt über die Heilszukunft im allgemeinen gesagt worden

[146] S. dazu 2,34,1—4 (H 1,381ff).

[147] Irenäus spricht von einem Schlafen in der Unterwelt (4,22,2; SC 100,688: »de somno excitabit«), von einem Verweilen der Seelen an dem »unsichtbaren Ort« (5,31,2; SC 153,394). Christus hat mit seinem Weilen im Grund der Erde ein Zeichen gegeben, das die Zeit des Wartens nicht als leer, sondern als sinnvoll und von Gott gesetzt erkennen läßt (5,31,2; 394ff). Bei seinem Abstieg in das Reich des Todes hat er die einstmaligen Gerechten mit seinen Augen gesehen und ihnen Hoffnung gegeben (4,22,1; 688: »id quod inoperatum conditionis visurus oculis, de quibus et dicebat discipulis: ›Multi prophetae et iusti cupierunt videre et audire quae vos videtis et auditis‹ «; Mt 13,17). Daneben läuft die Vorstellung vom Paradies, in dem Henoch, Elia und andere Geistträger bis zur Vollendung der Welt verwahrt werden: »Denn für die gerechten Menschen und die Geistträger wurde das Paradies bereit gehalten, in das auch der Apostel Paulus versetzt wurde und wo er — soweit es uns einstweilen betrifft — unaussprechliche Worte hörte (2 Kor 12,14); und dort sollen die dorthin Versetzten bleiben bis zur Vollendung, indem sie so die Unvergänglichkeit im voraus kosten« (5,5,1; 64ff). In der Zeit nach dem Reich des Sohnes erscheint das (umgestaltete) Paradies als der mittlere Wohnort zwischen den Himmeln und der heiligen Stadt für die Gläubigen in der endgültigen Gottesschau (5,36,1; 456; vgl. dazu A. Orbe, Antropología 199f). — Man hat also zwei Vorstellungen, die vom Todesschlaf für die Seelen, der aber doch kein leeres Warten bedeutet, sondern schon vom Licht Christi geprägt ist, und die vom Paradies, in dem die Erwählten schon mit ihren von Gott angenommenen Leibern verweilen.

[148] Sehr schön wird der ganze Zusammenhang in Epid. 42 (SC 62,98) beschrieben: Nachdem Irenäus von der Mitteilung des Geistes an die Gläubigen durch die Apostel gesprochen und ihre Weisung, den Leib und die Seele zu bewahren, erwähnt hat, fährt er fort: »Das ist das Betragen der Gläubigen, da der Geist dauernd in ihnen bleibt, der ihnen in der Taufe gegeben worden ist und vom Empfänger durch ein Leben in der Wahrheit, der Heiligkeit, der Gerechtigkeit und Beharrlichkeit bewahrt wird. Denn die Auferstehung der Gläubigen ist ein Werk dieses Geistes, indem der Leib wiederum die Seele empfängt und mit ihr in der Kraft des Heiligen Geistes auferweckt und hineingeführt wird in das Reich Gottes«.
Zur Rettung des Fleisches durch den Geist oder die Macht Gottes vgl. noch: 2,19,6 (H 1,320); 2,29,1ff (358ff); 4,18,5 (SC 100,610); 5,2,2f (SC 153,30—38); 5,3,1ff (40—54).

[149] S. dazu 5,15,1—4 (SC 153,196—212) und 5,36,1 (452).

ist, bleibt auch für die besonderen eschatologischen Vorstellungen des Lyoner Bischofs gültig. Die Anschauung, nach dem Ende der Welt im sechstausendsten Jahr, nach der großen Trübsal und der Herrschaft des Antichristen, breche mit dem tausendjährigen Reich der lange Weltensabbat an[150], besagt, daß es schon im Reich eine erste Auferstehung für das Leben gibt. Sie wird der auserwählten Zahl der Gerechten zuteil; zusammen mit den auf Erden Zurückgebliebenen dürfen sie die Erfüllung der Verheißungen über die neue Erde erleben[151]. Die lebenspendende Macht des Geistes wirkt sich an ihnen aus. Da aber das Reich nur ein Vorstadium bildet, die letzte Phase der Gewöhnung des Menschen an Gott im Vorausverkosten der Unvergänglichkeit[152], entfaltet sich der Heilige Geist in seiner ganzen Fülle erst bei der zweiten, allgemeinen Auferstehung, die allen Menschen gilt und nach dem großen Weltgericht zum Einzug in das himmlische Jerusalem und zum Leben im Angesicht Gottes führt[153].

An diesem Punkt kommt eine wichtige Unterscheidung in den Blick. Während bei der ersten Auferstehung nur einige vom Herrn Erwählte ihre Leiber wiedererlangen, betrifft die zweite alle ohne Unterschied, ja, sie führt zum Gericht und zur Scheidung, die für die Verurteilten die ewige Verdammnis bedeutet[154]. Letzteres kann nun aber nicht mit dem lebenspendenden Geist zusammengebracht werden, bewirkt er doch die Umwandlung und Erneuerung, nicht den Tod. Der Lyoner Bischof nimmt darum eine Differenzierung vor. Wenn auch Gute und Böse gleichermaßen zur Auferstehung kommen, so ist sie doch beidemale etwas ganz anderes: Auferstehung zum Leben bei der ersten oder der zweiten Auferstehung auf der einen, Auferstehung zur Verdammnis auf der anderen Seite. Beide sind ein Zeichen der Macht Gottes und erfolgen auf den Ruf des Herrn hin[155]. Aber nur, wo es um das Leben geht, ist der Heilige Geist am Werk. Dann ist Auferstehung die beglückende Erfahrung des göttlichen Siegs über Vergänglichkeit und Tod, der bereits in der Kirche seinen Anfang genommen hat. Da die Auferstehung zur Verurteilung hingegen auf den Verlust des wahren Lebens hinausläuft, kann sie nicht als Auferstehung im Sinne der

150 5,28,3 (SC 153,358); 5,28,4 (360); 5,29,1—5,30,4 (362—386).

151 5,31,1f (SC 153,388—396); 5,35,1 (438); 5,36,3 (460); 4,22,2 (SC 100,688).

152 4,20,10 (SC 100,658): »tranquilla et pacifica regni eius adveniunt tempora, in quibus cum omni tranquillitate Spiritus Dei vivificat et auget hominem«; 5,35,1.2 (SC 153,448.450).

153 5,32,1 (SC 153,396) mit der Anm. von Rousseau SC 152, 338; 5,35,2 (446ff); 4,22,2 (SC 100,688).

154 1,22,1 (H 1,189); 2,22,2 (327); 5,35,2 (SC 153,446).

155 5,13,1 (SC 153,166): »in fine in novissima tuba clamante Domino resurrecturi sunt mortui ...«

christlichen, vom Geist gewährten Hoffnung verstanden werden[156].

Damit zeichnet sich ein schönes Ergebnis ab. Die Rede vom Heiligen Geist betrifft die Heilszukunft des Menschen. Sie ist das entscheidende Korrelat für das Bekenntnis zum Wirken des Geistes, das das Geschöpf über die christliche Gegenwart bis hin zur unverlierbaren Lebendigkeit in der Nähe seines Schöpfers begleitet. Gericht und Verdammnis dagegen sind zwar reale und bedrohende Gegebenheiten des Glaubens; sie treten ein, wenn dem Geist kein Raum gegeben wird; aber sie haben im positiven, von der Heilshoffnung getragenen Bekenntnis zu ihm keinen Platz.

Was ist das letzte Ziel der Wirksamkeit des Heiligen Geistes am Gläubigen? Es läßt sich in einem Wort ausdrücken: das Sehen des Vaters. »Unser Angesicht wird das Angesicht Gottes schauen«[157]. Der Zustand der Kindschaft, in dem jetzt schon das vertrauensvolle »Abba« gesprochen werden darf, wird in das Stadium des glücklichen Sehens in der Nähe zum Vater übergehen zum immerwährenden Lobpreis dessen, der das ewige Leben schenkt[158]. Irenäus schreibt: »Dies sei die Ordnung und der Rhythmus für die, welche gerettet werden, sagen die Presbyter, die Schüler der Apostel, und auf diesen Stufen schritten sie voran: durch den Geist werden sie zum Sohn, durch den Sohn aber zum Vater aufsteigen, wenn der Sohn schließlich sein Werk dem Vater übergibt.«[159] Das Ziel des Geistwirkens am Menschen ist die vollkommene Sohnschaft und mit ihr die Unmittelbarkeit zum Vater, damit sich endlich am Geschöpf das Wort erfüllen kann, mit dem der Bischof von Lyon seine fünf Bücher gegen die Häresien beschließt, daß es »gleichförmig und gleichgestaltet mit dem Sohn ... zu ihm aufsteigt, die Engel übertrifft und nach dem Bild und Gleichnis Gottes wird«[160].

[156] Ganz in diesem Sinn äußert Irenäus sich in 3,19,3 (SC 211,380ff): »ut quemadmodum caput resurrexit a mortuis, sic et reliquum corpus omnis hominis qui invenitur in vita, impleto tempore condemnationis eius, quae erat propter inobaudentiam, resurgat ...«

[157] 5,7,2 (SC 153,90).

[158] 5,8,1 (SC 153,94); vgl. 4,20,6 (SC 100,642) und 4,38,3 (942—956). Da hier nur von der Pneumatologie aus gefragt wird, braucht der ganze Themenkreis nicht weiter entwickelt zu werden.

[159] 5,36,2 (SC 153,458ff). Zur Übersetzung s. die Anm. von A. Rousseau SC 152, 335.350.

[160] 5,36,3 (SC 153,466).

Fünftes Kapitel: Der dritte Glaubensartikel im Licht der irenäischen Theologie

In den voraufgegangenen Kapiteln sind die Bekenntnisformeln in den Hintergrund getreten. Sie waren zwar nie völlig abwesend, insofern sie als die Konzentrationspunkte des kirchlichen Glaubens die Theologie des Lyoner Bischofs bestimmt haben. Aber es war doch nicht möglich, sie unvermittelt mit den entsprechenden theologischen Daten aufzufüllen. Denn Irenäus hat keine Symbolerklärung geschrieben, wie er auch bei den Glaubensformeln die Freiheit hat, sie innerhalb der Grundaussagen zu variieren. Dazu kommt, daß sein Werk alles andere als eine geschlossene Abhandlung über den Heiligen Geist bildet. Da die Angaben im Ganzen seiner Theologie und des von ihm repräsentierten kirchlichen Glaubensbewußtseins ihren Platz haben, konnten sie nicht gewaltsam herausgebrochen werden, sondern mußten im behutsamen geduldigen Nachgehen der Denkbewegung des Lyoner Bischofs zur Darstellung gelangen. Die Aufgabe der letzten Seiten wird nunmehr darin bestehen, die Bindung der Pneumatologie an das Glaubensbekenntnis zu thematisieren, und zwar so, daß der dritte Artikel des kirchlichen Bekenntnisses, der in seinen Hauptelementen auch in den irenäischen Symbolparaphrasen zum Ausdruck gekommen ist, mit der bisher entwickelten Theologie zusammengebracht wird. Dadurch wird einmal eine Zusammenfassung der Pneumatologie des Irenäus möglich, zum anderen zeigt sich, daß in den zurückliegenden Kapiteln schon eine Auslegung des pneumatologischen Artikels erfolgt ist. Sie soll nunmehr deutlichere Konturen gewinnen und eine abschließende Würdigung finden.

§ 26 Die trinitarische Dimension des pneumatologischen Bekenntnisses

Bei der Darstellung ist durchgängig sichtbar geworden, daß vom Glauben an den Geist nicht isoliert gesprochen werden kann. Das erste, unverzichtbare Merkmal für ihn ist die Einbindung in das Bekenntnis zum dreifaltigen Gott. Wie sich die Bekenntnistexte von frühester Zeit an durch die dreigliedrige Struktur auszeichnen, so gibt Irenäus ihnen eine überaus klare trinitätstheologische Interpretation. Man kann sich nicht zum Geist bekennen und dabei vom Vater und vom Sohn absehen wollen. Nur im Rahmen der trinitarischen Theologie läßt sich die Pneumatologie unverkürzt aussagen[1].

[1] Zur trinitarischen Struktur der Bekenntnistexte s. die Angaben o. § 10 mit den dort gegebenen Nachweisen. Für Irenäus vgl. bes. die Analysen der Glaubens-

Insofern das Symbol von Vater, Sohn und Geist handelt, bildet es ein umschriebenes Ganzes, verträgt es weder Hinzufügungen noch Abstriche. Als menschliches Wort, als Versuch auszudrücken, was Gott für den Menschen ist, bleibt es an die Offenbarung gebunden, in der Gott sich in seiner Liebe zu erfahren gibt[2]. Das Bekenntnis zum Geist ist darum nicht eines von beliebig vermehrbaren oder auswechselbaren Stücken. Es entspricht dem Heilshandeln Gottes in der Geschichte, in der Gott sich als Vater, Sohn und Geist offenbart und so und nicht anders der Gott ist, der zu seinem Geschöpf steht. Der Heilige Geist ist fest in der Gottheit verankert. Mit ihm an dritter Stelle ist sie exklusiv beschrieben, ohne daß noch etwas anderes hinzukommen könnte. Man hat es hier nicht mit einer außergöttlichen Wesenheit zu tun, sondern mit dem Gott, der als der trinitarische in seiner Offenbarung hervorgetreten ist[3].
Nach der Bestimmung des Wesenskerns des Bekenntnisses kann in einem weiteren Schritt seine besondere Bindung an das Heilswerk hervorgehoben werden. Von der irenäischen Theologie aus gesehen, wird es zum Spiegel der Offenbarung des Vaters durch den Sohn und den Heiligen Geist. Die Folge der göttlichen Namen im Symbol ist die Heilsoffenbarung. Der Vater bedient sich des Sohnes und des Geistes, um in ihnen die außergöttliche Schöpfung zu setzen, sie in steter Verbindung mit ihm zu erhalten, sie schließlich im Neuen Bund aufzunehmen und dann bis zur beseligenden, ewiges Leben schenkenden Schau Gottes zu führen — eine Bewegung, die vom Vater ihren Ausgang nimmt und sich zuletzt in ihm vollendet[4].
Als der Ursprung und das Ziel von allem steht der Vater im Offenbarungsvorgang wie im Glaubensbekenntnis am Anfang. Sein Wille bestimmt die Heilsordnung, er teilt sich in ihr der Kreatur mit. Die beiden anderen Artikel beschreiben die Ausführung des göttlichen Werks. Im Sohn und im Geist erfolgt die Selbstmitteilung[5] des Vaters, da sie als Gottes eigene Hände durchführen, was

formeln o. § 4 sowie die Ausführungen über das Taufbekenntnis o. § 1. Was die trinitätstheologische Interpretation anbelangt, so kann pauschal auf die Disposition von Teil II hingewiesen werden, die zeigt, daß die Pneumatologie bei Irenäus nur innerhalb des trinitarischen Entwurfs zur Sprache kommt. — Im folgenden werden die Einzelanalysen vorausgesetzt und in der Regel im Rückverweis auf das Symbol bezogen. Die bereits erklärten irenäischen Symbolparaphrasen brauchen dabei nicht mehr vorgeführt zu werden. Sie können jetzt bei der Deutung der Grundaussagen des dritten Artikels als Ausdruck des kirchlichen Bekenntnisses aufgenommen werden, ohne daß ihre Einzelstücke nochmals in den Vordergrund treten müssen.

[2] S. dazu o. § 17.

[3] Man vgl. das strenge »ipse per semetipsum«; s. o. § 17 mit A 13 sowie o. § 19 c.

[4] S. die Ausführungen über die trinitarische Heilsökonomie o. § 18.

[5] Daß der scheinbar moderne Ausdruck exakt für Irenäus zutrifft, zeigt die

bei ihm beschlossen ist[6]. So erscheint an zweiter Stelle der Sohn. Mit ihm als dem eigentlichen Offenbarer tritt Gott in die Geschichte ein. Sein Werk wird von der Menschwerdung aus erkannt. In ihr wird die Schöpfung aufgenommen und die alttestamentliche Vorbereitung erfüllt. Der Mensch kann jetzt in der Kirche zur Vollgestalt des Sohnes Gottes heranreifen, damit die Wiederkunft Christi ihm zum Heil gereicht und er mit dem Sohn dem Vater vorgestellt wird[7].

Die dritte Stelle nimmt der Geist ein. Er wird nach dem Vater und dem Sohn bekannt, weil er in dieser Folge wirksam wird. Seine Zeit bricht nach der des Sohnes an, insofern er nach der Himmelfahrt seine lebenspendende Tätigkeit voll entfaltet und mit ihr die Zeit der Kirche bis zur Wiederkunft Christi prägt[8]. Das aber ist im Sinne des Bischofs von Lyon nicht in der Art einer strengen und exklusiven zeitlichen Periodisierung zu verstehen. Denn wie das göttliche Wort immer beim Vater[9], erfüllt der Geist schon die Schöpfung und die Zeit des Alten Bundes mit seinem Wirken[10]. Seine Beziehung zum Wort besteht dann darin, daß er auf dieses hin und von diesem aus tätig wird. Er ruht bei der Taufe auf ihm, um von ihm über die Menschheit zu kommen[11]. Er ist der Geist der Prophetie im Blick auf die künftige Menschwerdung, in dem das Wort sich zu erkennen gibt und schon Anteil an sich selber gewährt, der im Falle der alttestamentlichen Gerechten schließlich im Reich eingelöst wird[12]. Er ist also zusammen mit dem Wort, insofern als sich der Vater in beiden eröffnet; dabei besteht aber doch die Folge Wort — Geist, da er das Medium der göttlichen Offenbarung ist und vom Sohn aus handelt.

In dem so beschriebenen trinitarischen Gefüge, das vom Symbol nachgesprochen wird, stellt der Geist eine besondere Unmittelbarkeit zum Geschöpf her. An dritter Stelle ist er zwar nicht die

Wendung, daß Gott »ipse per semetipsum« tätig wird; Texte s. o. § 17 A 13.

6 Über die Hände Gottes s. o. § 18 a A 11. Insofern der Sohn und der Geist die beiden Diener des Vaters sind und seinen Willen zur Ausführung bringen, kann mit Irenäus von einer Dyas gesprochen werden. S. die Erklärungen über die Souveränität o. § 17 und über das Miteinander von Sohn und Geist in der Heilsökonomie o. § 18. — So sind im Symbol auch der zweite und der dritte Artikel die Teile, in denen vom göttlichen Heilswerk die Rede ist.

7 Zum Werk des Sohnes s. o. § 18. Aber auch in § 20—25 mußte immer wieder vom Sohn gesprochen werden, in Verbindung mit dem der Geist wirksam wird.

8 S. hierzu § 20 und dann das ganze Kapitel 4 des II. Teils.

9 S. o. § 19 c.

10 S. dazu o. § 21 und § 22.

11 Zur Taufe Christi s. die Analysen o. § 20 a.

12 Zum Verhältnis von Wort und Geist im AT s. bes. o. § 21 b.aa.bb.

unterste Stufe der Gottheit an der Grenze zum Geschöpf[13], aber doch Gottes Nähe und Innerlichkeit zu der wesensmäßig von ihm geschiedenen Kreatur. Die Lebendigkeit der Schöpfung, ihre Schönheit und Ordnung weisen auf ihn hin[14]. In ihm kommt die Offenbarung beim Menschen an. Er führt zum göttlichen Wort und realisiert dann vom fleischgewordenen Wort aus, in dessen Menschheit er sich bis hin zum Todesleiden an das Geschöpf gewöhnt hat, die Erlösung an den Gläubigen[15]. Ist dies gewissermaßen der Endpunkt der Bewegung Gottes auf den Menschen zu, so bedeutet es zugleich einen Anfang. Denn die der Kreatur innerliche Lebendigkeit des Geistes führt ja zur Sohnschaft in der Gleichgestaltung mit Christus und damit zum Aufstieg in die Fülle des Lebens in der Anschauung des Vaters[16].
Überblickt man nunmehr die Struktur des Symbols in der Folge von Vater, Sohn und Geist, dann kann für den dritten Artikel gesagt werden, daß in ihm die Bewegung des trinitarischen Gottes zum Ziel kommt. Das Symbol öffnet sich der im Geist geschenkten Erfahrung des Heils. Aber es verliert sich nicht in die Leere. Denn die Ausfaltung vom Vater durch den Sohn im Geist auf den Menschen zu setzt die Einfaltung in Gang, die im Geist über den Sohn wieder zum Vater führt. Der pneumatologische Artikel ist der Schnittpunkt der zweifachen Bewegung, des Abstiegs und des Aufstiegs, die beide den trinitarischen Gott zeigen[17].

Von der Theologie des Lyoner Bischofs aus gesehen ist das Symbol ein Kompendium der Offenbarung Gottes zum Heil des Geschöpfs, der Selbstmitteilung des Vaters durch den Sohn im Heiligen Geist. Läßt sich dies, wenn auch mit der Einschränkung, daß eine Abgrenzung in säuberlich geschiedene Phasen nicht möglich ist, auf die Geschichte auslegen, so trifft es doch ebenfalls für die gegenwärtige Erfahrung des Gläubigen zu, insofern sich an ihm das Heil des trinitarischen Gottes ereignet. Denn die Wiedergeburt in der Taufe erfolgt durch die drei Stücke des Bekenntnisses: Der Vater schenkt durch den Sohn im Geist die Gnade der neuen Geburt; und die Empfänger des Geistes werden zum Sohn und von ihm zum

[13] Man vgl. die Ausführungen zur Frage, ob Irenäus den Geist als Schöpfungsprinzip verstanden hat, o. § 19 c.
[14] S. bes. o. § 21 b.cc.
[15] Der Geist ist der σκηνοβατοῦν καθ' ἑκάστην γενεάν (4,33,7; SC 100,818), d. h., die ganze Zeit hindurch. S. zum ganzen o. § 18 b. Zur Gewöhnung im Menschgewordenen s. die Erklärungen o. § 20.
[16] S. o. § 25 und da bes. § 25 b.dd.
[17] Das wird sehr schön in Epid. 7 (SC 62,41) ausgesprochen. Die Stelle ist besonders wertvoll, da Irenäus direkt an das Bekenntnis anknüpft.

Vater emporgetragen[18]. Die Taufe ist das Geschehen, bei dem die Bewegung des Vaters auf die Menschen zu und der Aufstieg zu ihm stattfinden. Was in der horizontalen, zeitlichen Erstreckung des Heilswerks erfolgt, läuft hier gewissermaßen punktuell zusammen, da der einzelne in der Folge von Vater, Sohn und Geist vom Wirken Gottes ergriffen wird[19].
Irenäus hat die trinitarische Tauftheologie nicht in den Einzelheiten entwickelt, war es ihm doch bei seiner Widerlegung der Gnosis vor allem um die Einheit der einen Heilsökonomie zu tun. Gleichwohl ließ sich nicht zuletzt bei der Pneumatologie die Taufe als eine Art geheimer Mitte für viele Aussagen aufweisen[20]. Die von Irenäus angedeutete Verbindung zwischen dem Taufgeschehen und dem trinitarischen Symbol läßt jenes als den Ort erkennen, an dem sich ereignet, was dieses aussagt. Die Taufe ist nicht nur historisch der Ursprung für das trinitarische Bekenntnis; von ihrem inneren Gehalt her mit ihm verknüpft, legt sie es aus, da in ihr das Handeln von Vater, Sohn und Geist erfahren wird.
Von hier aus wird dann wieder sehr schön das Werk des Geistes sichtbar. Der dritte Artikel beschreibt die Bewegung, in die der Christ nunmehr hineingenommen ist. Im Heiligen Geist erfolgt die Taufe, da Gott sich in ihm innerlich zu erfahren gibt. Vom Sohn ausgegossen, wird er an den Menschen wirksam; er ist gleichsam die Frucht der Erlösung, die in ihm über die ganze Welt kommt, indem er als die Gabe der Adoption in der Kirche den Sohn Gottes entstehen läßt und so die Neuschaffung der Menschheit für den Vater ins Werk setzt[21].

Nachdem gezeigt worden ist, wie sich im Symbol die Offenbarung des trinitarischen Gottes, sei es auf der Ebene der Heilsökonomie, sei es in der Dynamik des Taufvorgangs, auslegt, kann in einem letzten Schritt der Überstieg, wenn nicht zur immanenten, so doch zur ewigen Trinität angedeutet werden. Sicher beschreibt das Bekenntnis und in ihm der dritte Artikel für den Lyoner Bischof zuerst die von Vater, Sohn und Geist getragene Geschichte mit den Menschen. Aber Gott wird dabei doch nicht in die Abfolge eines geschichtlichen Vorgangs aufgelöst, als wäre die Trinität die Funktion eines Werdeprozesses. Das Symbol gibt wohl die heilsgeschichtliche Folge der drei göttlichen Personen wieder,

18 Epid. 7 mit der Erklärung o. § 14 b.
19 Freilich bleibt die geschichtliche Abfolge gültig, insofern es erst am Ende zur Anschauung des Vaters kommt. Vgl. die Ausführungen über die Gegenwart und Zukunft o. § 25 d mit A 147 über die Zwischenzeit.
20 S. dazu § 14 c.
21 S. o. § 14 b und § 25 b.dd.

nimmt aber doch die drei Artikel je für sich, insofern es ihnen die je besonderen Inhalte zuweist[22]. Dem entspricht es, wenn der Sohn und der Geist, schon bevor sie als die Hände Gottes das Heilswerk zur Ausführung bringen, immer beim Vater sind und mit ihm die von Ewigkeit her präexistierende Trinität bilden[23]. Der Bischof von Lyon hat noch nicht eine sehr ausgeprägte Theologie über die innergöttlichen Hervorgänge entwickelt. Er weiß jedoch, daß das kirchliche Bekenntnis eine Wesensaussage über die Gottheit beinhaltet, und steht damit schon in der Linie, die dann in der weiteren Tradition mit Nachdruck ausgezogen wird. So weist die trinitarische Dimension des pneumatologischen Bekenntnisses über die heilsökonomische Wirksamkeit schließlich auf die ewige Wesenheit Gottes hin. Diese Spannungsweite festzuhalten, ist eine unaufgebbare Voraussetzung für die Deutung des dritten Artikels.

§ 27 Das Bekenntnis zum Werk des Heiligen Geistes

Die Aussagen des dritten Artikels können nunmehr für sich genommen und von der irenäischen Pneumatologie aus interpretiert werden.

Beim Werk des Heiligen Geistes, in dem Gott durch sich selber am Menschen handelt, der Gott, der so auch für sich und an sich ist, können mit Irenäus zwei Aspekte unterschieden werden, die Heiligung und das Gewähren der wahren Glaubenserkenntnis. Beides gehört eng zusammen, da beides die Kirche begründet, zum Sohn hinführt und dem Heil des Geschöpfes dient.

Daß der Geist die Erkenntnis der Wahrheit schenkt, hat Irenäus dem Anspruch eines gnostischen Pneumatikertums gegenüber mit allem Nachdruck hervorgehoben[1]. Auch in seinen Glaubensformeln weist er darauf hin und stellt dadurch selber die Verbindung zwischen dem Bekenntnis und seiner Theologie her[2]. Was die Ausprägung des dritten Artikels in der weiteren Tradition anbetrifft, so ist der Gedanke vom Geist der Wahrheit, auch ohne daß er ausdrücklich formuliert sein müßte, deutlich genug in dem Satz über das Sprechen des Geistes in den Propheten sowie im Bekenntnis zur Kirche, der Stätte der Wahrheit, enthalten[3].

[22] S. o. § 10 mit A 13—15. Ist die Eigenstruktur des pneumatologischen Artikels bei Irenäus offenkundig (man beachte nicht zuletzt den in § 25 d hervorgehobenen inneren Duktus der Pneumatologie), so wird sie beim christologischen Teil in den dreigliedrigen Texten nicht so klar ausgeführt. Man kann dann aber etwa auf die binitarische Formel adv. haer. 3,4,2 verweisen (s. o. § 3).

[23] S. o. § 19.

[1] S. dazu die Ausführungen o. § 24 a und § 24 b.

[2] So in der Formel 4,33,7 (s.o. § 4 b), aber auch in der großen Formel 1,10,1 (s. o. § 4 a).

[3] S. die Nachweise o. § 10 A 7 und 8 und auch o. § 7 b A 29.

Die Bindung der wahren Erkenntnis an den Heiligen Geist folgt daraus, daß er die Heilsökonomie des Vaters und des Sohnes begleitet. Als die Wirklichkeit, in der Gott beim Menschen ankommt, eröffnet er die Offenbarung des Vaters durch das Wort zu den je verschiedenen Zeiten[4]. Seit dem Beginn der Schöpfung wirksam, zeigt sich in ihm im Alten Bund der Sohn Gottes und läßt seine künftige Menschwerdung vorausschauen. Er erfüllt die letzten, mit der Ankunft des Sohnes als Mensch angebrochenen Zeiten mit seinem Licht, schenkt hier die beglückende Erkenntnis Christi und bewahrt die Kirche in ihr, wie er den Einzelnen erleuchtet, damit in ihm der wahre Glaube heranwächst[5]. Deshalb ist das Bekenntnis zum Geist immer ein Bekenntnis in ihm. Von ihm ermöglicht, richtet es sich an den Sohn und den Vater, auf die der Geist hinweist, so selbstlos, daß er oft zurücktritt, um nur ihnen Raum zu geben[6].

Vom Geist geschenkte Wahrheit besteht, wie das Symbol es bekennt, zuerst darin, daß sich das Alte Testament öffnet. Weil er durch die Propheten gesprochen hat, sind die Schriften eine Einheit, die ihre Mitte in Christus findet. Er macht sichtbar, daß die Schrift als ganze den einen Gott und seine Offenbarung an der einen Menschheit bezeugt. Im Geist legt sich die Geschichte aus. Nicht als wäre der Einsatz Gottes im Neuen Bund aus einem vorher gewonnenen Begriff von Geschichte ableitbar, sondern so, daß sich von ihm aus das Frühere aufschließt. Die Geschichte erhält ihren Sinn, indem sie auf die Erfüllung in Christus hinweist. Im Lichte des Geistes gelesen, wird das Alte Testament zur Ankündigung der Zukunft Gottes mit den Menschen. Es zeigt die umfassende Wahrheit der neutestamentlichem Offenbarung an[7]. So spricht sich im Bekenntnis zum Geist die Überzeugung aus, daß das Alte Testament ein Buch der Kirche ist. Es bedeutet zugleich eine Aufforderung, immer neu seinen geistlichen Sinn zu entdecken, in ihm das Kommen Gottes zu seinem Geschöpf zu begreifen.

Wie in den alten Schriften ist der Heilige Geist auch in den neutestamentlichen Zeugnissen am Werk. Er ermöglicht sie, da er ihren Verfassern die vollkommene Erkenntnis des Heilsgeschehens vermittelt. Er spricht in ihnen und läßt das unverkürzte, klare Bild von Christus erstrahlen, von dem die Verkündigung der Kirche lebt[8].

[4] S. die Formeln 4,33,7 und 1,10,1 sowie die Ausführungen o. § 18.

[5] S. dazu o. § 24.

[6] Man denke an die binitarischen Texte (s. o. § 3); vgl. auch die Nachweise über den Geist als Medium des Bekenntnisses o. § 11 A 9.

[7] S. o. § 21 a und § 24 c.

[8] S. dazu o. § 24 c.

Dies alles ist übergriffen von dem Gedanken, daß der Geist die Kirche in der Wahrheit bewahrt, indem er die von ihm getragene Gemeinschaft ständig in Verbindung mit ihrem Ursprung erhält. Er gewährt die lebendige Überlieferung und läßt, ohne daß es hier einen Widerspruch zu den Lehren der Schrift geben könnte, die geschichtliche Kirche fortwährend in der Erkenntnis des Sohnes leben. Nur deshalb kann sie im Symbol als die Stätte des wahren Glaubens im Gegensatz zum Weg der häretischen Abspaltungen bezeichnet werden[9].

In einem Wort kann für Irenäus gesagt werden: das Bekenntnis zum Heiligen Geist begründet die Überzeugung, daß Wahrheit erkennbar ist, und zwar die Wahrheit Christi, die die frühere Geschichte bestimmt hat, die nunmehr aller Welt in der Kirche eröffnet ist und auf immer in ihr lebendig bleibt.

Das Ankommen der Offenbarung Gottes durch den Geist und ihre Erkenntnis in der Kirche sind die eine Seite seines Wirkens, gewissermaßen die Voraussetzung für die der Kreatur zugedachte umfassende Erneuerung. Diese geht über eine für sich betrachtete Gnosis hinaus, da der ganze Mensch an das fleischgewordene Wort herangeführt werden soll. Das Symbol spricht deshalb von der heiligenden Macht des Geistes, die die Kirche in der Zeit entstehen läßt und sich schließlich im ewigen Leben für die Gläubigen vollendet[10].

Im Blick auf die Menschwerdung des Sohnes und von ihr aus gegeben, schafft der Geist die Kirche. Mehr als der Ort, in dem das Bekenntnis faktisch gesprochen wird, ist sie die dem Geist innerlich verbundene Realität, da sie dort entsteht und vorhanden ist, wo er an Menschen handelt[11]. Zu ihr gehören die Gerechten des Alten Testaments, insonderheit die Propheten, in denen der Geist einstmals gesprochen hat. Sie gehen in die Kirche ein und erhalten den verheißenen Lohn[12]. Dann führt der Geist, indem er vom Menschgewordenen aus über die gesamte Menschheit kommt, Gläubige aus allen Völkern zusammen. In der Kirche sind die einengenden Grenzen aufgehoben. Sie steht jedem offen, der die Bereitschaft zum Glauben zeigt[13]. Darum heißt für Irenäus, sich zum Wirken des Geistes bekennen, seine Universalität bejahen und mittragen in der Begeisterung darüber, daß Gott zu allen Menschen kommt. Der

[9] S. o. § 24 d.
[10] S. die Erklärungen zur Struktur des dritten Artikels o. § 10 mit A 13; § 11 A 5 sowie § 12 A 1.
[11] S. o. § 23.
[12] S. dazu o. § 21 c.bb.
[13] S. bes. o. § 23 c.

Lyoner Bischof weiß um die in seinen Gemeinden lebendigen Charismen, aber die Kirche besteht für ihn doch nicht aus dem kleinen in sich abgeschlossenen Konventikel; sie ist immer die große, durch den Geist herbeigeführte Versammlung der Gläubigen auf der ganzen Welt, in der die Menschheit zur Gemeinschaft mit ihrem Herrn und Schöpfer gerufen ist[14].
Fragt man genauer, wie die Einung im Heiligen Geist zustande kommt, dann ist vor allem an die Taufe zu erinnern. Hier beginnt in der nachösterlichen Zeit sein kirchenschaffendes Tun. Kirche entsteht, indem die Apostel nach der Himmelfahrt und der Geistausgießung den gläubig Gewordenen die Taufe spenden, in deren Folge der Geist bei ihnen Einzug hält[15]. Dies geschieht immer neu, wenn Menschen zur Taufe gelangen. Indem die Kirche mitteilt, was sie empfangen hat, setzt sie sich in der Geschichte fort, bleibt sie die lebendige Stätte des Heiligen Geistes in dieser Welt[16].
Die innige Verbindung von Geist, Kirche und Taufe ist in der Abfolge des dritten Glaubensartikels angezeigt, wenn nächst der Kirche auf das christliche Eingangssakrament hingewiesen wird[17]. Der Sache nach trifft das auch für die von Irenäus wiedergegebenen Formeln zu. Ohne ausdrücklich die Taufe zu nennen, spricht er doch von der Geistbegabung, der Erneuerung und erwähnt er die Umkehr zur Sündenvergebung[18]. Da er überdies das Symbol als ganzes an die Taufe bindet und insbesondere beim Heiligen Geist die Beziehung zu ihr hervorhebt[19], kann man ihn ohne Schwierigkeit mit der entsprechenden Tradition zusammensehen.
Die Wirkungen der Taufe sind in den Momenten der Sündenvergebung und der Neubelebung zu sehen. Beides gehört zusammen, insofern diese die andere Seite von jener ist. Zieht die Sünde den Tod nach sich, bedeutet ihre Fortnahme die Wiedergewinnung des Lebens. Der lebenspendende Geist ist zugleich der Geist der Vergebung der Sünden, da er im Gläubigen das durch Christus geschenkte Heil realisiert[20].

[14] S. § 23 a.aa mit A 11 und 12. Zu den Geisterfahrungen s. die Erklärungen o. § 13.
[15] S. o. § 23 a.aa mit A 3—5.
[16] Hierzu s. o. § 23 a.aa mit A 15 und 16.
[17] S. die Nachweise in § 11 A 5 und § 12 A 9.
[18] Vgl. 1,10,1 mit der o. § 4 a gegebenen Erläuterung, aber auch Epid. 6 (SC 62, 40): »... den Menschen auf der ganzen Erde für Gott zu erneuern«.
[19] Irenäus tut dies ausdrücklich in adv. haer. 1,9,4 (s. o. § 1 a und in Epid. 7) (s. o. § 1 b). Zum Verhältnis von Geist und Taufe vgl. die Ausführungen o. § 14.
[20] In der Presbyterpredigt heißt es: »Spiritum remissionis peccatorum, per quem vivificamur, effudit...« (4,31,2; SC 100,792). Zu den beiden Aspekten bei Irenäus s. o. § 14 a und b.

Der so vermittelte Sündennachlaß ist durch den menschgewordenen Sohn Gottes gewirkt. Er hat die Befreiung von den Fesseln der todbringenden Sünde gebracht, durch seinen Gehorsam bis hin zum Kreuz den alten Ungehorsam aufgehoben und in seiner Hingabe die Menschheit erlöst[21]. Die Sündenvergebung ist das Geschenk der Erlösung, mit dem die in Adam zerrissene Verbindung zu Gott wieder neu geknüpft, mit dem das Leben der Kreatur ermöglicht wird. Inwieweit hier mit Irenäus schon an die Möglichkeit einer zweiten Buße zu denken ist, kann im einzelnen nicht geklärt werden. Er gibt einerseits im Referat der Presbyterpredigt die Mahnung wieder, statt die Alten ihrer Sünden wegen zu tadeln, die durch den Tod Christi vergeben seien, solle man selber in der Furcht leben, keine Vergebung mehr für nach der Erkenntnis des Erlösers begangene Verfehlungen zu erhalten[22]. Auf der anderen Seite stehen seine wiederholten Aufforderungen an die Häretiker, Buße zu tun, seine Hinweise auf büßende Christen in der Kirche und die Erwähnung der Umkehr im Glaubensbekenntnis, die vielleicht schon auf eine postbaptismale Buße hindeutet[23].

Zum Symbolartikel über die Vergebung der Sünden läßt sich dann sagen, daß er auf die Taufe und darin auf die durch Christus im Heiligen Geist geschenkte Erlösung hinweist. In ihm wird bekannt, was der Grund und die Voraussetzung für das neue Leben in der Kirche ist. Die Sündenvergebung ist nicht ein zusätzlich angehängter Glaubensartikel. Sie ist der Sache nach zuinnerst mit der Thematik des dritten Teils verbunden und auch ohne ausdrückliche Nennung schon immer mit ausgesagt, wenn die Eröffnung des neuen Lebens im Geist angesprochen wird. Der Gedanke einer zweiten Buße ist so nicht ausgeschlossen, ja, er wird von der zentralen Bestimmung des Sündennachlasses her möglich, insofern als Gottes Liebe auch beim erneuten Versagen des Gläubigen nicht aufgehoben ist, sondern ihm die Rückkehr zur Taufgnade möglich macht.

Die andere Seite der Sündenvergebung, die Heiligung, oder umfassender gesagt, die Neuwerdung durch den Heiligen Geist, erhält bei Irenäus ein besonderes Gewicht. Wie in den kirchlichen Symbolen die heiligende Macht des Geistes bekannt wird, die sich in der Kirche auswirkt und zuletzt die unvergängliche Lebendigkeit schenkt, so erscheint auch in den irenäischen Glaubensformeln der

[21] Darüber war im Zusammenhang mit der Gewöhnung des Geistes in Christus zu sprechen (s. o. § 20 d mit A 96).

[22] 4,27,2 (SC 100,742).

[23] S. dazu o. § 4 a mit A 10.

Geist als der Heilige, als die Gabe des Lebens, die die Erneuerung für Gott ins Werk setzt[24].

Im Rückblick auf die Pneumatologie des Lyoner Bischofs wird man zuerst fragen, wie in ihr der Gedanke der Heiligung zum Ausdruck kommt. Der Name »Heiliger Geist« begegnet überaus häufig. Er ist neben der Verbindung »Geist Gottes« die gewöhnliche Bezeichnung für die dritte göttliche Person. Dabei ist die Beobachtung zu machen, daß er durchweg als Eigenname gebraucht wird, also auch da in Erscheinung tritt, wo die heiligende Funktion des Geistes nicht direkt thematisiert wird[25], ein Befund, der durchaus für eine »persönliche« Auffassung des Heiligen Geistes im Sinne der später formulierten Lehre spricht.

Von der Heiligung oder der Heiligkeit ist bei Irenäus zu wiederholten Malen die Rede. Ohne aufs Wort die Wendung »heilige Kirche« zu bieten, spricht er von den »Gerechten und Heiligen«[26], von den Heiden als den Miterben der Heiligen[27], bezeichnet er das Gebet der ganzen Kirche als die wirksame Fürbitte der Heiligen[28], erwähnt er die Verfolgung der Heiligen in der Endzeit[29], oder er spricht von den heiligen Presbytern[30] und den heiligen Propheten[31]. Die Heiligkeit der Kirche entsteht durch die Gemeinschaft mit dem menschgewordenen Gottessohn, der sie aufnimmt und von aller Treulosigkeit befreit[32]. Sie besteht in der Verbundenheit mit

[24] Für Irenäus s. die Formeln 1,10,1; 5,20,1; Epid. 6 mit den Erläuterungen o. § 4. Nachweise für die Symboltradition finden sich o. § 11 A 5.

[25] Einige statistische Daten mögen dies erläutern. Vom Heiligen Geist ist, Zitate und var. lectiones abgerechnet, in adversus haereses 42mal die Rede: 1,2,5 (H 1,21); 1,2,6 (22); 1,3,1 (24); 1,4,1 (33); 1,5,3 (46); 1,10,1 (90); 1,11,1 (101); 1,12,4 (113); 1,15,3 (150); 1,21,3 (184); 1,23,1 (190.191); 1,29,4 (225); 1,30,1 (227); 2,12,7 (H 1,279); 2,19,9 (321); 3,6,1 (SC 211,66); 3,6,4 (76); 3,10,4 (130); 3,12,1 (178); 3,12,14 (244); 3,12,15 (246.248); 3,16,1 (290); 3,16,2 (294); 3,17,2 (334); 3,17,3 (334.336); 3,21,4 (412); 3,21,5 (416; zweimal); 3,24,1 (472); 4 praef. 3 (SC 100,386); 4,9,2 (484); 4,20,12 (674); 4,33,14 (842); 4,36,6 (902); 4,38,2 (950); 5,1,3 (SC 153,24); 5,9,3 (116); 5,12,3 (150); 5,30,4 (386).
Vom Geist Gottes spricht Irenäus, die Zitate und Varianten wiederum ausgenommen, 43mal: 2,28,2 (H 1,349f); 2,30,8 (367); 3,11,9 (SC 211,172); 3,12,15 (248); 3,17,1 (328); 3,17,3 (334); 3,21,4 (408); 3,24,1 (472.474, zweimal); 4,14,2 (SC 100,547); 4,20,4 (636); 4,20,8 (648); 4,20,10 (658); 4,31,2 (794); 4,33,1 (802); 4,33,7 (818); 4,33,10 (822); 4,33,15 (844); 4,36,6 (902); 4,36,7 (912); 5,1,2 (SC 153,22); 5,1,3 (26); 5,2,3 (36); 5,6,1 (74; zweimal); 5,6,1 (76.80); 5,8,1 (94); 5,8,2 (96; zweimal); 5,9,1 (108); 5,9,2 (110); 5,9,3 (112); 5,9,3 (114; zweimal); 5,9,4 (116); 5,9,4 (118); 5,10,1 (124); 5,10,2 (128); 5,11,1 (134.136); 5,11,2 (138); 5,20,2 (258).

[26] 1,10,1 (H 1,91); griechischer Text.

[27] 1,10,3 (H 1,96).

[28] 2,31,2 (H 1,370).

[29] 5,25,4 (SC 153,322).

[30] 5,20,2 (SC 153,256).

[31] 3,10,6 (SC 211,136); vgl. 4,20,8 (SC 100,650).

[32] 4,20,12 (SC 100,670.672); 3,5,3 (SC 211,62); s. dazu o. § 23 b mit A 31.

Christus und zieht notwendig einen entsprechenden Lebenswandel nach sich[33].

Von hier aus die Verbindung zum Geist herzustellen, wird nicht schwer. Sie ist nicht nur der Sache nach ganz offenkundig, sondern wird von Irenäus auch ausdrücklich vorgenommen. Denn die Gemeinschaft mit Christus, welche das Wesen der Heiligkeit ausmacht, ist eben der Heilige Geist[34]. Dieser kommt wiederum zum Vorschein, wenn der Lyoner Bischof erklärt, Christus habe die Menschen durch die Ähnlichkeit mit sich geheiligt[35]. Die Ähnlichkeit (Gleichnis) zum Sohn wird ja erreicht, weil der Geist im Geschöpf wirksam wird und in ihm das vollkommene Bild Gottes, die Gestalt des Sohnes, entstehen läßt[36]. Und schließlich schreibt Irenäus, Adam habe das vom Geist gewährte Gewand der Heiligkeit verloren[37], spricht also eindeutig aus, daß der Name der dritten Person ihre Wirksamkeit am Menschen bezeichnet.

Im Sinne des Irenäus kann demnach mit Recht gesagt werden, daß das Werk des Geistes in der Heiligung gesehen wird. Sie ist streng christozentrisch gefaßt; durch Christus ermöglicht, wird sie von ihm aus den Menschen zuteil, um dann in der umgekehrten Bewegung wieder zu ihm hinzuführen, indem das Geschöpf im Heiligen Geist zum Sohne Gottes wird. Freilich sollte man seine Angaben nicht pressen. Man kann die Beschreibung der Neuwerdung unter den Oberbegriff der Heiligung stellen, muß aber gewärtig sein, daß Irenäus selber seine Erklärungen nicht einheitlich auf diesen Nenner gebracht hat. Der theologische Gehalt des pneumatologischen Artikels wird davon nicht betroffen, bleibt doch immer die zentrale Bestimmung von der Neuschöpfung im Geist nach dem Bilde des Sohnes gültig.

Ohne daß noch einmal alle einzelnen Schritte nachgezeichnet werden müssen, können nunmehr die Hauptthemen, in denen Irenäus die Erneuerung entwickelt, auf das Symbol bezogen werden. So besteht das im dritten Artikel bekannte Werk des Heiligen Geistes positiv in der Wiedergeburt zum neuen Leben[38]. Er ist die Gabe der Sohnschaft, mit der das Geschöpf an Kindes statt angenommen und dem Vater vorgestellt wird[39]. In ihm wird endlich das Gleichnis zum Bild des Sohnes erreicht, so daß das am Anfang gesprochene

[33] S. 5,6,2 (SC 153,82); 4,22,1 (SC 100,686) und die Texte, die auf 1 Kor 6,11 Bezug nehmen: 4,27,4 (750); 4,37,4 (930); 5,11,1 (136); 5,11,2 (138). Vgl. auch o. § 25 c.
[34] 3,24,1 (SC 211,472): »communicatio Christi, id est Spiritus sanctus«.
[35] 2,22,4 (H 1,330).
[36] S. dazu § 25 b.aa.
[37] 3,23,5 (SC 211,458) mit der Erklärung o. § 22 a.bb.
[38] S. o. § 14 b.
[39] S. o. § 14 b und § 25 b.dd.

Schöpfungswort in das letzte Stadium seiner Realisierung gelangt[40]. All das ist rückgebunden an das Geschehen in der Taufe, wie es auch mit und in dem Einzelnen schon immer die Kirche betrifft[41].
Das im Bekenntnis ausgesagte neue Leben ist dann für Irenäus inhaltlich bestimmt. Es bedeutet einen Wandel in Glaube und Liebe, wobei die sittliche Bewährung in der Befolgung der Gebote und in guten Werken großes Gewicht erhält[42]. Heiligkeit hat nichts mit einem platten Moralismus zu tun, wohl aber ist sie die vom Glauben getragene Bereitschaft, dem Rat des Geistes zu folgen und den ganzen Menschen in seinen Dienst nehmen zu lassen[43].
Das führt am Ende mit innerer Logik zu der Glaubensaussage über die Erweckung des Fleisches und das unvergängliche Leben[44]. Der Geist nämlich hat die Macht, das von ihm in Besitz genommene Fleisch völlig zu durchwalten und mit seiner Lebendigkeit zu erfüllen. Die Heiligung und Erneuerung erreichen jetzt ihr Ziel. Der Gläubige tritt in die vollkommene Sohnschaft ein, die ihm in der Nähe Gottes die unverlierbare Teilhabe an seinem Leben gewährt[45].

Von den Einzelstücken des altkirchlichen Bekenntnisses aus hat sich auf den zurückliegenden Seiten ohne jeden Zwang der Weg der irenäischen Pneumatologie nachzeichnen lassen. Was der Bischof von Lyon über den Heiligen Geist geschrieben hat, ist zwar von ihm aus gesehen nicht als direkte Auslegung des Symbols gemeint, aber es fügt sich doch nicht zu einem System zusammen, welches von einem anderen Bezugspunkt her konstruiert werden könnte als von dem trinitarischen Glauben der Kirche, der die gesamte irenäische Theologie geprägt hat. Damit bietet der Lyoner Bischof schon eine Auslegung, die nicht nur seine eigenen Symbolparaphrasen, sondern darüber hinaus das in ihnen ausgedrückte Bekenntnis der Kirche erläutert.
Bei der in Stichworten angehobenen Interpretation sind innerhalb des dritten Glaubensartikels zwei Schwerpunkte hervorgetreten: Der Geist bringt die Wahrheit der Offenbarung Gottes in Christus

40 S. o. § 14 b und § 25 b.

41 Über die Taufe s. die Ausführungen o. § 14 b. Zur Einheit von Einzelnem und Kirche s. o. § 14 c A 38; § 23 b und § 25 b.dd mit A 102.

42 Vgl. die Verbindung von Heiligkeit und Befolgen der Gebote in 3,5,3 (SC 211,62) sowie die Glaubensformeln 1,10,1 und 5,20,1 (s. o. § 4). S. auch die Ausführungen o. § 25 c.

43 S. o. § 25 c mit A 125.

44 S. o. § 25 d.

45 Man beachte die schöne Sequenz: »caro enim eget spiritali, si tamen incipiet salvari, ut in eo sanctificetur et clarificetur et absorbeatur mortale ab immortalitate« (2,19,6; H 1,320).

zum Vorschein; er wirkt die Neuschöpfung nach dem Bilde des Sohnes. In diesen beiden Richtungen legt sich für Irenäus das Tun des Heiligen Geistes aus. Es wird darum kein Zufall sein, wenn ihnen genau die zwei großen, speziell dem Geist gewidmeten Kapitel entsprechen. Die im dritten Buch adversus haereses beschriebene Entfaltung der Geistwirksamkeit bei der Taufe Christi trifft den Bereich der Erneuerung auf den menschgewordenen Sohn Gottes hin[46]; und mit den wenige Kapitel später folgenden Ausführungen über den Geist der Wahrheit ist die Gewährung der zuverlässigen Glaubenserkenntnis ausgesprochen[47]. Beides kann unterschieden und in der Argumentation den Gegnern gegenüber getrennt zur Aussage gebracht werden, läuft aber doch nicht einfach nebeneinander. Beides nämlich kommt notwendig in der Kirche zusammen, wie beides dazu dient, daß Christus in ihr Gestalt annimmt. Das Werk des Heiligen Geistes führt in seinen beiden Momenten zur Versammlung der Gläubigen in der Kirche, der Geistwirklichkeit, die immer von Christus herstammt und auf ihn ausgerichtet ist, der in ihr erkannt wird und in ihr entsteht, um sie am Ende dem Vater vorzustellen. Das Symbol braucht deshalb die genannten Aspekte nicht auseinander zu nehmen, ja, sie brauchen nicht einmal eigens hervorgehoben zu werden, da sie immer schon einschlußweise mit dem Bekenntnis zum Geist ausgesagt sind der in der Kirche bei der Menschheit ankommt und sie schließlich vollendet.

Vom einheitlichen Duktus des dritten Artikels braucht nach dem Gesagten nur noch kurz gesprochen zu werden[48]. Wie die Einzelstücke zeigen, kommt in ihm für Irenäus das große Werk des Heiligen Geistes zum Ausdruck. Ob nun das eine oder andere Moment ausdrücklich zur Nennung gelangt oder nicht, entscheidend ist die immer gegebene Ausrichtung des Geistes auf den Menschen und seine Erneuerung. Damit ist für Irenäus theologisch notwendig schon die Kirche auf dem Plan, und es öffnet sich der Blick auf die Zukunft, in der sich die im Geist gegebene Lebendigkeit voll auswirken wird. Darum endet das Werk des Heiligen Geistes, das dem Ankommen der Offenbarung und der Neuwerdung der Schöpfung dient, mit dem Heil, welches mit der Totenerweckung als das Heil für den ganzen Menschen mit Leib und Seele bestimmt und durch den Zusatz über das Leben eindeutig und folgerichtig interpretiert wird[49].

[46] 3,17,1—3 (SC 211,328—336).
[47] 3,24,1 (SC 211,470—474).
[48] Die hier angehobene inhaltliche Ausrichtung konvergiert vollkommen mit den Beobachtungen über die formale Struktur; s. o. § 10 und § 12 mit A 1.
[49] Angesichts der so offenkundigen Ausrichtung des Geistes auf das Leben (s.

§ 28 Anmerkungen zum theologischen Stellenwert der irenäischen Symbolauslegung

Am Ende der von Irenäus aus vorgenommenen Interpretation stellt sich die Aufgabe, die Frage nach ihrem Stellenwert an einigen Punkten schärfer zu artikulieren, als es bei der zurückliegenden Darstellung geschehen konnte. Zu diesem Zweck soll an das unauswechselbar Eigene der irenäischen Symbolerklärung erinnert werden, das dann auch ihre Bedeutung im Rahmen der Geschichte des altkirchlichen Bekenntnisses hervortreten läßt. Zuletzt kann der Versuch gemacht werden, einige wenige Akzente zu setzen, die von der Theologie des Lyoner Bischofs aus in ein Gespräch über die Lehre vom Heiligen Geist eingebracht werden können. Es empfiehlt sich, dies in den beiden bisher verfolgten Gedankenschritten zu tun, zuerst also die trinitätstheologischen Fragen aufzunehmen und dann das Wirken des Heiligen Geistes zu betrachten.

Die Theologie des sich offenbarenden Gottes, des Vaters, der sich durch den Sohn und den Geist zu erfahren gibt, kommt bei Irenäus im Gegenüber zu den gnostischen Anschauungen zur Entfaltung, nach denen ein Fall im Äonenpleroma das auslösende Moment für das Geschehen im Pleroma und dann für den Weltprozeß bildet. Christus und der Heilige Geist begegnen dem Autor von adversus haereses in der Verfremdung, daß sie nach dem Fall der Sophia in Aktion treten und, generell gesagt, nur dazu dienen, den pleromatischen Urzustand wiederherzustellen, wobei ihnen keine eigentliche Offenbarungsfunktion zukommt, da sie gerade die Unfaßbarkeit des gnostischen Urvaters lehren. Sie treten nachträglich zur Gottheit hinzu, sind sie doch, wie Irenäus wiederholt mit Abscheu vermerkt hat, lediglich die Frucht eines Fehltritts, der ungeordneten Begierde der Sophia, sich dem unnennbaren Urgrund zu nähern. Sie sind nicht fähig, die Gegensätze zwischen den drei Genera aufzuheben, ja, ihr Wirken geht ganz darauf, die Scheidung zu vertiefen, um insonderheit dem Pneumatischen wieder den Aufstieg ins Pleroma zu ermöglichen[1].

An die Stelle des Äonenpleromas und der gnostischen Denominationen tritt bei Irenäus der trinitarische Gott. Hier gibt es keinen Raum für inferiore, abgeleitete Zwischenwesen, sondern nur den einen Gott, der sich durch sich selber offenbart, das Geschaffene positiv setzt und es schließlich zur Teilhabe an ihm selber erhebt, so daß die ganze Wirklichkeit von dem Heilswerk von Vater, Sohn

bes. o. § 25 d und § 9 Exkurs A 33) muß die Erklärung von Kelly 381, die Klausel über das ewige Leben sei »dem Wunsch zu verdanken ..., sorgenvolle Gemüter zu beruhigen« als reichlich äußerlich und oberflächlich erscheinen.

[1] S. dazu o. § 16. Über Fehltritt und Unwissenheit s. die Texte ebd. A 6.

und Geist zusammengehalten wird. Der Gegensatz zur Gnosis fordert die Entwicklung einer trinitarischen Theologie heraus; sie macht die von Gott getragene Einheit der Heilsordnung sichtbar, und das heißt zugleich, sie erkennt in dem, der durch den Sohn und den Geist in Erscheinung tritt, wirklich Gott selber[2].

Innerhalb dieses Entwurfs kommt der Heilige Geist zur Sprache. Er ist die Wirksamkeit Gottes in der Heilsökonomie, aber dabei doch nicht eine Funktion des göttlichen Handelns am Menschen, sondern Gott an sich, zu dem er, von allem Geschaffenen unterschieden, zusammen mit dem Sohn immer gehört[3].

Die Frage nach der Gottheit des Geistes stellt sich damit für den Bischof von Lyon auf einer anderen Ebene als etwa für Origenes, Gregor den Wundertäter oder in der Auseinandersetzung mit den Pneumatomachen. Sie wird weder als Problem der theologischen Spekulation formuliert, noch im Gegenüber zu einer expliziten Bestreitung beantwortet. Gleichwohl führt die Entfaltung der trinitarischen Theologie schon dazu, daß auch der dritte Glaubensartikel aufgenommen und so mit dem Gottesbild verbunden wird, daß es zu keiner Minderung oder Unterordnung kommt.

Aufschlußreich ist hier Irenäus' Vorstellung vom Geist als dem γέννημα des Vaters[4]. Der Lyoner Bischof ist noch nicht daran interessiert, einen besonderen Hervorgang des Geistes im Unterschied zu dem des Sohnes zu formulieren, wie es die spätere Theologie als ihre Aufgabe angesehen hat. Ihm geht es darum, den Heiligen Geist deutlich von allem Geschaffenen, Untergöttlichen abzuheben und ihn fest in der Gottheit zu verankern. Wird dies terminologisch mit der Bezeichnung γέννημα erreicht, so braucht man andrerseits ihre Bedeutung auch nicht zu überschätzen, als gebe Irenäus mit ihr eine bis ins letzte theologisch durchreflektierte, umfassende Bestimmung hinsichtlich des Hervorgangs des Geistes. Im Gegenteil, es erscheint aus seiner Sicht als durchaus legitim, sie im weiteren zu präzisieren, um das Verhältnis des Heiligen Geistes zum Sohn klarer aussagen zu können.

Man mag nunmehr überlegen, inwieweit Irenäus in seinem Entwurf einer trinitarischen Theologie den Geist als »Person« verstanden hat. Die Antwort fällt negativ aus, wenn man an die theologischen Reflexionen über die innertrinitarischen Relationen der Gottheit denkt und nach einer entsprechenden Formel sucht. Andrerseits hat Irenäus einmal seine Kenntnis der »prosopographischen Exegese« angedeutet[5]. Und auch ohne vom Geist direkt als

[2] Vgl. zum Ganzen die Darstellung o. § 17 und § 18.
[3] S. bes. o. § 19 c.
[4] S. die Ausführungen o. § 19 c.
[5] Epid. 41 (SC 62,110) mit der Erklärung o. § 21 b.bb bei A 21.

Person zu sprechen, gibt er durchweg zu erkennen, daß er ihn vom Vater und vom Sohn zu unterscheiden weiß und seinen Einsatz in der Heilsökonomie nicht als das Handeln einer anonymen Macht oder das Wirken einer neutrischen Gabe versteht, sondern als das Wirksamwerden einer auf der Ebene vom Vater und Sohn stehenden »Person«[6]. Der Geist ist, um nur einige Beispiele zu nennen, die andere Hand Gottes[7], er übt zusammen mit dem Sohn das Dienstamt für den Vater aus[8], er ist der kluge Regisseur, der die Heilsanordnungen für die Menschen inszeniert[9]; er ist schließlich der Beschützer und Tröster der Kirche, der sie gegen alle Anfeindungen des Bösen feit[10]. Wenn daneben die Bilder vom himmlischen Tau[11], der befruchtenden Feuchtigkeit[12], der ausgegossenen Gabe[13] nicht fehlen, so bedeutet das keine Unausgeglichenheit; sie zeigen die besondere Eigenart des Eigenseins des Heiligen Geistes an, das nicht im Selbstbesitz besteht, sondern im selbstlosen Sich-Verschenken. Es ist demnach kein Grund vorhanden, den nach dem Vater und dem Sohn bekannten Geist prinzipiell anders zu verstehen als die ersten beiden Personen. Und das gilt über den Bereich der Heilsökonomie hinaus auch für Gottes Wesen an sich, steht doch — auch ohne eine ausgebildete innertrinitarische Begrifflichkeit — für Irenäus fest, daß der Gott, der sich in den drei Personen den Menschen offenbar macht, schon immer als Vater, Sohn und Geist existiert.

Von dem Lyoner Bischof aus gesehen, stellen also die trinitarische Interpretation des Symbols und die Hervorhebung der Gottheit des Heiligen Geistes in der weiteren Geschichte keine Fehlentwicklung dar. Irenäus selber betritt schon den Weg, den das Bekenntnis später genommen hat. Er gibt ihm eine klare trinitätstheologische Auslegung, indem er die Heilsökonomie von Vater, Sohn und Geist entfaltet und ihren Grund in der ewigen Wesenheit Gottes findet. Freilich steht das letztere nicht im Mittelpunkt, ja, man könnte im Sinne des Irenäus eine gewisse Kritik an einer Theologie üben, welche die Gewichte umgekehrt verteilt und statt der heilsökonomischen Aussagen eine metaphysische Begrifflichkeit in den Vordergrund stellt. Getroffen davon wäre nicht das Symbol der Väter von

[6] Es sei im ganzen verwiesen auf die Analysen o. § 17 und § 18 und auch auf die statistischen Angaben o. § 27 A 25.

[7] S. o. § 18 a A 11.

[8] 4,7,4 (SC 100,464).

[9] 4,33,7 (SC 100,818) mit der Interpretation o. § 4 b.

[10] 3,17,3 (SC 211,336) mit den Bemerkungen o. § 25 c.

[11] 3,17,3 (SC 211,336).

[12] 3,17,2f (SC 211,332ff); vgl. 3,4,1 (44); 3,24,1 (474); 4,14,2 (SC 100,544); 4,33,14 (842); 4,36,4 (892); 4,39,2 (966); 5,18,2 (SC 153,240); Epid. 89 (SC 62,157).

[13] 3,11,9 (SC 211,170ff); 4,20,6 (SC 100,642); 4,31,2; (792); 4,33,15 (844); 4,36,4 (894); 5,1,1 (SC 153,20); 5,6,1 (76); 5,12,2 (146); 5,20,1 (254).

Konstantinopel, zumal, wenn man seine Angaben über den Heiligen Geist von der Theologie eines Basilius Magnus aus begreift, der gerade beim Geist nicht in den Verdacht einer fruchtlosen Spekulation geraten kann[14]. Kritischer mag man bei einem Bekenntnis wie dem des Thaumaturgen urteilen, einer Formel, die zugunsten von Wesensbestimmungen ganz darauf verzichtet, die dem Gläubigen erfahrbaren Inhalte der Geistwirksamkeit zu benennen[15]. Andrerseits wird man die von Irenäus ausgesprochene Kritik am Erforschen der innergöttlichen Hervorgänge[16] falsch verstehen, wollte man aus ihr eine Absage an das theologische Weiterdenken herauslesen. Sie mahnt zur Zurückhaltung gegenüber maßlosen Spekulationen, die nicht mehr von der Schrift gedeckt sind und schließlich zu einem mythologischen Gebäude im Sinne der Gnosis führen, bedeutet aber keinen Verzicht auf theologisch notwendige Wesensaussagen, die das Verständnis des göttlichen Heilswerks sichern helfen. Und es lassen sich ja aus der späteren Symbolgeschichte auch Beispiele dafür anführen, daß die heilsökonomischen Angaben allein nicht eindeutig genug sind, ja gerade dazu benutzt werden, um eine faktisch häretische Lehrmeinung zu überdecken[17].

Am Ende wird als bleibend gültiger Anspruch der trinitarischen Symbolauslegung des Irenäus von Lyon die Forderung festzuhalten sein, den Glauben an den Heiligen Geist nicht isoliert zu sehen. Der Geist ist in der Geschichte Gottes mit der Menschheit anzutreffen, genauer gesagt, in dem einen Heilswerk, das nach dem Willen des Vaters die Schöpfung vom Anfang bis zum Ende übergreift. Sich zu ihm bekennen, heißt immer, sich zum Sohn und zum Vater führen lassen, in deren Folge der Geist tätig wird. Anderenfalls hätte man es nicht mit dem Heiligen Geist Gottes zu tun, sondern mit einem anderen Geist, der im letzten der menschlichen Beliebigkeit ausgeliefert wäre. Glaube an den Geist bedeutet dann die Bereitschaft, sich auf den Willen Gottes mit den Menschen einzulassen, den Versuch, in der scheinbar ziellosen Geschichte den von Gott gesetzten Sinn zu erfahren und sich ihm zu öffnen. Das Bekenntnis zum Heiligen Geist ist das Bekenntnis zu Gott, der als der dreieinige an den Menschen handelt und, ohne daß beides ineinanderfiele, so wie er sich zu erfahren gibt, von Ewigkeit her in sich selber existiert.

Auch die Aussagen über das Wirken des Heiligen Geistes sind, wie

[14] Vgl. die Bemerkungen o. § 9 Exkurs A 34. Daß der Heilige Geist in der Patristik als ein großes Geheimnis betrachtet worden ist, hat zuletzt T. F. Torrance, aaO 63—85, hervorgehoben.

[15] S. o. § 5 d A 67.

[16] S. dazu o. § 19 b.

[17] Es sei an die semiarianischen Bekenntnisse erinnert; vgl. dazu o. § 11 A 14.

es in den zurückliegenden Analysen sichtbar gemacht werden konnte, bei Irenäus fast immer im Blick auf seine gnostischen Gegner akzentuiert worden. Diese Problematik bildet das entscheidende Merkmal für die irenäische Pneumatologie. Es bestimmt sie als ein Denken, das den Anforderungen der geschichtlichen Stunde zu entsprechen versucht hat. Dem Lyoner Bischof begegnet in der Gnosis, insonderheit bei den Valentinianern, die Vorstellung von dem Geistsamen, der eingesenkten pneumatischen Wesenheit, die den wahrhaften Gnostiker auszeichnet. Die Anschauung tritt nicht so kraß hervor wie etwa die Leugnung der Einheit Gottes oder die Aufspaltung Christi in voneinander geschiedene Substanzen. Dennoch macht sie den inneren Kern des gnostischen Anspruchs aus, da sie das Pneumatikersein erklärt und seine hohe Selbsteinschätzung ermöglicht[18].

Vom Pleroma aus über die Sophia-Achamoth in die wenigen Erwählten gelangt, ist der Geistsame gewissermaßen ein Stück der pleromatischen Substanz. Er kommt dem Einzelnen als naturhafter unverlierbarer Besitz zu. Seine Summe stellt die eigentliche Geistkirche dar; und die zu ihr gehörenden Pneumatiker haben es als ihre einzige Aufgabe anzusehen, den eingesenkten Samen zur Reife zu bringen. Frei von den Bindungen, die den Kirchenchristen auferlegt sind, leben sie im Bewußtsein ihrer Erwählung, die am Ende dazu führen wird, daß sie, von allem Materiellen und Seelischen gelöst, in bräutlicher Vereinigung ins Pleroma aufgenommen werden[19].

Irenäus hat zwar nicht ausdrücklich den Widerspruch zwischen Geistsamen und Heiligem Geist formuliert, aber er liegt doch auf der Hand, insofern die von ihm beschriebene Wirksamkeit des Geistes genau den Kontrast zur gnostischen Samenlehre bildet. Fern davon, ein pleromatisches Wesensteilchen zu sein, ist der Heilige Geist für ihn Gott, der seit jeher am Geschöpf handelt und sich ihm zu erfahren gibt. Er wird dem Menschen nicht als unverlierbares Element eingesenkt; er ist die im Blick auf Christus und von ihm aus wirkende Macht Gottes, die die Kreatur verwandelt und Christus in ihr gestaltet. Der Weg des Geistes zu den Menschen ist dann geschichtlich nachprüfbar. Man hat es nicht mit einem Mythos zu tun, der letztlich der Willkür Tür und Tor öffnet. Gottes Handeln in der Geschichte kann nicht in schillernde Zweideutigkeiten aufgelöst werden. Es liegt klar zu Tage und macht sichtbar, daß der Geist schon immer zusammen mit dem göttlichen Wort

[18] Daß Irenäus darum weiß, zeigt seine Bemerkung über die von den Markosiern verleiteten Frauen, die mit dem sarkastischen Kommentar endet: »hunc fructum habentes seminis filiorum agnitionis« (1,13,7; H 1,127), und das ganze der Widerlegung der Samenlehre gewidmete Kapitel 2,19 (H 1,316—321).

[19] S. dazu o. § 16 und § 23 a.bb.

wirksam ist, um endlich im Neuen Bund offenbar zu werden[20]. Seine Mächtigkeit setzt die geschichtliche Kirche ins Werk. Er kommt über die Apostel und wird von ihnen weitergegeben, so daß Kirche und Geist eine bleibende, immer neu realisierte Einheit bilden[21]. Wie in der Kirche im ganzen so ist er dann im Einzelnen nicht das pneumatische Element, das ihn mit dem Pleroma verbindet, sondern der ihm einwohnende Gott. Er fordert den ganzen Menschen mit Seele und Leib. Er nimmt ihn in die Bewährung und erweist am Ende seine Macht darin, daß er das hinfällige Fleisch in die Lebendigkeit Gottes hineinnimmt[22].
Die in den Hauptstücken nochmals vorgenommene Gegenüberstellung führt zu dem Ergebnis, daß auch die Auslegung des pneumatologischen Artikels in den Streit mit der Gnosis hineingehört. Man steht vor der überraschenden Tatsache, daß hier das Herzstück gnostischen Fühlens getroffen wird, obwohl — was die thematische Auseinandersetzung anbetrifft — den ersten beiden Artikeln der weitaus größere Raum zukommt. Freilich sollen die Dinge nicht auf den Kopf gestellt werden. Irenäus hat sein Hauptinteresse auf die offenkundigen Irrlehren über den Vater und den Sohn gerichtet und mit dem pneumatologischen Artikel nicht zuletzt den Bereich der kirchlichen Glaubenserfahrung angesprochen[23]. Das aber ist ihm nicht möglich, ohne schon an die Bedrohung durch die Häresie zu denken, stößt man sich doch hier mit den Konsequenzen ihrer Lehre und zeigt sich, worin ihr eigentlicher Lebensinhalt besteht. So kann am Ende für Irenäus gesagt werden, daß auch seine Aussagen über den Heiligen Geist im Zusammenhang mit seinem großen Anliegen zu sehen sind, die Einheit des kirchlichen Glaubens zu entfalten, daß sie durch den Gegensatz zum gnostischen Anspruch auf Geistbesitz ihr besonderes Gewicht erhalten.

Mit einer derartigen Akzentuierung steht Irenäus in der weiteren Symbolgeschichte allein da. In keinem der erhaltenen Zeugnisse wird das Werk des Heiligen Geistes mit der gleichen Eindringlichkeit im Blick auf die gnostische Überfremdung des kirchlichen Christentums ausgesagt. Der Grund dafür mag im Wandel der Lage liegen. Er ist aber auch in der persönlichen Einstellung des Autors zu sehen, die sich etwa von der eines Origenes darin unterscheidet, daß dieser, obschon er als entschiedener Gegner der häretischen Gnosis aufgetreten ist, doch Verständnis für sie zeigt, insofern er über den bloßen Glauben hinaus zu tieferer Einsicht in

[20] S. die Ausführungen o. § 18 b und die §§ 20—22.
[21] S. o. § 23.
[22] S. den ganzen § 25.
[23] Vgl. o. § 15 b und die Nachweise o. § 11 A 9.

die Glaubensgeheimnisse vorstoßen will[24]. Schließlich ist es nicht verwunderlich, wenn in einem Werk wie den Büchern adversus haereses, die sich die Bestreitung der gnostischen Lehren zum ausdrücklichen Ziel gemacht haben, der dritte Artikel eine klarere und geschlossenere Ausrichtung erhält als in weniger thematischen Schriften.

Trotz dieser Einschränkungen wird auch in der Zeit nach Irenäus der pneumatologische Artikel antihäretisch verstanden. Das zeigt sich in der durchweg betonten Verbindung von Geist und Kirche, in der Hervorhebung der einen Taufe und in der Aussage der Auferstehung für das Fleisch.

Beim ersten ist besonders an die Texte zu erinnern, in denen die Kirche als die Stätte des Heiligen Geistes erscheint oder ihr instrumentaler Charakter für die Heilsvermittlung herausgestellt wird[25]. Man grenzt sich von häretischen Gruppen ab, indem man das Bekenntnis zum Geist mit der Kirche zusammenschließt, und zwar mit der geschichtlichen sichtbaren Gemeinschaft der Gläubigen. Diese wird dann als die eine bezeichnet. Neben ihr ist keine andere denkbar[26]. Sie ist die katholische, über den ganzen Erdkreis hin verbreitete. Von ihr schneidet sich selber ab, wer sich der Häresie schuldig macht[27]. Sie ist die apostolische, da sie seit der Zeit der Apostel in ungebrochener Kontinuität zu ihnen fortbesteht[28].

Mit der einen Taufe wird der Gegensatz zu Praktiken markiert, die sie durch eine zweite, höhere Geisttaufe ersetzen wollten[29]. Die Erwartung der Fleischesauferstehung schließlich trägt die antihäretische Spitze, daß jeder falschen Spiritualisierung eine Absage erteilt und statt dessen der ganze, wesentlich durch seine Leiblichkeit bestimmte Mensch in die Hoffnung auf Heil und Erlösung hineingenommen wird[30].

Das Werk des Heiligen Geistes verliert sich also nach dem Verständnis der alten Kirche nicht in einer Unverbindlichkeit, die es dem Einzelnen erlauben würde, nach eigenem Belieben das jeweils

[24] S. dazu o. § 5 d mit A 41. Die Auseinandersetzung mit der häretischen Gnosis wird im Johannes-Kommentar geführt, der als Gegenstück zum entsprechenden Kommentar des Herakleon gedacht war. Vgl. die inhaltsreichen Ausführungen von R. Gögler, Origenes, das Evangelium nach Johannes, Einsiedeln 1959 S. 15—64.

[25] Tertullian (s. o. § 2 c mit A 35); Hippolyt (s. o. § 6 b); R (s. o. § 7 b mit A 29); Afrika (s. o. § 8); Dêr-Bal.-Papyrus (s. o. § 9 c); Apost. Konstitutionen VII (s. o. § 9 Exkurs).

[26] S. die Nachweise o. § 9 c A 40.

[27] Nachweise o. § 8 A 12; vgl. o. § 9 c A 51 und § 9 Exkurs A 14.

[28] Vgl. die Nachweise o. § 9 c A 40.

[29] Für die Texte über die Taufe s. o. § 11 A 5; vgl. o. § 9 Exkurs A 11.

[30] S. dazu die Verweise o. § 10 A 9; vgl. auch die Bemerkungen zu Origenes o. § 5 d A 54.

Passende auszuwählen, um seine persönlichen Anschauungen zu legitimieren. Im Gegenteil, die richtige Bestimmung seines Wirkens führt zur klaren Abgrenzung von häretischen Entwürfen und zeigt so das Wesen und die Macht des über die Menschheit ausgegossenen Heiligen Geistes.

Der heutige Betrachter steht nicht nur zeitlich, sondern auch hinsichtlich der theologischen Situation in einer beträchtlichen Distanz von der altkirchlichen Auslegung des pneumatologischen Artikels. Sie deshalb jedoch einfach beiseite schieben zu wollen, hieße es sich zu einfach machen. Denn man begegnet bei Irenäus einer sehr frühen Theologie, die nahe an die Zeit des normativen Ursprungs heranreicht, und findet sie in der Grundrichtung durch einen breiten Konsens in der alten Kirche bestätigt. In jedem Fall bedeutet dies eine Aufforderung zum Nachdenken und zur Auseinandersetzung mit der Tradition, aufgrund derer dann heute der Glaube an den Heiligen Geist ausgesagt werden kann.

Das im einzelnen durchzuführen, würde den Rahmen der vorliegenden Studie sprengen. Man müßte sich an die nicht leichte Aufgabe begeben, den derzeitigen Problemstand der Pneumatologie zu bestimmen, und hätte hier nicht nur die Versuche, das Bekenntnis zum Heiligen Geist neu zu erklären, zu prüfen, sondern sich auch kritisch mit Phänomenen auseinanderzusetzen, wie sie etwa in den Geistbewegungen auftreten. Immerhin sollen im folgenden, nachdem schon über die trinitätstheologischen Aspekte gesprochen worden ist, einige Stichworte genannt werden, die von Irenäus aus in die Debatte eingebracht werden können.

Das Auffälligste bei der Beschreibung des Werks des Heiligen Geistes ist die enge, ja exklusive Bindung an die Kirche. Auf den ersten Blick wird man Anstoß an einem derartigen Selbstbewußtsein nehmen, den Verdacht äußern, hier erfolge eine Kanalisierung der freien Geistesgaben, hier werde etwas faktisch Gewordenes ideologisch verbrämt, und nicht zuletzt die Frage stellen, inwieweit die Gleichung heute für eine Kirche gelten kann, die nur mehr einen Teil der Christenheit repräsentiert.

Ohne Abstriche an den irenäischen Aussagen machen zu wollen, hat man an oberster Stelle festzuhalten, daß er trotz allem keine einfache Identifizierung vornimmt. Der Geist ist nicht die Kirche, die Kirche nicht der Geist. Sie ist vielmehr ein Geschöpf des Heiligen Geistes. Nur deshalb und in dieser Reihenfolge kann von der Gegenwart des Geistes in ihr die Rede sein. Der Geist kommt zuerst; und auch wenn Irenäus die umgekehrte Formulierung verwendet. wo die Kirche existiere, sei auch der Geist zu finden, meint er doch eine vom Heiligen Geist gesetzte Exklusivität, nicht aber einen der menschlichen Willkür überlassenen Anspruch[31]. Er ist nachprüfbar, insofern die Kirche ihren von Gott bestimmten heilsgeschichtlichen Ort hat, der Geist sie in der Bindung an den menschgewordenen Gottessohn erhält, sich zu ihrer Erschaffung und ihrer Erhaltung der Apostel und der apostolischen Sukzession bedient und sie an die objektivierbare Hinterlage der Schrift bindet[32]. Die Einheit von Geist und Kirche ist im Sinne des Lyoner Bischofs kein nachträglich erhobenes Postulat, sondern eine faktisch von Gott verfügte Anordnung, die es auf der Seite des Menschen dankbar anzunehmen gilt.

Die Tatsache, daß vom Geist sprechen muß, wer über die Kirche handeln will, erscheint bedeutsam. Denn die Kirche ist damit mehr als nur das äußerlich Sichtbare ihrer Organisation. Sie hat sich nicht selber in der Hand, sie kann nicht nach Belieben über sich und über ihre Ordnung verfügen. Sie ist kein System, das sich selber steuern würde, sondern verdankt sich immer neu dem in ihr wirkenden Geist, der ihr innerstes Lebensprinzip ist und ihre Rolle im Willen Gottes bestimmt. Freilich besteht hier für den Bischof von Lyon eine selbstverständliche Einheit mit der geschichtlichen Kirche. Sie ist für ihn nicht die eigenmächtige Gründung von Menschen, sondern die im treuen Gehorsam an ihren Ursprung gebundene Gemeinschaft der Gläubigen auf der ganzen Welt. Von häretischen Gruppen unterscheidet sie sich gerade, insofern sie nicht auf eigene Rechnung lebt und handelt. Sie zeichnet sich aus durch ihre bleibende Bindung an die Offenbarung Gottes und die nicht aufgegebene Kontinuität zu ihrer Geschichte[33]. Dabei ist sie, so wie Irenäus sie erlebt und mitträgt, kein erstarrter monolithischer Block, sondern das lebendige Gefüge von Einzelgemeinden, in denen der Heilige Geist erfahren und durch das Zeugnis der Liebe bewährt wird[34].

Ein Auseinanderfallen der beiden Sätze: Wo der Geist ist, da ist die Kirche; wo die Kirche ist, da ist der Geist, in dem Sinne, daß es durch den Geist begründete ›Kirche‹ auch außerhalb der einen Kirche geben könnte, scheint aus der Sicht des Irenäus schwer möglich. Denn er bestimmt den Heiligen Geist als Wahrheit und sieht diese allein in der einen Kirche verwirklicht[35]. Andrerseits betrachtet er wohl die Kirche als das in der Wahrheit geeinte

[31] Vgl. die Bemerkungen o. § 23 a.aa.
[32] S. den ganzen § 24.
[33] S. dazu die Einrahmung der Glaubensformeln 1,10,1; 4,33,7; 5,20,1 (s. o. § 4) und dann die großen Kapitel über die Tradition in Buch 3,1—5 (SC 211, 20—62).
[34] Vgl. hierzu o. § 13.
[35] Vgl. die Folge: Geist, Kirche, Wahrheit in 3,24,1 (SC 211,470—474) und die Ausführungen o. § 23 a.

Ganze, anerkennt jedoch die Eigenständigkeit der Einzelkirchen und verteidigt ihre besonderen Traditionen[36]. In jedem Fall sind die Erklärungen des Lyoner Bischofs eine Herausforderung. Sie anzunehmen, heißt, sich auf den besonderen, geistlichen Charakter der Kirche besinnen und ihn zu bewahrheiten versuchen. Und das bedeutet zugleich einen Schritt auf die eine Kirche zu, in der und durch die Gottes Geist in dieser Welt wirksam ist.

Als nächster Punkt kann aus der irenäischen Pneumatologie — auch hier liegt wieder ein breiter Konsens in der alten Kirche vor — die Frage nach dem Verhältnis von Geist und Schrift hervorgehoben werden, genauer gesagt, die Auffassung, daß der Geist zur Erkenntnis der einen Heilsordnung führt, die Geschichte für Christus eröffnet und so die Einheit der Schrift sichtbar macht[37]. Man mag hier zunächst Kritik an Irenäus üben, ihm einen Mangel an exegetischer Gründlichkeit zum Vorwurf machen, auf offenkundig falsche Interpretationen verweisen, ihm eine zu unmittelbare Verknüpfung des Alten Testaments mit dem Neuen vorhalten und schließlich an allegorische Deutungen erinnern, die aus heutiger Sicht nicht sehr überzeugend wirken[38]. Dabei stehen bleiben zu wollen, hieße jedoch, sowohl Irenäus Unrecht tun, als auch den Kern des Problems übersehen. Es konnte gezeigt werden, daß der Lyoner Bischof, was das methodische Verfahren anbelangt, gerade auf dem Wortlaut der Schrifttexte insistiert. Diesen gegen einen geistlichen Sinn zu stellen, erscheint aus seiner Sicht unmöglich. Hat er es faktisch getan, dann in der Überzeugung, zwischen beiden bestehe kein unauflösbarer Widerspruch. In der Frage der Allegorese schließlich hat Irenäus selber Position gegen die hemmungslose Anwendung in der Gnosis bezogen und erkannt, daß alles der Willkür überlassen ist, wenn man sich nicht an den Grundsatz hält, in jedem Fall die klar ausgedrückten Schriftlehren in den Vordergrund zu stellen, um sich ihrer als Schlüssel für das Verständnis der übrigen Texte zu bedienen[39].

Nunmehr läßt sich weniger mißverständlich sagen, was der Glaube an das Wirken des Geistes für das Schriftverständnis bedeutet. Er hat nichts mit einer willkürlichen Exegese zu tun. Die Suche nach dem geistlichen Charakter der Schrift verlangt zuerst die Bemühung um den Wortsinn, und das heißt zugleich, daß die vergangene Situation nicht übersprungen, sondern als der geschichtliche Kairos

[36] Das zeigt nicht zuletzt die von Eusebius h.e. 5,24,11—17 (ed. Schwartz 494—496) berichtete Intervention des Irenäus im Osterfeststreit: »Die Verschiedenheit im Fasten erweist die Einheit im Glauben«.

[37] S. dazu o. § 21 a und b sowie § 24 c.aa.

[38] S. o. § 24 c.aa und die Bemerkungen o. § 21 b.cc. Beispiele für die Allegorese finden sich o. § 24 c.cc A 59.

[39] S. o. § 24 c.cc mit A 58 und 59.

des Handelns Gottes mit dem Menschen ernst genommen wird. Dann aber wird die vom Geist geleitete Auslegung die Texte auf das Heilshandeln des einen Gottes in der einen Geschichte beziehen, das sein Ziel im Christusereignis hat. Sie eröffnet die große, von Gott gewährte Dimension, innerhalb derer das Einzelzeugnis seinen tiefsten Sinn offenbart und über die einstmalige Situation zur Anrede an die Gläubigen werden kann.

Das letzte Stichwort trifft heute auf einen breiten Erwartungshorizont: Der Geist und die Zukunft. Bei Irenäus nimmt das Thema großen Raum ein. Man kann in ihm den Rahmen für die übrigen Aussagen über den Heiligen Geist sehen, insofern dieser auf Christus ausrichtet und das Leben Gottes eröffnet. Wie der zweite so hat auch der dritte Glaubensartikel ein eschatologisches Gefälle. Er führt nicht erst am Ende, sondern schon seiner inneren Dynamik nach in die Zukunft Gottes hinein[40]. Dabei verdient die so nachdrücklich hervorgehobene Leibhaftigkeit besondere Beachtung, der Gedanke, daß der Geist vom ganzen Menschen Besitz ergreift und ihn zu einem Leben in Glaube und Liebe bewegt[41]. Wenn die im Leibe zu vollbringenden Werke wesentlich werden, führt dies geradewegs in die Eschatologie, da der vom Geist in den Dienst genommene Leib von ihm schließlich zum endgültigen, unvergänglichen Leben erhoben wird. Weil die Auferstehung als die Frucht des im Leibe bewährten Heiligen Geistes schon in diesem Leben beginnt, steht es unter dem Ansporn, die materielle Leiblichkeit durch die Taten des Glaubens und der Liebe verwandeln und so zu einem Werkzeug des Geistes machen zu lassen[42]. Man wird heute nicht zuletzt die soziale Dimension dieses Tuns betonen und in diesem Sinn von der befreienden Macht des Geistes sprechen. Irenäus kommt dem insoweit entgegen, als er die Gerechtigkeit gegenüber dem Nächsten als das unverzichtbare Korrelat eines Lebens im Geiste betrachtet[43]. Jedoch erscheint es schlechterdings unmöglich, daraus die Münze für eine Ideologie gleich welcher Art zu schlagen. Die Forderung nach Gerechtigkeit ist vollständig eingebunden in die Haltung der Liebe zu Gott. Sie findet ihren höchsten Ausdruck in der Hingabe im Martyrium und kennt keine andere Motivation als die, Gottes Willen zu entsprechen, Christus gleichförmig zu werden und am Ende zur beseligenden, allein sinngebenden Anschauung des Vaters zu gelangen.

[40] Vgl. die Ausführungen über die Struktur o. § 10 und auch die Nachweise o. § 11 A 5.
[41] S. bes. o. § 25 a.
[42] S. dazu o. § 25 c und § 25 d.
[43] S. etwa 5,6,1 (SC 153,80) und die Erklärungen o. § 25 c.

Literaturverzeichnis

Da die Literatur in den Anmerkungen jeweils vollständig zitiert ist, werden hier nur die von der Thematik her bedeutenden sowie die wiederholt genannten Werke angeführt. Die Abkürzungen folgen vielfach den Verzeichnissen im Lexikon für Theologie und Kirche, Bd. I, II, VI, Freiburg ²1957ff, und in: Die Religion in Geschichte und Gegenwart, Tübingen ³1956ff.

I. Quellen

Textsammlungen:

Bibliothek der Symbole und Glaubensregeln der alten Kirche, herausgegeben von August Hahn, dritte vielfach veränderte und vermehrte Auflage von G. Ludwig Hahn, mit einem Anhang von Dr. Adolf Harnack, Breslau 1897 (Nachdruck 1962).

Symbole der alten Kirche, ausgewählt von Hans Lietzmann (Kleine Texte für Vorlesungen und Übungen 17/18), Berlin ⁶1968.

Enchiridion Symbolorum, Definitionum et Declarationum de Rebus Fidei et Morum, quod primum edidit Henricus Denzinger et quod funditus retractavit, auxit, notulis ornavit Henricus Schönmetzer, Barcelona, Freiburg, New York ³²1963.

Soweit keine neueren kritischen Editionen vorliegen, sind die Referenzen nach der Patrologia Graeca, hrsg. von J. P. Migne, Paris 1857—1866, und der Patrologia Latina, hrsg. von J. P. Migne, Paris 1878—1890, erfolgt.

Editionen:

(Apostolische Konstitutionen) Franz Xaver Funk, Didaskalia et Constitutiones Apostolorum, Bd. I Paderborn 1905.

(Basilius) Basile de Césarée, Sur le Saint-Esprit. Introduction, texte, traduction et notes par Benoît Pruche (SC 17²), Paris 1968.

Clemens Alexandrinus, hrsg. v. O. Stählin, Bd. I Leipzig ²1936 (GCS 12); Bd. II Leipzig ²1939 (GCS 15); Bd. III Leipzig 1909 (GCS 17).

(Cyprian) S. Thasci Caecilii Cypriani Opera omnia, recensuit et commentario critico instruxit G. Hartel, Wien 1868—1871 (CSEL 3,1.2).

(Didache) K. Bihlmeyer, Die apostolischen Väter I, Tübingen ²1956.

(Didaskalie) Franz Xaver Funk, Didaskalia et Constitutiones Apostolorum, Bd. I Paderborn 1905.

R. H. Connolly, Didascalia Apostolorum. The Syriac Version translated and accompanied by the Verona Latin Fragments, Oxford 1929 (Nachdr. 1969).

Epiphanius Ancoratus und Panarion, Bd. I Leipzig 1915 (GCS 25); Bd. II Leipzig 1922 (GCS 31); Bd. III Leipzig 1933 (GCS 37).

Epistula Apostolorum, hrsg. v. H. Duensing in: E. Hennecke - W. Schneemelcher, Neutestamentliche Apokryphen Bd. I Tübingen ³1968, S. 127—155.

Eusebius' Werke Bd. II 1—3, Kirchengeschichte ... hrsg. v. E. Schwartz, Leipzig 1903—1909 (GCS 9,1—3).

(Gelasianisches Sakramentar) L. C. Mohlberg, Liber Sacramentorum Romanae Aecclesiae Ordinis Anni Circuli (Rerum ecclesiasticorum documenta series maior Fontes 4), Rom 1960.

Die Gnosis, Bd. I: Zeugnisse der Kirchenväter. Unter Mitwirkung von E. Haenchen und M. Krause eingeleitet, übersetzt und erläutert von W. Foerster (Bibliothek der alten Welt, Reihe Antike und Christentum), Zürich-Stuttgart 1969.

Gregor von Nazianz, Die fünf theologischen Reden, hrsg. von J. Barbel (Testimonia 3), Düsseldorf 1963.

Gregorii Nysseni Opera, Bd. I², Bd. II: Contra Eunomium libri. Refutatio confessionis Eunomii ed. W. Jaeger, Leiden 1960; Bd. III, 1 Opera dogmatica minora I ed. F. Mueller, Leiden 1958.

(Hippolyt) B. Botte, La Tradition apostolique de saint Hippolyte, essai de reconstitution (Liturgiewiss. Quellen und Forschungen 39), Münster 1963.

E. Tidner, Didaskaliae Apostolorum, Canonum Ecclesiasticorum, Traditionis Apostolicae Versiones Latinae (TU 75), Berlin 1963.

G. Dix, Ἀποστολικὴ Παράδοσις. The Treatise on the Apostolic Tradition of St. Hippolytus of Rome, London 1937; 2. Aufl. mit Verbesserungen, Vorwort und Bibliographie v. H. Chadwick, London 1968.

P. Nautin, Hippolyte, contre les hérésies. Fragment, étude et édition critique (Etud. et textes pour l'histoire du dogme de la Trinité 2), Paris 1949.

(Irenäus) Sancti Irenaei Episcopi Lugdunensis libros quinque adversus haereses ... ed. W. Wigan Harvey, 2 Bde. Cambridge 1857 (Nachdr. 1965).

Irénée de Lyon, Contre les hérésies. Mise en lumière et réfutation de la prétendue ›connaissance‹, Livre III texte latin, fragments grecs, introduction, traduction et notes de F. Sagnard (SC 34), Paris 1952.

Irénée de Lyon, Contre les hérésies, livre III, édition critique par Adelin Rousseau ... et Louis Doutreleau. Tome I: introduction, notes justificatives, tables. Tome II: texte et traduction (SC 210.211), Paris 1974.

Irénée de Lyon, Contre les hérésies, livre IV, édition critique d'après les versions arménienne et latine sous la direction de Adelin Rousseau ... avec la collaboration de Bertrand Hemmerdinger, Louis Doutreleau, Charles Mercier, T. I: introduction, notes justificatives, tables, T. II: texte et traduction (SC 100), Paris 1965.

Irénée de Lyon, Contre les hérésies, livre V, édition critique d'après les versions arménienne et latine par Adelin Rousseau..., Louis Doutreleau, Charles Mercier, T. I: introduction, notes justificatives, tables, T. II: texte et traduction (SC 152.153), Paris 1969.

Irénée de Lyon, Démonstration de la Prédication apostolique, nouvelle traduction de l'arménien avec introduction es notes par L. M. Froidevaux (SC 62), Paris 1959 (Nachdr. 1971).

Des hl. Irenäus Schrift zum Erweise der apostolischen Verkündigung ... in armenischer Version entdeckt, hrsg. und ins Deutsche übersetzt von K. Ter-Mekerttschian und E. Ter-Minassiantz; mit einem Nachwort und Anmerkungen von A. Harnack (TU 31,1), Leipzig 1907, 2. verb. Aufl. separat Leipzig 1908.

Des heiligen Irenäus Schrift Zum Erweise der apostolischen Verkündigung aus dem Armenischen übersetzt von Dr. S. Weber (BKV² 4), Kempten-München 1912.

Des heiligen Irenäus fünf Bücher gegen die Häresien übersetzt von Dr. E. Klebba, 2 Bde. (BKV² 3.4), Kempten-München 1912.

Lexique comparé du texte grec et des versions latine, arménienne et syriaque de l'»adversus haereses« de saint Irénée, II: Index des mots latins par Bruno Reynders (Corpus Script. Christ. Orient. 142 Subsidia T. 6), Louvain 1954 (Nachdr. 1963).

(Justin) Edgar J. Goodspeed, Die ältesten Apologeten. Texte mir kurzen Einleitungen, Göttingen 1914.

Novatianus, De Trinitate — Über den dreifaltigen Gott, Text und Übersetzung mit Einleitung und Kommentar, hrsg. v. H. Weyer, Darmstadt 1962.

Origenes' Werke, Bd. 3: Jeremiahomilien ..., hrsg. v. E. Klostermann (GCS 6), Leipzig 1901; Bd. 4: Der Johannes-Kommentar, hrsg. v. E. Preuschen (GCS 10), Leipzig 1903; Bd. 5: De principiis, hrsg. v. P. Koetschau (GCS 22), Leipzig 1913; Bd. 6: Homilien zum Hexateuch in Rufins Übersetzung I, hrsg. v. W. A. Baehrens (GCS 29), Leipzig 1920; Bd. 7: Homilien zum Hexateuch in Rufins Übersetzung II, hrsg. v. W. A. Baehrens (GCS 30), Leipzig 1921; Bd. 11: Origenes Matthäuserklärung, II: Die lateinische Übersetzung der Commentariorum series, hrsg. v. E. Klostermann und E. Benz (GCS 38), Leipzig 1933.

Origenes, Das Evangelium nach Johannes, übersetzt und eingeführt von R. Gögler (Menschen der Kirche NF 4), Einsiedeln, Zürich, Köln 1959.

(Rufin) Tyrannii Rufini Opera recognovit Manlius Simonetti (CCL 20), Turnholt 1971.

(Tertullian) Quinti Septimi Florentis Tertulliani Opera. Pars I: Opera catholica. Adversus Marcionem; Pars II: Opera montanistica (CCL 1.2), Turnholt 1954.

II. Sekundärliteratur

Alfred Adam, Lehrbuch der Dogmengeschichte, Bd. I: Die Zeit der alten Kirche, Gütersloh 1965.

Karl Adam, Der Kirchenbegriff Tertullians. Eine dogmengeschichtliche Studie (Forsch. z. christl. Lit.- und Dogmengesch.), Paderborn 1907.

Karl Adam, Die Lehre vom Heiligen Geist bei Hermas und Tertullian, ThQ 88 (1906) 36—61.

Ademar d'Alès, La doctrine de l'Esprit en s. Irénée, RSR 14 (1924) 497—538.

Ademar d'Alès, La doctrine de la récapitulation en s. Irénée, RSR 6 (1916) 185—211.

Ademar d'Alès, La théologie de Tertullien, Paris 1905.

Berthold Altaner-Alfred Stuiber, Patrologie, Leben, Schriften und Lehre der Kirchenväter, Freiburg-Basel-Wien ⁷1966.

Th.-André Audet, Orientations théologiques chez saint Irénée. Le contexte mental d'une ›γνῶσις ἀληθής‹, Traditio 1 (1943) 25—54.

F. J. Badcock, Le credo primitif d'Afrique, Rev. Bén. 45 (1933) 3—9.

Hans Urs von Balthasar, Herrlichkeit. Eine theologische Ästhetik, Bd. II: Fächer der Stile, Teil I: Klerikale Stile, Einsiedeln ²1969, S. 33—94.

Hans Urs von Balthasar, Spiritus Creator. Skizzen zur Theologie III, Einsiedeln 1967.

Gustave Bardy, La règle de foi d'Origène, RSR 9 (1919) 162—196.

René-Claude Baud, Les »Règles« de la théologie d'Origène RSR 55 (1967) 161—208.

Wolfgang Bender, Die Lehre über den Heiligen Geist bei Tertullian, München 1961.

Alfred Bengsch, Heilsgeschichte und Heilswissen. Eine Untersuchung zur Struktur und Entfaltung des theologischen Denkens im Werk »adversus haereses« des hl. Irenäus von Lyon (Erfurter theol. Stud. 3), Leipzig 1957.

André Benoît, Saint Irénée, introduction à l'étude de sa théologie (Etud. d'hist. et de phil. rel. 52), Paris 1960.

André Benoît, Le baptême chrétien au second siècle. La théologie des Pères (Etud. d'hist. et de phil. rel. 43), Paris 1953.

Pierre Benoît, Der neutestamentliche Ursprung des apostolischen Glaubensbekenntnisses (Exegese und Theologie. Gesammelte Aufsätze S. 280—293), Düsseldorf 1965 (1952).

G. Nathanael Bonwetsch, Die Theologie des Irenäus (Beitr. z. Förd. christl. Theol. 2,9), Gütersloh 1925.

Wilhelm Bornemann, Das Taufsymbol Justins des Märtyrers, ZKG 3 (1879) 1—27.

René Braun, Deus Christianorum. Recherches sur le vocabulaire doctrinal de Tertullien, Paris 1962.

Johannes Brinktrine, Die trinitarischen Bekenntnisformeln und Taufsymbole, ThQ 102 (1921) 156—190.

Norbert Brox, Offenbarung, Gnosis und gnostischer Mythos. Zur Charakteristik der Systeme (Salzburger patrist. Stud. 1), Salzburg 1966.

Norbert Brox, Charisma veritatis certum. Zu Irenäus adversus haereses 4,26,2, ZKG 75 (1964) 327—331.

Rudolf Bultmann, Theologie des Neuen Testaments, Tübingen [4]1961.

Pierre Thomas Camelot, Les récentes recherches sur le symbole des apôtres et leur portée théologique, RSR 39 (1951/52) 323—337.

Hans Freiherr von Campenhausen, Taufen auf den Namen Jesu, Vig. Christ. 25 (1971) 1—16.

Hans Freiherr von Campenhausen, Das Bekenntnis im Urchristentum, ZNW 63 (1972) 210—253.

Bernard Capelle, Les origines du symbole romain, RThAM 2 (1930) 5—20.

Bernard Capelle, Le symbol romain au second siècle, Rev. Bén. 39 (1927) 33—45.

Carl Paul Caspari, Hat die alexandrinische Kirche zur Zeit des Clemens ein Taufsymbol besessen oder nicht? Zeitschr. f. kirchl. Wiss. u. kirchl. Leben 7 (1886) 352—375.

Carl Paul Caspari, Alte und neue Quellen zur Geschichte des Taufsymbols und der Glaubensregel, Christiania 1879.

Carl Paul Caspari, Ungedruckte, unbeachtete und wenig beachtete Quellen zur Geschichte des Taufsymbols und der Glaubensregel, 3 Bde., Christiania 1866. 1869. 1875.

Hans Conzelmann, Grundriß der Theologie des Neuen Testaments, München 1968.

Oscar Cullmann, Die ersten christlichen Glaubensbekenntnisse (Theol. Stud., hrsg. v. K. Barth 15), Zürich [2]1949.

Franz Joseph Dölger, Die Eingliederung des Taufsymbols in den Taufvollzug nach den Schriften Tertullians, Antike und Christentum 4 (1934) 138—146.

Hermann Dörries, De Spiritu Sancto. Der Beitrag des Basilius zum Abschluß des trinitarischen Dogmas (Abhandl. Akad. d. Wiss. Göttingen 3. F. 39), Göttingen 1956.

Caelestis Eichenseer, Das Symbolum Apostolicum beim hl. Augustinus mit Berücksichtigung des dogmengeschichtlichen Zusammenhangs (Kirchengeschichtl. Quellen u. Stud. 4), St. Ottilien 1960.

Damien van den Eynde, Les normes de l'enseignement chrétien dans la littérature patristique de trois premiers siècles (Univ. cath. de Louvain, Diss. théol. Sér. 2,25), Gembloux 1933.

Pierre Evieux, Théologie de l'accoutumance chez saint Irénée, RSR 55 (1967) 5—54.

Paul Feine, Die Gestalt des apostolischen Glaubensbekenntnisses in der Zeit des Neuen Testaments, Leipzig 1925.

Léon Froidevaux, Le symbole de saint Grégoire le Thaumaturge, RSR 19 (1929) 193—247.

Joseph de Ghellinck, Patristique et moyen-âge. Etudes d'histoire littéraire et doctrinale. T. I: Les recherches sur les origines du symbole des apôtres (Mus. Less. Sect. hist. 6), Gembloux-Brüssel-Paris [2]1949.

Bengt Hägglund, Die Bedeutung der regula fidei als Grundlage theologischer Aussagen, Stud. theol. Lund. 12 (1958) 1—44.

Adolf von Harnack, Lehrbuch der Dogmengeschichte. Bd. I: Die Entstehung des kirchlichen Dogmas; Bd. II: Die Entwicklung des kirchlichen Dogmas I, Tübingen [4]1909 (Nachdr. 1964).

Wolf-Dieter Hauschild, Gottes Geist und der Mensch. Studien zur frühchristlichen Pneumatologie (Beitr. z. ev. Theol. Theol. Abhandl. 63), München 1972.

Johannes Haußleiter, Trinitarischer Glaube und Christusbekenntnis in der alten Kirche. Neue Untersuchung zur Geschichte des apostolischen Glaubensbekenntnisses (Beitr. z. Förd. christl. Theol. 25,4), Gütersloh 1920.

Philip Hefner, Theological Methodology and St. Irenaeus, The Journal of Rel. 44 (1964) 294—309.

Adolf Hilgenfeld, Die Ketzergeschichte des Urchristentums urkundlich dargestellt, Leipzig 1884 (Nachdr. 1966).

Selma Hirsch, Die Vorstellung von einem weiblichen pneuma hagion im NT und in der ältesten christlichen Literatur. Ein Beitrag zur Lehre vom Hl. Geist (Diss. z. Erlangung d. Licentiatenwürde, Friedr.-Wilhelms-Univers.), Berlin 1926.

F. R. Montgomery Hitchcock, Loofs' Theory of Theophilus of Antiochia as a source of Irenaeus, JTS 38 (1937) 130—139.255—266.

F. R. Montgomery Hitchcock, Loofs' asiatic source IQA and the Ps. Justin de resurrectione, ZNW 36 (1937) 35—60.

David Larrimore Holland, Credis in spiritum sanctum et sanctam ecclesiam et resurrectionem carnis? Ein Beitrag zur Geschichte des Apostolikums, ZNW 82 (1970) 126—144.

David Larrimore Holland, The baptismal interrogation concerning the Holy Spirit in Hippolytus' »Apostolic Tradition« (Stud. patrist. 10, Oxford 1967 = TU 107), Berlin 1970, S. 360—365.

David Larrimore Holland, The Earliest Text of the Old Roman Symbol. A Debate with H. Lietzmann and J. N. D. Kelly, Church Hist. 34 (1965) 262—281.

Henry Holstein, Les formules du symbole dans l'oeuvre de saint Irénée, RSR 34 (1947) 454—461.

Albert Houssiau, La christologie de s. Irénée (Univ. Cath. Lovan. Diss. Ser. 3,1), Louvain-Gembloux 1955.

Godehard Joppich, Salus carnis. Eine Untersuchung in der Theologie des hl. Irenäus (Münsterschwarzacher Stud. 1), Münsterschwarzach 1965.

Ferdinand Kattenbusch, Das apostolische Symbol. Seine Entstehung, sein geschichtlicher Sinn, seine ursprüngliche Stellung im Kultus und in der Theologie der Kirche. Ein Beitrag zur Symbolik und Dogmengeschichte. Bd. I: Die Grundgestalt des Taufsymbols, Leipzig 1894; Bd. II: Verbreitung und Bedeutung des Taufsymbols, Leipzig 1900 (Nachdr. 1962).

John Norman Davidson Kelly, Early Christian Creeds, London [3]1972; deutsch von K. Dockhorn: Altchristliche Glaubensbekenntnisse. Geschichte und Theologie, Göttingen 1972.

Ernst Klebba, Die Anthropologie des hl. Irenäus (Kirchengesch. Stud. 2,3), Münster 1894.

Georg Kretschmar, Zur Geschichte des Taufgottesdienstes in der alten Kirche (Leiturgia 5), Kassel 1970 S. 1—346.

Georg Kretschmar, Le développement de la doctrine du Saint-Esprit du Nouveau Testament à Nicée, Verbum Caro 22 (1968) Nr. 88 S. 4—55.

Georg Kretschmar, Studien zur frühchristlichen Trinitätslehre (Beitr. z. hist. Theol. 21), Tübingen 1956.

Johannes Kunze, Glaubensregel, Hl. Schrift und Taufbekenntnis. Untersuchungen über die dogmatische Autorität, ihr Werden und ihre Geschichte, vornehmlich in der alten Kirche, Leipzig 1899.

Geoffrey William Hugo Lampe, A patristic Greek Lexicon, Oxford 1961.

Jules Lebreton, Les origines du symbole baptismal, RSR 20 (1930) 97—124.

Jules Lebreton, Histoire du dogme de la Trinité. T. I: Les origines, Paris [3]1910; T. II: De saint Clément à saint Irénée, Paris [4]1928.

Hans Lietzmann, Kleine Schriften III. Studien zur Liturgie- und Symbolgeschichte. Zur Wissenschaftsgeschichte, hrsg. v. d. Kommission für spätantike Religionsgeschichte, Berlin 1962; S. 163—181: Die Anfänge des Glaubensbekenntnisses (Festgabe f. A. v. Harnack z. 70. Geburtstag, Tübingen 1921, S. 226—242); S. 182—188: Die Urform des apostolischen Glaubensbekentnnisses (SAB 1919, S. 269—274); S. 189—223: Symbolstudien 1—7 (ZNW 21 [1922] 5—22); S. 224—248: Symbolstudien 8—12 (ZNW 22 [1923] 257—279); S. 248—260: Symbolstudie 13 (ZNW 24 [1925] 193—202); S. 260—281: Symbolstudie 14 (ZNW 26 [1927] 75—95).

Friedrich Loofs, Theophilus von Antiochien adversus Marcionem und die anderen theologischen Quellen bei Irenäus (TU 46), Leipzig 1930.

Henry de Lubac, La foi chrétienne. Essai sur la structure du Symbole des Apôtres, Paris [2]1970.

J. Mambrino, Les Deux Mains de Dieu dans l'oeuvre de saint Irénée, Nouv. Rev. Théol. 79 (1957) 355—370.

José Pablo Martín, El Espíritu Santo en los Origenes de Cristianismo. Estudio sobre I Clemente, Ignacio, II Clemente y Justino Martir (Biblioteca di Science Rel. 2), Zürich 1971.

Adolf Matthaei, Über den Zusammenhang im dritten Artikel des apostolischen Symbols (Programme Hamburg, Realgymnasium des Johanneum 1839—1844), Hamburg 1884 S. 3—14.

Joseph Moingt, La théologie trinitaire de Tertullien, 3 Bde. Paris 1966.

Pierre Nautin, Je crois à l'Esprit-Saint, dans la sainte église, pour la resurrection de la chair. Etude sur l'histoire et la théologie du symbole (Unam sanctam 17), Paris 1947.

Burkhard Neunheuser, Taufe und Firmung (Handb. d. Dogmengesch. 4,2), Freiburg 1956.

Arnold Nußbaumer, Das Ursymbolum nach der Epideixis des hl. Irenäus und dem Dialog Justins des Märtyrers mit Trypho (Forsch. z. christl. Lit.- u. Dogmengesch. 14,2), Paderborn 1921.

Antonio Orbe, Antropología de San Ireneo, Madrid 1969.

Antonio Orbe, La Teología del Espíritu Santo (Anal. Greg. 158; Estud. Valent. 6), Rom 1966.

Antonio Orbe, Hacia la primera Teología de la Procesión del Verbo (Estud. Valent. 1), Rom 1958.

F. van de Paverd, The meaning of ἐκ μετανοίας in the Regula fidei of St. Irenaeus, Or. Chr. Per. 38 (1972) 454—466.

George Leonard Prestige, God in Patristik Thought, London ²1952.

Johannes Quasten, Art. Symbolforschung LThK² 9, 1210—1212.

Joseph Ratzinger, Einführung in das Christentum. Vorlesungen über das Apostolische Glaubensbekenntnis, München 1968.

J. M. Restrepo-Jaramillo, Tertuliano y la doble fórmula en el símbolo apostólico, Greg. 15 (1934) 3—58.

Adolf Martin Ritter, Das Konzil von Konstantinopel und sein Symbol. Studien zur Geschichte und Theologie des 2. ökumenischen Konzils (Forsch. z. Kirchen- u. Dogmengesch. 15), Göttingen 1965.

Adelin Rousseau, La doctrine de saint Irénée sur la préexistence du Fils de Dieu dans Dém. 43, Le Muséon 89 (1971) 5—42.

Francois M. M. Sagnard, La gnose valentinienne et le témoignage de s. Irénée (Etud. de Phil. Méd. 36), Paris 1947.

Heinrich Schlier, Die Anfänge des christologischen Credo (Zur Frühgeschichte der Christologie. Ihre biblischen Anfänge und die Lehrformel von Nikaia, hrsg. v. B. Welte), Quest. disp. 51 Freiburg 1970, S. 13—58.

Karl Schluetz, Isaias 11,2 (Die sieben Gaben des Heiligen Geistes) in den ersten vier christlichen Jahrhunderten, Münster 1932.

Peter Schwanz, Imago Dei als christologisch-anthropologisches Problem in der Geschichte der alten Kirche von Paulus bis Clemens von Alexandrien (Arb. z. Kirchengesch. u. Religionswiss. 2), Halle 1970.

Eduard Schwartz, Das Nicaenum und das Constantinopolitanum auf der Synode zu Chalzedon, ZNW 25 (1926) 38—88.

Eduard Schwartz, Über die pseudoapostolischen Kirchenordnungen (Gesammelte Schriften 5), Berlin 1963, S. 192—273 = Schriften der wiss. Gesellschaft in Straßburg 6, 1910.

Alfred Seeberg, Der Katechismus der Urchristenheit. Mit einer Einführung von F. Hahn (Theol. Bücherei 26), München ²1966. 1. Aufl. Leipzig 1903.

Reinhold Seeberg, Lehrbuch der Dogmengeschichte. Bd. I: Die Anfänge des Dogmas im nachapostolischen und altkatholischen Zeitalter, Leipzig ³1920;

Bd. II: Die Dogmenbildung in der alten Kirche, Leipzig [3]1923 (Nachdr. 1965).

Alois Stenzel, Die Taufe. Eine genetische Erklärung der Taufliturgie (Forsch. z. Gesch. d. Theol. u. d. innerkirchl. Lebens 7/8), Innsbruck 1958.

Henry Barclay Swete, The Holy Spirit and the ancient Church. A study of Christian Teaching in the Age of the Fathers, London 1912.

Thomas F. Torrance, Spiritus creator, Verbum caro 23 (1969) Nr. 89, 63—85.

Martin Widmann, Irenäus und seine theologischen Väter, ZThK 54 (1957) 156—173.

Gustav Wingren, Människan och Inkarnationen enligt Irenäus, Lund 1947; engl. Übers.: Man and the Incarnation. A Study in the Biblical Theology of Irenaeus, London 1959.

Theodor von Zahn, Neuere Beiträge zur Geschichte des apostolischen Symbolums, NKZ 7 (1896) 16—33.93—123.

Theodor von Zahn, Das apostolische Symbol. Eine Skizze seiner Geschichte und eine Prüfung seines Inhalts, Erlangen-Leipzig [2]1893.

Theodor von Zahn, Glaubensregel und Taufsymbol in der alten Kirche, Zeitschr. f. kirchl. Wiss. u. kirchl. Leben 2 (1881) 303—324.

Register

I. Irenäustexte (in Auswahl)

adversus haereses

Buch I

Buch II

Buch III

II. Antike Autoren und Schriften (in Auswahl)

III. Moderne Autoren

Die zuletzt erschienenen Bände der MBT. Einen ausführlichen Prospekt über die Reihe erhalten Sie direkt vom Verlag Aschendorff D 44 Münster, Postfach 1124

Münsterische Beiträge zur Theologie

27 Geschaffene und ungeschaffene Gnade. Bibeltheologische Fundierung und systematische Erörterung. Von Irene Willig. 1964, VI und 310 Seiten, kart. 40,– DM, Halbleinen 42,– DM.

28/1 Die Entfaltung der Transsubstantiationslehre bis zum Beginn der Hochscholastik. Von Hans Jorissen. 1965, XXII und 161 Seiten, kart. 23,– DM, Halbleinen 26,– DM. Als 2. Teilband ist eine Edition der wichtigsten eucharistischen Texte dieser Periode in Vorbereitung.

29 Die Frömmigkeit des Kirchenvaters Ambrosius von Mailand. Quellen und Entfaltung. Von Ernst Dassmann. 1965, XIV und 318 Seiten, kart. 46,– DM, Halbleinen 49,– DM.

30,1/2 Geschichte der Katholisch-Theologischen Fakultät Münster 1773–1964. Von Eduard Hegel.
Erster Teil. 1966, XII und 598 Seiten, 14 Abbildungen, 109 Abbildungen auf Tafeln, Leinen 120,– DM.
Zweiter Teil. 1971, VIII und 571 Seiten, 1 Falttafel, Leinen 120,– DM.

31 Die Diskussion über die klandestinen Ehen und die Einführung einer zur Gültigkeit verpflichtenden Eheschließungsform auf dem Konzil von Trient. Eine kanonistische Untersuchung. Von Reinhard Lettmann. 1967, VIII und 195 Seiten, kart. 28,– DM, Halbleinen 32,– DM.

32 Christos Didaskalos. Die Vorstellung von Christus als Lehrer in der christlichen Literatur des ersten und zweiten Jahrhunderts. Von Friedrich Normann. 1967, VIII und 192 Seiten, kart. 28,– DM, Halbleinen 32,– DM.

33 Das wahre Gesetz. Eine Untersuchung der Auffassung des Ambrosius von Mailand vom Verhältnis der beiden Testamente. Von Viktor Hahn. 1969, XX und 547 Seiten, kart. 88,– DM, Halbleinen 92,– DM.

34 Die Heilslehre des hl. Gregor von Nazianz. Von Heinz Althaus. 1972, VIII und 232 Seiten, kart. 48,– DM.

35 Politische Motive naturwissenschaftlicher Argumentation gegen Religion und Kirche im 19. Jahrhundert. Dargestellt am ‚Materialisten' Karl Vogt (1817–1895). Von Werner Bröker. 1973, IV und 260 Seiten, kart. 44,– DM.

36 Sündenvergebung durch Taufe, Buße und Martyrerfürbitte in den Zeugnissen frühchristlicher Frömmigkeit und Kunst. Von Ernst Dassmann. 1973, X und 494 Seiten, 51 Bildtafeln, 8 Tabellen als Beilage, kart. 98,– DM.

37 Zum Problem der Erkenntnis bei Gregor von Nyssa. Von Maria-Barbara von Stritzky. 1973, VIII und 119 Seiten, kart. 24,– DM.

38 Läuterung nach dem Tode und pneumatische Auferstehung bei Clemens von Alexandrien. Von Klaus Schmöle. 1974, VIII und 152 Seiten, kart. 38,– DM.

39 Das Problem der Gottesvorstellungen im Werk von Albert Camus. Von Gisela Linde. 1974, VI und 178 Seiten, kart. 45,– DM.

40 Der Heilige Geist im Bekenntnis der Kirche. Eine Studie zur Pneumatologie bei Irenäus von Lyon im Ausgang vom altchristlichen Glaubensbekenntnis. Von Hans-Jochen Jaschke.

Aschendorff